Rosamunde Pilcher

De Schelpenzoekers

VAN REEMST
UITGEVERIJ

HOUTEN

Veertiende druk, 2003

Oorspronkelijke titel: *The Shell Seekers*
Oorspronkelijke uitgave: St. Martin's Press, New York
© 1987 by Rosamunde Pilcher

© 1994 Nederlandstalige uitgave:
Van Reemst Uitgeverij, Unieboek bv
Postbus 97, 3990 DB Houten

www.unieboek.nl

Eerder verschenen onder de titel: *Cirkels in het zand*

Vertaling: M. W. Blok
Omslagontwerp: Andrea Scharroo
Omslagillustratie: August Macke, 'Promenade'

ISBN 90 410 0013 5
NUR 340

Dit boek is voor mijn kinderen en hun kinderen.

Voorspel

De taxi, een oude Rover waarin de lucht van oude sigaretterook hing, rolde in een kalm tempo over de stille landweg. Het was eind februari, vroeg in de middag van een betoverende winterdag met bittere kou, vorst en een bleke lucht zonder wolken. De zon scheen en wierp lange schaduwen, maar ze gaf weinig warmte, en de geploegde akkers leken hard als ijzer. Uit de schoorstenen van verspreid staande boerderijen en kleine stenen huisjes steeg de rook recht omhoog in de stille lucht en kudden schapen verzamelden zich, zwaar van de wol en hun beginnende drachtigheid, rond voederbakken vol vers hooi.

Penelope Keeling, die achter in de taxi zat en door het bestofte raampje keek, stelde vast dat ze het bekende landschap nog nooit zo mooi had gezien.

De weg maakte een scherpe bocht. Voor hen stond de houten wegwijzer die het weggetje aangaf dat naar Temple Pudley leidde. De chauffeur remde af en hobbelde tussen hoge heggen die het uitzicht benamen, de helling af. Even later waren ze in het dorp, met zijn gouden Cotswold-stenen huizen, tijdschriftenzaak, slager, het café The Sudeley Arms en de kerk – van de straat gescheiden door een oude begraafplaats en het donkere gebladerte van gepast sombere taxusbomen. Er waren maar weinig mensen op straat. De kinderen zaten allemaal op school en de bittere kou hield de anderen binnen. Alleen een oude man met wanten aan en een sjaal om, liet zijn bejaarde hond uit.

'Welk huis is het?' informeerde de taxichauffeur over zijn schouder.

Ze leunde naar voren, belachelijk opgewonden en vol verwachting. 'Nog een klein eindje verder. Het dorp door. Het witte hek rechts. Het staat open. Hier! We zijn er.'

Hij draaide door het hek en stopte achter het huis.

Ze deed het portier open en stapte uit, waarbij ze haar donkerblauwe cape om zich heen trok tegen de kou. Ze haalde haar sleutel uit haar tas en deed de deur open. Achter haar tilde de taxichauffeur haar kleine koffer uit de kofferbak van de auto. Ze draaide zich om, om de koffer van hem aan te pakken maar hij hield hem een beetje bezorgd vast.

'Wacht er hier niemand op u?'

'Nee. Ik woon alleen en iedereen denkt dat ik nog in het ziekenhuis ben.'

'Gaat dat wel goed?'

Ze keek glimlachend in zijn vriendelijke gezicht. Hij was nog heel jong en had borstelig, blond haar. 'Natuurlijk.'

Hij aarzelde, bang bemoeizuchtig te lijken. 'Ik zal de koffer binnenbrengen als u wilt. Zo nodig boven brengen.'

'O, dat is aardig van u. Maar ik kan heel goed zelf . . .'

'Het is helemaal geen moeite,' zei hij. Hij volgde haar de keuken in. Ze deed een deur open en ging hem voor de smalle trap op. Alles rook zo schoon als in een ziekenhuis. Mevrouw Plackett, die goede ziel, had geen tijd verloren laten gaan in de paar dagen van Penelope's afwezigheid. Ze vond het altijd prettig als Penelope wegging omdat ze dan van alles kon doen, zoals de witte verf van de trapstijlen afnemen en stofdoeken uitkoken en het koper en zilver poetsen.

De deur van haar slaapkamer stond op een kier. Ze ging naar binnen en de jongen volgde haar. Hij zette haar koffer op de grond.

'Kan ik nog iets anders doen?' vroeg hij.

'Nee, hoor. En hoeveel krijgt u van me?'

Hij zei het een beetje beschaamd. Ze betaalde en liet hem het wisselgeld houden. Hij bedankte haar en ze gingen weer naar beneden.

Hij ging nog niet meteen weg. Waarschijnlijk, dacht ze, had hij zelf een oude grootmoeder voor wie hij zich op dezelfde manier verantwoordelijk voelde.

'U redt het dus verder wel?'

'Natuurlijk. En morgen komt mijn vriendin mevrouw Plackett. Dan ben ik dus niet meer alleen.'

Om de een of andere reden stelde dat hem gerust. 'Dan ga ik maar.'

'Tot ziens. En bedankt.'

'Graag gedaan.'

Toen hij weg was, ging ze weer naar binnen. Ze deed de deur achter zich dicht. Ze was alleen. Wat een opluchting! Thuis. In haar eigen huis, met haar eigen spullen, haar eigen keuken. De Aga, die op olie brandde, stond zachtjes te pruttelen en het was heerlijk warm. Ze maakte de sluiting van haar cape los en liet hem over de rugleuning van een stoel vallen. Er lag een stapel post op de tafel. Ze keek alles vlug door maar er leek niets belangrijks bij te zijn, dus schonk ze er verder geen aandacht aan. Ze liep door de keuken en deed de glazen deur naar de serre open. Ze had de laatste paar dagen steeds maar aan haar kostbare planten moeten denken, die misschien wel dood stonden te gaan van kou of dorst, maar mevrouw Plackett had ook daar goed voor gezorgd. De aarde in de potten was vochtig en de blaadjes waren fris en groen. Er zaten al wat knoppen in een vroege geranium en de hyacinten waren wel een centimeter of tien gegroeid. Haar tuin achter het glas lag er nog winters bij. De kale bomen staken als zwarte kant af tegen de bleke lucht. Maar er waren al sneeuwklokjes te zien onder de kastanje.

Ze ging weer naar boven. Ze wilde eigenlijk gaan uitpakken maar liet zich afleiden door het genot weer thuis te zijn. En zo liep ze maar wat rond. Ze deed deuren open, inspecteerde elke slaapkamer, keek uit ieder raam, raakte meubelen aan, trok gordijnen recht. Alles stond op zijn plaats. Niets was veranderd. Toen ze eindelijk weer beneden was, pakte ze in de keuken haar brieven op en liep ermee door de eetkamer naar de zitkamer. Daar waren haar grootste schatten: haar bureau, haar bloemen, haar schilderijen. Ze knielde neer om het vuur aan te steken. Ze stapelde er blokken hout op en de vlammen laaiden hoog op. Nu was het huis weer tot leven gekomen en niets kon er haar nu nog van weerhouden een van haar kinderen op te bellen om te vertellen wat ze gedaan had.

Maar welk kind? Ze zat in haar stoel en ging de mogelijkheden na. Het zou natuurlijk Nancy moeten zijn, omdat zij de oudste was en degene die graag dacht dat zij volkomen verantwoordelijk was voor haar moeder. Maar Nancy zou ontzet zijn, in paniek, en haar met beschuldigingen overladen. Penelope was bang dat ze zich nog niet sterk genoeg voelde om Nancy aan te kunnen.

Noel dan? Misschien moest ze Noel nemen, als de man van de familie. Maar de gedachte dat er enige praktische hulp of raad te verwachten was van Noel, was zo belachelijk dat ze er onwillekeurig om moest glimlachen. 'Noel, ik heb mezelf uit het ziekenhuis ontslagen en ben naar huis gegaan.' Waarop hij waarschijnlijk zou antwoorden: 'O ja?'

En dus deed Penelope wat ze de hele tijd al geweten had. Ze pakte de telefoon en draaide het nummer van Olivia's kantoor in Londen.

'*Ve-nus.*' De stem van de telefoniste klonk alsof ze de naam van het tijdschrift zong.

'Kunt u me doorverbinden met Olivia Keeling alstublieft.'

'Eén mo-ment.'

Penelope wachtte.

'Met de secretaresse van miss Keeling.'

Olivia was bijna net zo moeilijk te spreken te krijgen als de president van de Verenigde Staten.

'Zou ik miss Keeling misschien kunnen spreken?'

'Het spijt me, miss Keeling zit in een bespreking.'

'Betekent dat dat ze aan een vergadertafel zit of is ze in haar kantoor?'

'Ze is in haar kantoor . . .' De secretaresse klonk onthutst en dat was te begrijpen, '. . . maar ze heeft iemand bij zich.'

'Nou, stoor haar dan maar even. Ik ben haar moeder en het is erg belangrijk.'

'Het . . . kan niet wachten?'

'Geen moment,' zei Penelope vastberaden. 'En ik zal haar niet lang ophouden.'

'Goed.'

Weer een pauze. En toen eindelijk Olivia.

'Mama!'

'Het spijt me dat ik je gestoord heb . . .'

'Mama, is er wat mis?'

'Nee, er is niets mis.'

'Goddank. Belt u uit het ziekenhuis?'

'Nee, ik ben thuis.'

'*Thuis*? Sinds wanneer bent u *thuis*.'

'Sinds ongeveer half drie vanmiddag.'

'Maar ik dacht dat ze u nog minstens een week wilden vasthouden.'

'Dat was wel hun bedoeling, ja, maar ik verveelde me zo en ik werd er zo moe. Ik deed 's nachts geen oog dicht en er lag een oude dame naast me die steeds maar bleef praten. Nee, niet eens praten. Raaskallen, arme ziel. Dus heb ik gewoon tegen de dokter gezegd dat ik het geen moment meer kon verdragen en ik heb mijn spullen bij elkaar gepakt en ben weggegaan.'

'U hebt uzelf ontslagen,' zei Olivia. Het klonk berustend maar helemaal niet verrast.

'Precies. Er is niets met me aan de hand. En ik heb een fijne taxi met een aardige chauffeur gevonden en hij heeft me naar huis gebracht.'

'Maar protesteerde de dokter niet?'

'Luidkeels. Maar hij kon er niet veel aan doen.'

'O, mama,' zuchtte Olivia, maar er klonk een lach door in haar stem. 'Wat gemeen van u. Ik wilde dit weekend op bezoek komen in het ziekenhuis. U weet wel, ponden druiven voor u meebrengen en die dan allemaal zelf opeten.'

'Je zou hier kunnen komen,' zei Penelope. En meteen wenste ze dat ze het niet gezegd had, voor het geval dat het zielig en eenzaam klonk, alsof ze het gezelschap van Olivia nodig zou hebben.

'Nou . . . als echt alles in orde is met u, kan ik het nog wel even uitstellen. Ik heb het eigenlijk vreselijk druk dit weekend. Mama, hebt u Nancy al gesproken?'

'Nee. Ik wilde haar bellen en heb het toen toch maar niet gedaan. Je weet hoe druk ze zich altijd maakt. Ik bel haar morgenochtend wel, als mevrouw Plackett er is en ik niet meer omver te praten ben.'

'Hoe voelt u zich? En nu eerlijk.'
'Volkomen in orde. Behalve een beetje slaperig, dat heb ik je al verteld.'
'U doet toch niet te veel, hè? Ik bedoel, u gaat niet de tuin in om greppels te graven of bomen te verzetten?'
'Nee, dat zal ik niet doen. Dat beloof ik je. Alles is trouwens zo hard als ijzer. Je zou geen schop in de grond kunnen krijgen.'
'Nou, God zij gedankt voor kleine zegeningen. Mama, ik moet ophangen, ik heb een collega hier bij me en . . .'
'Dat weet ik. Dat heeft je secretaresse me verteld. Het spijt me dat ik je gestoord heb maar ik wilde dat je wist wat er gebeurd was.'
'Daar ben ik blij om. Bel nog eens, mama, en probeer een beetje vrolijk te blijven.'
'Natuurlijk. Dag, liefje.'
'Dag, mama.'

Ze legde de hoorn neer, zette de telefoon weer op de tafel en leunde achterover in haar stoel.

Nu was er niets meer te doen. Ze ontdekte dat ze erg moe was, maar het was een aangename vermoeidheid, verzacht en getroost door haar omgeving, alsof haar huis iemand was die haar in liefhebbende armen hield. In de warme, door het vuur verlichte kamer en de vertrouwde diepe armstoel voelde ze zich verrast, vervuld van het soort geluk zonder reden dat ze in jaren niet had gevoeld. Dat is omdat ik nog leef. Ik ben vierenzestig en ik heb, als ik die idiote dokters moet geloven, een hartaanval gehad. Wat dan ook. Maar ik heb het overleefd en ik zal er niet meer aan denken en er niet meer over praten, nooit meer. Omdat ik nog leef. Ik kan voelen, aanraken, zien, horen, ruiken; voor mezelf zorgen; mezelf uit het ziekenhuis ontslaan; een taxi zoeken en naar huis gaan. Er komen sneeuwklokjes op in de tuin en het wordt lente. Ik zal het jaarlijkse wonder zien en de zon warmer voelen worden naarmate de weken voorbijgaan. En omdat ik nog leef, zal ik het allemaal zien gebeuren en deel uitmaken van dat wonder.

Ze herinnerde zich het verhaal van die goede Maurice Chevalier. Hoe voelt het om zeventig te zijn, hadden ze hem gevraagd. Niet al te slecht, had hij geantwoord. Als je bedenkt wat het alternatief is.

Maar voor Penelope Keeling voelde het duizend keer beter dan niet al te slecht. Leven was nu niet alleen maar bestaan, maar een bonus, een geschenk, met iedere nieuwe dag een ervaring die genoten moest worden. De tijd was niet eindeloos. Ik zal geen moment meer verspillen, beloofde ze zichzelf. Ze had zich nog nooit zo sterk, zo optimistisch gevoeld. Alsof ze opnieuw jong was, nog eens kon beginnen en er iets geweldigs zou gaan gebeuren.

HOOFDSTUK 1

Nancy

Ze dacht soms dat de meest ongecompliceerde of onschuldige bezigheid voor haar, Nancy Chamberlain, onvermijdelijk allerlei vervelende problemen moest oproepen.

Neem nu die ochtend. Een druilerige dag in het midden van maart. Alles wat ze wilde, was met de trein van 9.15 uur van Cheltenham naar Londen gaan, met haar zuster Olivia lunchen, misschien even binnenwippen bij Harrods en dan weer naar huis gaan. Dat was toch een heel gewoon plan. Ze wilde niet buitensporig veel geld uitgeven of een minnaar ontmoeten. Het was eigenlijk vooral een beleefdheidsbezoek en ze moesten verantwoordelijkheden bespreken en beslissingen nemen. Maar zodra ze het plan tegenover haar huisgenoten uitgesproken had, leek het wel of de omstandigheden begonnen samen te spannen zodat ze tegenover bezwaren of, nog erger, onverschilligheid kwam te staan en ten slotte het gevoel kreeg dat ze voor haar leven moest vechten.

Gisteravond was ze, nadat ze via de telefoon de afspraak met Olivia gemaakt had, op zoek gegaan naar haar kinderen. Ze had hen gevonden in de kleine zitkamer die Nancy in gedachten opsierde met de betiteling bibliotheek. Ze lagen onderuit op de bank voor de haard en keken televisie. Ze hadden een speelkamer met een eigen televisietoestel, maar de speelkamer had geen schoorsteen en het was er vreselijk koud en bovendien was de televisie een oud zwart-wittoestel. Het was dus geen wonder dat ze meestal hier zaten.

'Hoor eens, ik moet morgen naar Londen om met tante Olivia over oma Pen te praten en . . .'

'En wie moet Flits dan naar de smid brengen?'

Dat was Melanie. Ze kauwde op het uiteinde van haar vlecht en bleef met één oog naar de manische rockzanger op het scherm kijken. Ze was veertien en, zoals haar moeder voortdurend tegen zichzelf zei, op die moeilijke leeftijd.

Nancy had die vraag verwacht en ze had haar antwoord al klaar.

'Ik zal Croftway vragen of hij daarvoor wil zorgen. Hij moet dat toch wel alleen klaar kunnen spelen.'

Croftway was de knorrige tuin- en klusjesman die met zijn vrouw boven de stal woonde. Hij haatte de paarden en maakte ze altijd nogal zenuwachtig met zijn harde stem en grove manier van doen. Ze hoorden echter bij zijn taak en onwillig werkte hij, als dat nodig was, de arme schepselen in de paardetrailer, waarna hij dat onhandige voertuig naar allerlei evenementen van de ponyclub reed. Bij die gelegenheden noemde Nancy hem altijd de 'stalknecht'.

Rupert, die elf was, ving het slot van dit gesprekje op en kwam met zijn eigen bezwaar. 'Ik heb gezegd dat ik morgen bij Tommy Robson op de thee zou gaan. Hij heeft een paar voetbalbladen die ik mag lenen. Hoe kom ik dan weer thuis?'

Nancy had nog niet eerder iets over deze afspraak gehoord. Als ze voorstelde dat hij die naar een andere dag zou verzetten, kwam hij natuurlijk met een stroom argumenten en gedrein van 'het is niet eerlijk', dus slikte ze haar ergernis in en zei zo rustig mogelijk dat hij misschien de bus naar huis kon nemen.

'Maar dan moet ik van het dorp af lopen.'

'Nou, dat is nog geen halve kilometer.' Ze glimlachte. 'Daar zul je niets van krijgen voor een keer.' Ze hoopte dat hij zou gaan lachen, maar hij zoog alleen op zijn tanden en richtte zijn aandacht weer op de televisie.

Ze wachtte. Waarop? Misschien op een beetje belangstelling voor een situatie die zo duidelijk de hele familie aanging? Al vroegen ze alleen maar wat voor cadeautjes ze voor hen mee dacht te brengen. Maar ze waren haar aanwezigheid al vergeten, zo gingen ze op in wat ze zagen. Ze vond al die herrie ineens ondraaglijk en ging de kamer uit. Ze deed de deur achter zich dicht. In de hal werd ze omhuld door de kou die opkwam uit de tegelvloer en zich over de trap verspreidde naar de ijskoude overloop.

Het was een harde winter geweest. Af en toe zei Nancy flink tegen zichzelf – of tegen wie gedwongen was te luisteren – dat ze geen last van de kou had. Ze was van nature warmbloedig en bovendien had je het nooit echt koud in je eigen huis. Daar was altijd zoveel te doen.

Maar die avond huiverde ze toch, omdat de kinderen zo onvriendelijk waren en ze ertegen opzag naar de keuken te moeten gaan om met de chagrijnige mevrouw Croftway te gaan 'praten'. Ze trok haar dikke vest dichter om zich heen toen ze het versleten kleed zag bewegen door de tocht die onder de voordeur doorkwam.

Ze woonden in een oud huis, een voormalige pastorie uit de achttiende eeuw in een klein, schilderachtig Cotswold-dorpje. De Oude Pastorie, Bamworth. Het was een goed adres en ze gaf het graag aan mensen in winkels. Zet het maar op mijn rekening: mevrouw George Chamberlain, De Oude Pastorie, Bamworth, Gloucestershire. Ze had het bij Harrods in duur blauw postpapier laten persen. Kleine dingen

13

als postpapier betekenden veel voor Nancy. Ze maakten een goede indruk.

George en zij waren hier kort na hun huwelijk komen wonen. De vorige predikant van Bamworth had er toen juist de brui aan gegeven en zijn superieuren laten weten dat van niemand – zelfs niet van een in onthechting levende geestelijke – verwacht kon worden dat hij van zijn magere inkomen een gezin onderhield in een huis dat zo monsterlijk groot, ongerieflijk en koud was. Het diocees had na enig overleg en een bezoek van de aartsdiaken, die was blijven slapen en kou had gevat en bijna aan longontsteking was overleden, eindelijk besloten een nieuwe pastorie te bouwen. Er kwam een modern huis aan de andere kant van het dorp en de oude pastorie werd te koop gezet.

En door George en Nancy gekocht. 'We hebben het huis te pakken weten te krijgen,' zei zij tegen haar vriendinnen, alsof George en zij enorm vlug en slim waren geweest. Ze kregen de pastorie inderdaad erg goedkoop, maar later ontdekte ze dat dat alleen maar kwam doordat niemand anders er belangstelling voor had.

'Er moet natuurlijk een heleboel aan gedaan worden, maar het is een heel leuk huis, uit het eind van de achttiende eeuw, met een flink stuk grond . . . een wei en een stal . . . en maar een half uur van Cheltenham en het kantoor van George. Werkelijk volmaakt.'

Het was volmaakt. Voor Nancy, die in Londen was opgegroeid, was het huis de verwezenlijking van al haar meisjesdromen – fantasieën, gevoed door de romans die ze verslond, van Barbara Cartland en Georgette Heyer. Buiten wonen als de vrouw van een landheer was het hoogtepunt van haar bescheiden ambities, na natuurlijk een traditioneel Londens seizoen, een witte bruiloft met bruidsmeisjes en haar foto in de *Tatler*. Ze had het allemaal gekregen, behalve het Londense seizoen, en eenmaal getrouwd, werd ze de meesteres van een huis in de Cotswolds met een paard in de stal en een tuin voor bazaars van de kerk. Met het juiste soort vrienden en het juiste soort honden, met George voorzitter van de plaatselijke conservatieven en voorlezer in de kerk op zondagmorgen.

Eerst was alles soepel gegaan. Er was toen geen gebrek aan geld en ze hadden het huis opgeknapt en centrale verwarming laten installeren en Nancy had de Victoriaanse meubelen die George van zijn ouders geërfd had, hun plaats gegeven en haar eigen slaapkamer met veel chintz gestoffeerd. Maar in de loop van de jaren werd het, naarmate de inflatie toenam en de prijs van stookolie en de lonen stegen, steeds moeilijker iemand te vinden om in het huis en de tuin te helpen. De financiële last werd met het jaar zwaarder en soms had ze het gevoel dat ze te veel hooi op hun vork genomen hadden.

En ook de kinderen kostten veel geld. Melanie en Rupert zaten nu

14

allebei op een plaatselijke particuliere school. Melanie zou waarschijnlijk tot het eindexamen op die van haar blijven, maar Rupert ging naar Charlesworth, de kostschool van zijn vader. George had hem een dag na zijn geboorte al laten inschrijven en meteen een studieverzekering afgesloten, maar met het geld dat die opleverde, konden ze nu in 1984 amper het eerste treinkaartje betalen.

Toen Nancy een keer bij Olivia was blijven slapen, had ze haar zusje in vertrouwen genomen, misschien in de hoop nuttige raad te krijgen van die praktische werkende vrouw. Maar Olivia was niet meelevend geweest. Ze vond hen een stel dwazen.

'Kostscholen zijn hoe dan ook uit de tijd,' had ze tegen Nancy gezegd. 'Stuur hem naar een gewone middelbare school, laat hem maar met de rest van de wereld omgaan. Dat is op den duur beter voor hem dan dat exclusieve sfeertje met al die achterhaalde tradities.'

Maar dat was ondenkbaar. George en Nancy dàchten niet aan een gewone school voor hun enige zoon. Nancy had zelfs af en toe gedroomd van Rupert in Eton, en van haarzelf op de vierde juni met een hoed voor een tuinfeest op. Charlesworth was wel degelijk en achtenswaardig maar leek toch een beetje tweede keus. Dat zei ze echter niet tegen Olivia.

'Daar is geen sprake van,' zei ze enkel kort.

'Nou, laat hem dan proberen een beurs of zo te krijgen. Laat hem zelf ook maar wat doen. Waarom zou jij je alles moeten ontzeggen voor één klein jongetje?'

Maar Rupert had geen studiehoofd. Hij zou nooit een beurs krijgen, dat wisten George en Nancy allebei.

'In dat geval,' zei Olivia, in een poging van het onderwerp af te komen omdat het haar verveelde, 'kunnen jullie volgens mij alleen maar die oude pastorie verkopen en kleiner gaan wonen. Denk eens aan het geld dat dat uit zou sparen.'

Maar dat vond Nancy nog afschuwelijker dan een openbare school voor haar zoon. Niet alleen omdat ze daarmee haar nederlaag zou toegeven en alles zou opgeven wat ze ooit had nagestreefd, maar ook omdat ze bang was dat George en zij en de kinderen in een doodgewoon huis aan de rand van Cheltenham, zonder de paarden, de plattelandsvrouwen, het plaatselijk bestuur van de Conservatieve Partij, de ruiterfeesten en de bazaars, niet meer van belang zouden zijn voor hun vrienden en vergeten zouden worden.

Ze huiverde nog eens, zette die akelige gedachten van zich af en liep met stevige stappen door de betegelde gang in de richting van de keuken. Daar maakte de grote Aga, die nooit uitging, alles aangenaam warm en gezellig. Nancy vond het soms, vooral in die tijd van het jaar, jammer dat ze niet helemaal in de keuken woonden. Elk ander gezin was waarschijnlijk ook voor de verleiding bezweken en had de hele winter daar doorgebracht. Maar zo waren zij nu eenmaal niet. Nancy's moeder, Penelope Keeling, had praktisch in de oude keuken in het souterrain van het grote huis in Oakley Street gewoond. Ze had er enorme maaltijden klaargemaakt en op de grote tafel opgediend. Ze had er brieven geschreven, haar kinderen grootgebracht, kleren versteld en zelfs haar eindeloze gasten ontvangen. En Nancy, die zich daaraan gestoord had en zich ook een beetje voor haar moeder had geschaamd, had zich sindsdien altijd tegen die warme, informele manier van leven afgezet. Als ik getrouwd ben, had ze als kind gezworen, neem ik een zitkamer en een eetkamer, net als andere mensen, en kom ik zo weinig mogelijk in de keuken.

George dacht daar gelukkig net zo over. Een paar jaar eerder hadden ze na een ernstig gesprek besloten dat in de keuken ontbijten zo praktisch was dat dat wel opwoog tegen de lichte verlaging van niveau. Maar verder dan dat wilden ze niet gaan. De lunch en het diner werden dus opgediend in de grote, hoge eetkamer, met de tafel keurig gedekt. Dat sombere vertrek werd verwarmd door een elektrische kachel die voor de schoorsteen stond, en als ze gasten hadden, schakelde Nancy die een paar uur voor het eten al in. Ze kon daarom nooit begrijpen waarom haar vrouwelijke gasten altijd stola's droegen. Erger was dat ze een keer onder het vest van een mannelijke gast de onmiskenbare sporen van een dikke trui had waargenomen. Hij was nooit meer gevraagd.

Mevrouw Croftway stond voor de gootsteen aardappelen te schillen. Ze was nogal ongenaakbaar (veel ongenaakbaarder dan haar man, die altijd liep te mopperen) en droeg voor haar werk een witte jas, alsof ze daardoor alleen een goede kok werd. Dat was ze overigens niet, maar haar aanwezigheid 's avonds in de keuken betekende in elk geval dat Nancy niet zelf hoefde te koken.

Ze besloot met de deur in huis te vallen. 'O, mevrouw Croftway . . . de plannen zijn een beetje veranderd. Ik moet morgen naar Londen om met mijn zuster te lunchen. In verband met dat probleem met mijn moeder. We kunnen dat onmogelijk allemaal via de telefoon afhandelen.'

'Ik dacht dat uw moeder weer thuis was uit het ziekenhuis.'

'Ja, dat is zo, maar ik heb gisteren haar dokter aan de telefoon gehad en hij zegt dat ze echt niet langer alleen zou moeten wonen. Het is maar een lichte hartaanval geweest en ze is weer helemaal opgeknapt maar toch . . . je weet nooit . . .'

Ze vertelde die bijzonderheden niet aan mevrouw Croftway omdat ze veel hulp of zelfs medeleven verwachtte, maar omdat de vrouw zo graag over ziekte praatte en Nancy hoopte dat ze daardoor in een betere stemming zou komen.

'Toen mijn moeder een hartaanval had gehad, is ze daarna nooit meer de oude geworden. Ze werd blauw in haar gezicht en haar handen raakten zo gezwollen dat we de trouwring door moesten knippen.'

'Dat wist ik niet, mevrouw Croftway.'

'Ze kon niet meer alleen wonen. Ze is toen bij Croftway en mij komen wonen, ze had de beste slaapkamer, maar het was een marteling voor me, dat kan ik u wel vertellen. De hele dag de trap op en af en zij maar met haar stok op de grond bonken. Tegen het eind was ik op van de zenuwen. De dokter zei dat hij nog nooit een vrouw met zulke zenuwen had gezien. Dus stuurde hij mijn moeder naar het ziekenhuis en daar is ze overleden.'

Dit was kennelijk het eind van het deprimerende verhaal. Mevrouw Croftway keerde terug naar haar aardappelen en Nancy zei onhandig: 'Dat spijt me . . . wat een spanningen moet dat gegeven hebben. Hoe oud was uw moeder?'

'Zesentachtig op een week na.'

'Nu . . .' Nancy dwong zich ertoe flink te zijn. 'Mijn moeder is pas vierenzestig, dus ze zal heus nog wel helemaal beter worden.'

Mevrouw Croftway gooide een geschilde aardappel in de pan en draaide zich om om Nancy aan te kijken. Ze keek zelden iemand recht aan maar als ze het deed, was het nogal beangstigend omdat haar ogen heel licht waren en nooit leken te knipperen.

Mevrouw Croftway had zo haar eigen opvattingen over Nancy's moeder. Mevrouw Keeling heette ze en mevrouw Croftway had haar maar één keer ontmoet, tijdens een van haar zeldzame bezoeken aan de oude pastorie, maar dat was voor allebei genoeg geweest. Het was een lange, forse vrouw, met donkere zigeunerogen en gehuld in kleren die zo naar een rommelmarkt konden. Eigenwijs was ze ook. Ze was naar de keuken gekomen en had beslist af willen wassen terwijl mevrouw Croftway zo haar eigen manier van doen had en er niet van hield op haar vingers gekeken te worden.

'Vreemd dat zij een hartaanval heeft gehad,' merkte ze nu op. 'Ze leek me zo sterk als een paard.'

'Ja,' zei Nancy. 'Ja, het was een schok – voor ons allemaal,' voegde ze eraan toe, met een stem alsof haar moeder al dood was en het veilig was goed van haar te spreken.

Mevrouw Croftway keek bars.

'Uw moeder pas vierenzestig?' Het klonk alsof ze het niet geloofde. 'Ziet er ouder uit, hè? Ik dacht dat ze een eind in de zeventig was.'

'Nee, ze is vierenzestig.'

'Hoe oud bent u dan?'

Het was ongehoord. Nancy voelde zich verstijven door het beledigende optreden van mevrouw Croftway. Ze voelde dat ze rood werd. Ze wilde dat ze de moed had de vrouw te vertellen dat ze zich met haar eigen zaken moest bemoeien, maar dan zou ze misschien ontslag nemen en samen met Croftway vertrekken en wat moest Nancy dan beginnen met de tuin en de paarden en het grote huis en haar hongerige gezin?

'Ik ben . . .' Haar stem klonk schor. Ze schraapte haar keel en begon opnieuw. 'Ik ben drieënveertig.'

'Zo jong nog? Ik had u zeker vijftig gegeven.'

Nancy lachte even, in een poging er een grapje van te maken, want wat kon ze anders doen? 'Dat is niet erg vleiend, mevrouw Croftway.'

'Het komt door uw gewicht. Dat is het. Niets maakt zo oud als te dik zijn. U moest op dieet gaan. Het is slecht voor u, dat u te zwaar bent. Straks horen we nog dat u een hartaanval hebt gehad.' Ze lachte kakelend.

Ik haat je, mevrouw Croftway. Ik haat je.

'Er staat van de week een goed dieet in *Woman's Own* . . . De ene dag een grapefruit en de volgende yoghurt. Of misschien andersom . . . Ik kan het wel uitknippen en meebrengen, als u wilt.'

'O . . . wat vriendelijk. Misschien. Ja.' Het klonk geagiteerd, haar stem trilde. Nancy vermande zich en trok haar schouders recht. Met enige moeite nam ze het heft weer in handen. 'Maar ik wilde het eigenlijk over morgen hebben, mevrouw Croftway. Ik neem de trein van kwart over negen, dus ik heb niet veel tijd om de boel op te ruimen voor ik wegga, dus ik ben bang dat u zult moeten doen wat u kunt. En zou u zo vriendelijk willen zijn de honden eten te geven? Ik zal alles klaarzetten. En misschien wilt u dan een eindje met ze gaan lopen . . . en . . .' Ze ging vlug verder voor mevrouw Croftway met bezwaren kon komen. 'Misschien wilt u aan Croftway vragen of hij Flits naar de smid wil brengen. Hij moet beslagen worden en ik wil niet dat dat uitgesteld wordt.'

'O,' zei mevrouw Croftway bedenkelijk. 'Ik weet niet of hij dat wel alleen klaarspeelt.'

'O, ik weet zeker dat dat wel lukt, hij heeft het al eerder gedaan . . . En dan kunnen we morgenavond misschien lamsvlees eten en van die heerlijke spruitjes van Croftway . . .'

Pas na het eten had ze gelegenheid met George te spreken. Met toezien op het huiswerk van de kinderen, Melanies balletschoenen zoeken, eten en afruimen, de vrouw van de dominee bellen om te zeggen dat de plattelandsvrouwen het morgen zonder Nancy moesten doen en alles regelen leek er nauwelijks tijd over om een woord met haar man te wisselen. Hij kwam 's avonds pas om zeven uur thuis en wilde dan alleen maar bij de haard zitten met een glas whisky en de krant.

Maar eindelijk was alles klaar en kon Nancy bij George in de bibliotheek gaan zitten. Ze deed de deur stevig achter zich dicht en verwachtte dat hij op zou kijken, maar hij bewoog zich niet achter *The Times*. Ze schonk dus een whisky voor zichzelf in en ging tegenover hem zitten. Ze wist dat het niet lang zou duren voor hij een hand uitstak en de televisie aanzette om naar het journaal te kijken.

'George,' zei ze.

'Hm?'

'George, kun je even luisteren?'

Hij las de zin uit waar hij aan bezig was, en liet toen met tegenzin de krant zakken. Hij was halverwege de vijftig maar zag er heel wat ouder uit met zijn dunner wordende grijze haar, zijn bril zonder randen en het donkere pak en de onopvallende das van een oudere heer. George was advocaat en dacht misschien dat dat met zorg gekozen uiterlijk – alsof hij gekleed was voor een rol in het een of andere toneelstuk – potentiële cliënten vertrouwen zou inboezemen. Maar Nancy vroeg zich soms af of het niet beter zou zijn voor zijn praktijk als hij zichzelf een beetje opfleurde en een pak van tweed aantrok en een bril met hoornen montuur aanschafte. Want sinds de opening van de snelweg naar Londen was deze omgeving erg modebewust geworden. Er waren nieuwe, welgestelde mensen komen wonen. Boerderijen waren voor enorme bedragen verkocht, de bouwvalligste huisjes waren voor veel geld opgeknapt om als weekendverblijf dienst te doen. Makelaars en hypotheekbanken ging het voor de wind en er werden in de meest onwaarschijnlijke stadjes exclusieve winkels geopend. Nancy kon maar niet begrijpen waarom Chamberlain, Plantwell en Richards geen graantje van al die welvaart hadden weten mee te pikken. Maar George was ouderwets en hield vast aan de traditie. Hij was bang voor veranderingen en was van nature erg voorzichtig en behoedzaam.

'Waarom moet ik luisteren?' vroeg hij nu.

'Ik ga morgen naar Londen om met Olivia te lunchen. We moeten over moeder praten.'

'Wat is er aan de hand?'

'O, George, dat weet je wel. Ik heb je verteld dat ik met haar dokter gesproken heb en hij zegt dat ze echt niet langer alleen kan wonen.'

'En wat wil je daaraan doen?'

'Nou . . . we moeten een huishoudster voor haar zoeken. Of een gezelschapsdame.'

'Dat zal ze niet leuk vinden,' merkte George op.

'En zelfs als we iemand kunnen vinden . . . kan moeder het zich dan veroorloven haar te betalen? Een goede vrouw kost veertig of vijftig pond in de week. Ik weet wel dat ze al dat geld gekregen heeft voor het huis in Oakley Street en ze heeft geen cent aan Podmore's Thatch uitgegeven behalve om die belachelijke serre te bouwen, maar dat geld is kapitaal, niet waar? Kan ze zich al die kosten veroorloven?'

George ging verzitten en reikte naar zijn whiskyglas.

'Ik heb geen idee,' zei hij.

Nancy zuchtte. 'Ze is zo gesloten, zo vervloekt onafhankelijk. Ze maakt het onmogelijk haar te helpen. Als ze ons alleen maar in vertrouwen nam, jou een volmacht gaf, zou dat het leven zoveel gemakkelijker maken voor mij. Ik ben tenslotte de oudste en Olivia en Noel steken nooit een vinger uit om te helpen.'

George had dat allemaal al eerder gehoord. 'En die hulp van haar, mevrouw hoe-heet-ze?'

'Mevrouw Plackett. Ze komt maar drie ochtenden in de week om schoon te maken en ze heeft zelf een huis en een gezin om voor te zorgen.'

George zette zijn glas neer en zat met zijn gezicht naar de haard, zijn vingertoppen tegen elkaar.

Even later zei hij: 'Ik begrijp niet goed waarom je zo van streek bent.' Het klonk alsof hij het tegen een niet al te snuggere cliënt had en Nancy voelde zich gekwetst.

'Ik ben niet van streek.'

Hij negeerde haar woorden. 'Is het alleen het geld? Of ben je bang dat je geen vrouw zult kunnen vinden die geduldig genoeg is om bij je moeder te willen wonen?'

'Allebei, denk ik,' gaf Nancy toe.

'En wat verwacht je nu van Olivia?'

'Ze kan de kwestie in elk geval met me bespreken. Ze heeft ten slotte nog nooit van haar leven iets voor moeder gedaan . . . of voor wie van ons ook,' voegde ze er bitter aan toe, denkend aan gelegenheden waarbij ze zich gekwetst had gevoeld. 'Toen moeder besloot Oakley Street te verkopen en aankondigde dat ze terugging naar Cornwall om in Porthkerris te gaan wonen, heb ik een vreselijke tijd gehad om haar ervan te overtuigen dat dat dwaasheid zou zijn. En ze was misschien toch nog wel gegaan als jij niet Podmore's Thatch voor haar gevonden had, dat in elk geval maar dertig kilometer bij ons vandaan staat, zodat we een oogje op haar kunnen houden. Stel je voor dat ze nu in Porthkerris zat, met een zwak hart en zonder dat iemand van ons wist wat er gaande was.'

'Laten we proberen ter zake te blijven,' zei George op zijn ergerlijkste toon.

Nancy schonk er geen aandacht aan. De whisky had haar verwarmd en ook oude ergernissen weer doen opvlammen.

'En wat Noel betreft, hij heeft moeder praktisch opgegeven sinds ze Oakley Street heeft verkocht en hij eruit moest. Dat was een klap voor hem. Hij was drieëntwintig en had haar nog nooit een stuiver huur betaald. Hij had zich altijd door haar laten onderhouden. Dat was een schok voor Noel, dat kan ik je wel vertellen, toen hij eindelijk voor zichzelf moest gaan zorgen.'

George zuchtte diep. Hij had geen hogere dunk van Noel dan van Olivia. En zijn schoonmoeder, Penelope Keeling, was altijd een raadsel voor hem geweest. Hij verbaasde zich er voortdurend over dat een zo normale vrouw als Nancy uit de schoot van zo'n buitengewone familie kwam.

Hij dronk zijn glas leeg, ging staan, gooide nog een blok hout op het vuur en ging zijn glas opnieuw vullen. Terwijl hij daarmee bezig was, zei hij: 'Laten we eens aannemen dat het ergste gebeurt. Laten we aannemen dat je moeder zich geen huishoudster kan veroorloven.' Hij liep terug naar zijn stoel en ging weer tegenover zijn vrouw zitten. 'Laten we aannemen dat je niemand kunt vinden voor de zware taak haar gezelschap te houden. Wat gebeurt er dan? Wil je dat ze dan bij ons komt wonen?'

Nancy dacht aan mevrouw Croftway, die zich voortdurend zou ergeren. Aan de kinderen, die zich luidruchtig over de eindeloze kritiek van oma Pen beklaagden. Ze dacht aan de moeder van mevrouw Croftway, met haar doorgeknipte trouwring, die in bed lag en met een stok op de vloer bonkte . . .

Ze zei, en het klonk wanhopig: 'Ik denk niet dat ik dat zou kunnen verdragen.'

'Misschien Olivia . . .'

'Olivia?' Georges stem ging ongelovig omhoog. 'Zou Olivia toelaten dat iemand binnendringt in dat privé-leven van haar? Dat meen je niet.'

'Nou, op Noel hoeven we niet te rekenen.'

'Het ziet ernaar uit,' zei George, 'dat we nergens op hoeven te rekenen.' Ongemerkt keek hij op zijn horloge. Hij wilde het journaal niet missen. 'En het heeft niet veel zin plannen te maken voor je het met Olivia uitgevochten hebt.'

Nancy was beledigd. Toegegeven, Olivia en zij hadden het nooit zo goed met elkaar kunnen vinden . . . ze hadden per slot van rekening niets gemeen . . . maar ze haatte het woord 'uitvechten', alsof ze nooit iets anders deden dan ruzie maken. Ze stond op het punt George daarop te wijzen, maar hij maakte een eind aan het gesprek door de televisie aan te zetten. Het was precies negen uur en hij ging tevreden zitten voor zijn dagelijkse portie stakingen, bommen, moorden en financiële rampen, bekroond met de mededeling dat het de volgende dag eerst erg koud zou zijn, terwijl het in de loop van de middag in het hele land zou gaan regenen.

Nancy stond ontmoedigd op. Ze vermoedde dat George zelfs niet merkte dat ze bewoog. Ze schonk zich nog een whisky in en ging de kamer uit. Ze deed de deur zachtjes dicht. Ze liep de trap op en ging haar slaapkamer binnen en vandaar naar haar badkamer. Ze deed de stop in het bad, draaide de kranen open en goot een ruime hoeveelheid geparfumeerde badolie uit. Vijf minuten later genoot ze van de prettigste bezigheid die ze kende, in een warm bad liggen en tegelijk koude whisky drinken.

Zo gaf ze zich over aan een orgie van zelfbeklag. Huisvrouw en moeder zijn, was een ondankbare taak, zei ze tegen zichzelf. Je wijdde je aan je man en kinderen, was vriendelijk tegen je personeel, zorgde voor je dieren, deed de huishouding, waste de kleren. En wat voor dank kreeg je? Wat voor waardering?

Geen enkele.

De tranen die in haar ogen sprongen, vermengden zich met het badwater en de stoom. Ze verlangde naar waardering, naar liefde, naar lichamelijk contact, naar iemand die haar knuffelde en tegen haar zei dat ze geweldig was.

Er was er maar één geweest die Nancy nooit teleurgesteld had. Pappie was natuurlijk een lieverd geweest maar zijn moeder, Dolly Keeling, had Nancy's zelfvertrouwen voortdurend versterkt en altijd partij voor haar gekozen.

Dolly Keeling had het nooit met haar schoondochter kunnen vinden, had een hekel aan Olivia gehad en was altijd op haar hoede geweest voor Noel, maar Nancy was haar verwende en aanbeden lievelingetje geweest. Oma Keeling had de gesmokte jurken met pofmouwen voor haar gekocht toen Penelope haar oudste kind naar het feest had willen sturen in een ouderwets, geërfd kledingstuk van versleten batist. Oma Keeling had tegen haar gezegd dat ze er leuk uitzag en zij had haar getrakteerd op uitjes als thee bij Harrods en bezoeken aan kindervoorstellingen.

Toen Nancy met George verloofd raakte, waren er vreselijke ruzies geweest. Haar vader was er toen al niet meer en haar moeder kon maar niet begrijpen waarom het zo belangrijk voor Nancy was dat ze een traditionele witte bruiloft kreeg, met bruidsmeisjes en de mannen in jacquet en een behoorlijke receptie. Penelope vond het kennelijk een idiote manier om geld te verspillen. Waarom niet een eenvoudige familiedienst met misschien na afloop een etentje aan de grote tafel in de keuken in het souterrain in Oakley Street? Of een feestje in de tuin? Daar was ruimte in overvloed en de rozen waren uit . . .

Nancy huilde, sloeg met deuren en zei dat niemand haar begreep, dat niemand haar ooit begrepen had. Haar boze bui had eindeloos kunnen duren als die lieve oma Keeling niet tussenbeide was gekomen. Alle verantwoordelijkheid werd aan Penelope ontnomen, die blij toe was, en alles werd door oma geregeld. Geen bruid had meer kunnen verlangen. Holy Trinity, een witte japon met een sleep, bruidsmeisjes in het roze, en een schitterende receptie na afloop. En die lieve pappie had zich door zijn moeder laten optrommelen en was verschenen om Nancy bij te staan en haar ten huwelijk te geven. Hij had er in jacquet goddelijk uitgezien en zelfs het uiterlijk van Penelope, zonder hoed en majestueus in lagen oud brokaat en fluweel, kon de dag niet meer bederven.

O, was oma Keeling er nu maar. Zoals ze daar in bad lag, een gezette, volwassen vrouw van drieënveertig, huilde Nancy om oma Keeling. Was zij er maar, met haar medeleven en troost en bewondering. *O lieveling, je bent geweldig, je doet zoveel voor je gezin en je moeder en zij vinden dat allemaal maar heel gewoon.*

Ze kon die lieve stem nog horen, zij het in gedachten, want Dolly Keeling leefde niet meer. Vorig jaar was dat elegante dametje met haar wangen met rouge en haar geverfde nagels en haar zachtpaarse mantelpakjes in haar slaap overleden. Die droevige gebeurtenis had plaatsgevonden in het kleine pension in Kensington waar ze met een aantal andere oudere mensen haar laatste jaren had doorgebracht. En ze was prompt weggehaald door de begrafenisondernemer met wie de leiding van het pension een vaste overeenkomst had.

De volgende ochtend was even erg als Nancy gevreesd had. Ze had hoofdpijn door de whisky, het was kouder dan ooit en nog pikdonker toen ze zich om half acht in de ochtend uit bed hees. Ze kleedde zich aan en ontdekte tot haar ontzetting dat haar beste rok te nauw was geworden en met een veiligheidsspeld moest worden vastgemaakt. Ze trok de lamswollen jumper aan die precies bij de rok kleurde en wendde haar ogen af van de vetrolletjes die uit het pantser van haar stevige beha puilden. Ze deed nylons aan, maar daar ze gewoonlijk dikke, wollen kousen droeg, leken die veel te koud. Ze besloot dus haar lange laarzen te dragen en kon toen maar met moeite de ritssluiting dichtkrijgen.

Beneden was het al niet beter. Een van de honden had gespuugd, de Aga was lauw en er waren nog maar drie eieren. Ze liet de honden naar buiten, ruimde de vuile boel op en vulde de Aga met zijn speciale, ontzettend dure brandstof, intussen benauwd dat hij helemaal uit zou gaan, wat mevrouw Croftway een goede reden zou geven om te klagen. Ze riep de kinderen, zei dat ze op moesten schieten, zette water op, kookte de drie eieren, maakte toast, dekte de tafel. Rupert en Melanie verschenen, min of meer correct gekleed, maar ruziënd omdat Rupert zei dat Melanie zijn aardrijkskundeboek had zoekgemaakt en Melanie zei dat ze het nooit had gehad en dat hij een stomme leugenaar was. En, mammie, ze moest geld hebben voor het afscheidscadeau van mevrouw Leeper.

Nancy had nog nooit van mevrouw Leeper gehoord.

George hielp ook al niet. Hij verscheen alleen te midden van het rumoer, at zijn gekookte ei, dronk een kop thee en ging weg. Ze hoorde de Rover starten terwijl ze verwoed bezig was de vaat op het afdruiprek op te stapelen, klaar voor mevrouw Croftway.

'Nou, als je mijn aardrijkskundeboek niet hebt . . .'

Buiten jankten de honden. Ze liet ze binnen en dat herinnerde haar aan hun eten. Ze maakte vlug een blik Bonzo open en sneed in haar opwinding haar duim aan de scherpe rand van de bovenkant.

'Gossie, wat doe je onhandig,' zei Rupert.

Nancy draaide hem haar rug toe en hield haar duim onder de koude kraan tot het bloeden ophield.

'Als ik dat geld niet bij me heb, is juffrouw Rawlings woedend . . .'

Ze rende naar boven om zich op te maken. Ze had niet veel tijd meer en het resultaat was verre van bevredigend maar daar was niets aan te doen. Ze haalde haar bontjas uit de kast, met de bijpassende muts. Ze vond handschoenen en haar hagedisseleren handtas van Mappin en Webb. Daarin leegde ze de inhoud van haar gewone tas. Toen wilde de tas natuurlijk niet dicht. Niets aan te doen. Geen tijd.

Ze rende weer naar beneden terwijl ze de kinderen riep. Als door een wonder verschenen ze. Ze pakten hun schooltas en Melanie duwde haar weinig flatteuze hoedje op. Ze gingen de achterdeur uit en liepen naar de garage. Ze stapten in de auto – goddank startte de motor meteen – en reden weg.

Ze bracht de kinderen naar school, zette ze zo vlug mogelijk af en reed haastig door naar Cheltenham. Het was tien over negen toen ze de auto op de parkeerplaats zette en twaalf over toen ze haar retourtje kocht. Bij de kiosk ging ze met wat naar ze hoopte een charmante glimlach was, voor haar beurt. Ze kocht een *Daily Telegraph* en – als een wilde uitspatting – een nummer van *Harpers and Queen*. Toen ze betaald had, zag ze dat het een oud nummer was – van de vorige maand – maar er was geen tijd om haar geld terug te vragen. Het was trouwens ook niet zo belangrijk, het was hoe dan ook een traktatie. Ze kwam juist het perron op toen de trein naar Londen binnenreed. Ze stapte in en zocht een plaatsje. Ze was helemaal buiten adem. Ze deed haar ogen dicht. Zo moet het voelen als je net aan een brand bent ontsnapt, zei ze tegen zichzelf.

Na een paar diepe ademhalingen en nadat ze zichzelf eens geruststellend had toegesproken, voelde ze zich beter. Het was heerlijk warm in de trein. Ze deed haar ogen open en maakte haar bontjas los. Ze ging wat makkelijker zitten en keek uit het raam naar het winterlandschap dat voorbijvloog. Het ritme van de trein bracht haar gespannen zenuwen tot rust. Ze genoot altijd van treinreizen. De telefoon kon niet gaan, je kon rustig zitten, je hoefde niet na te denken.

Haar hoofdpijn was verdwenen. Ze haalde haar poederdoos uit haar tas en bekeek haar gezicht in het kleine spiegeltje, deed een beetje poeder op haar neus en werkte haar mond bij. Het nieuwe tijdschrift lag op haar schoot, even vol met heerlijkheden als een ongeopende doos bonbons. Ze begon er in te bladeren en zag advertenties voor bontmantels, huizen in het zuiden van Spanje, appartementen in de Schotse hooglanden; voor sieraden en schoonheidsmiddelen die je niet alleen mooier maakten maar ook je huid herstelden, voor cruiseschepen die naar de zon voeren; voor . . .

Ineens werd haar aandacht getrokken. De kunsthandel Boothby kondigde over twee volle pagina's een veiling van Victoriaanse kunst aan in zijn galerie in Bond Street op woensdag, 21 maart. Ter illustratie was er een schilderij van Lawrence Stern, 1865-1946, afgebeeld. Het schilderij was getiteld *De waterdraagsters* (1904) en liet een groep jonge vrouwen in verschillende houdingen zien, met koperen kruiken op schouder of heup. Nancy bekeek hen zorgvuldig en kwam tot de conclusie dat het slavinnen moesten zijn, want ze hadden blote voeten en ze glimlachten niet (die arme schepselen, geen wonder, de kruiken zagen er vreselijk zwaar uit) en ze hadden maar weinig kleren aan, dunne draperieën in donkerblauw en roestbruin, zodat hun ronde borsten en roze tepels goed zichtbaar waren.

George en Nancy hadden niet meer belangstelling voor beeldende kunst dan voor muziek of toneel. De oude pastorie herbergde natuurlijk de nodige schilderijen, de sportprenten van elk zichzelf respecterend landhuis en een paar olieverfschilderijen met dode herten of trouwe jachthonden met een fazant in hun bek, die George van zijn vader had geërfd. Ze waren een keer naar de Tate Gallery gegaan, toen ze een paar uur over hadden in Londen, en hadden daar plichtmatig de ronde gedaan over een tentoonstelling van Constable, maar Nancy herinnerde zich van die gelegenheid alleen maar een heleboel vage, groene bomen en pijn in haar voeten.

Maar zelfs Constable was nog te prefereren boven dit schilderij. Ze staarde ernaar en vond het moeilijk te geloven dat iemand zo iets vreselijks aan de muur zou willen hebben, laat staan er goed geld voor betalen. Als zij ermee opgezadeld was, had het zijn dagen of op een vergeten vliering of op een vreugdevuur beëindigd.

Maar Nancy's aandacht werd niet om esthetische redenen door *De waterdraagsters* getrokken. Ze keek er met zoveel belangstelling naar omdat het van Lawrence Stern was. Want hij was de vader van Penelope Keeling en dus Nancy's grootvader geweest.

Het vreemde was dat zijn werk haar bijna volledig onbekend was. Tegen de tijd dat zij geboren werd, was zijn roem verbleekt en zijn werk sinds lang verkocht, verspreid en vergeten. In het huis van haar moeder in Oakley Street hadden maar drie schilderijen van Lawrence Stern gehangen en twee daarvan vormden een onvoltooid paar panelen met allegorische nimfen die lelies uitstrooiden over hellingen met gras met madeliefjes.

Het derde schilderij hing aan de muur van de hal beneden, vlak onder de trap, de enige plaats in huis waar zo'n groot doek kon hangen. Het was een olieverfschilderij, een werk uit Sterns latere jaren, en droeg de titel *De schelpenzoekers*. Er was een heel stuk zee met witgekuifde golven op te zien, en een strand en een hemel vol voortijlende wolken. Toen Penelope van Oakley Street naar Podmore's Thatch verhuisde, waren die drie kostbare bezittingen meeverhuisd. De panelen waren op de overloop terechtgekomen en *De schelpenzoekers* namen een overheersende plaats in in de zitkamer met het lage, van balken voorziene plafond. Nancy merkte ze nu nauwelijks nog op, zo vertrouwd waren ze haar, evenzeer een deel van het huis van haar moeder als de doorzakkende banken en leunstoelen, de ouderwets geschikte bloemen in blauw-witte vazen en de heerlijke kooklucht.

Eerlijk gezegd had Nancy in geen jaren zelfs maar aan Lawrence Stern gedacht maar nu, terwijl ze in de trein zat met haar bontjas en haar laarzen aan, was ze ineens terug in het verleden. Niet dat ze veel herinneringen aan haar grootvader had. Ze was eind 1940 in Cornwall geboren, in het kleine ziekenhuisje van Porthkerris, en had de oorlogsjaren in Carn Cottage doorgebracht, onder de beschutting van het dak van Lawrence Stern. Maar haar herinneringen aan de oude man waren wazig. Had ze ooit op zijn knie gezeten of had hij haar mee uit wandelen genomen of had hij haar voorgelezen? Ze wist het niet meer. Het leek wel of niets enige indruk had gemaakt op haar kinderlijke geest tot die dag toen de oorlog voorbij was en ze met haar moeder voorgoed uit Porthkerris was vertrokken en ze de trein naar Londen hadden genomen. Om de een of andere reden was die gebeurtenis voor altijd in haar geheugen geprent gebleven.

Hij had hen naar het station gebracht. Heel oud, heel lang, leunend op een stok met een zilveren knop, had hij op het perron voor het open raam gestaan en Penelope een afscheidskus gegeven. Zijn witte haar had over zijn kraag gelegen en aan zijn handen had hij wollen vuisthandschoenen gedragen waaruit de vingers wit en bloedeloos te voorschijn kwamen.

Op het allerlaatste moment, toen de trein al begon te rijden, had Penelope Nancy vlug opgetild en de oude man had zijn hand uitgestoken en die tegen Nancy's ronde wangetje gelegd. Ze herinnerde zich de kou van zijn hand, als marmer tegen haar huid. Er was geen tijd voor meer. De trein kreeg meer vaart, het perron schoof weg en hij stond daar ten afscheid te zwaaien met zijn breedgerande, zwarte hoed en werd steeds kleiner. En dat was Nancy's eerste en laatste herinnering aan hem, want het jaar daarop was hij overleden.

Een oud verhaal, vertelde ze zichzelf. Niets om sentimenteel over te worden. Maar niet te geloven dat iemand vandaag de dag zijn werk zou willen kopen. *De waterdraagsters.* Ze schudde haar hoofd en zette het raadsel toen van zich af om tevreden over te gaan naar de troostende onwerkelijkheid van het societynieuws.

HOOFDSTUK 2

Olivia

De nieuwe fotograaf heette Lyle Medwin. Hij was nog heel jong en had zacht, bruin haar dat wel met behulp van een bloempot geknipt leek, en een vriendelijk gezicht. Hij had iets onwerelds, als een toegewijde novice, en Olivia vond het moeilijk te geloven dat hij het zover gebracht had in zijn vak zonder dat hem de keel was afgesneden.

Ze stonden bij de tafel voor het raam van haar werkkamer, waar hij een keuze uit zijn werk voor haar had uitgespreid; een stuk of twintig grote, glanzende kleurenfoto's, hoopvol ter goedkeuring neergelegd. Olivia had ze aandachtig bekeken en besloten dat ze ze goed vond. Om te beginnen waren ze duidelijk. Modefoto's, zei ze altijd met nadruk, moesten de kleren laten zien, het model ervan, de val van een rok, het patroon van een jumper, en dat deden deze. Bovendien zaten ze vol leven, beweging, plezier, tederheid zelfs.

Ze pakte er een op. Een man met de bouw van een achterspeler in de branding, een verblindend wit trainingspak tegen een kobaltblauwe zee. Een gebruinde huid, zweet, je proefde de zilte lucht bijna.

'Waar heb je deze genomen?'

'Malibu. Voor een advertentie voor sportkleding.'

'En deze?' Ze pakte een andere foto op, een opname bij avond van een meisje in chiffon, haar gezicht naar de ondergaande zon gekeerd.

'Dat was Point Reays . . . voor *Vogue*.'

Ze legde de foto's neer en draaide zich naar hem toe. Ze keek hem aan.

'Wat voor ervaring heb je?'

Hij haalde zijn schouders op. 'Na mijn opleiding heb ik eerst een poosje voor mezelf gewerkt en toen ben ik een paar jaar de assistent van Toby Stryber geweest.'

'Toby heeft me op je geattendeerd.'

'En toen ik bij Toby weg was, ben ik naar Los Angeles gegaan. Daar heb ik de laatste drie jaar gewoond.'

'En het is je daar goed gegaan.'

Hij glimlachte een beetje verontschuldigend. 'Ja, dat geloof ik wel.'

Zijn kleren waren helemaal in de stijl van Los Angeles. Witte gymschoenen, een bleekblauwe spijkerbroek, een wit shirt, een jasje van verschoten denim. Met het oog op de Londense kou had hij een koraalrode, kasjmieren das om zijn dunne, gebruinde hals gewonden. Hij zag er een beetje verkreukeld maar verrukkelijk schoon uit, als wasgoed dat in de zon gedroogd maar nog niet gestreken is. Ze vond hem bijzonder aantrekkelijk.

'Carla heeft je verteld waar het om gaat?' Carla was Olivia's moderedactrice. 'Het is voor het julinummer, nog even aandacht voor vakantiekleren voor we overgaan op tweed.'

'Ja . . . ze had het over opnamen op locatie.'

'Waar had je gedacht?'

'We hebben het over Ibiza gehad . . . ik heb daar relaties . . .'

'Ibiza.'

Hij was snel bereid zich aan haar aan te passen. 'Maar ergens anders is mij ook goed. Marokko misschien.'

'Nee.' Ze ging weer achter haar bureau zitten. 'We hebben Ibiza al een tijdje niet gebruikt. Maar liever geen opnamen op het strand. Een landelijke achtergrond zou eens wat anders zijn, met schapen en geiten en geharde boeren die de grond bewerken. Je zou een paar van de bewoners mee kunnen laten doen om het een beetje authentieker te maken. Het zijn aantrekkelijke mensen en ze worden graag gefotografeerd . . .'

'Geweldig . . .'

'Bespreek dat dan maar met Carla . . .'

Hij aarzelde. 'Dus ik heb de baan?'

'Natuurlijk heb je de baan. Succes ermee . . .'

'O, dat zal wel lukken. Bedankt . . .' Hij begon zijn foto's op een stapel te leggen. Olivia's intercom begon te zoemen en ze drukte de knop in en sprak met haar secretaresse.

'Ja?'

'Een telefoontje van buiten, miss Keeling.'

Ze keek op haar horloge. Het was kwart over twaalf.

'Wie is het? Ik wilde juist gaan lunchen.'

'Een zekere meneer Henry Spotswood.'

Henry Spotswood. Wie was Henry Spotswood in vredesnaam? En toen herinnerde ze zich ineens weer de man die ze een paar dagen eerder op de cocktailparty van de Ridgeways had ontmoet. Grijzend haar en even lang als zij. Maar hij had zich toen Hank genoemd.

'Verbind hem maar door, Jane.'

Terwijl ze haar hand uitstak naar de telefoon, liep Lyle Medwin met de map met foto's onder zijn arm naar de deur.

'Tot ziens,' zei hij terwijl hij zichzelf uitliet en ze stak haar hand op en glimlachte, maar hij was al weg.

'Miss Keeling?'

'Ja.'

'Olivia, met Hank Spotswood, we hebben elkaar bij de Ridgeways ontmoet.'

'Natuurlijk.'

'Ik heb een paar uur vrij. Zouden we kunnen gaan lunchen?'

'Vandaag?'

'Ja, nu meteen.'

'Het spijt me, dat gaat niet. Mijn zuster is een dag in de stad en ik zou met háár gaan lunchen. Ik ben al laat, ik zou eigenlijk al onderweg moeten zijn.'

'O, dat is vervelend. Zou je dan vanavond met me willen dineren?' Zijn stem bracht hem weer duidelijk in haar herinnering. Blauwe ogen. Een aardig Amerikaans gezicht. Een donker pak, een overhemd van Brooks Brothers met een stijve boord.

'Dat zou leuk zijn.'

'Geweldig. Waar wil je eten?'

Ze dacht even na, toen nam ze een besluit.

'Zou je het niet leuk vinden eens een keer niet in een restaurant of een hotel te hoeven eten?'

'Hoe bedoel je?'

'Kom bij mij eten.'

'Dat zou geweldig zijn.' Het klonk verbaasd maar hij leek het zeker geen slecht idee te vinden. 'Maar is dat niet lastig?'

'Helemaal niet,' zei ze. 'Kom dan om een uur of acht.' Ze gaf hem haar adres en vertelde hem waar het ongeveer was, voor als hij een niet al te snuggere taxichauffeur trof, en toen namen ze afscheid van elkaar.

Hank Spotswood. Dat was goed. Ze glimlachte even, keek toen op haar horloge en zette Hank uit haar gedachten. Ze sprong op, pakte haar jas, tas en handschoenen en ging op weg om met Nancy te gaan lunchen.

Olivia had een tafel besproken bij *L'Escargot* in Soho. Daar ging ze altijd heen voor zakenlunches en ze zag geen reden om van haar gewoonte af te wijken, hoewel ze wist dat Nancy zich veel meer op haar gemak zou voelen bij *Harvey Nichols* of ergens waar het vol zat met uitgeputte vrouwen die hun voeten een beetje rust gaven na een ochtend winkelen.

Maar ze hadden afgesproken bij *L'Escargot* en Olivia was laat en Nancy zat op haar te wachten, dikker dan ooit in haar wollen jumper en rok en met haar bontmuts op, die ongeveer dezelfde kleur had als haar verschoten, blonde krullen, zodat het net was of ze nog een extra hoofd met haar had. Daar zat ze, een vrouw alleen tussen allemaal zakenlui, met haar handtas op haar schoot en een grote gin met tonic op het tafeltje voor haar. Ze leek hier zo belachelijk weinig op haar plaats dat Olivia zich ineens schuldig voelde, waardoor ze uitbundiger deed dan ze eigenlijk wilde.

'O, Nancy, het spijt me, het spijt me verschrikkelijk, ik werd opgehouden. Zit je al lang te wachten?'

Ze gaven elkaar geen kus. Ze kusten elkaar nooit.

'Het geeft niet.'

'Je hebt in elk geval al wat te drinken . . . je wilt toch geen tweede, hè? Ik heb een tafel besproken voor kwart voor een en dat is het al geweest.'

'Goedemiddag, miss Keeling.'

'O, hallo, Gerard. Nee, niets drinken, dank je, we hebben niet veel tijd.'

'U hebt een tafel besproken?'

'Ja. Voor kwart voor een. Ik vrees dat ik een beetje laat ben.'

'Dat doet er niet toe. Komt u maar mee, alstublieft.'

Hij ging voor, maar Olivia wachtte tot Nancy zich op haar voeten gehesen, haar tas en haar tijdschrift gepakt en haar trui over haar omvangrijke heupen getrokken had, voor ze hem volgde. Het was warm in het overvolle restaurant, en rumoerig door de luide, mannelijke gesprekken. Ze werden naar Olivia's gewone tafel gebracht, in een hoek van de zaal, waar ze na de gebruikelijke ceremonie eindelijk op een rond bankje zaten, met het tafeltje teruggeschoven over hun knieën en de uitgebreide spijskaart voor hen.

'Wilt u vast een glas sherry?'

'Perrier graag voor mij, Gerard, en voor mijn zuster . . .' Ze wendde zich tot Nancy. 'Wil jij wijn?'

'Ja, graag.'

Olivia wierp geen blik op de wijnkaart maar bestelde een halve fles wijn van het huis.

'En wat wil je eten?'

Nancy wist het eigenlijk niet. Er stond erg veel op de kaart en allemaal in het Frans. Olivia stelde een paar dingen voor en tenslotte stemde Nancy in met consommé en dan kalfsoesters met champignons. Olivia bestelde een omelet en een salade en toen de kelner weg was, vroeg ze: 'Hoe was de reis vanochtend?'

'O, heel prettig. Ik heb de trein van kwart over negen genomen. Het was een beetje haasten om de kinderen naar school te krijgen maar ik heb het klaargespeeld.'

'Hoe is het met de kinderen?'

Ze probeerde het te laten klinken alsof het haar echt interesseerde, maar Nancy wist dat dat niet zo was en ging er gelukkig niet uitgebreid op in.

31

'Uitstekend.'

'En met George.'

'Goed, geloof ik.'

'En met de honden,' hield Olivia vol.

'Best . . .' begon Nancy en toen herinnerde ze zich: 'Er had er vanochtend een gespuugd.'

Olivia kneep haar ogen dicht. 'Houd daarover op, tot we gegeten hebben.'

De wijnkelner verscheen, met Olivia's Perrier en Nancy's halve fles. De wijn werd ingeschonken. De man wachtte. Nancy herinnerde zich dat ze moest proeven en nam vlug een slok. Ze tuitte haar lippen alsof ze er verstand van had en zei dat het heerlijk smaakte. De fles werd op tafel gezet en de wijnkelner trok zich terug.

Olivia schonk haar eigen Perrier in. 'Drink je nooit wijn?' vroeg Nancy.

'Niet tijdens zakenlunches.'

Nancy trok haar wenkbrauwen op en keek bijna ondeugend. 'Is dit een zakenlunch?'

'Nou, niet dan? Waarvoor zijn we hier dan vandaag? Om over de zaken van mama te spreken toch?' Nancy ergerde zich als gewoonlijk aan de kinderlijke benaming. De kinderen van Penelope spraken haar alle drie op een andere manier aan. Noel zei ma. Nancy noemde haar al jaren moeder, wat ze passend vond gezien hun leeftijd en Nancy's eigen positie in het leven. Alleen Olivia – die verder zo hard en wereldwijs was – hield het bij 'mama'. Nancy vroeg zich wel eens af of Olivia wel besefte hoe belachelijk het klonk. 'We kunnen beter ter zake komen. Ik heb niet de hele dag beschikbaar.'

Haar koele toon was de druppel die de emmer deed overlopen. Nancy, die voor dit gesprek uit Gloucestershire gekomen was, die het braaksel van een hond had opgeruimd en haar duim had opengehaald aan het Bonzoblik, die op de een of andere manier haar kinderen naar school had gekregen en op het nippertje de trein gehaald had, voelde de woede in zich opkomen.

Ik heb niet de hele dag beschikbaar.

Waarom was Olivia zo kortaf, zo harteloos, zo gevoelloos? Konden ze nu nooit eens gezellig als zusters praten zonder dat Olivia aan haar carrière moest herinneren, alsof Nancy's leven met haar huis, haar man en haar kinderen niets voorstelde?

Toen ze klein waren, was Nancy het leukst geweest om te zien. Met haar blonde haar, blauwe ogen, lieve maniertjes en (dank zij oma Keeling) mooie kleren. Nancy had de aandacht getrokken en de bewondering van mannen opgewekt. Olivia was intelligent en ambitieus, bezeten van boeken, examens en academische prestaties, maar lelijk, wist Nancy nog, beslist niet aantrekkelijk. Veel te lang en te mager, met platte borsten en een bril. Ze had een bijna verwaand gebrek aan belangstelling voor het andere geslacht getoond en had zich als een van Nancy's vriendjes verscheen, in een verachtelijk zwijgen gehuld of was met een boek in haar slaapkamer verdwenen.

En toch had ze ook haar sterke punten. Ze was niet voor niets een dochter van haar ouders. Haar haar, dat erg dik was, had de kleur en de glans van mahonie en haar donkere ogen, die ze van haar moeder had geërfd, schitterden als die van een vogel, met een soort spottende intelligentie.

Wat was er dus gebeurd? De slungelachtige, briljante studente, het zusje met wie geen man wilde dansen, was op een bepaald moment op de een of andere manier veranderd in dit fenomeen, deze Olivia van achtendertig. Deze vrouw met wie je rekening moest houden, de hoofdredactrice van *Venus*.

Ze zag er die dag even onbuigzaam uit als altijd. Lelijk, ja, maar bijna griezelig elegant. Een zwarte mantel, een blouse van crème zijde, een gouden ketting en gouden oorbellen, opvallende ringen aan haar handen. Haar gezicht was bleek, haar mond erg rood. Zelfs haar grote bril met het zwarte montuur leek een benijdenswaardig sieraad. Nancy was geen dwaas. Toen ze achter Olivia door het volle restaurant naar hun tafel liep, had ze de mannelijke belangstelling gevoeld, de steelse blikken en de omgedraaide hoofden gezien en geweten dat ze niet haarzelf maar Olivia golden.

Nancy had nooit naar de duistere geheimen van Olivia's leven geraden. Tot dat buitengewone gebeurde, vijf jaar tevoren, had ze oprecht geloofd dat haar zusje nog maagd was of volkomen geslachtloos. (Er was natuurlijk nog een andere, onheilspellender mogelijkheid, die bij Nancy opkwam nadat ze plichtmatig een biografie van Vita Sackville-West had doorgewerkt, maar die gedachte kon ze werkelijk niet verdragen.)

Olivia leek het klassieke voorbeeld van een intelligente en ambitieuze vrouw. Ze werd ogenschijnlijk geheel in beslag genomen door haar carrière. Ze was bij *Venus* gaan werken, het blad voor ontwikkelde vrouwen met een hoog inkomen. Af en toe verscheen haar foto op de bladzijden ervan, als illustratie bij een artikel, en ze was een keer op de televisie geweest.

En toen had Olivia ineens die vreemde, onverwachte stap genomen. Ze had tijdens een vakantie op Ibiza een man leren kennen, Cosmo Hamilton, en was niet meer teruggekomen. Tenminste, uiteindelijk kwam ze wel terug, maar pas nadat ze een jaar met hem had samengewoond. Nancy had het eerst niet willen geloven. Ze vond het te schokkend, maakte ze zichzelf wijs, maar in werkelijkheid had ze op de een of andere manier het gevoel dat Olivia haar een vlieg had afgevangen.

Ze wist niet hoe gauw ze het aan George moest vertellen, zodat hij even verstomd zou staan als zij, maar hij reageerde heel anders dan ze verwacht had.

'Interessant,' had hij enkel gezegd.

'Je lijkt niet erg verbaasd.'

'Dat ben ik ook niet.'

Ze fronste haar wenkbrauwen. 'George, we hebben het over Olivia.'

'Natuurlijk.' Hij zag het ontdane gezicht van zijn vrouw en moest bijna lachen. 'Nancy, je denkt toch niet dat Olivia haar hele leven als een non heeft geleefd? Dat geheimzinnige meisje met haar flat in Londen en haar ontwijkende manier van doen. Als je dat dacht, ben je een grotere dwaas dan ik wist.'

Nancy begon bijna te huilen. 'Maar . . . maar, ik dacht . . .'

'Wat dacht je?'

'O, George, ze is zo *onaantrekkelijk.*'

'Nee,' zei George. 'Nee, Nancy, ze is niet onaantrekkelijk.'

'Maar ik dacht dat je haar niet aardig vond.'

'Dat doe ik ook niet,' zei George. En hij vouwde zijn krant open en maakte zo een eind aan het gesprek.

Het was niets voor George zich zo duidelijk over iets uit te laten. Het was ook niets voor hem zoveel inzicht te tonen, maar nadat ze er nog eens goed over nagedacht had, kwam Nancy tot de conclusie dat hij waarschijnlijk gelijk had over Olivia. Toen ze zich eenmaal bij de situatie had neergelegd, vond ze het niet moeilijk er persoonlijk voordeel uit te halen. Nancy voelde zich heel mondain met zo'n zwierig familielid en als je er niet te veel aandacht aan schonk dat ze in zonde leefden, vormden Olivia en Cosmo Hamilton een heel goed onderwerp van gesprek tijdens etentjes. 'Olivia, weet je, mijn pientere zuster, het is te romantisch. Ze heeft alles opgegeven voor haar liefde. Ze woont nu op Ibiza . . . een prachtig huis.' Haar fantasie voorzag andere verrukkelijke, en naar ze hoopte gratis, mogelijkheden. 'Misschien gaan George en ik volgende zomer een paar weken naar haar toe met de kinderen. Maar dat hangt natuurlijk van de ponyclub af. Wij, moeders, zijn slavinnen van de ponyclub.'

Maar hoewel Olivia haar moeder te logeren vroeg en Penelope de uitnodiging verheugd aannam en meer dan een maand bij Cosmo en haar doorbracht, waren de Chamberlains nooit gevraagd en dat had Nancy haar zusje nooit vergeven.

Het was erg warm in het restaurant. Nancy had ineens het gevoel dat het veel te warm was. Ze wilde dat ze een blouse had aangetrokken in plaats van haar jumper, maar ze kon die niet uitdoen, dus nam ze in plaats daarvan nog een slok koele wijn. Ondanks de warmte merkte ze dat haar handen beefden.

Naast haar vroeg Olivia: 'Heb je mama gezien?'

'O ja.' Ze zette haar glas neer. 'Ik ben bij haar op bezoek geweest in het ziekenhuis.'

'Hoe was het met haar?'

'Heel goed, gezien de omstandigheden.'

'Weten ze zeker dat het een hartaanval geweest is?'

'O ja. Ze heeft een paar dagen op de intensive care gelegen. En toen hebben ze haar op een zaal gelegd en toen heeft ze zichzelf ontslagen en is ze naar huis gegaan.'

'Dat zal de dokter niet leuk gevonden hebben.'

'Nee, hij was behoorlijk nijdig. Daarom belde hij mij en toen zei hij dat ze niet alleen zou moeten wonen.'

'Heb je erover gedacht nòg een arts te raadplegen?'

Nancy keek geërgerd. 'Dit is een heel goede dokter, Olivia.'

'Een huisarts van buiten.'

'Hij zou erg beledigd zijn . . .'

'Onzin. Ik denk dat het geen zin heeft iets aan een gezelschapsdame of een huishoudster te doen tot ze bij een specialist geweest is.'

'Je weet dat ze dat nooit zal doen.'

'Laat haar dan begaan. Waarom moet haar de een of andere stomme vrouw opgedrongen worden als ze liever alleen is? Die lieve mevrouw Plackett komt drie ochtenden in de week en ik weet zeker dat iedereen in het dorp wel een oogje op haar houdt. Ze woont daar tenslotte nu al vijf jaar en iedereen kent haar.'

'Maar stel dat ze een nieuwe aanval krijgt en overlijdt omdat er niemand is om haar te helpen. Of dat ze van de trap valt. Of een auto-ongeluk veroorzaakt en iemand doodrijdt.'

Olivia beging de onvergeeflijke fout te lachen. 'Ik wist niet dat jij zo'n levendige fantasie had. Maar wat dat auto-ongeluk betreft, dat krijgt ze ook als er een huishoudster is. Ik geloof echt niet dat we ons bezorgd hoeven te maken.'

'Maar dat moeten we wel.'

'Waarom?'

'Het gaat niet alleen om die huishoudster . . . er zijn nog andere dingen waar we aan moeten denken. De tuin bij voorbeeld. Vier hectare bij elkaar. Ze heeft het altijd allemaal zelf gedaan. Groente gepoot en het gras gemaaid. Alles. Er kan niet van haar verwacht worden dat ze nog zulke inspannende dingen doet.'

'Dat zal ze ook niet,' zei Olivia en Nancy fronste haar wenkbrauwen. 'Ik heb haar gisteravond een hele tijd aan de telefoon gehad . . .'

'Dat had je me niet verteld.'

'Je hebt me nauwelijks de kans gegeven. Ze klonk heel opgewekt. Ze zei dat ze de dokter een idioot vond en dat ze een vrouw die bij haar in kwam wonen waarschijnlijk zou vermoorden. Het huis is te klein en ze zouden elkaar voortdurend in de weg lopen. En daar ben ik het helemaal mee eens. Wat de tuin betreft, zelfs vóór die zogenaamde hartaanval had ze al besloten dat die haar een beetje te veel werd. Ze heeft dus geregeld dat er twee of drie dagen in de week een man komt om daarvoor te zorgen. Ik geloof dat hij aanstaande maandag begint.'

Dit alles bracht Nancy niet bepaald in een betere stemming. Het was net of Olivia en moeder achter haar rug een samenzwering gesmeed hadden.

'Ik weet niet of ik dat wel zo'n goed idee vind. Hoe kunnen we weten wat voor iemand het is? We hadden beter . . .'

Nancy werd onderbroken door de komst van haar soep. Ze realiseerde zich plotseling hoe hongerig ze was, pakte haar lepel en stak haar hand uit naar een warme croissant.

Even later zei ze een beetje stug: 'Je hebt er natuurlijk niet aan gedacht de zaak met George en mij te bespreken.'

'Maar wat is er in vredesnaam te bespreken? Het gaat alleen mama zelf maar aan. Werkelijk, Nancy, George en jij behandelen haar alsof ze seniel is. Ze is pas vierenzestig, in de kracht van haar leven, zo sterk als een paard en even onafhankelijk als altijd. Laat haar toch met rust.'

Nancy was woedend. 'Haar met rust laten? Als Noel en jij haar wat minder met rust lieten, zoals jij dat noemt, zou dat de last op mijn schouders misschien wat verlichten.'

Olivia reageerde ijzig. 'In de eerste plaats moet je mij niet op één lijn stellen met Noel. En in de tweede plaats heb je die last zelf bedacht en op je schouders gelegd.'

'Ik weet niet waarom George en ik zoveel moeite doen. We krijgen nooit een bedankje.'

'Waar zouden jullie voor bedankt moeten worden?'

'Voor van alles. Als ik moeder er niet van overtuigd had dat het dwaasheid was, was ze teruggegaan naar Cornwall en woonde ze nu in de een of andere vissershut.'

'Ik heb nooit kunnen begrijpen waarom je dat zo'n slecht idee vond.'

'Olivia. Mijlen bij ons allemaal vandaan, aan de andere kant van het land. Het was belachelijk en dat heb ik haar ook gezegd. Je kunt nooit teruggaan, heb ik gezegd. Dat was alles wat ze probeerde te doen, teruggaan naar haar jeugd. Het zou een ramp geworden zijn. En bovendien heeft George Podmore's Thatch voor haar gevonden. En zelfs jij kunt niet zeggen dat dat geen verrukkelijk huis is. En dat allemaal dank zij George. Vergeet dat niet, Olivia. Allemaal dank zij George.'

'Drie hoeraatjes voor George.'

Op dat moment werden ze opnieuw onderbroken, toen Nancy's soepkom werd weggehaald en de kalfsoesters en de omelet werden opgediend. De laatste wijn werd in Nancy's glas gegoten en Olivia nam wat salade. Toen de kelner weg was, vroeg Nancy: 'En wat gaat die tuinman kosten? Dat zal aardig oplopen.'

'O, Nancy, doet dat er iets toe?'

'Natuurlijk doet dat er wel iets toe. Kan moeder het zich veroorloven? Het is erg vervelend. Ze doet altijd zo geheimzinnig over geld en is tegelijk zo vreselijk verkwistend.'

'Moeder? Verkwistend? Ze geeft nooit een stuiver voor zichzelf uit.'

'Maar ze heeft altijd maar gasten. Ze moet astronomische bedragen uitgeven aan eten en drinken. En die belachelijke serre die ze aan het huis heeft laten bouwen. George heeft nog geprobeerd het haar uit het hoofd te praten. Ze had het geld veel beter aan dubbele ramen uit kunnen geven.'

'Misschien wilde ze geen dubbele ramen.'

'Je weigert je bezorgd te maken, hè?' Nancy's stem trilde van verontwaardiging. 'De mogelijkheden onder ogen te zien.'

'En wat zijn de mogelijkheden, Nancy? Vertel me dat dan eens.'

'Ze kan wel negentig worden.'

'Dat hoop ik.'

'Haar kapitaal zal niet onuitputtelijk zijn.'

Olivia's ogen schitterden geamuseerd. 'Zijn George en jij bang dat jullie haar moeten onderhouden? En jullie zitten al met dat enorme huis en die dure scholen voor de kinderen.'

'Waar wij ons geld aan willen uitgeven, gaat jou niet aan.'

'En waar mama dat van haar aan wil besteden, gaat jùllie niet aan.'

Die tegenzet bracht Nancy tot zwijgen. Ze wendde zich van Olivia af en wijdde zich geheel aan haar kalfsoesters. Olivia zag dat ze rood werd en dat haar mond een beetje beefde. Lieve help, dacht ze, ze is drieënveertig en ze ziet er als een dikke, zielige oude vrouw uit. Ze had ineens met Nancy te doen en voelde zich een beetje schuldig. Het klonk veel vriendelijker toen ze zei: 'Ik zou me niet te veel zorgen maken als ik jou was. Ze heeft schandalig veel voor Oakley Street gekregen en daar is nog heel wat van over, nog afgezien van het geld dat in Podmore's Thatch zit. Ik denk niet dat Lawrence Stern dat beseft heeft maar al met al heeft hij haar aardig wat nagelaten. En dat was maar goed ook, want als we het van vader hadden moeten hebben . . .' Nancy besefte plotseling dat ze aan het eind van haar Latijn was. Ze had geen argumenten meer en ze vond het vreselijk als Olivia op die manier over die lieve pappie praatte. Onder normale omstandigheden was ze meteen in het geweer gekomen voor die lieverd, die zich niet meer kon verdedigen. Maar nu had ze daar de energie niet voor. Dit hele gesprek was tijdverspilling geweest. Er was niets besloten – over moeder of geld of huishoudsters, of over wat dan ook. Olivia had haar als altijd de loef afgestoken en nu voelde Nancy zich alsof ze was platgewalst.

Lawrence Stern.

De heerlijke maaltijd was voorbij. Olivia keek op haar horloge en vroeg Nancy of ze nog koffie wilde. Nancy vroeg of er nog tijd voor was en Olivia zei dat ze nog wel vijf minuten had. Dus namen ze koffie en Nancy probeerde niet aan de heerlijke nagerechten te denken die ze langs had zien gaan. Ze pakte haar *Harpers and Queen*.

'Heb je dat gezien?'

Ze bladerde het tijdschrift door tot ze bij de advertentie van Boothby kwam en gaf het blad aan haar zusje. Olivia keek even en knikte toen. 'Ja, dat heb ik gezien. Het wordt aanstaande woensdag geveild.'

'Is het niet vreemd?' Nancy nam het tijdschrift weer aan. 'Stel je toch eens voor dat iemand zo iets afschuwelijks wil kopen.'

'Nancy, ik verzeker je dat een heleboel mensen dolgraag zo iets afschuwelijks willen kopen.'

'Dat kun je niet menen.'

'Zeker wel.' Toen ze de oprechte verbijstering van haar zuster zag, begon Olivia te lachen. 'O, Nancy, waar hebben George en jij de laatste jaren gezeten? Victoriaanse schilderkunst is weer enorm in de belangstelling gekomen. Lawrence Stern, Alma Tadema, John William Waterhouse . . . hun werk brengt allemaal enorm veel op.'

Nancy bekeek de droefgeestige *Waterdraagsters* met naar ze hoopte nieuwe ogen. Het maakte geen enkel verschil. 'Maar waarom?' hield ze aan.

Olivia haalde haar schouders op. 'Nieuwe waardering voor hun techniek. Zeldzaamheidswaarde.'

'Als je enorm veel zegt, wat bedoel je dan precies? Ik bedoel, hoeveel zal dit opbrengen?'

'Geen idee.'

'Een schatting.'

'Nou . . .' Olivia trok haar mondhoeken omlaag. 'Misschien . . . tweehonderdduizend.'

'Tweehonderdduizend? Hiervoor?'

'Zo om en nabij.'

'Maar waarom?' vroeg Nancy weer.

'Dat heb ik je gezegd. Zeldzaamheidswaarde. Niets is iets waard tot iemand het wil hebben. Lawrence Stern heeft niet zo veel geschilderd. Als je dat schilderij goed bekijkt, begrijp je wel waarom niet. Het moet maanden werk geweest zijn.'

'Maar wat is er met al zijn werk gebeurd?'

'Weg. Verkocht. Meteen waarschijnlijk, toen de verf nog nat was. Elke zichzelf respecterende particuliere verzameling en elk belangrijk schilderijenmuseum ter wereld wil wel een Lawrence Stern hebben. Er komt er tegenwoordig maar af en toe een op de markt. En vergeet niet dat hij lang voor de oorlog al is opgehouden met schilderen, toen zijn handen te stijf werden om zelfs een penseel vast te houden. Ik denk dat hij alles verkocht heeft wat hij kon, om zichzelf en zijn gezin in leven te houden. Hij is nooit rijk geweest en het was een geluk voor ons dat hij dat grote huis in Londen van zijn vader geërfd had en toen later Carn Cottage heeft kunnen kopen. De verkoop van Carn Cottage heeft ons alle drie een hele hoop geleerd en van de opbrengst van Oakley Street leeft mama nu nog steeds.'

Nancy luisterde maar half. Haar gedachten volgden hun eigen koers.

Ze vroeg zo terloops mogelijk: 'En die schilderijen van moeder?'

'*De schelpenzoekers* bedoel je?'

'Ja. En de twee panelen op de overloop.'

'Wat is daarmee?'

'Als die nu verkocht werden, zouden ze ook een heleboel geld waard zijn?'

'Dat denk ik wel.'

Nancy slikte. Haar mond was droog. 'Hoeveel?'

'Nancy, ik zit niet in de kunsthandel.'

'Zo ongeveer.'

'Ik denk . . . tegen de vijfhonderdduizend.'

'Vijfhonderdduizend.' De woorden waren nauwelijks te verstaan. Nancy leunde verbijsterd achterover. Een half miljoen. Ze zag het bedrag voor zich, met een pondteken ervoor en een heleboel verrukkelijke nullen. Op dat moment bracht de kelner hun koffie. Nancy schraapte haar keel en probeerde het nog eens. 'Een half miljoen.'

'Zo ongeveer.' Olivia schoof met een van haar zeldzame glimlachjes de suikerpot in Nancy's richting. 'Je ziet dus waarom George en jij zich geen zorgen over mama hoeven te maken.'

Dat was het eind van het gesprek. Ze dronken zwijgend hun koffie, Olivia betaalde de rekening en ze stonden op om weg te gaan. Buiten namen ze ieder een taxi. Olivia reed het eerste weg en Nancy keek haar na. Het regende nogal hard maar Nancy merkte het amper.

Een half miljoen.

Ze stapte in haar eigen taxi en liet zich naar Harrods rijden. Ze keek door het raampje naar buiten maar zag eigenlijk niets. Ze had niets bereikt bij Olivia maar het was geen verspilde dag. Ze voelde haar hart bonzen van opwinding.

Een half miljoen pond.

Dat Olivia Keeling zoveel succes had met haar werk, kwam voor een deel doordat ze altijd al het andere van zich af kon zetten om al haar niet te verwaarlozen intelligentie voor één probleem tegelijk te gebruiken. Haar leven was net een onderzeeër, verdeeld in waterdichte ruimten, volkomen afgesloten van elkaar. Zo had ze voor de lunch Hank Spotswood uit haar gedachten gezet, zodat ze zich er helemaal op had kunnen concentreren Nancy de baas te blijven. Terug op kantoor dacht ze geen moment meer aan Nancy en de rest van haar familie en was ze weer helemaal de hoofdredactrice van *Venus*. Die middag dicteerde ze brieven, maakte ze een afspraak met het hoofd van de reclameafdeling en zei ze de redactrice korte verhalen eens goed de waarheid. Ze vertelde het arme schepsel dat *Venus* helemaal geen verhalen meer zou publiceren als ze geen betere kon vinden dan tot nog toe. De redactrice korte verhalen, die alleen twee kinderen probeerde groot te brengen, barstte in tranen uit bij de gedachte dat ze haar baan kwijt zou kunnen raken, maar Olivia was onvermurwbaar. De kwaliteit van het tijdschrift was voor haar belangrijker dan wat dan ook. Ze bood de vrouw eenvoudig een papieren zakdoekje aan en gaf haar nog twee weken de tijd om het een of ander betoverde konijn uit haar hoed te goochelen.

Maar het was allemaal erg vermoeiend. Gelukkig was het vrijdag. Ze werkte door tot zes uur, ruimde haar bureau op en pakte toen haar spullen bij elkaar. Ze nam de lift naar de garage onder het gebouw en ging op weg naar huis.

Het verkeer was ontzettend maar daar was ze aan gewend en ze accepteerde de drukte met gelatenheid. *Venus* hield op te bestaan. Het was net of de hele middag er niet was geweest en ze was terug in *L'Escargot*, bij Nancy.

Ze was onvriendelijk tegen Nancy geweest, had haar ervan beschuldigd dat ze zich te druk maakte, de ziekte van haar moeder gebagatelliseerd en het oordeel van de dokter in de wind geslagen. Nancy maakte ook altijd van elke mug een olifant . . . die arme meid, wat moest ze anders met haar vervelende leven beginnen . . . en bovendien wilde Olivia, alsof ze nog een kind was, er niet aan denken dat er misschien iets niet in orde was met Penelope. Ze wilde niet dat ze ziek was. Ze wilde niet dat ze doodging.

Een hartaanval. Dat dat nu juist haar moeder moest overkomen, die in heel haar leven nog nooit ziek was geweest. Lang, sterk, vitaal, in alles geïnteresseerd, altijd aanwezig als je haar nodig had. Olivia herinnerde zich de keuken in het souterrain in Oakley Street, het hart van dat grote Londense huis, waar soep stond te sudderen en de mensen uren om de tafel bleven zitten praten bij cognac en koffie, terwijl haar moeder aan het strijken was of lakens verstelde. Als iemand het woord geborgenheid noemde, dacht Olivia aan die keuken.

En nu. Ze zuchtte. Misschien had de dokter gelijk. Misschien moest Penelope niet langer alleen wonen. Olivia kon het beste een keer naar haar toe gaan om het te bespreken en zo nodig te zorgen dat er iets geregeld werd. Morgen was het zaterdag. Ik ga morgen naar haar toe, besloot ze en meteen voelde ze zich veel beter. Ze zou 's morgens naar Podmore's Thatch rijden en de dag daar doorbrengen. Toen zette ze het allemaal uit haar gedachten en liet de leegte die volgde, langzaam vollopen met plezierige verwachtingen voor de avond die voor haar lag.

Ze was nu bijna thuis. Maar eerst ging ze nog even naar binnen bij de supermarkt in de buurt. Ze kocht bruin brood, boter en een potje pâté de foie gras, kip en de benodigdheden voor een salade. Olijfolie, verse perziken, verschillende soorten kaas, een fles whisky, een paar flessen wijn. Ze kocht ook bloemen, een armvol narcissen, deed alles in de kofferruimte van de auto en reed de korte afstand naar Ranfurly Road.

Haar huis stond in een rij kleine huizen van rode baksteen uit het begin van de eeuw met een erker en een voortuin en een tegelpad. Aan de buitenkant zag het er bijna pijnlijk gewoon uit, waardoor het onverwacht geraffineerde interieur nog meer indruk maakte. De kleine kamers op de benedenverdieping waren in één grote ruimte veranderd, met enkel een kleine verhoging tussen de keuken en de eethoek. Een open trap leidde naar boven. Achter in de kamer leidden openslaande deuren naar de tuin, die vreemd landelijk aandeed omdat achter het tuinhek een kerk stond, met een stuk grond eromheen waar onder een enorme eik 's zomers zondagsschoolpicknicks gehouden werden.

Het had daarom voor de hand gelegen dat Olivia haar huis in landelijke stijl had ingericht, met gebloemde gordijnen en grenehouten meubelen. Ze had echter de voorkeur gegeven aan een koel, modern interieur. Wit was de voornaamste kleur. Olivia was gek op wit. De kleur van luxe, de kleur van licht. Een witte tegelvloer, witte muren, witte gordijnen. Bobbelige, witte katoen op de lage, schandalig gemakkelijke banken en stoelen, witte lampen en jaloezieën. En het resultaat was niet koud, want ze had ook hier en daar voor wat vrolijke kleuren gezorgd. Vuurrode en hardroze kussens, Spaanse vloerkleden, opvallende, abstracte schilderijen in zilveren lijsten. De tafel van de eethoek was van glas, de stoelen erbij waren zwart en de muur ernaast had ze kobaltblauw geverfd en daar had ze een hele verzameling foto's van familie en vrienden opgehangen.

Het was zowel warm, vlekkeloos, als glanzend schoon. Dat kwam doordat Olivia's buurvrouw elke dag kwam schoonmaken. Ze kon de was nu ruiken, vermengd met de geur van een pot blauwe hyacinten, bollen die ze de vorige herfst geplant had en die eindelijk hun hoogtepunt van geurige perfectie bereikt hadden.

Zonder zich te haasten, zich bewust ontspannend, begon ze aan haar voorbereidingen voor de avond. Ze trok de gordijnen dicht, stak de haard aan (een gashaard met namaakblokken, maar even gezellig als echt vuur), zorgde voor muziek en schonk een glas whisky in. In de keuken maakte ze een salade klaar. Toen ging ze de tafel dekken.

Het was nu bijna half acht en ze ging de trap op. Haar slaapkamer was aan de achterkant van het huis en zag uit op de tuin en de eik. Ook hier was alles wit, met dikke vloerbedekking en een enorm dubbel divanbed. Ze keek naar het bed en dacht aan Hank Spotswood. Ze aarzelde even en haalde het toen af. Ze deed er schone lakens op van glanzend, koel, pas gestreken linnen. Pas toen kleedde ze zich uit en liet ze het bad vollopen.

Dat bad 's avonds was de enige gelegenheid waarbij Olivia zich volkomen ontspande. Ze liet haar gedachten dan de vrije loop. Ze dacht aan prettige dingen – toekomstige vakanties, kleren voor de komende maanden, vage fantasieën over haar vriend van het moment. Maar om de een of andere reden moest ze die avond steeds maar weer aan Nancy denken. Ze vroeg zich af of ze nu alweer thuis was, in dat vreselijke huis bij haar onaantrekkelijke gezin. Ze had natuurlijk problemen, maar die had ze zich allemaal zelf op de hals gehaald. George en zij leefden ver boven hun financiële mogelijkheden en ze speelden het ook nog klaar zichzelf ervan te overtuigen dat ze recht hadden op veel meer. Het kostte Olivia moeite niet te glimlachen toen ze zich Nancy's verbijsterde reactie op de vermoedelijke waarde van de schilderijen van Lawrence Stern herinnerde. Nancy was er nooit goed in geweest haar gedachten te verbergen, vooral als ze ergens niet op voorbereid was, en haar verbazing had bijna meteen plaats gemaakt voor een blik waaruit berekenende hebzucht sprak. Ongetwijfeld had ze gedacht aan betaalde schoolrekeningen, dubbele ramen voor haar oude pastorie en een veilige financiële toekomst voor de familie Chamberlain.

Olivia maakte zich daar niet druk over. Ze hield haar hart niet vast voor *De schelpenzoekers*. Lawrence Stern had het schilderij als huwelijksgeschenk aan zijn dochter gegeven en het was kostbaarder voor haar dan al het geld van de wereld. Ze zou het nooit verkopen. Nancy zou – net als Noel trouwens – eenvoudig moeten wachten tot de natuur haar tol vroeg en Penelope overleed. Wat, naar Olivia oprecht hoopte, nog jaren zou duren.

Ze zette Nancy uit haar gedachten. Er bestonden tenslotte aantrekkelijker mensen. Die jonge fotograaf bij voorbeeld, Lyle Medwin. Briljant. Een echte vondst. En vlug van begrip ook.

'Ibiza,' had hij gezegd en zij had het woord onwillekeurig herhaald. En misschien had hij toen iets in haar stem opgevangen, want hij had meteen een ander voorstel gedaan. Ibiza. Ze besefte nu, terwijl ze in haar spons kneep zodat er warm water als balsem over haar naakte lichaam druppelde, dat er sinds dat korte, schijnbaar onbelangrijke gesprekje voortdurend op de rand van haar bewustzijn herinneringen om haar aandacht gesmeekt hadden.

Ze had in maanden niet aan Ibiza gedacht. Maar: 'Een landelijke achtergrond . . .' had ze gezegd. 'Met schapen en geiten en geharde boeren die de grond bewerken.' Ze zag het huis, lang en laag, met rode dakpannen, begroeid met bougainvillea en wijnranken. Hoorde koebellen en kraaiende hanen. Rook de warme hars van pijnboom en jeneverbes, door een warme wind meegevoerd van de zee. Voelde weer de hitte van de zon boven de Middellandse Zee.

HOOFDSTUK 3

Cosmo

Tijdens een vakantie met vrienden in het begin van de zomer van 1979 had Olivia op een feestje op een boot Cosmo Hamilton leren kennen. Ze hield niet van boten. Ze hield niet van te veel mensen op een te klein oppervlak, de voortdurende kans je te stoten aan een davit of giek. Het was die keer een motorjacht van een meter of tien, dat in de haven voor anker lag en te bereiken was met een klein bootje. Olivia was gegaan omdat haar vrienden ook gingen, maar ze had eigenlijk niet veel zin en het was even erg als ze gevreesd had, met te veel mensen en geen plaats om te zitten. Iedereen was erg vrolijk en luidruchtig en er werd vooral gesproken over het feestje van de vorige avond, waar Olivia en haar vrienden niet geweest waren.

Ze stond met haar hand om haar glas geklemd in de stuurhut van het jacht, samen met een stuk of veertien anderen. Het was net of je in een overvolle lift stond. En van een boot kon je niet gewoon maar verdwijnen. Je kon niet de straat opgaan en een taxi zoeken en naar huis gaan. Je zat vast. Met pal tegenover je een man zonder kin, die scheen te denken dat je het fascinerend vond te horen dat hij bij de gardetroepen zat en hoeveel tijd hij nodig had om van zijn huis in Hampshire in Windsor te komen.

Olivia wist zich geen raad van verveling. Toen hij zich even om-draaide om zijn glas nog eens te laten vullen, ontsnapte ze meteen. Ze ging de stuurhut uit en liep naar voren, langs een bijna geheel naakt meisje dat op het dak van de scheepshut lag te zonnebaden. Op het voordek vond ze een leeg plekje en daar ging ze zitten, met haar rug tegen de mast. Het was hier even rumoerig maar ze was in elk geval alleen. Het was erg warm. Ze staarde vertwijfeld naar de zee.

Er viel een schaduw over haar benen. Ze keek op, bang de gar-desoldaat uit Windsor te zien, en zag dat het de man met de baard was. Ze had hem opgemerkt zodra ze aan boord kwam, maar ze hadden niet met elkaar gesproken. Zijn baard was grijs maar zijn haar was dik en wit en hij was erg lang en mager en gespierd, gekleed in een wit shirtje en een verschoten, door het zout gebleekte spijkerbroek.

'Wil je nog wat drinken?' vroeg hij.

'Nee.'

'Wil je alleen zijn?'

Hij had een aantrekkelijke stem. Hij leek niet het soort man dat met saaie verhalen zou komen. 'Dat hoeft niet,' zei ze.

Hij hurkte naast haar neer. Hun ogen kwamen op dezelfde hoogte en ze zag dat die van hem even lichtblauw waren als zijn spijkerbroek. Zijn gezicht was gerimpeld en erg bruin en hij zag er als een schrijver uit, vond ze.

'Mag ik dan bij je komen zitten?'

Ze aarzelde en glimlachte toen. 'Waarom niet?'

Hij heette Cosmo Hamilton. Hij woonde op het eiland, al vijfentwintig jaar. Nee, hij was geen schrijver. Hij had eerst jachten verhuurd en had toen een Londense reisorganisatie vertegenwoordigd, maar nu werkte hij niet meer.

Olivia raakte ondanks zichzelf geïnteresseerd.

'Is dat niet vervelend?'

'Hoezo?'

'Niets te doen te hebben.'

'Ik heb duizend dingen te doen.'

'Noem er eens twee.'

Zijn ogen glommen van plezier. 'Dat is bijna beledigend.'

En hij zag er zo gezond en actief uit dat dat waarschijnlijk inderdaad zo was. Olivia glimlachte. 'Ik bedoelde het niet letterlijk.'

Zijn eigen glimlach verwarmde zijn gezicht als een lamp en veroorzaakte rimpeltjes bij zijn ooghoeken. Olivia had het gevoel dat haar hart heel ongemerkt werd geraakt.

'Ik heb een boot,' vertelde hij, 'en een huis en een tuin. Planken met boeken, twee geiten en drie dozijn bantammers. Bij de laatste telling. Bantammers zijn erg vruchtbaar.'

'Zorg je zelf voor de bantammers of doet je vrouw dat?'

'Mijn vrouw woont in Weybridge. We zijn gescheiden.'

'Je bent dus alleen.'

'Niet helemaal. Ik heb een dochter. Ze zit in Engeland op school, dus woont ze bij haar moeder, maar in de vakanties komt ze hier.'

'Hoe oud is ze?'

'Dertien. Ze heet Antonia.'

'Ze zal het wel geweldig vinden dat ze in de vakanties hier kan komen.'

'Ja. We hebben altijd een fijne tijd samen. Hoe heet jij?'

'Olivia Keeling.'

'Waar logeer je?'

'In *Los Pinos.*'

'Ben je hier alleen?'

'Nee, met vrienden. Daarom ben ik hier. Iemand van ons werd uitgenodigd en we zijn allemaal meegegaan.'

'Ik zag je aan boord komen.'

'Ik haat boten,' zei ze en hij begon te lachen.

De volgende ochtend verscheen hij in het hotel. Hij trof haar alleen aan, bij het zwembad. Het was nog vroeg en haar vrienden lagen waarschijnlijk nog in bed maar Olivia had al gezwommen en had haar ontbijt op het terras naast het zwembad besteld.

'Goedemorgen.'

Ze keek op, tegen de zon in, en zag hem daar staan in het verblindende licht.

'Hallo.'

Haar haar was nat en sluik van het zwemmen en ze had een witte badjas aan.

'Mag ik bij je komen zitten?'

'Als je dat prettig vindt.' Ze stak een voet uit en duwde een stoel naar hem toe. 'Heb je al ontbeten?'

'Ja.' Hij ging zitten. 'Een paar uur geleden al.'

'Wil je koffie?'

'Nee, zelfs geen koffie.'

'Wat kan ik dan voor je doen?'

'Ik zou het leuk vinden als we de dag met elkaar door konden brengen.'

'Betreft die uitnodiging ook mijn vrienden?'

'Nee. Alleen jou maar.'

Hij keek haar recht aan. Het leek wel of hij haar uitdaagde en om de een of andere reden vond ze dat nogal verwarrend. Olivia had zich in geen jaren verward gevoeld. Om die ongewone onzekerheid te verhullen en iets te doen te hebben pakte ze een sinaasappel van de mand met fruit op het tafeltje.

'Wat moet ik tegen de anderen zeggen?'

'Zeg gewoon dat je de dag met mij doorbrengt.'

De schil van de sinaasappel was taai en beschadigde haar duimnagel. 'Wat gaan we doen?'

'We kunnen de boot nemen . . . gaan picknicken . . . Geef hier.' Het klonk ongeduldig. Hij boog zich naar voren en nam haar de sinaasappel af. 'Het lukt je nooit op die manier.' Hij haalde een mes uit zijn zak en begon de sinaasappel in vieren te snijden.

Terwijl ze naar zijn handen keek, zei ze: 'Ik haat boten.'

'Dat weet ik. Dat heb je me gisteren ook verteld.' Hij deed het mes weer in zijn zak, haalde handig de schil van de sinaasappel en gaf hem terug aan Olivia. 'Nou,' zei hij, toen ze bleef zwijgen, 'wat wordt het? Ja of nee?'

Olivia leunde achterover op haar stoel en glimlachte. Ze brak de sinaasappel in partjes en begon ze op te eten, een voor een. Zwijgend keek Cosmo toe. Het werd vlug warmer en met de heerlijke smaak van de verse vrucht op haar tong voelde ze zich warm en tevreden als een kat in de zon. Langzaam at ze de sinaasappel op. Toen ze klaar was, likte ze haar vingers af en over de tafel heen keek ze de wachtende man aan. 'Ja,' zei ze.

Olivia ontdekte die dag dat ze uiteindelijk toch niet zo'n hekel aan boten had. Die van Cosmo was veel kleiner dan die van het feestje maar veel leuker. Om te beginnen waren alleen zij tweeën er maar en bovendien lagen ze niet zomaar stil maar gingen ze echt de zee op. In een verlaten baai die de toeristen nooit ontdekt hadden, lieten ze het anker vallen. Ze doken van het dek het water in en klommen weer aan boord over een vreselijk tegenwerkende touwladder.

De zon stond nu hoog aan de hemel en het was zo heet dat Cosmo een zonnescherm over de stuurhut trok, zodat ze in de schaduw daarvan konden eten. Brood met tomaten, schijfjes salami, fruit en kaas, en wijn die zoet en koel was omdat hij de flessen aan een touw in de zee had laten zakken.

En later was er ruimte om op het dek te gaan liggen en rustig te zonnebaden. En nog later, toen de wind was afgenomen en de zon omlaaggleed, ruimte om te vrijen.

De volgende dag verscheen hij weer, in zijn kleine Citroën 2 CV, die meer op een rijdend vuilnisvat leek dan op wat anders. En ze reden weg van de kust, landinwaarts, naar zijn huis. De rest van het gezelschap ergerde zich nu zo langzamerhand behoorlijk aan Olivia. De man die voor haar plezier meegevraagd was, had haar dat voor de voeten geworpen en ze hadden woorden gehad, waarna hij amper nog tegen haar sprak. Dat maakte het des te gemakkelijker hem in de steek te laten.

Het was weer een prachtige ochtend. De weg voerde omhoog, de heuvels in, door slaperige dorpjes en langs kleine, witte kerkjes en boerderijtjes waar geiten graasden en geduldige muildieren in de tredmolen liepen.

Hier was alles nog net als eeuwen geleden, de streek was nog niet aangeraakt door commercie en toerisme. De weg werd slechter en ten slotte bonkte de Citroën over een smal, onverhard pad, donker en koel in de schaduw van een bosje parasoldennen, om ten slotte tot stilstand te komen onder een enorme olijf.

Cosmo zette de motor af en ze stapten uit. Olivia voelde de koele bries op haar gezicht en ving een glimp op van de zee in de verte. Er leidde een pad naar beneden door een tuin met amandelbomen en aan het eind daarvan stond zijn huis. Het was lang en wit, met een rood

dak en begroeid met paarse bougainvillea's en het bood een ononder-
broken uitzicht over het brede dal, tot aan de kust toe. Langs de
voorkant van het huis liep een terras, met latwerk waarover wijnranken groeiden, en onder het terras liep een kleine, rommelige tuin
af naar een klein zwembad, dat helder blauwgroen lag te glinsteren in
de zonneschijn.

'Wat is het hier geweldig,' was alles wat ze kon uitbrengen.

'Kom binnen, dan zal ik je rondleiden.'

Het was een verwarrend huis. Overal waren trapjes en geen twee
kamers leken op hetzelfde niveau te liggen. Het was vroeger een
boerderij geweest en de woonkamer en de keuken waren nog boven,
terwijl de kamers op de begane grond, de voormalige stallen, de
slaapkamers waren.

Binnen was het sober en koel, met gewitte muren en eenvoudige
meubelen. Een paar gekleurde kleden op de ruwe, houten vloeren, op
het eiland zelf gemaakte meubelen, stoelen met een rieten zitting,
houten tafels. Alleen in de woonkamer hingen gordijnen, de andere
kamers hadden slechts jaloezieën.

Maar er waren ook fijne dingen. Banken en stoelen met zachte
kussens, vazen met bloemen, ruwe manden vol blokken hout bij de
open haard. In de keuken hingen koperen steelpannen en het rook er
naar specerijen en kruiden. En overal zag je de sporen van de kennelijk ontwikkelde man die hier al vijfentwintig jaar woonde. Honderden boeken, niet enkel op planken, maar ook op tafels, in venster-
banken en op de kast naast zijn bed. En er waren goede schilderijen
en een heleboel foto's en rekken met langspeelplaten naast de platen-
speler.

Toen ze eindelijk alles had gezien, ging hij haar door een lage deur
en weer een trapje af voor naar buiten, het terras op.

Ze bleef met haar rug naar het uitzicht staan en keek omhoog naar
de gevel van het huis. 'Het is volmaakter dan ik me had kunnen
voorstellen,' zei ze.

'Ga zitten en kijk naar het uitzicht, dan haal ik een glas wijn voor
je.'

Er stonden een paar rieten stoelen op de tegels maar Olivia wilde
niet zitten. Ze leunde tegen de witte muur en keek naar de geraniums
in potten van aardewerk en zag hoe een leger mieren voortdurend
heen en weer marcheerde. Het was onmetelijk stil. Ze luisterde en ving
de kleine geluidjes op die deel uitmaakten van de stilte. Een koebel in
de verte. Kippen, onzichtbaar in de tuin, maar duidelijk hoorbaar. De
zachte wind.

Een heel nieuwe wereld. Ze hadden maar een paar kilometer gereden maar het hotel, haar vrienden, de cocktails, het drukke zwembad,

de rumoerige straten en winkels van de stad, de heldere lichten en de lawaaierige disco's leken eindeloos ver weg. Nog verder weg waren Londen, *Venus*, haar flat, haar baan – onwerkelijk bijna, vergeten dromen van een leven dat nooit echt was geweest. Als een vaas die te lang leeg heeft gestaan voelde ze hoe ze met vrede gevuld werd. Ik zou hier kunnen blijven. Een stemmetje, een hand die aan haar mouw trok. Hier zou ik kunnen blijven.

Ze hoorde hem achter haar. Hij kwam het stenen trapje af, de hakken van zijn losse sandalen sloegen tegen de treden. Ze draaide zich om en zag hem door de donkere deuropening komen (hij was zo lang dat hij automatisch bukte). Hij had een fles wijn en twee glazen bij zich en de zon stond hoog en zijn schaduw was erg zwart. Hij zette de glazen en de fles neer en haalde een sigaar uit de zak van zijn spijkerbroek. Hij stak een lucifer aan.

'Ik wist niet dat je rookte,' zei ze.

'Alleen deze. Af en toe. Ik heb er vijftig per dag gerookt maar ik ben van de gewoonte af. Dit lijkt echter een geschikte gelegenheid om mezelf eens te verwennen.' Hij had de fles al opengemaakt en schonk de wijn nu in de glazen. Hij gaf er een aan Olivia. Het was ijskoud.

'Waar zullen we op drinken,' vroeg hij haar.

'Op je huis, hoe het ook mag heten.'

'Ca'n D'alt.'

'Op Ca'n D'alt dan. En op de eigenaar ervan.'

Ze dronken. 'Ik zag je uit het keukenraam,' zei hij. 'Je stond zo stil. Ik vroeg me af wat je dacht.'

'Alleen maar dat de werkelijkheid hier verbleekt.'

'Is dat goed?'

'Ik denk het wel. Ik ben . . .' Ze aarzelde en zocht naar de juiste woorden, omdat het ineens enorm belangrijk werd de juiste woorden te gebruiken. 'Ik ben niet erg huiselijk. Ik ben drieëndertig en redactrice van een blad dat *Venus* heet. Het heeft me veel tijd gekost zover te komen. Sinds ik wegging uit Oxford heb ik altijd voor mijn brood en mijn onafhankelijkheid gewerkt, maar dat vertel ik je niet om je medelijden op te wekken. Ik heb nooit iets anders gewild. Nooit willen trouwen of kinderen krijgen. Niet dat soort blijvende relaties.'

'En nu?'

'Nu heb ik het gevoel dat ik hier zou kunnen blijven. Ik zou me hier niet opgesloten voelen. Ik weet niet hoe dat komt.' Ze glimlachte naar hem. 'Ik weet niet hoe het komt.'

'Blijf dan,' zei hij.

'Vandaag? Vannacht?'

'Nee. Blijf gewoon.'

'Mijn moeder heeft me altijd gezegd dat ik nooit een uitnodiging voor onbepaalde tijd moest aannemen. Er moet altijd een datum van aankomst en een datum van vertrek zijn, zei ze dan.'

'Daar had ze volkomen gelijk in. Laten we zeggen dat de datum van aankomst vandaag is en de datum van vertrek mag je zelf bepalen.'

Ze staarde hem aan en probeerde zijn motieven te begrijpen. 'Je vraagt me bij je te komen wonen?' vroeg ze eindelijk.

'Ja.'

'En mijn baan? Het is een goede baan, Cosmo. Goed betaald en met veel verantwoordelijkheid. Het heeft me mijn hele leven gekost om zover te komen.'

'In dat geval mag je er wel eens een poosje uit. Niemand kan altijd werken.'

Een poosje. Zeg een jaar. Langer was weglopen.

'Ik heb ook een huis. En een auto.'

'Leen die maar aan je beste vriendin.'

'En mijn familie?'

'Die kun je te logeren vragen.'

Haar familie hier. Ze stelde zich Nancy voor, naast het zwembad zonnebadend terwijl George binnen zat, met een hoed op, uit angst te verbranden. Ze stelde zich Noel voor, die op strooptocht ging langs de topless-stranden en 's avonds de buit van die dag, waarschijnlijk een blonde schoonheid die geen enkele bekende taal sprak, meebracht om te eten. Ze stelde zich haar moeder voor . . . maar dat was anders, dat was helemaal niet belachelijk. Dit was precies de omgeving voor haar moeder, dit betoverende, onoverzichtelijke huis, deze rommelige tuin. De amandelbomen, het zonnige terras, zelfs de bantammers – vooral die – zouden haar in verrukking brengen. De gedachte kwam bij Olivia op dat zij misschien daarom meteen zo weg van Ca'n D'alt was geweest en er zich zo volkomen thuis voelde.

'Ik ben niet de enige met familie,' zei ze. 'Jij hebt ook banden.'

'Alleen Antonia maar.'

'Is dat niet genoeg? Je zou haar niet van streek willen maken.'

Hij krabde zijn nek en leek even een beetje verlegen. 'Misschien is dit niet het geschiktste moment om dat ter sprake te brengen,' zei hij, 'maar er zijn hier wel vaker dames geweest.'

Olivia lachte om zijn verwarring. 'En Antonia vond het niet erg?'

'Ze begreep het wel. Ze is verstandig. Ze ging vriendschappelijk met hen om. Ze is erg onafhankelijk.'

Het bleef even stil. Hij scheen op haar antwoord te wachten. Olivia keek neer op haar glas wijn. 'Het is een hele beslissing, Cosmo,' zei ze ten slotte.

'Dat weet ik wel. Je moet erover nadenken. Als we eerst eens gingen eten en de zaak nog eens goed bespraken?'

En dat deden ze. Ze gingen naar binnen en hij zei dat hij pasta zou klaarmaken, met een saus met champignons en ham, en daar hij kennelijk veel beter kon koken dan zij, ging Olivia de tuin weer in. Ze vond een stukje moestuin en haalde er een krop sla en een paar tomaten en kleine courgettes uit en met die buit keerde ze terug naar de keuken, waar ze een eenvoudige salade klaarmaakte. Ze aten aan de keukentafel en daarna zei Cosmo dat het tijd was voor een siësta. Ze gingen dus samen naar bed en het was nog beter dan de vorige keer.

En om vier uur, toen het iets minder warm geworden was, gingen ze naar het zwembad en ze zwommen naakt en gingen toen in de zon liggen om te drogen.

Hij vertelde. Hij was vijfenvijftig. Hij was opgeroepen zodra hij van school kwam en had het grootste deel van de oorlog in actieve dienst doorgebracht. Hij ontdekte dat dat leven hem wel lag en toen de oorlog voorbij was en hij niets anders kon bedenken dat hij wilde doen, bleef hij als officier in het leger. Toen hij dertig was, erfde hij wat geld van zijn grootvader. Hij was voor het eerst van zijn leven financieel onafhankelijk en nam meteen ontslag. Hij werd door niets gebonden en ging op weg om de wereld te bekijken. Hij kwam tot Ibiza, in die tijd nog onbedorven en verbazend goedkoop, werd verliefd op het eiland en besloot er te blijven.

'En je vrouw?' vroeg Olivia.

'Hoe bedoel je?'

'Wanneer verscheen zij op het tapijt?'

'Mijn vader overleed en ik ging naar huis voor zijn begrafenis. Ik bleef een poosje, om mijn moeder te helpen alles af te wikkelen. Ik was toen al eenenveertig, niet jong meer. Ik leerde Jane op een feestje in Londen kennen. Ze was ongeveer van jouw leeftijd. Ze had een bloemenwinkel. Ik was eenzaam – ik weet niet waarom. Misschien had het iets te maken met het verlies van mijn vader. Ik had me nooit eerder eenzaam gevoeld maar toen deed ik dat wel en om de een of andere reden wilde ik hier niet alleen terugkomen. Ze was erg lief en ze wilde erg graag trouwen en ze vond dat Ibiza waanzinnig romantisch klonk. Dat is mijn grootste fout geweest. Ik had haar hier eerst mee naar toe moeten nemen, zoals je je meisje mee naar je familie neemt. Maar dat heb ik niet gedaan. We zijn in Londen getrouwd en toen ze dit hier voor het eerst te zien kreeg, was ze al mijn vrouw.'

'Is ze hier gelukkig geweest?'

'De eerste tijd wel. Maar ze miste Londen. Ze miste haar vrienden en het theater en de concerten in de Albert Hall en de winkels en de weekends uit. Ze ging zich vervelen.'

'En Antonia?'

'Antonia is hier geboren. Een echte kleine Ibecenco. Ik had gedacht dat haar moeder rustiger zou worden als ze een baby had, maar het leek alles alleen maar erger te maken. Dus besloten we in goede harmonie uit elkaar te gaan. Er was geen bitterheid, maar er was ook niet veel om bitter over te zijn. Ze nam Antonia mee en hield haar bij zich tot ze acht was en toen kwam ze 's zomers en met Pasen bij mij.'

'Voelde je je daar niet door belemmerd?'

'Nee. Ze heeft me nooit enige last gegeven. Er woont een aardig echtpaar op een boerderijtje hier in de buurt. Tomeu helpt me in de tuin en Maria houdt het huis schoon en let een beetje op mijn dochter. Ze zijn allemaal de beste vrienden. Antonia is daardoor tweetalig geworden.'

Het was nu veel koeler. Olivia pakte haar blouse, stak haar armen in de mouwen en maakte de knoopjes vast. Cosmo kwam ook overeind. Hij zei dat hij dorst had gekregen van al dat praten en iets wilde drinken. Olivia had trek in thee. Cosmo verdween in de richting van het huis om water op te zetten. Olivia bleef bij het zwembad zitten. Ze vond het prettig even alleen te zijn omdat ze wist dat hij gauw weer terug zou komen. Het water van het zwembad was volkomen roerloos. Erachter stond een beeldje van een jongen die op een fluit speelde, zijn beeld als in een spiegel in het water weerkaatst.

Er vloog een zeemeeuw over haar heen. Ze keek hem na en op dat moment wist ze dat ze bij Cosmo zou blijven. Ze zou zichzelf een jaar geven, als een schitterend geschenk.

Je schepen achter je verbranden was ingewikkelder dan het klonk, ontdekte Olivia. Er was een heleboel te doen. Om te beginnen gingen ze terug naar het hotel, *Los Pinos*, om haar spullen te halen, de rekening te betalen en zich uit te laten schrijven. Ze deden dat allemaal zo stiekem mogelijk, bang gezien te worden, en in plaats van haar vrienden op te zoeken en de situatie uit te leggen, maakte Olivia zich er op de gemakkelijkste manier af door een onduidelijk briefje bij de receptie achter te laten.

Toen moest ze telegrammen verzenden, brieven schrijven en over voortdurend krakende lijnen met Engeland telefoneren. Toen alles klaar was, dacht ze dat ze zich opgelucht en vrij zou voelen, maar ze ontdekte dat ze trilde van angst en misselijk was van vermoeidheid. Ze probeerde het niet aan Cosmo te laten merken maar toen hij haar later in een niet te stoppen huilbui aantrof, moest ze wel open kaart spelen.

Hij was erg begrijpend. Hij stopte haar in bed in Antonia's kamertje, waar ze rustig alleen kon zijn, en liet haar drie nachten en twee dagen slapen. Ze bewoog zich alleen om de warme melk te drinken die hij haar bracht en om een boterham of wat fruit te eten.

Toen ze de derde ochtend wakker werd, wist ze dat het over was. Ze voelde zich weer helemaal fit. Ze rekte zich uit, stapte uit bed en deed de jaloezieën open. Het was nog vroeg in de ochtend en ze rook de vochtige grond en hoorde de hanen kraaien. Ze deed haar ochtendjas aan en ging naar boven, naar de keuken. Ze kookte water en zette een pot thee. Met de theepot en twee kopjes op een blad ging ze een andere trap af naar Cosmo's kamer.

De jaloezieën waren nog gesloten maar hij was wel wakker.

'Hallo,' zei hij toen ze binnenkwam.

'Goedemorgen. Ik heb thee voor je.' Ze zette het blad naast hem neer en liep naar het raam om de jaloezieën open te doen. Schuine zonnestralen vulden de kamer met licht. Cosmo pakte zijn horloge.

'Half acht. Je bent vroeg, hoor.'

'Ik kom je vertellen dat ik beter ben.' Ze ging op zijn bed zitten. 'En je bedanken dat je zo begrijpend en vriendelijk bent geweest.'

'Hoe ga je me bedanken?' vroeg hij.

'Nou, ik had een manier in gedachten maar misschien is het daar nog te vroeg voor.'

Cosmo glimlachte en schoof opzij om plaats voor haar te maken.

'Het is nooit te vroeg,' zei hij.

Later merkte hij op dat ze erg bedreven was.

Ze lag tevreden in zijn arm. 'Ik heb wel enige ervaring, Cosmo, net als jij.'

'Vertel eens, mevrouw,' zei hij, met de stem van iemand die een slechte imitatie van Noel Coward ten beste geeft, 'wanneer hebt u uw maagdelijkheid verloren? Ik weet zeker dat onze luisteraars dat graag willen horen.'

'Tijdens mijn eerste jaar op de universiteit.'

'Welk college?'

'Doet dat er iets toe?'

'Misschien.'

'Lady Margaret Hall.'

Hij kuste haar. 'Ik houd van je,' zei hij en hij klonk niet meer als Noel Coward.

De dagen gleden voorbij, wolkeloos, warm, lang en slecht gevuld met de meest ontspannende bezigheden. Zwemmen, slapen, de tuin in om de bantammers te voeren of eieren te rapen of een beetje te wieden. Ze maakte kennis met Tomeu en Maria, die haar komst kalm aanvaardden en haar elke ochtend met een brede glimlach en een handdruk begroetten. En ze leerde een beetje Spaans en keek hoe Maria haar enorme paella's maakte. Kleren waren niet belangrijk meer. Ze gebruikte geen make-up meer en liep op blote voeten rond in een oude spijkerbroek of een bikini. Soms gingen ze met een mand naar het dorp om boodschappen te doen maar ze waren het er stilzwijgend over eens dat ze uit de buurt van de stad of de kust moesten blijven.

Nu ze tijd had om over haar leven na te denken besefte ze dat dit de eerste keer was dat ze niet werkte en zich niet inspande om vooruit te komen. Ze was altijd erg ambitieus geweest. De eerste van haar klas, de eerste op het eindexamen. Studeren voor een beurs. En toen Oxford, waar alles nog eens opnieuw begon. Ze had de hoogste graad gehaald in Engels en geschiedenis en had daarna best een poosje vrij kunnen nemen maar ze was bang een kans te missen en ging meteen aan het werk. Dat was nu elf jaar geleden en ze had nooit echt rust genomen.

Dat was nu allemaal voorbij. Ze voelde geen spijt meer. Ze was plotseling zo wijs te beseffen dat haar ontmoeting met Cosmo juist op tijd gekomen was. Als iemand met een psychosomatische kwaal had ze de therapie gevonden vóór de diagnose nog gesteld was. Ze was erg dankbaar. Haar haar glansde, er lag een tevreden blik in haar donkere ogen en zelfs de vorm van haar gezicht leek ronder en gladder te worden. Ze keek in de spiegel en vond zichzelf voor het eerst echt mooi.

Op een dag was ze alleen. Cosmo was naar de stad om kranten en post te halen en naar zijn boot te kijken. Olivia lag op het terras en keek naar twee kleine, onbekende vogeltjes op de takken van een olijfboom.

Ineens voelde ze een soort leegte. Ze ontdekte dat ze zich verveelde. Niet Ca'n D'alt of Cosmo verveelde haar maar zijzelf en haar leeg geworden geest. Ze dacht een hele tijd na en ging toen naar binnen om iets te lezen te zoeken.

Toen Cosmo terugkwam, was ze zo in haar boek verdiept dat ze hem zelfs niet hoorde en schrok toen hij plotseling voor haar stond. 'Ik heb het warm en ik heb dorst,' zei hij, maar toen staarde hij haar ineens aan. 'Olivia, ik wist niet dat je een bril droeg.'

Ze legde het boek neer. 'Alleen om te lezen en te werken en zakenlunches te hebben met nuchtere mannen op wie ik indruk probeer te maken. Anders draag ik contactlenzen.'

'Ik had het nog nooit gezien.'

'Vind je het erg? Verandert die bril onze verhouding?'

'Helemaal niet. Hij maakt je enorm intelligent om te zien.'

'Ik ben ook enorm intelligent.'

'Wat lees je?'

'George Eliot. *De molen aan de rivier.*'

'Ga je niet met die arme Maggie Tulliver identificeren.'

'Ik identificeer me nooit met iemand. Je hebt een geweldige bibliotheek. Alles wat ik wil lezen of herlezen of waar ik nooit tijd voor gehad heb. Ik zal waarschijnlijk het hele jaar met mijn neus in een boek zitten.'

'Dat is prima, hoor, als je maar af en toe te voorschijn komt om mijn vleselijke lusten te bevredigen.'

'Goed.' Hij boog zich over haar heen en kuste haar, met bril en al, en ging toen naar binnen om een biertje te halen.

Na *De molen aan de rivier* begon ze aan *Woeste hoogten* en toen aan Jane Austen. Ze las Sartre, Proust en voor het eerst van haar leven *Oorlog en vrede*. Ze las klassieke werken, biografieën en romans van schrijvers waar ze zelfs nog nooit van gehoord had. Ze las John Cheever en Joseph Conrad en een gehavend exemplaar van *The Treasure Seekers*, dat haar meteen mee terugnam naar het huis in Oakley Street waar ze als kind had gewoond.

En daar die boeken allemaal vertrouwde vrienden van Cosmo waren, konden ze hun avonden doorbrengen met langdurige literaire discussies, met op de achtergrond gewoonlijk muziek: de 'Nieuwe wereld' en Elgars 'Enigma-variaties' en volledige symfonieën of opera's.

Om op de hoogte te blijven liet hij iedere week *The Times* uit Londen komen. Nadat ze een artikel over de schatten van de Tate Gallery gelezen had, vertelde ze hem op een avond over Lawrence Stern.

'Dat was mijn grootvader, de vader van mijn moeder.'

Cosmo was behoorlijk onder de indruk. 'Maar wat enorm opwindend. Waarom heb je me dat niet eerder verteld?'

'Ik weet het niet. Ik praat meestal niet over hem. De meeste mensen hebben trouwens toch nooit van hem gehoord. Hij is uit de mode geraakt en vergeten.'

'Wat een schilder was dat.' Hij fronste zijn wenkbrauwen terwijl hij zat te rekenen. 'Maar hij is geboren . . . wanneer precies . . . in de jaren zestig van de vorige eeuw. Hij moet al heel oud geweest zijn toen jij geboren werd.'

'Meer dan dat, hij was al dood. Hij is in 1946 overleden, in zijn eigen bed, in zijn eigen huis in Porthkerris.'

'Gingen jullie altijd met vakantie naar Cornwall?'

'Nee. Het huis werd altijd verhuurd en uiteindelijk heeft mijn moeder het verkocht. Ze moest wel want ze had altijd te weinig geld en ook daarom gingen we nooit met vakantie.'

'Vond je dat erg?'

'Nancy vond het vreselijk. En Noel had het misschien ook vervelend gevonden, maar hij kon heel goed voor zichzelf zorgen. Hij had altijd de goede vriendjes en werd uitgenodigd om mee te gaan zeilen en skiën of mee te gaan naar villa's in Zuid-Frankrijk.'

'En jij?' Cosmo's stem klonk liefkozend.

'Het kon mij niet schelen. Ik wilde niet weg. We woonden in een groot huis in Oakley Street met een enorme tuin erachter en ik had alle musea en bibliotheken en galerieën maar voor het uitzoeken.' Ze glimlachte terwijl ze aan die volle, bevredigende dagen dacht. 'Oakley Street was van mijn moeder. Aan het eind van de oorlog had Lawrence Stern het aan haar gegeven. Mijn vader was nogal een' – ze zocht naar het goede woord – 'lichtgewicht. Niet iemand met veel energie of ideeën. Ik denk dat mijn grootvader dat wel zag en wilde dat ze onafhankelijk was en in elk geval een huis had om haar gezin in groot te brengen. Bovendien was hij toen al tachtig en had hij erg veel last van artritis. Hij wist wel dat hij daar zelf nooit meer zou wonen.'

'Woont je moeder daar nog?'

'Nee. Het werd te onpraktisch en te duur, dus ze heeft dit jaar uiteindelijk besloten het te verkopen en uit Londen weg te gaan. Ze droomde ervan terug te keren naar Porthkerris, maar mijn zusje Nancy heeft haar dat uit het hoofd gepraat en in plaats daarvan een huis voor haar gevonden in een dorp in Gloucestershire, Temple Pudley. Ik moet toegeven dat het een leuk huis is en moeder is er erg blij mee. Het heeft alleen een afschuwelijke naam, Podmore's Thatch.' Ze trok walgend haar neus op en Cosmo begon te lachen.

'Geef het maar toe, Cosmo. Het klinkt al te zoetelijk.'

'Geef het een andere naam. Mon Repos. Hangt het vol met prachtige schilderijen van Lawrence Stern?'

'Nee. Jammer genoeg niet. Er zijn er maar drie. Ik wilde dat ze er meer had. Ik heb zo het idee dat ze over een paar jaar best eens een heleboel waard kunnen worden.'

Ze praatten verder over andere Victoriaanse kunstenaars en ten slotte over Augustus John en Cosmo ging op zoek naar de twee delen van diens biografie, die ze nog eens wilde lezen. Ze bespraken hem uitvoerig en waren het erover eens dat ze hem bewonderden maar zijn zuster Gwen in artistiek opzicht toch hoger aansloegen.

En daarna namen ze een douche en trokken redelijk fatsoenlijke kleren aan en wandelden naar het dorp, naar Pedro's bar, waar je buiten onder de sterren kon zitten drinken. En er verscheen een jonge man met een gitaar, die heel eenvoudig een gedeelte uit het gitaarconcert van Rodrigo begon te spelen, zodat het warme duister gevuld werd met die klaaglijke en indrukwekkende muziek, die uiting gaf aan de ziel van Spanje.

Het duurde nog een week voor Antonia kwam. Maria was al begonnen haar slaapkamer schoon te maken. Ze zette alle meubelen buiten op het terras, witte de muren, waste de gordijnen en dekens en klopte kleedjes.

Al die drukte bracht de verschijning van Antonia veel dichterbij en Olivia ging zich een beetje ongerust maken. Dat was niet alleen maar zelfzucht, hoewel het vooruitzicht Cosmo met een andere vrouw te moeten delen, al was dat dan maar zijn dochter van dertien, op zijn zachtst gezegd wat ontmoedigend was. Maar ze was vooral bang te kort te schieten, het verkeerde te zeggen of tactloos op te treden. Volgens Cosmo was Antonia zowel charmant als ongecompliceerd, maar dat stelde Olivia niet gerust, want ze had nooit iets met kinderen te maken gehad. Noel was geboren toen zij bijna tien was en tegen de tijd dat hij een beetje begon mee te praten, had Olivia al haar eigen leven. Nancy's kinderen waren er natuurlijk, maar die waren zo onaantrekkelijk en ontstellend slechtgemanierd dat Olivia probeerde zo weinig mogelijk met hen te maken te hebben. Wat moest je dus zeggen? Waar praatte je over? Wat gingen ze allemaal doen?

Toen ze zich een keer 's middags na het zwemmen in hun ligstoelen naast het zwembad hadden uitgestrekt, nam Olivia Cosmo in vertrouwen.

'Ik wil niets bederven voor jullie tweeën. Ik kan me niet voorstellen dat ze niet bang is dat ik tussen jullie zal komen. Ze is tenslotte pas dertien. Dat is een moeilijke leeftijd en het zou heel begrijpelijk en natuurlijk zijn als ze jaloers werd.'

Hij zuchtte. 'Hoe kan ik je ervan overtuigen dat het helemaal niet zo zal gaan?'

'Drie is altijd een slecht aantal. Ze zal je soms alleen willen hebben en dat voel ik dan misschien niet aan. Geef het maar toe, Cosmo, het zal best moeilijk worden.'

Hij antwoordde niet meteen. Eindelijk zei hij met een zucht: 'Ik kan je er kennelijk niet van overtuigen dat je je voor niets bezorgd maakt. Maar hoe zou je het vinden als we nog iemand te logeren vroegen? Zou dat het gemakkelijker maken?'

Dit voorstel wierp een heel nieuw licht op de situatie. 'Ja. Ja, dat denk ik wel. Wat een schitterend idee. Wie zullen we vragen?'

'Wie je maar wilt, als het maar geen jonge, knappe, viriele man is.'

'Wat vind je van mijn moeder?'

'Zou ze willen?'

'Meteen.'

'Ze zal toch niet verwachten dat we ieder een eigen slaapkamer hebben, hè? Ik ben te oud om 's nachts over de gang te sluipen, ik zou waarschijnlijk van de trap vallen.'

'Mijn moeder maakt zich over niemand illusies, en zeker niet over mij.' Ze ging rechtop zitten, plotseling opgewonden. 'O, Cosmo, je zult haar geweldig vinden. Ik kan niet wachten tot je haar leert kennen.'

'In dat geval moeten we geen tijd verspillen.' Hij hees zich uit zijn stoel en pakte zijn spijkerbroek. 'Vooruit, meisje, kom eens in beweging. We kunnen het zo regelen dat Antonia en je moeder elkaar op Heathrow ontmoeten en met hetzelfde vliegtuig hierheen komen. Antonia vindt het nooit prettig alleen te vliegen en je moeder zal waarschijnlijk van haar gezelschap genieten.'

'Maar waar gaan we heen?' vroeg Olivia, terwijl ze haar blouse dichtknoopte.

'We lopen naar het dorp en bellen bij Pedro op. Heb je haar nummer?'

Hij keek op zijn horloge. 'Het is ongeveer half zeven in Engeland. Is ze dan thuis? Wat doet ze 's avonds om half zeven?'

'Dan is ze in de tuin bezig. Of ze kookt een maaltijd voor tien mensen. Of ze schenkt een drankje voor iemand in.'

'Ik moet haar beslist gauw hier zien te krijgen.'

Het vliegtuig dat via Valencia uit Londen kwam, moest om kwart over negen aankomen. Maria, die amper kon wachten tot ze Antonia weer zag, had aangeboden te komen koken. Ze lieten de bereiding van het feestmaal aan haar over en reden naar het vliegveld. Ze waren allebei nogal zenuwachtig en opgewonden, hoewel ze dat nooit hadden toegegeven, en kwamen daardoor veel te vroeg aan zodat ze al minstens een half uur in de sfeerloze ontvangsthal hadden rondgehangen toen werd aangekondigd dat het vliegtuig geland was. Toen moesten ze nog een hele tijd wachten tot de passagiers van boord waren gegaan en de douane waren gepasseerd en hun bagage in ontvangst hadden genomen. Maar eindelijk gingen de deuren open en stroomde een hele groep mensen de vrijheid in. Toeristen, met bleke gezichten en moe van de reis, gezinnen van Ibiza zelf, met een hele reeks kinderen, heren in een keurig kostuum en met een donkere bril op, een priester en een paar nonnen . . . en toen eindelijk, toen Olivia al bang werd dat ze het vliegtuig gemist hadden, Penelope Keeling en Antonia Hamilton.

Ze hadden een wagentje voor hun bagage gevonden maar het was er een dat voortdurend de verkeerde kant op wilde. Om de een of andere reden moesten ze daar allebei vreselijk om lachen en ze hadden het zo druk met het hinderlijke ding dat ze Cosmo en Olivia niet meteen zagen.

Olivia was voor een deel zo nerveus omdat ze als ze Penelope een tijdje niet gezien had, altijd bang was dat haar moeder veranderd was. Niet oud geworden, maar vermoeid of minder vitaal. Maar zodra ze haar zag, verdween die angst. Alles was in orde. Penelope zag er geweldig uit. Lang en recht, met haar dikke, grijzende haar opgestoken en haar donkere ogen geamuseerd schitterend. Zelfs het gevecht met het wagentje deed geen afbreuk aan haar waardigheid. Ze had natuurlijk een heleboel tassen en manden bij zich en ze had haar oude, blauwe cape aan, die ze aan het eind van de oorlog van de verarmde weduwe van een marineman had gekocht en sindsdien altijd droeg, bij alle gelegenheden van bruiloften tot begrafenissen.

En Antonia . . . Olivia zag een lang, mager kind, dat er ouder uitzag dan ze was. Ze had lang, steil, rosblond haar en droeg een spijkerbroek, een T-shirt en een rood, katoenen jasje.

Olivia had geen tijd om haar verder te bekijken. Cosmo stak zijn armen omhoog en riep de naam van zijn dochter en ze keek op. Antonia liet Penelope en het wagentje in de steek en rende op hem af. Ze had een paar zwemvliezen in haar ene en een linnen tas in haar andere hand en werkte zich vlug door al die mensen met hun bagage heen om zich in Cosmo's armen te werpen. Hij ving haar op en zwaaide haar rond, kuste haar stevig en zette haar toen weer op haar voeten.

'Je bent gegroeid,' zei hij beschuldigend.

'Ja, dat weet ik, wel vijf centimeter.'

Ze keek Olivia aan. Ze had sproeten op haar neus en een lieve, brede mond, te groot voor haar hartvormige gezichtje, en haar ogen waren grijsgroen en werden omzoomd door lange, dikke, erg blonde oogharen. De uitdrukking erin was open en vriendelijk en vol belangstelling.

'Hallo. Ik ben Olivia.'

Antonia maakte zich los uit de armen van haar vader, klemde de zwemvliezen onder haar arm en stak haar hand uit. 'Hoe gaat het?'

En Olivia wist toen ze in dat jonge, opgewekte gezichtje keek, dat Cosmo gelijk had gehad en dat ze zich geen zorgen had hoeven maken. Ontwapend schudde ze de uitgestoken hand. 'Ik ben blij dat je er bent,' zei ze. Toen liet ze vader en dochter aan elkaar over en liep naar moeder, die geduldig bij de bagage stond. Penelope spreidde haar armen uit en Olivia drukte zich tevreden tegen haar moeder aan en snoof de bekende geur van patchoeli op.

'O, liefje,' zei Penelope, 'ik kan niet geloven dat ik echt hier ben.'

Cosmo en Antonia kwamen naar hen toe en ze begonnen allemaal tegelijk te praten.

'Cosmo, dit is mijn moeder, Penelope Keeling.'

'Jullie hebben elkaar op Heathrow getroffen?'

'Zonder enige moeite. Ik had een krant onder mijn arm en een roos tussen mijn tanden.'

'Pappie, we hebben een enige vlucht gehad. Er was iemand misselijk en . . .'

'Is dit al jullie bagage?'

'Hoe lang moesten jullie in Valencia wachten?'

'. . . en de stewardess gooide een heel glas sinaasappelsap over een non heen.'

Eindelijk kreeg Cosmo de zaak onder controle. Hij nam het wagentje onder zijn hoede en liep voorop de aankomsthal uit, het warme, met sterren verlichte donker in, vervuld van de lucht van benzine en het geluid van cicaden. Op de een of andere manier vonden ze allemaal een plaatsje in de Citroën, Penelope op de voorbank en Antonia en Olivia achterin. De bagage werd op de passagiers gestapeld en eindelijk reden ze weg.

'Hoe gaat het met Maria en Tomeu?' wilde Antonia weten. 'En met de bantammers? En, pappie, ik heb geweldig goede cijfers voor Frans. O, kijk, daar is een nieuwe disco. En een rolschaatsbaan. O, gaan we rolschaatsen, pappie? En ik wil deze vakantie echt leren surfen. Zijn lessen erg duur?'

De nu bekende weg klom omhoog, weg van de stad. Hier en daar in de heuvels waren de lichtjes van een boerderij te zien. Toen ze bij het pad naar Ca'n D'alt kwamen, zag Olivia dat Maria alle buitenlampen had aangedaan en het licht daarvan scheen feestelijk door de takken van de amandelbomen. En op het moment dat Cosmo de auto stilzette en ze begonnen uit te stappen, kwamen Maria en Tomeu meteen op hen af, Maria klein en stevig en door de zon gebruind in haar zwarte jurk en schort en Tomeu voor de gelegenheid geschoren en met een schoon overhemd aan.

'*Hola, señor,*' riep Tomeu, maar Maria dacht alleen maar aan haar lieve kind.

'Antonia.'

'O, Maria.' Ze was uit de auto en rende meteen in Maria's armen.

'*Antonia. Mi niña. Favorita. Cómo está usted?*'

Ze waren thuis.

De slaapkamer van Penelope, vroeger de stal voor de ezels, kwam rechtstreeks op het terras uit. Het was er zo klein dat er alleen maar ruimte was voor het bed en een ladenkast, terwijl een rij houten haken dienst deed als kleerkast. Maar Maria was er net zo druk bezig geweest als in Antonia's kamer en alles was blinkend schoon en wit en het rook er naar zeep en pas gestreken katoen. Olivia had gele rozen in een vaas gezet en die naast een paar zorgvuldig uitgezochte boeken op een houten nachtkastje gezet. Twee betegelde treetjes leidden omhoog naar een tweede deur en ze deed die open en legde haar moeder uit waar de enige badkamer was.

'De waterleiding werkt een beetje grillig, afhankelijk van de staat van de bron. Dus als het toilet de eerste keer niet werkt, moet je gewoon blijven proberen.'

'Ik vind het allemaal volmaakt. Wat een betoverend plekje.' Ze ontdeed zich van haar cape en hing die aan een haak. Toen bukte ze zich over het bed om haar koffer open te maken. 'En wat een aardige man lijkt Cosmo. En wat zie je er goed uit. Beter dan ik ooit gezien heb.'

Olivia ging op het bed zitten en keek toe terwijl haar moeder uitpakte.

'U bent een engel dat u meteen wilde komen. Ik dacht dat het gemakkelijker zou zijn, met Antonia, als u hier was. Niet dat ik u alleen daarom gevraagd heb. Ik heb steeds gewild dat u alles hier eens kon zien.'

'Je weet dat ik graag ineens iets ga doen. Ik heb Nancy opgebeld en haar verteld dat ik hierheen ging en ze was stikjaloers. En een beetje gepikeerd ook, omdat zij niet uitgenodigd was, maar daar heb ik geen aandacht aan geschonken. En wat Antonia betreft, dat is echt een schat van een kind. Helemaal niet verlegen. Ze heeft de hele dag zitten lachen en praten. Ik wilde dat Nancy's kinderen maar half zo gezellig en welgemanierd waren. De hemel mag weten wat ik voor zonde begaan heb dat ik met zo'n stel kleinkinderen opgescheept moest worden . . .'

'En Noel? Hebt u Noel de laatste tijd nog gezien?'

'Nee, in geen maanden. Ik heb hem pas een keer opgebeld om me ervan te vergewissen dat hij nog leefde. En dat deed hij.'

'Hoe gaat het met hem?'

'Nou, hij heeft een nieuwe flat gevonden, ergens bij King's Road in de buurt. Wat die kost, durfde ik niet te vragen, maar dat is zijn probleem. En hij denkt erover de uitgeverswereld te verlaten en in de reclame te gaan. Hij zegt dat hij daar een paar goede relaties heeft. En hij ging juist naar Cowes voor het weekend. Het gebruikelijke verhaal.'

'En u? Hoe gaat het met u? Hoe is het met Podmore's Thatch?'

'Dat lieve, kleine huis,' zei Penelope innig. 'De serre is eindelijk klaar en is erg mooi geworden. Ik heb een witte jasmijn en een wijnstok geplant en een rieten stoel gekocht.'

'U bent ook wel aan nieuwe tuinmeubelen toe.'

'En de magnolia heeft voor het eerst gebloeid en ik heb de blauweregen laten snoeien. En de Atkinsons zijn een weekend geweest en het was zo warm dat we in de tuin konden eten. Ze vroegen nog naar jou en ik moest je de groeten doen.' Ze glimlachte tevreden. 'En als ik terug ben, kan ik hun vertellen dat je er nog nooit zo goed hebt uitgezien. Bloeiend. Mooi.'

'Was het een vreselijke schok voor u toen ik besloot bij Cosmo te blijven en mijn baan op te geven en me als een krankzinnige te gedragen?'

'Misschien wel. Maar waarom zou je eigenlijk niet? Je hebt je hele leven gewerkt. Ik heb me soms zorgen gemaakt over je gezondheid als ik je zo moe en gespannen zag.'

'U hebt nooit iets gezegd.'

'Olivia, jouw leven en wat je ermee doet, gaat mij niet aan. Maar dat betekent niet dat ik me nooit bezorgd maak.'

'Nou, u had gelijk. Ik was ziek. Nadat ik alle banden doorgesneden en mijn schepen achter me verbrand had, was ik helemaal kapot. Ik heb drie dagen geslapen. Cosmo was engelachtig. En daarna voelde ik me prima. Ik had niet beseft dat ik zo moe was. Als ik dit niet gedaan had, was ik misschien wel in een gekkenhuis beland, met een kleine *crise de nerfs*.'

'Daar moet je zelfs niet over praten.'

Onder hun gesprek liep Penelope heen en weer, borg haar kleren in de ladenkast en hing de bekende, afgedragen jurken op. Het was typerend voor haar dat er niets nieuws bij was, speciaal voor de vakantie gekocht, en toch wist Olivia dat haar moeder zelfs die onmodieuze kledingstukken iets bijzonders zou geven.

Maar verrassend genoeg kwam er wel iets nieuws te voorschijn. Van onder uit de koffer verscheen een kaftan van groene zijde, met gouden borduurwerk erop, rijk en weelderig als iets uit duizend-en-één-nacht.

Olivia was behoorlijk onder de indruk. 'Hoe komt u aan dat hemelse gewaad?'

'Is het niet prachtig? Ik geloof dat het uit Marokko komt. Ik heb het van Rose Pilkington gekocht. Haar moeder had het in het begin van de eeuw op een uitstapje naar Marrakech gekocht en ze vond het op de bodem van een oude koffer.'

'U zult er een keizerin mee lijken.'

'O, maar dat is nog niet alles.' De kaftan werd naast de verschoten jurken gehangen en Penelope pakte haar ruime, leren schoudertas en begon erin te zoeken. 'Je weet dat die lieve tante Ethel overleden is? Nou, ze heeft me wat nagelaten. Het kwam een paar dagen geleden, dus ik kon het nog net meenemen.'

'Heeft tante Ethel u wat nagelaten? Ik had niet gedacht dat ze iets na te laten had.'

'Ik ook niet. Maar verrassend tot het eind, dat zie je maar weer.'

Inderdaad, tante Ethel was altijd verrassend geweest.

Ze was de enige zuster van Lawrence Stern geweest, veel jonger dan hij. Na de Eerste Wereldoorlog had ze besloten dat zij op haar drieëndertigste wel moest accepteren dat ze ongetrouwd bleef, nu er zoveel Britten gesneuveld waren op de Franse slagvelden. En ze had haar best gedaan toch van haar leven te genieten. Ze had in een klein huis in Putney gewoond, lang voor dat in de mode kwam, en had daar om de eindjes aan elkaar te knopen af en toe een kostganger (of minnaar, had haar familie zich altijd afgevraagd) genomen en pianoles gegeven. Op zichzelf geen erg opwindend bestaan, maar tante Ethel wist het opwindend te maken en genoot ten volle van elke dag. Toen Olivia, Nancy en Noel nog klein waren, vonden ze het altijd heerlijk als tante Ethel kwam, niet omdat ze cadeautjes meebracht maar omdat ze zo leuk was, heel anders dan andere volwassenen. En bij haar op bezoek gaan was het toppunt van zaligheid, eenvoudig omdat je nooit kon weten wat er ging gebeuren. Eén keer was het plafond van de slaapkamer naar beneden gekomen. Een andere keer hadden ze een vuurtje gestookt achter in haar kleine tuintje en was de schutting in brand gevlogen, waarna de brandweer te hulp geroepen was. Ze had hun ook de cancan geleerd, en allerlei dubbelzinnige variétéliedjes, waar Olivia altijd erg om moest lachen terwijl Nancy haar lippen op elkaar klemde en deed of ze ze niet begreep.

Ze had net een opgeprikt insekt geleken, herinnerde Olivia zich, met heel kleine voeten en roodgeverfd haar en altijd een brandende sigaret binnen handbereik. Maar ondanks (of misschien wel dank zij) haar wilde verschijning en manier van leven had ze veel vrienden en in alle delen van het land had tante Ethel wel een oude schoolvriendin of een vroegere aanbidder. Ze ging vaak naar die vrienden toe – die haar voortdurend vroegen te komen logeren, zodat ze nog eens goed konden lachen – maar tussen die uitstapjes door kwam ze altijd weer terug naar Londen, naar de tentoonstellingen en concerten die ze niet kon missen. En naar haar uitgebreide correspondentie, haar kostganger van het moment, haar pianoleerlingen en haar telefoon. Ze belde steeds weer haar effectenmakelaar op, die een geduldig man moet zijn geweest, en als het goed ging met haar paar aandeeltjes, nam ze die avond een extra glaasje.

Toen ze over de zeventig was en Londen eindelijk te druk en te duur voor haar werd, verhuisde tante Ethel naar Bath, om dicht bij haar beste vrienden, Milly en Bobby Rodway, te zijn. Maar toen Bobby Rodway overleed en kort daarna door Milly gevolgd werd, bleef tante Ethel alleen achter. Ze hield het nog een poosje vol, even onverwoestbaar en opgewekt als altijd, maar ten slotte struikelde ze over een melkfles en brak ze haar heup op haar eigen stoep. Daarna ging het snel bergafwaarts en kwam ze in een bejaardencentrum terecht. Daar zocht Penelope haar nog geregeld op. Olivia was een paar keer met haar moeder meegegaan, maar ze werd er altijd zo droefgeestig van dat ze dat zo weinig mogelijk deed.

'Die lieverd,' zei Penelope nu innig. 'Weet je dat ze bijna vijfennegentig was? Veel te oud . . . o, hier is het.'

Ze had eindelijk gevonden wat ze zocht en haalde een oud en versleten bijouteriedoosje uit haar tas. Ze deed het open en op verschoten fluweel lag daar een paar oorbellen.

Olivia slaakte onwillekeurig een kreet van bewondering. Ze waren prachtig. Met email ingelegd goud, met robijnen en paarlen hangers en een kring van kleinere pareltjes om het email. Het waren sieraden uit een andere tijd, met al de ingewikkelde pracht van de Renaissance.

'Zijn die van tante Ethel geweest?' was alles wat ze kon uitbrengen.

'Geweldig, hè?'

'Maar waar had ze die vandaan?'

'Ik heb geen idee. Ze hebben de laatste vijftig jaar in de kluis gelegen.'

'Ze zien er erg oud uit.'

'Nee. Victoriaans, denk ik. Waarschijnlijk Italiaans.'

'Misschien zijn ze van haar moeder geweest.'

'Ja, misschien wel. Misschien heeft ze ze gewonnen bij een spelletje kaart. Of van een rijke bewonderaar gekregen. Bij tante Ethel valt dat onmogelijk te zeggen.'

'Hebt u ze laten taxeren?'

'Ik heb er geen tijd voor gehad. Ik denk trouwens niet dat ze echt veel waard zijn. Ze passen in elk geval uitstekend bij mijn kaftan. Vind je niet dat ze voor elkaar gemaakt lijken?'

'Ja, beslist.' Olivia gaf het doosje terug aan haar moeder. 'Maar als u weer thuis bent, moet u ze toch laten taxeren. En ze verzekeren.'

'Dat zal wel het beste zijn. Ik ben zo onnozel in die dingen.' En ze liet het doosje weer in haar tas vallen.

Het uitpakken was nu klaar. Penelope sloot de lege koffer, schoof die onder het bed en draaide zich om naar de spiegel die aan de muur hing. Ze haalde de spelden uit haar opgestoken haar en schudde het los tot het over haar schouders hing, grijzend maar even dik als altijd. Ze pakte haar haarborstel. Tevreden keek Olivia naar het bekende ritueel, de opgeheven arm, de lange streken.

'En jij, liefje? Wat heb jij voor plannen voor de toekomst?'

'Ik blijf hier een jaar. Een sabbatsjaar.'

'Weten ze op je werk dat je terug wilt komen?'

'Nee.'

'Wil je terug naar *Venus*?'

'Misschien. Misschien ga ik ook ergens anders werken.'

Penelope legde haar borstel neer en stak haar haar weer op. 'Nu ga ik me wassen,' zei ze, 'en dan ben ik klaar.'

'Denk om de treetjes.'

Ze verdween in de richting van de badkamer. Olivia bleef op het bed zitten wachten. Ze was blij dat Penelope de situatie zo rustig opnam. Ze stelde zich voor dat ze een ander soort moeder had, vol nieuwsgierigheid en romantische fantasieën, die haar dochter al in een witte japon voor het altaar zag staan. Ze lachte en huiverde tegelijk bij de gedachte alleen al.

Toen Penelope terugkwam, ging Olivia staan.

'Zullen we nu wat gaan eten?'

'Ik heb wel honger.' Ze keek op haar horloge. 'Lieve help, het is al bijna half twaalf.'

'O, dat geeft niet. U bent nu in Spanje. Kom, laten we eens gaan kijken wat Maria voor ons heeft klaargemaakt.'

Ze gingen samen het terras op. Buiten het bereik van de lampen was de duisternis dik en warm als blauw fluweel en Olivia ging haar moeder voor de stenen trap op naar de keuken. Daar zaten Cosmo en Antonia en Maria en Tomeu om de met kaarsen verlichte tafel. Bij een fles wijn zaten ze druk te praten, in een stortvloed van Spaans.

'Ze is geweldig,' zei Cosmo.

Ze waren weer samen en het was net zo iets als thuiskomen. Ze lagen dicht tegen elkaar aan in het donker. Ze praatten zacht, om de anderen niet te storen.

'Mama? Ik wist wel dat je haar graag zou mogen.'

'Ik zie nu hoe jij aan je uiterlijk komt.'

'Zij ziet er veel beter uit dan ik.'

'We moeten met haar pronken. De mensen zouden het me nooit vergeven als ik haar weer terug liet gaan naar Engeland zonder dat ze haar ontmoet hadden.'

'Wat bedoel je daarmee?'

'We moeten een feestje geven. Zo gauw mogelijk. De sociale bal aan het rollen brengen.'

Een feestje. Dat was iets heel nieuws. Sinds dat feestje op die boot waar ze elkaar hadden leren kennen, hadden Cosmo en Olivia niemand anders gezien dan Tomeu en Maria en de mensen in Pedro's bar.

'Maar wie moeten we uitnodigen?' vroeg ze.

Ze voelde zijn lach meer dan ze die hoorde. Zijn arm klemde zich vaster om haar schouders. 'Een verrassing, lieveling, ik heb overal op het eiland vrienden. Ik woon hier tenslotte al vijfentwintig jaar. Dacht je dat ik een soort kluizenaar was?'

'Ik heb er nooit over nagedacht,' zei ze naar waarheid. 'Ik had niemand anders nodig.'

'Ik ook niet. Ik dacht trouwens dat je wel wat rust kon gebruiken. Ik heb me zorgen gemaakt, die dagen dat je alleen maar wilde slapen.'

'Ja.' Ze had zich dit allemaal niet gerealiseerd, had hun eenzaamheid zonder meer aanvaard. Nu vroeg ze zich af waarom ze daar nooit iets vreemds in had gezien. 'Daar heb ik ook nog nooit over nagedacht.'

'Doe dat dan nu maar. Wat denk je van een feestje?'

'Een goed idee.'

'Informeel of in stijl?'

'O, in stijl. Mijn moeder heeft een geweldig gewaad bij zich.'

De volgende dag aan het ontbijt maakte hij een lijstje van de mensen die hij wilde vragen, geholpen en gehinderd door zijn dochter.

'O, pappie, je moet madame Sangé vragen.'

'Dat kan niet, ze is dood.'

'Nou, dan Antoine. Hij kan zeker wel komen.'

'Ik dacht dat je niet op die oude schooier gesteld was.'

'Dat ben ik ook niet, maar ik wil hem zien. En de jongens van Hardback. Die zijn erg aardig. Misschien vragen ze me wel mee uit surfen, dan hoeven we geen lessen te betalen.'

Eindelijk was de lijst klaar. En Cosmo vertrok naar Pedro's bar en bracht de ochtend aan de telefoon door. De mensen die geen telefoon hadden, kregen een schriftelijke uitnodiging, weggebracht door Tomeu, die met enig gevaar voor hemzelf en de overige weggebruikers in Cosmo's Citroën reed. De antwoorden stroomden binnen en uiteindelijk zouden er zeventig mensen komen. Olivia was onder de indruk maar Cosmo bleef bescheiden. Hij zei dat hij altijd iemand geweest was die zijn licht onder een korenmaat zette.

Hij liet een elektricien komen om rond het zwembad gekleurde lampjes op te hangen. Tomeu maakte schoon, zette schragentafels neer, verplaatste kussens en stoelen. Antonia moest alles wat zelden gebruikt werd afwassen en op een vergeten plank naar tafellakens en servetten gaan zoeken. Olivia en Cosmo maakten met een ellenlange lijst een uitputtend tochtje naar de stad en kwamen terug met een enorme voorraad kruidenierswaren, olijfolie, gebrande amandelen, ijsblokjes, sinaasappels, citroenen en wijn. En Maria en Penelope waren de hele tijd in volkomen harmonie maar zonder een woord van elkaars taal te kunnen verstaan in de keuken bezig met ham, gevogelte, paella's, eieren, sausjes, brood en tomaten.

Eindelijk was alles klaar. De gasten werden om negen uur verwacht en om acht uur ging Olivia een douche nemen en zich verkleden. Ze trof Cosmo op de rand van het bed aan. Hij had zich geschoren en rook verrukkelijk en probeerde zijn gouden manchetknopen aan de manchetten van zijn beste overhemd te doen.

'Maria heeft zoveel stijfsel gebruikt dat ik die vervloekte gaatjes niet open kan krijgen.'

Ze ging naast hem zitten en nam het overhemd en de manchetknopen van hem over. Hij keek haar aan. 'Wat trek jij aan?' vroeg hij.

'Ik heb twee jurken die ik speciaal gekocht had om indruk te maken op de hotelgasten van *Los Pinos*. Ik heb ze nog nooit gedragen. Ik heb er gewoon de tijd niet voor gehad. Ik heb jou leren kennen en sindsdien ben ik gedwongen in lorren rond te lopen.'

'Welke doe je aan?'

'Ze hangen in de kast. Jij mag kiezen.'

Hij stond op om de kastdeur open te doen en zocht tussen haar kleren tot hij de jurken vond. De ene was kort en had een rok van vele lagen roze chiffon over elkaar. De andere was lang en recht en saffierblauw. Hij koos de blauwe, zoals ze wel gedacht had, en ze kuste hem en gaf hem zijn overhemd terug en ging douchen. Toen ze uit de badkamer kwam, was hij verdwenen. Ze kleedde zich langzaam en zorgvuldig aan. Ze maakte zich op, verzorgde haar haar, deed oorbellen in en gebruikte wat parfum. Ten slotte gespte ze de tere sandaaltjes vast en liet toen de japon over haar hoofd glijden. Hij voelde koel en licht aan en bewoog met haar mee bij elke beweging die ze maakte.

Er werd geklopt. 'Ja,' riep ze. Het was Antonia. 'Olivia, denk je dat dit goed is?' Ze hield ineens op en staarde haar aan. 'O, wat zie je er geweldig uit. Wat een schitterende jurk.'

'Dank je. En laat me nu eens naar jou kijken.'

'Mijn moeder heeft deze voor me gekocht in Weybridge en in de winkel leek hij wel leuk maar nu weet ik het niet meer. Maria zegt dat hij te gewoon is.' Het was een witte jurk met een plooirok en een marineblauwe matrozenkraag. Haar bruine benen waren bloot en ze droeg witte sandalen. Ze droeg haar rossige haar in vlechten met marineblauwe strikken eraan.

'Ik vind het prachtig. Je ziet er zo schoon en fris uit als . . . ik weet niet. Een nieuw stuk pakpapier?'

Antonia giechelde. 'Pappie zegt dat je moet komen. Er zijn al mensen.'

'Is mijn moeder er al?'

'Ja, ze is op het terras en ze ziet er fantastisch uit. O, kom toch . . .' Ze pakte Olivia's hand en trok haar mee naar het terras. Olivia zag Penelope al diep in gesprek met een man en wist dat ze gelijk had gehad, want in haar zijden kaftan en met haar geërfde juwelen leek haar moeder inderdaad een keizerin.

Na die avond veranderde het hele patroon van hun leven in Ca'n D'alt. Na weken van eenzaamheid leek het wel of ze nu nooit meer een dag alleen hadden. De uitnodigingen stroomden binnen, voor etentjes, picknicks, barbecues, boottochtjes. De auto's reden af en aan en er zaten altijd wel een stuk of tien mensen bij het zwembad, vaak van Antonia's leeftijd. Cosmo maakte eindelijk een afspraak voor de surflessen en ze gingen allemaal mee naar het strand, zogenaamd om naar Antonia's vorderingen te kijken maar in werkelijkheid om zich over te geven aan de liefste bezigheid van Penelope, mensen kijken. Daar de mensen op dit strand, zowel jong als oud, bijna geheel naakt waren, bracht haar commentaar Olivia voortdurend aan het giechelen.

Zo af en toe hadden ze een rustige dag. Dan bleven ze thuis en ging Penelope, met een oude strohoed op en een afgedragen katoenen jurk aan, rozen snoeien. Ze zwommen voortdurend en maakten 's avonds, als het wat koeler was, een wandeling door korenvelden en langs kleine huisjes en boerderijtjes, waar kleine kinderen tussen de geiten en de kippen speelden terwijl de moeders wasgoed van de lijn haalden.

Toen het tijd werd voor Penelope om te vertrekken, wilden ze haar niet laten gaan. Daartoe aangezet door Olivia en Antonia nodigde Cosmo haar uit nog wat langer te blijven. Ze weigerde geroerd.

'Een logé en een vis blijven drie dagen fris en ik ben hier al een maand.'

'Maar u bent geen logée en geen vis,' zei Antonia.

'Je bent erg lief maar ik moet naar huis. Ik ben al te lang weg. Mijn tuin zal het me nooit vergeven.'

'U komt toch nog eens, hè?' hield Antonia aan.

Penelope antwoordde niet. Cosmo keek Olivia aan.

'Toe, zeg toch dat u nog eens komt.'

Penelope glimlachte en klopte op de hand van het kind. 'Misschien wel,' zei ze. 'Op een keer.'

Ze gingen allemaal naar het vliegveld om haar weg te brengen. Ook nadat ze afscheid van haar genomen hadden, bleven ze nog wachten tot ze haar vliegtuig zagen vertrekken. Toen het weg was, het geluid van de motoren weggestorven was in de onmetelijke lucht en er geen reden was om langer te wachten, liepen ze zwijgend terug naar de auto.

'Het lijkt net of het anders is zonder haar, hè?' zei Antonia triest toen ze weer thuis waren.

'Dat is altijd zo,' zei Olivia.

Podmore's Thatch,
Temple Pudley,
Glos.

Mijn dierbare Olivia en Cosmo,

Hoe kan ik jullie bedanken voor die onvergetelijke vakantie? Ik heb me voortdurend zo welkom gevoeld en ik ben thuisgekomen met evenveel herinneringen als een uitpuilend fotoalbum. Ca'n D'alt is een betoverend huis, jullie vrienden zijn charmant en erg gastvrij en het eiland is fascinerend – zelfs of misschien vooral de stranden met al dat topless. Ik mis jullie allemaal erg, in het bijzonder Antonia. Het is een hele tijd geleden dat ik zoveel tijd heb doorgebracht met zo'n leuk jong meisje. Zo kan ik eindeloos doorgaan, maar ik denk dat jullie allebei wel weten hoe dankbaar ik ben. Het spijt me dat ik niet eerder geschreven heb, maar ik heb geen ogenblik tijd gehad. De tuin is een puinhoop. Misschien zou ik een tuinman moeten zoeken.

Ik ben op weg naar huis een paar dagen bij de Friedmanns gebleven en naar een verrukkelijk concert in de Festival Hall geweest. Ik heb ook de oorbellen laten taxeren en jullie zullen het niet geloven, maar de man zei dat ze minstens £ 4000 waard waren. Toen ik bijgekomen was, heb ik gevraagd of ze verzekerd konden worden, maar de premie was zo hoog dat ik ze maar meteen naar de bank gebracht heb. Het schijnt hun lot te zijn in een kluis te liggen. Ik zou ze natuurlijk kunnen verkopen maar ze zijn zo mooi. Het is wel een prettig idee te weten dat ze er zijn als ik plotseling zou besluiten iets krankzinnigs te doen. Een grote grasmaaimachine kopen bij voorbeeld. (Dit verklaart waarom ik het over een tuinman had.)

Nancy en George en de kinderen zijn zondag wezen eten, zogenaamd om alles over Ibiza te horen maar in werkelijkheid om over de gebreken van de Croftways te praten. Ik heb ze fazant en verse bloemkool uit de tuin gegeven maar Melanie en Rupert zaten steeds maar te zeuren en ruzie te maken. Nancy weet geen raad met hen en George schijnt niet te merken hoe ongemanierd ze zijn. Ik ergerde me zo aan Nancy dat ik haar om te treiteren alles over de oorbellen heb verteld. Ze toonde weinig belangstelling – ze is niet één keer met me meegegaan om die arme tante Ethel op te zoeken – tot ik het over vierduizend pond had. Toen werd ze een en al aandacht. Het is nooit moeilijk te raden wat ze denkt en ze zag Melanie waarschijnlijk al als debutante met die oorbellen. Misschien vergis ik me.

Ik schrijf niet erg aardig over mijn dochter maar ik kon de verleiding niet weerstaan even samen met jullie om haar te lachen.

Nogmaals bedankt. Dat klinkt erg afgezaagd maar betere woorden weet ik niet.

Veel liefs, Penelope

De maanden gingen voorbij. Het was nu februari. Het had geregend en gestormd en ze brachten veel tijd binnen bij het vuur door, maar ineens zat de lente in de lucht, begonnen de amandelbomen te bloeien en was het 's middags warm genoeg om een poosje buiten te zitten.

Februari. Olivia had nu het idee dat ze alles van Cosmo wist wat er te weten was. Maar ze had het mis. Toen ze op een middag met een mand met eieren uit de tuin kwam, hoorde ze een auto aankomen en onder de olijf stoppen. Op het terras trof ze een vreemde. Duidelijk iemand van Ibiza maar formeler gekleed dan gebruikelijk was, in een bruin pak met een overhemd met een stijve boord en een das. Hij had een strohoed op en hield een map met papieren in zijn hand.

Ze glimlachte vragend en hij nam zijn hoed af. '*Buenos dias.*'

'*Buenos dias.*'

'Señor Hamilton?'

Cosmo was binnen. Hij zat brieven te schrijven.

'Ja?'

'Ik zou hem willen spreken. Zeg hem dat Carlos Barcello er is. Ik wacht hier wel.'

Olivia ging op zoek naar Cosmo en vond hem aan zijn bureau in de woonkamer.

'Je hebt bezoek,' vertelde ze hem. 'Een zekere Carlos Barcello.'

'Carlos? God, dat was ik helemaal vergeten.' Hij legde zijn pen neer en stond op. 'Ik kan beter even met hem gaan praten.' Hij rende de trap af. Ze hoorde zijn begroeting. '*Hombre!*'

Ze bracht de eieren naar de keuken en legde ze een voor een in een gele schaal. Toen liep ze nieuwsgierig naar het raam. Ze zag Cosmo en meneer Barcello, wie dat ook was, diep in gesprek naar het zwembad lopen. Daar bleven ze even en toen liepen ze terug naar het terras, waar ze de put inspecteerden. Daarna gingen ze het huis in, maar ze schenen niet verder te komen dan de slaapkamer. De w.c. werd doorgespoeld. Was meneer Barcello misschien loodgieter?

Ze gingen weer het terras op. Ze praatten nog wat en toen namen ze afscheid. Ze hoorde de auto van meneer Barcello starten en wegrijden. Even later klonken Cosmo's voetstappen op de trap. Ze hoorde hem de woonkamer ingaan. Waarschijnlijk ging hij verder met zijn brieven.

Het was bijna vijf uur. Ze kookte water en zette een pot thee en ging daarmee de kamer in.

'Wie was dat?' vroeg ze terwijl ze het blad neerzette.

Hij zat nog te schrijven. 'Hè?'
'Wie was die man? Meneer Barcello?'
Hij keerde zich met een geamuseerde glimlach op zijn gezicht naar haar toe.
'Wat klinkt dat nieuwsgierig.'
'Natuurlijk ben ik nieuwsgierig. Ik had hem nog nooit gezien. En hij ziet er wel erg keurig uit voor een loodgieter.'
'Waarom zou het een loodgieter zijn?'
'Is hij dat dan niet?'
'Lieve help, nee,' zei Cosmo. 'Het is mijn huisbaas.'
'Je huisbaas?'
'Ja, mijn huisbaas.'
Ze kreeg het ineens koud. Ze vouwde haar armen over haar borst en keek hem aan, wilde dat hij zou zeggen dat ze hem verkeerd begrepen had.
'Je bedoelt dat dit huis niet van jou is?'
'Nee.'
'Je woont hier al vijfentwintig jaar en het is niet van jou.'
'Nee, dat heb ik je al gezegd.'
Olivia vond het bijna onfatsoenlijk. Het huis, zo vol van hun gezamenlijke herinneringen, de tuin, het zwembad, het uitzicht. Het was allemaal niet van Cosmo. Het was nooit van hem geweest. Het was van Carlos Barcello.
'Waarom heb je het nooit gekocht?'
'Hij wilde het niet verkopen.'
'Heb je er nooit aan gedacht een ander huis te zoeken?'
'Ik wilde geen ander huis.' Hij kwam overeind, langzaam, alsof hij moe was van zijn brieven. Hij schoof zijn stoel opzij en haalde een sigaar uit het kistje op de schoorsteenmantel. Met zijn rug naar haar toe ging hij door: 'En Antonia kost me een heleboel geld. Toen zij eenmaal op school zat, kon ik het me ook niet meer veroorloven een huis te kopen.'
Ik kon het me niet veroorloven een huis te kopen. Ze hadden het nooit over geld gehad. Er was nooit reden toe geweest. Olivia had haar deel van de dagelijkse uitgaven betaald. Boodschappen in de supermarkt of benzine voor de auto. Soms had hij weinig geld bij zich en dan betaalde Olivia hun drankjes in de bar. Ze zat tenslotte niet zonder geld en vond het niet nodig zich helemaal door Cosmo te laten onderhouden. Er kwamen vragen bij haar op maar ze durfde ze niet te stellen, bang voor de antwoorden die ze zou krijgen.
Ze keek hem zwijgend aan.
'Je kijkt zo geschokt,' zei hij.
'Ik ben ook geschokt, Cosmo. Ik kan het bijna niet geloven. Het

strijkt me tegen de haren in. Ik heb een eigen huis altijd heel belangrijk gevonden. Het geeft je zekerheid in elke betekenis van het woord. Oakley Street was het eigendom van mijn moeder en daarom voelden wij, kinderen, ons veilig. Niemand kon het ons afnemen. Als je thuiskwam en de deur achter je dichtdeed, wist je dat je echt in je eigen huis was.'

Hij ging daar niet op in maar stelde haar alleen een vraag: 'Is jouw huis in Londen van jouzelf?'

'Nog niet. Maar over een jaar of twee heb ik het helemaal afbetaald.'

'Wat een zakenvrouw.'

'Je hoeft geen zakenvrouw te zijn om in te zien dat het niet bepaald economisch is vijfentwintig jaar huur te betalen zonder daar iets aan over te houden.'

'Je vindt me een dwaas.'

'Nee, Cosmo. Dat vind ik niet. Ik begrijp wel hoe het gekomen is maar toch maak ik me zorgen.'

'Over mij.'

'Ja, over jou. Het is juist tot me doorgedrongen dat ik al die tijd al met je samenwoon en me nooit heb afgevraagd waar we eigenlijk van leven.'

'Wil je het weten?'

'Niet als jij het niet wilt vertellen.'

'De opbrengst van een paar investeringen van mijn grootvader en mijn militaire pensioen.'

'En is dat alles?'

'Ja.'

'En als er iets met jou gebeurt, houdt dat pensioen op?'

'Natuurlijk.' Hij lachte naar haar, in een poging een glimlach op haar gespannen gezicht te brengen. 'Maar ik sta nog niet met één been in het graf. Ik ben tenslotte pas vijfenvijftig.'

'Maar Antonia?'

'Ik kan haar niet nalaten wat ik niet heb. Ik hoop alleen dat ze tegen de tijd dat ik de pijp uitga, een rijke man heeft gevonden.'

Tot dan toe hadden ze rustig gesproken maar toen hij dat zei, werd Olivia ineens woedend.

'Cosmo, dat mag je niet zeggen. Je lijkt wel zo'n akelige Victoriaanse vader. Je mag er Antonia niet toe veroordelen de rest van haar leven afhankelijk te zijn van de een of andere man. Ze moet zelf geld hebben. Elke vrouw zou zelf iets moeten hebben.'

'Ik wist niet dat geld zo belangrijk voor je was.'

'Het is niet belangrijk voor me. Dat is het nooit geweest. Het is alleen belangrijk als je het niet hebt. En omdat je er fijne dingen mee kunt kopen, geen snelle auto's of bontjassen of reisjes naar Hawaii, maar echte, fijne dingen, zoals onafhankelijkheid en vrijheid en waardigheid. En ontwikkeling. En tijd.'

'Heb je daarom je hele leven gewerkt? Om een lange neus te maken naar die arrogante man, de Victoriaanse pater familias?'

'Dat is niet eerlijk! Je doet net of ik zo'n agressieve feministe met lesbische neigingen ben.'

Daar gaf hij geen antwoord op en ze voelde zich meteen beschaamd en wenste dat ze het niet gezegd had. Ze hadden nooit eerder ruzie gehad. Haar boosheid verdween en ze werd weer kalm. Rustig nu beantwoordde ze zijn vraag: 'Ja. Dat is een van de redenen. Ik heb je verteld dat mijn vader een lichtgewicht was. Hij heeft nooit enige invloed op me gehad. Maar ik heb altijd net zo sterk en onafhankelijk als mijn moeder willen zijn. En ik schrijf ook graag. Daarom geniet ik van het soort journalistiek dat ik bedrijf. Ik heb dus geluk gehad. Ik doe wat ik graag doe en ik word er nog voor betaald ook. Maar dat is niet alles. Ik heb ook behoefte aan een veeleisende baan, aan werk dat me uitdaagt.'

'En maakt dat je gelukkig?'

'O, Cosmo. Gelukkig. Het komt erop neer dat ik als ik werk nooit helemaal ongelukkig ben en als ik niet werk nooit helemaal gelukkig.'

'Dus je bent hier niet helemaal gelukkig?'

'Deze maanden met jou zijn anders geweest, anders dan alles daarvoor. Het is net een droom, gestolen van de tijd. En ik zal je altijd eindeloos dankbaar blijven omdat je me iets gegeven hebt dat niemand me ooit af kan nemen. Maar je kunt niet blijven dromen. Je moet wakker worden. Het zal niet lang meer duren voor ik rusteloos word. En jij zult je afvragen wat er met me is en dat zal ik zelf ook doen. En dan zal ik ontdekken dat het tijd is om terug te gaan naar Londen en de draad van mijn leven weer op te pakken.'

'Wanneer zal dat zijn?'

'Misschien volgende maand. Maart.'

'Je hebt een jaar gezegd. Dat is maar tien maanden.'

'Dat weet ik wel. Maar in april komt Antonia weer. Ik denk dat ik dan al weg moet zijn.'

'Ik dacht dat jullie zo van elkaars gezelschap genoten hadden.'

'Ja. Daarom ga ik weg. Ze moet niet verwachten dat ik hier ben. Ik moet niet belangrijk voor haar worden. Bovendien liggen er een heleboel problemen op me te wachten. Ik moet bij voorbeeld zien dat ik werk krijg.'

'Kun je je oude baan niet terugkrijgen?'

'Als me dat niet lukt, vind ik wel een betere.'

'Je hebt veel zelfvertrouwen.'

'Dat moet ik wel hebben.'

Hij zuchtte diep en gooide toen met een ongeduldig gebaar de rest van zijn sigaar in het vuur. 'Als ik je ten huwelijk vroeg, zou je dan blijven?' vroeg hij.

'O, Cosmo,' zei ze wanhopig.

'Ik vind het moeilijk me een toekomst zonder jou voor te stellen, zie je.'

'Als ik met iemand trouwde,' zei ze, 'zou het met jou zijn. Maar ik heb het je de eerste dag dat ik hier kwam al gezegd. Ik heb nooit willen trouwen of kinderen krijgen. Ik houd van mensen. Ze fascineren me. Maar ik heb ook ruimte voor mezelf nodig. Om mezelf te zijn. Alleen te wonen.'

'Ik houd van je,' zei hij.

Ze liep naar hem toe en sloeg haar armen om hem heen. Ze legde haar hoofd tegen zijn schouder. Ze kon zijn hart horen kloppen.

'Ik heb thee gezet en die is koud geworden zonder dat we er iets van gedronken hebben,' zei ze.

'Ik weet het.' Ze voelde zijn hand op haar hoofd. 'Kom je terug naar Ibiza?'

'Ik denk het niet.'

'Wil je me schrijven? Zodat we contact houden?'

'Ik zal je kerstkaarten met roodborstjes sturen.'

Hij legde zijn hand om haar hoofd en draaide haar gezicht naar zich toe. In zijn lichte ogen lag een eindeloos weemoedige blik.

'Nu weet ik het,' zei hij.

'Wat?'

'Dat ik je voorgoed ga verliezen.'

HOOFDSTUK 4

Noel

Om half vijf op die koude, donkere, natte middag in maart, toen Olivia haar redactrice korte verhalen met ontslag dreigde en Nancy verbijsterd door Harrods dwaalde, ruimde hun broer Noel zijn bureau op in het futuristische kantoor van Wenborn en Weinburg, Publiciteitsadviseurs, en ging naar huis.

Het kantoor ging pas om half zes dicht maar hij werkte er al vijf jaar en vond dat het hem toekwam af en toe wat eerder op te houden. Zijn collega's, die aan zijn manier van doen gewend waren, toonden geen enkele verbazing en als hij een van de bazen op weg naar de lift tegenkwam, had hij zijn verhaaltje klaar: hij voelde zich beroerd, waarschijnlijk een beginnend griepje, en ging naar huis en naar bed.

Hij kwam niemand tegen en hij was niet op weg naar huis en naar bed maar naar Wiltshire, waar hij het weekend zou doorbrengen bij mensen die Early heetten en die hij nog nooit ontmoet had. Camilla Early was een schoolvriendin van Amabel en Amabel was Noels nieuwste vlam.

'Ze geven zaterdag een feestje voor kennissen daar in de buurt,' had Amabel gezegd.

'Hebben ze centrale verwarming?' had Noel gevraagd. In deze tijd van het jaar ging hij niet zitten rillen bij een houtvuur.

'Natuurlijk. Ze zijn echt schatrijk. Ze haalden Camilla altijd van school in een enorme Bentley.'

Dat klonk bemoedigend. Misschien kon hij er nuttige mensen ontmoeten. In de lift zette hij de problemen van de dag van zich af. Hij begon vooruit te denken. Als Amabel op tijd was, konden ze Londen uit zijn voor de vrijdagavondexodus. Hij hoopte dat ze haar auto bij zich had zodat ze de reis daarin konden maken. Zijn Jag maakte vreemde geluiden. Bovendien werd er misschien niet van hem verwacht dat hij de benzine betaalde als ze in haar auto gingen.

Buiten stroomde de regen en was het erg druk. Noel ging gewoonlijk met de bus naar huis. 's Zomers liep hij zelfs wel door Sloane Street. Nu was het echter zo koud dat hij een taxi nam. Halverwege King's Road stapte hij uit. Hij betaalde de chauffeur en liep de korte afstand naar Vernon Mansions.

Zijn auto stond voor de deur – een indrukwekkende Jaguar, die echter al tien jaar oud was. Hij had de wagen gekocht van iemand die failliet was gegaan en had er dus niet veel voor betaald, maar hij had pas achteraf ontdekt dat er veel roest op de onderkant van het chassis zat, dat de remmen niet deugden en dat het voertuig ontzettend veel benzine nodig had. En nu dat vreemde geluid nog.

Hij ging het huis binnen. In de hal rook het muf en bedompt. Er was een kleine lift maar omdat hij op de eerste verdieping woonde, liep hij de trap op. Die was bekleed, evenals de smalle gang naar zijn eigen deur. Hij ging naar binnen, deed de deur achter zich dicht en was thuis. Thuis.

Het was eigenlijk een lachertje.

De flats waren bedoeld als pied-à-terre voor zakenlui die er niet meer tegen konden elke dag heen en weer te moeten reizen uit Surrey of Sussex of Buckinghamshire. Ze hadden een klein halletje, met een kast voor de kleren die je op je werk droeg. Verder had je een heel klein badkamertje, een keuken van het formaat van een kombuis van een niet al te groot jacht en een zitkamer. Achter een paar louvredeuren stond daar in een soort nis een tweepersoonsbed. Dat was onmogelijk op te maken en 's zomers was het er ook vreselijk benauwd, zodat Noel dan meestal op de bank sliep.

De stoffering en de meubilering waren bij de hoge huur inbegrepen. Alles was beige of bruin en ongelofelijk saai. Het raam van de zitkamer keek uit op de blinde muur van een pas gebouwde supermarkt, een smal straatje en een rij garages. Er kwam nooit zon en de muren, die vroeger crème waren geweest, waren helemaal vergeeld.

Maar het was een goed adres. Voor Noel betekende dat meer dan wat ook. Het was een deel van zijn image, mèt de opvallende auto, de overhemden van Harvey en Hudson en de schoenen van Gucci. Dat was allemaal buitengewoon belangrijk omdat hij in zijn jeugd door familieomstandigheden en financiële problemen niet naar een kostschool was gestuurd maar gewoon in Londen op school had gezeten, zodat hem de nuttige vriendschappen van Eton, Harrow of Wellington waren ontgaan. Daar kon hij zich nog altijd over opwinden, zelfs nu hij bijna dertig was.

Toen hij van school kwam, had hij zonder moeilijkheden een baan gevonden. Hij kon meteen in het oude familiebedrijf van zijn vader beginnen, Keeling & Philips, een traditionele uitgeverij, waar hij vijf jaar had gewerkt voor hij was overgestapt naar de veel interessantere en lucratievere reclamebusiness. Maar wat zijn sociale leven betreft, had hij helemaal zijn eigen boontjes moeten doppen. Wat hem gelukkig uitstekend afging. Hij was lang, zag er goed uit, was bedreven in ieder spel dat je maar kon bedenken en had zich al als kind een charmante en ontwapenende manier van doen aangemeten. Hij wist hoe hij oudere vrouwen om zijn vinger kon winden en trad oudere mannen met precies de juiste hoeveelheid respect tegemoet. Geduldig en handig als een spion was hij zonder veel moeite binnengedrongen in de hogere kringen van de Londense samenleving. Hij stond al jaren op de lijst van jonge mannen die je op debutantenbals kon vragen en in het seizoen danste hij vaak de hele nacht door om dan na een douche meteen naar zijn werk te gaan. Hij bracht weekends door in Henley, Cowes of Ascot. Hij werd uitgenodigd om in Davos te gaan skiën of in Sutherland te gaan vissen en zijn knappe gezicht verscheen zo af en toe op de glanzende bladzijden van *Harpers and Queen*, 'in geamuseerd gesprek met zijn gastvrouw'.

Het was in zekere zin een hele prestatie. Maar het was niet genoeg. Hij was het beu. Hij leek niets te bereiken. Hij wilde meer.

Het was net of de flat hem aankeek, wachtte tot hij iets ging doen. Hij trok de gordijnen dicht en deed het licht aan en alles zag er iets beter uit. Hij haalde *The Times* uit zijn jaszak en gooide die op de tafel. Hij trok zijn jas uit en smeet die over een stoel. Hij liep naar de keuken en schonk een glas whisky in. Hij ging terug naar de zitkamer, liet zich op de bank zakken en vouwde de krant open.

Hij begon met de beursberichten en zag dat Consolidated Cables een punt was gestegen. Toen zocht hij de rensportpagina op. Scarlet Flower was vierde geworden, wat betekende dat hij vijftig pond verloren had. Hij las een toneelrecensie en toen het veilingnieuws. Hij zag dat een Millais bij Christie's bijna achthonderdduizend pond had opgebracht.

Achthonderdduizend.

De woorden alleen al maakten hem bijna misselijk van frustratie en jaloezie. Hij legde de krant neer, nam een slok whisky en dacht aan de Lawrence Stern, *De waterdraagsters*, die volgende week bij Boothby geveild zou worden. Net als zijn zuster Nancy had hij nooit een hoge dunk van het werk van zijn grootvader gehad maar die hernieuwde aandacht in de kunstwereld voor Victoriaanse schilders was hèm niet ontgaan. Hij had de prijzen op veilingen geleidelijk zien oplopen tot ze nu die enorme hoogte hadden bereikt die hem buitensporig leek.

Maar hij had niets te verkopen. Lawrence Stern was zijn grootvader geweest en toch had hij niets van hem. De anderen ook niet trouwens. In Oakley Street hadden maar drie Sterns gehangen en die had zijn moeder meegenomen naar Gloucestershire, waar ze een overheersende plaats innamen in de lage kamers van Podmore's Thatch.

Wat waren ze waard? Vijfhonderd-, zeshonderdduizend? Misschien moest hij toch eens proberen haar zover te krijgen dat ze ze verkocht. Als hem dat lukte, moest de winst natuurlijk verdeeld worden. Nancy zou in elk geval beslist haar deel willen hebben. Maar dan bleef er nog een heleboel voor Noel over. Dan kon hij zijn baan bij Wenborn en Weinburg opgeven en voor zichzelf beginnen. Niet in de reclame maar in de handel, gokken op grote schaal.

Alles wat hij nodig had, was een duur adres in het West End, een telefoon, een computer en een heleboel lef. En dat had hij genoeg. De speculanten volgen, aanpappen met de grote beleggers, op het juiste moment optreden. Het bezorgde hem een bijna seksueel gevoel van opwinding. Het kon gebeuren. Hij had alleen maar een beginkapitaal nodig.

De schelpenzoekers. Misschien ging hij het volgende weekend naar zijn moeder. Hij had haar in geen maanden gezien maar ze was ziek geweest – Nancy had hem toen opgebeld en hem het nieuws op een ware graftoon meegedeeld – en dat gaf hem een goed excuus om zich in Podmore's Thatch te laten zien. En dan zorgde hij wel dat het gesprek op de schilderijen kwam. Als ze uitvluchten ging verzinnen of over vermogensaanwasbelasting begon, kon hij zijn vriend Edwin Mundy noemen, die in antiek deed en precies wist hoe je je geld stilletjes op Zwitserse banken vast kon zetten. Edwin had Noel als eerste opmerkzaam gemaakt op de enorme prijzen die in New York en Londen werden betaald voor die allegorische werken van rond de eeuwwisseling. Hij had ook een keer voorgesteld dat Noel zijn compagnon werd, maar Noel had geweigerd. Edwin nam veel te grote risico's, wist hij, en hij, Noel, voelde er niets voor in de gevangenis te belanden.

Het was allemaal bijna onoverkomelijk moeilijk. Hij zuchtte diep, dronk zijn glas leeg en keek op zijn horloge. Kwart over vijf. Hij kwam overeind, haalde zijn koffer uit de kast in de hal en pakte vlug alles in wat hij nodig had. Daar was hij goed in, na jaren ervaring, en het kostte hem niet meer dan vijf minuten. Daarna kleedde hij zich uit. Hij ging de badkamer in om zich te scheren en een douche te nemen. Het water was heerlijk warm en na zijn douche voelde hij zich beter. Hij trok gemakkelijke kleren aan en liet zijn vuile goed in de keuken achter, in de hoop dat zijn hulp zich daarover zou ontfermen.

Soms deed ze dat niet. Soms kwam ze niet eens. Hij dacht nog altijd vol weemoed terug aan de tijd vóór zijn moeder het zelfzuchtige besluit genomen had Oakley Street te verkopen. Toen had hij van alles het beste gehad. De onafhankelijkheid van een huissleutel en een eigen suite op de bovenste verdieping plus de eindeloze voordelen die je had als je thuis woonde. Voortdurend warm water, een haard die brandde, eten in de provisiekast, drank in de wijnkelder, een grote tuin voor 's zomers, een café aan de overkant, de rivier vlakbij, zijn was verzorgd, zijn bed opgemaakt, zijn overhemden gestreken. En voor dat alles had hij geen cent hoeven te betalen. Zijn moeder was ook altijd even onafhankelijk geweest als haar zoon en als ze niet doof was voor het kraken van de trap en sluipende vrouwenvoeten langs haar slaapkamer deed ze toch alsof. Ze maakte er in elk geval nooit een opmerking over. Hij had gedacht dat die idyllische manier van leven blijvend was, dat niemand er iets aan zou veranderen behalve hijzelf. Toen ze hem vertelde dat ze het huis wilde verkopen en buiten wilde gaan wonen, had hij dan ook het gevoel gehad dat de grond onder zijn voeten werd weggeslagen.

'En ik dan? Wat moet ik dan beginnen?'

'Noel, liefje, je bent nu drieëntwintig en je hebt je hele leven in dit huis gewoond. Misschien wordt het eens tijd dat je het nest verlaat. Ik weet zeker dat je wel in staat bent je eigen boontjes te doppen.'

Zijn eigen boontjes doppen. Dat betekende huur betalen, eten kopen, whisky kopen, geld uitgeven aan vreselijke dingen als Vim voor het bad en rekeningen voor de wasserij. Tot het allerlaatste moment had hij zich aan Oakley Street vastgeklemd, tegen beter weten in gehoopt dat ze van gedachten zou veranderen. Hij was pas weggegaan toen de verhuiswagen arriveerde om haar spullen in te laden. Zijn spullen waren voor een groot deel trouwens ook meegegaan naar Gloucestershire omdat er geen ruimte voor was in het kleine flatje dat hij gevonden had. Die stonden nu nog altijd opgestapeld in het kamertje in Podmore's Thatch dat iedereen de kamer van Noel noemde.

Hij kwam daar zo weinig mogelijk. Hij nam zijn moeder nog altijd kwalijk dat ze hem zo aan zijn lot had overgelaten en kon er ook niet tegen haar zo tevreden te zien zonder hem. Ze had in elk geval het fatsoen kunnen hebben te doen alsof ze met weemoed terugdacht aan de tijd dat hij nog bij haar woonde, maar ze scheen hem helemaal niet te missen.

Hij vond dat moeilijk te begrijpen want hij miste haar behoorlijk.

Zijn nostalgische overpeinzingen werden onderbroken door de komst van Amabel, maar een kwartier te laat. De bel ging en toen hij open ging doen, stond zij met haar bagage op de stoep. Ze had twee uitpuilende boodschappentassen bij zich en uit een ervan stak een paar groene laarzen.

'Hallo.'

'Je bent te laat,' zei hij.

'Ja, dat weet ik. Sorry.' Ze kwam binnen en liet de boodschappentassen vallen en hij deed de deur dicht en gaf haar een kus.

'Waarom ben je zo laat?'

'Ik kon geen taxi krijgen en het is vreselijk druk.'

Een taxi. Dat viel tegen. 'Waarom ben je niet met de auto gekomen?'

'Er is een band kapot en ik heb geen reserveband. Daar zou ik trouwens toch geen raad mee weten.'

Dat was te verwachten. Ze was erg onhandig. Ze was twintig en zo klein en slank als een kind. Ze had een bleke, bijna doorzichtige huid, grote, groene ogen met dikke wimpers, lang, dun, sluik haar, dat loshing en gewoonlijk over haar gezicht viel. Ze droeg kleren die nauwelijks geschikt waren voor die koude, natte avond. Een versleten spijkerbroek, een T-shirt en een jasje van denim. Haar schoenen leken niet al te stevig en ze had geen sokken aan. Je zou niet zeggen dat ze de dochter van lord Stockwood was, de eigenaar van een heleboel land in Leicestershire. Daardoor had Noel zich in de eerste plaats tot Amabel aangetrokken gevoeld. Bovendien vond hij haar uiterlijk als van een verwaarloosd kind om de een of andere reden bijzonder sexy.

Ze moesten dus met de Jag naar Wiltshire. Hij slikte zijn ergernis in en zei: 'Nou, dan gaan we maar. We moeten bij een garage stoppen om een beetje lucht in de banden te laten pompen en benzine te tanken.'

'Gossie, dat is vervelend.'

'Weet je de weg?'

'Waarheen? Naar de garage?'

'Nee. Naar die vrienden van je in Wiltshire.'

'Ja, natuurlijk.'

'Hoe heet het huis?'

'Charbourne. Ik ben er vaak genoeg geweest.'

Hij keek neer op haar zogenaamde bagage. 'Zijn dat al je kleren?'

'Ik heb mijn laarzen bij me.'

'Amabel, het is nog winter en morgen gaan we naar buiten. Heb je eigenlijk een jas bij je?'

'Nee, die heb ik vorige week laten hangen.' Ze haalde haar magere schouders op. 'Maar ik kan wel wat lenen. Camilla heeft bendes kleren.'

'Daar gaat het niet om. We moeten eerst zien dat we daar komen en de verwarming in de Jag is niet altijd zo betrouwbaar. Ik heb er helemaal geen zin in je te verplegen als je longontsteking hebt.'

'Sorry.'

Maar het klonk niet erg berouwvol. Noel onderdrukte zijn ergernis en deed zijn kast open. Na enig zoeken haalde hij er een oude overjas uit. Hij was van tweed en had een fluwelen kraag en een voering van konijnebont.

'Hier,' zei hij, 'trek die maar aan.'

'Gossie.' Ze leek erg blij, waarschijnlijk niet omdat hij zo bezorgd was maar omdat ze het zo'n chic kledingstuk vond. Ze was gek op oude kleren en Petticoat Lane had een goede klant aan haar. Nu trok ze de oude jas aan. Ze verdronk erin maar de zoom sleepte in elk geval niet over de grond.

'O, wat een zalige jas. Waar heb je die vandaan?'

'Hij is van mijn grootvader geweest. Ik heb hem uit de kast van mijn moeder gejat toen ze haar Londense huis verkocht.'

'Ik mag hem zeker niet houden?'

'Nee. Maar je kunt hem dit weekend dragen. Dan hebben de mensen nog eens wat om over te praten.'

Ze trok de jas liefkozend om zich heen en lachte, niet zozeer om zijn lichte spot maar omdat die voering van bont zo prettig aanvoelde. Ze leek zo sterk op een ondeugend, gulzig kind dat hij haar plotseling onweerstaanbaar vond. Onder normale omstandigheden had hij haar meteen mee naar bed genomen, maar daar was nu geen tijd voor. Dat moest tot later wachten.

De tocht naar Wiltshire verliep niet moeilijker dan hij verwacht had. Het regende voortdurend en in Londen was het zo druk dat ze maar langzaam vorderden. Maar eindelijk waren ze op de snelweg en konden ze opschieten. Het vreemde geluid in de motor liet zich niet horen en de verwarming werkte redelijk.

Ze zaten een poosje te praten en toen zweeg Amabel. Hij dacht dat ze in slaap gevallen was, zoals gewoonlijk bij zulke gelegenheden, maar toen merkte hij dat ze nogal heen en weer zat te schuiven.

'Wat is er?' vroeg hij.

'Er kraakt iets.'

'Kraakt er iets?' Hij schrok en dacht dat de Jaguar op het punt stond in brand te vliegen. Hij remde zelfs wat af.

'Ja. Zoals papier, weet je wel?'

'Waar?'

'In de jas.' Ze bewoog weer. 'Er zit een gat in de zak. Ik denk dat het iets in de voering is.'

Opgelucht ging Noel weer harder rijden. 'Ik was bang dat het iets met de auto was,' zei hij.

'Ik heb een keer een oude halve kroon in de voering van een jas van mijn moeder gevonden. Misschien is dit wel een briefje van vijf pond.'

'Ik denk eerder een oude brief, of een chocoladepapiertje. We zullen het wel onderzoeken als we er zijn.'

Een uur later bereikten ze hun bestemming. Het verbaasde Noel nogal dat Amabel het klaargespeeld had niet te verdwalen toen ze hem de weg wees door een paar kleine stadjes en ten slotte over een smalle, kronkelende weg die tussen donkere akkers door naar het dorp Charbourne leidde. Zelfs in de regen en het donker zag het er schilderachtig uit met huisjes met rieten daken en tuinen aan de voorkant. Ze passeerden een café en een kerk, reden door een laan met eiken en kwamen toen bij een indrukwekkend hek.

'Hier is het.'

Hij reed door het hek de oprijlaan op. In het schijnsel van zijn koplampen zag hij het huis, met de harmonieuze verhoudingen en symmetrie van de achttiende eeuw. Hij stopte voor de voordeur.

Ze stapten uit en haalden hun bagage uit de kofferruimte. Ze gingen de paar treetjes naar de gesloten voordeur op en Amabel trok aan de bel maar zei toen: 'We hoeven niet te wachten' en deed de deur zelf open.

Ze kwamen in een betegeld portaal met een glazen deur die naar de hal leidde. Het licht brandde en Noel zag een indrukwekkende trap omhooggaan naar de eerste verdieping. Toen ze aarzelden, ging er achter in de grote hal een deur open en verscheen er een vrouw. Ze was dik en had grijs haar en droeg een gebloemd schort over haar goede jurk van viscose. De vrouw van de tuinman, besloot Noel, die in het weekend een handje komt helpen.

Ze deed de deur open. 'Goedenavond. Kom binnen. Meneer Keeling en miss Remington-Luard? Goed. Mevrouw is juist naar boven gegaan om haar bad te nemen en Camilla en de kolonel zijn in de stal, maar mevrouw Early zei dat ik naar u uit moest kijken en u uw kamers moest wijzen. Is dit al uw bagage? Wat een vreselijk weer. Hebt u een nare reis gehad? Die regen is verschrikkelijk, hè?' Ze waren nu binnen. De haard brandde en het huis deed verrukkelijk warm aan. De vrouw van de tuinman deed de deur dicht. 'Wilt u mij maar volgen? Kunt u uw bagage dragen?'

Dat konden ze. Amabel droeg, nog steeds in de oude jas gehuld, de boodschappentas met de laarzen en Noel droeg de andere boodschappentas en zijn eigen koffer. Zo volgden ze de dikke dame de trap op.

'Camilla's andere gasten zijn al eerder gearriveerd maar ze zijn nu in hun kamer om zich te verkleden. En mevrouw Early heeft me gevraagd u te zeggen dat er om acht uur gedineerd wordt, maar als u om kwart voor acht beneden wilt zijn, kunt u eerst nog wat drinken in de bibliotheek en met iedereen kennismaken.'

In de bocht van de trap was een doorgang naar een gang die naar de achterkant van het huis leidde. Er lag rode vloerbedekking op de grond, er hingen jachttaferelen aan de muur en Noel rook de aangename geur van goed onderhouden landhuizen, samengesteld uit pas gestreken linnen, boenwas en lavendel.

'Dit is uw kamer.' Ze deed een deur open en ging opzij om Amabel door te laten. 'En deze is voor u, meneer Keeling, en de badkamer is ertussen. Ik denk dat alles er wel is maar als u nog iets nodig hebt, moet u het ons laten weten.'

'Dank u zeer.'

'En ik zal tegen mevrouw Early zeggen dat u om kwart voor acht beneden bent.'

Met een vriendelijke glimlach verdween ze. Ze deed de deur achter zich dicht. Noel zette zijn koffer neer en keek om zich heen. Hij had zoveel ervaring met weekends in vreemde huizen dat hij altijd bijna meteen de mogelijkheden van de dagen die voor hem lagen, kon schatten.

Hij had zijn eigen beoordelingssysteem. Helemaal onderaan kwam een klein, tochtig huis met ongemakkelijke bedden, onsmakelijk voedsel en alleen maar bier te drinken. De overige gasten waren dan meestal vervelende familieleden met ongemanierde kinderen. In zo'n situatie herinnerde Noel zich maar al te vaak een plotselinge, dringende afspraak die hem op zondagochtend al terugriep naar Londen. Iets beter waren van die huizen in Surrey met sportieve meisjes en jonge cadetten van Sandhurst. Daar werd meestal getennist op een bemoste baan, terwijl de avond bekroond werd met een bezoek aan het plaatselijke café. Dan had je van die rommelige buitenhuizen met een heleboel honden en paarden in de stal, smeulende haardvuren en een overvloed aan eten dat uitstekend in een kinderkamer zou passen, maar bijna altijd uitstekende wijn. Nog beter dan dat waren de huizen van de superrijken. Een butler, er werd voor je uitgepakt en er was een vuur in je slaapkamer. Daar was je meestal ter gelegenheid van een bal ergens in de buurt.

Charbourne behoorde tot de categorie van rommelige buitenhuizen, had hij meteen vastgesteld. En daar was hij heel tevreden mee. Hij had kennelijk niet de beste logeerkamer gekregen maar met deze kon hij het heel goed doen. Met stevige meubelen uit de tijd van koningin Victoria en zware gordijnen en alles wat een gast maar nodig kon hebben. Hij deed zijn jas uit en gooide die op het bed en deed toen de deur open die naar een ruime badkamer leidde. Daar lag vloerbedekking op de grond en er stond een enorm bad. Aan de andere kant van de kamer was nog een deur en hij liep erheen en probeerde de knop, min of meer in de verwachting dat de deur op slot zou zitten. Maar de knop gaf mee en hij stond in Amabels kamer. Ze had de met bont gevoerde jas nog aan en was bezig kleren uit haar boodschappentas te halen die ze dan als dode blaadjes aan haar voeten liet vallen.

Ze keek op en zag de glimlach op zijn gezicht.

'Wat is er?' vroeg ze.

'Onze gastvrouw is kennelijk een verstandige, ruimdenkende vrouw.'

'Hoezo?' Ze was soms erg traag van begrip.

'Ik bedoel dat ze ons nooit een kamer samen zou geven maar wat wij 's nachts uitvoeren, gaat haar kennelijk niet aan.'

'O,' zei Amabel, 'ik denk dat ze wel genoeg ervaring heeft.' Ze rommelde onder in de boodschappentas en haalde een lange, zwarte jurk te voorschijn.

'Wat is dat?'

'Die ga ik vanavond dragen.'

'Wel een beetje verkreukeld, hè?'

Ze schudde de jurk uit. 'Het is jersey. Dat hoort niet te kreukelen. Denk je dat het water warm is?'

'Vast wel.'

'O, fijn. Dan ga ik in bad. Laat het even vollopen, wil je?'

Hij ging de badkamer weer in, deed de stop in het bad en draaide de kranen open. Toen ging hij weer naar zijn eigen kamer. Hij pakte zijn koffer uit en hing zijn pakken in de ruime kast en legde zijn schone overhemden in de laden. Onder in zijn koffer lag een zilveren jachtfles. Hij hoorde Amabel in het bad en liep naar de badkamer, waar hij twee glazen pakte, die hij half met whisky vulde, waar hij water uit de koude kraan bij deed. Amabel had besloten haar haar te wassen. Ze waste altijd haar haar maar het zag er daarna nooit anders uit. Hij zette een van de glazen voor haar op een krukje naast het bad, waar ze het kon pakken als ze de zeep uit haar ogen had. Toen ging hij haar kamer binnen. Hij pakte de jas van zijn grootvader en nam hem mee naar de badkamer, waar hij op het deksel van het toilet ging zitten. Hij zette zijn eigen drankje voorzichtig op de wastafel en begon zijn onderzoek.

De stoom werd minder. Amabel richtte zich op, veegde haar lange, natte lokken uit haar gezicht en deed haar ogen open. Ze zag het drankje en pakte het.

'Wat doe je?' vroeg ze.

'Ik zoek naar dat briefje van vijf pond.'

Hij betastte de zware stof en vond de plaats van het gekraak, onder in de zoom. Hij stak zijn hand in de zak erboven en vond het gat, maar zijn hand kon er niet door. Hij maakte de scheur een beetje groter en probeerde het nog eens. Hij voelde tussen de stof en de voering en zette de gedachte aan een dode muis of iets anders akeligs van zich af. Eindelijk vonden zijn vingers wat ze zochten. Hij pakte het en trok zijn hand weer vrij. De jas gleed van zijn knie en op de grond en hij hield een opgevouwen blad papier in zijn hand. Het was even oud en vergeeld als een stuk kostbaar perkament.

'Wat is het,' wilde Amabel weten.

'Geen vijf pond. Een brief, denk ik.'

'Gossie, wat een teleurstelling.'

Voorzichtig, om het niet te scheuren, vouwde hij het papier open. Hij zag het ouderwetse schrift met de fraai gevormde letters.

Dufton Hall.
Lincolnshire.

8 mei 1898
Waarde Stern,

Ik dank u voor uw brief uit Rapallo en constateer dat u nu zult zijn teruggekeerd in Parijs. Ik hoop in staat te zijn de volgende maand naar Frankrijk te reizen. Ik zal u dan D.V. in uw atelier bezoeken om de schets voor De terrazzotuin *te bekijken. Als de reis is geregeld zal ik u een telegram sturen om u de datum en het tijdstip van mijn bezoek mee te delen.*

Hoogachtend,

Ernest Wollaston.

Hij las dit zwijgend. Toen hij klaar was, bleef hij even diep in gedachten zitten voor hij zijn hoofd ophief en Amabel aankeek.
'Niet te geloven,' zei hij.
'Wat staat erin?'
'Niet te geloven dat je zo iets vindt.'
'O, Noel, lees hem eens voor.'
Hij deed het. Toen hij klaar was, was Amabel nog niets wijzer. 'Wat is daar zo bijzonder aan?'
'Het is een brief aan mijn grootvader.'
'En wat zou dat?'
'Heb je nooit van Lawrence Stern gehoord?'
'Nee.'
'Hij was schilder. Hij had veel succes in zijn tijd.'
'Dat wist ik niet. Geen wonder dat hij zo'n geweldige jas had.'
Noel negeerde die laatste opmerking. 'Een brief van Ernest Wollaston.'
'Was dat ook een schilder?'
'Nee, domoor, dat was geen schilder. Het was een Victoriaanse industrieel. Een gewone jongen die miljonair geworden was. Hij werd ten slotte in de adelstand verheven en heette toen lord Dufton.'
'En dat schilderij . . . hoe heet het ook weer?'
'*De terrazzotuin*. Dat was een opdracht. Hij had Lawrence Stern opdracht gegeven het voor hem te schilderen.'
'Daar heb ik ook nog nooit van gehoord.'

'Het is anders erg beroemd. Sinds tien jaar hangt het in het Metropolitan Museum in New York.'

'Wat is er op te zien?'

Noel zweeg even en probeerde zich het schilderij te herinneren waarvan hij alleen een foto gezien had in het een of andere tijdschrift. 'Een terras. In Italië kennelijk, daarvoor was hij in Rapallo geweest. Een groepje vrouwen, leunend op een balustrade, met overal rozen. Cipressen en de blauwe zee en een jongen die op een harp speelt. Het is erg mooi, in zijn soort.' Hij keek weer naar de brief en alles viel op zijn plaats en hij wist precies hoe het gegaan was. 'Ernest Wollaston had een bom duiten verdiend, hij was omhooggeschoten in de samenleving en waarschijnlijk had hij in Lincolnshire een indrukwekkend huis laten bouwen. En hij kocht er meubelen voor en liet in Frankrijk tapijten weven en omdat hij geen geërfde portretten of Gainsboroughs of Zoffany's had, bestelde hij een schilderij bij de beroemdste schilder van dat moment. In die tijd was dat een beetje alsof je iemand vroeg een film te maken. De plaats, de kostuums, de modellen moesten allemaal in aanmerking genomen worden. Dan maakte de schilder een ruwe olieverfschets die zijn klant kon bekijken. Hij had maanden werk voor zich en hij moest er zeker van kunnen zijn dat het uiteindelijk precies zou worden wat de man wilde hebben en dat hij zijn geld zou krijgen.'

'Ik begrijp het.' Ze lag op haar rug in het water, met haar haar om haar hoofd drijvend, als Ophelia, en dacht na. 'Maar ik begrijp nog steeds niet waarom je zo opgewonden kijkt.'

'Het is alleen maar dat . . . ik had nooit aan die schetsen gedacht.'

'Zijn die belangrijk.'

'Ik weet het niet. Misschien wel.'

'Dan is het slim van mij dat ik die brief voelde kraken in die jas.'

'Ja, erg slim.'

Hij vouwde de brief op en stak hem in zijn zak. Hij dronk zijn glas leeg, stond op en keek op zijn horloge. 'Het is half acht,' zei hij. 'Je kunt je beter een beetje haasten.'

'Waar ga je heen?'

'Me verkleden.'

Hij ging zijn kamer weer in en deed de deur achter zich dicht. Toen deed hij heel voorzichtig de andere deur open. Hij stapte de gang op en liep de trap af naar de hal. Er was niemand te zien hoewel er achter in het huis stemmen te horen waren. Daar kwamen ook heerlijke geuren vandaan. Op dat moment dacht hij echter maar aan één ding, waar hij een telefoon zou kunnen vinden.

Er stond er een vlakbij in de hal. Hij pakte de hoorn op en draaide een nummer in Londen. Er werd bijna meteen opgenomen.

'Met Edwin Mundy.'
'Edwin, met Noel Keeling.'
'Noel. Een tijd niet gezien.' Aan zijn stem was nog altijd te horen dat zijn wieg in een Londense volksbuurt had gestaan. 'Hoe staat het leven?'
'Prima, maar hoor eens, ik heb niet veel tijd. Ik logeer ergens buiten. Ik wil je alleen iets vragen.'
'Ga je gang, jongen.'
'Over Lawrence Stern. Begrijp je me?'
'Ja.'
'Weet jij misschien of er olieverfschetsen van grote schilderijen van hem op de markt zijn geweest?'
Het bleef even stil. Toen zei Edwin argwanend: 'Dat is een interessante vraag. Heb jij er soms een paar?'
'Nee. En ik weet ook niet of ze er wel zijn. Daarom bel ik jou juist.'
'Ik heb er nooit van gehoord. Maar er zitten natuurlijk overal in het land kleine handelaartjes die . . .'
'Wat zou . . .' Noel schraapte zijn keel en probeerde het nog eens. 'Wat zou zo'n ding op het ogenblik waard zijn?'
'Hangt van het schilderij af. Als het om een van zijn belangrijke werken gaat, waarschijnlijk vier- of vijfduizend. Maar nagel me daar niet op vast, jongen, het is alleen maar een ruwe schatting. Ik kan het pas met zekerheid zeggen als ik iets gezien heb.'
'Ik heb niets. Dat zei ik toch al?'
'Waarom bel je me dan op?'
'Het is juist tot me doorgedrongen dat er zulke schetsen zouden kunnen zijn, zonder dat iemand van ons dat weet.'
'Je bedoelt in het huis van je moeder?'
'Nou, ze zouden ergens moeten zijn.'
'Als je ze kon vinden,' ging Edwin door, 'zou je ze mij waarschijnlijk wel laten verhandelen?'
Maar Noel wilde zich niet bij voorbaat al vastleggen. 'Ik moet ze eerst hebben.' En voor Edwin nog iets kon zeggen zei hij toen vlug: 'Nu moet ik ophangen, Edwin. We eten over vijf minuten en ik moet me nog verkleden. Bedankt voor je hulp.'
'Graag gedaan, oude jongen. Een interessante mogelijkheid. Succes bij de speurtocht.'
Langzaam legde Noel de hoorn neer. Vier- of vijfduizend pond. Meer dan hij had durven hopen. Hij haalde diep adem en liep de trap op. Daar niemand hem had zien bellen, vond hij het niet nodig geld ter betaling achter te laten.

HOOFDSTUK 5

Hank

Op het allerlaatste moment, toen alles klaar was voor haar dineetje met Hank Spotswood, dacht Olivia eraan dat ze haar moeder nog niet gebeld had om voor te stellen dat ze de volgende dag naar haar toe zou gaan. De witte telefoon stond naast de bank en ze was juist bezig het nummer te draaien toen ze een taxi hoorde. Ze wist instinctief dat het Hank was. Ze aarzelde. Haar moeder was altijd nogal lang van stof en er was geen sprake van dat ze alleen maar even een afspraak kon maken en dan meteen ophangen. Ze hoorde de taxi voor haar tuinhek stoppen en legde de hoorn neer. Ze zou later wel bellen. Haar moeder ging altijd laat naar bed.

Ze stond op en keek om zich heen, om te zien of alles in orde was. En dat was het. Gedempt licht, de drankjes stonden klaar, er zat ijs in de ijsemmer, zachte muziek. Ze keek in de spiegel boven de haard en streek even over haar haar, trok de kraag van haar crème blouse recht. Haar make-up was zacht en heel vrouwelijk, niet zoals de opvallende opmaak die ze overdag gebruikte. Het tuinhekje ging open en dicht. Ze hoorde voetstappen. De bel ging.

Langzaam liep ze naar de deur.

'Goedenavond.'

Hij stond in de regen op de stoep. Een stoere, knappe man van achter in de veertig die natuurlijk een boeket rode rozen bij zich had.

'Hallo.'

'Kom binnen. Wat een vreselijk weer. Maar je hebt het gevonden.'

'Ja, hoor. Zonder enig probleem.' Hij stapte naar binnen en ze deed de deur dicht. Hij overhandigde haar de bloemen.

'Een aardigheidje,' zei hij glimlachend. Ze was zijn aantrekkelijke glimlach en zijn erg witte, Amerikaanse tanden vergeten.

'O, ze zijn schitterend.' Ze nam ze aan en automatisch boog ze haar hoofd om eraan te ruiken maar het waren geforceerde kasprodukten en ze hadden geen geur. 'Wat aardig van je. Doe je jas uit en neem iets te drinken, dan ga ik ze meteen in het water zetten.'

Ze nam de bloemen mee naar de keuken, pakte een vaas, vulde die met water en zette de rozen erin, zonder de tijd te nemen om ze te schikken. Het effect was toch wel geslaagd, zoals altijd bij rozen. Ze

88

liep met de vaas naar de zitkamer en zette de bloemen nadrukkelijk op de ereplaats op haar walnoten bureau. Het rood stak helder als druppels bloed af tegen de witte muur.

'Dat was erg attent van je,' zei ze tegen hem. 'Heb je al wat te drinken?'

'Ik heb whisky genomen. Ik hoop dat dat goed is.' Hij zette zijn glas neer. 'En wat mag ik voor jou inschenken?'

'Hetzelfde. Met water en ijs.'

Ze zonk op de bank neer, trok haar voeten naast zich en keek toe terwijl hij bezig was met flessen en glazen. Hij bracht haar het glas, ze nam het aan en toen liet hij zich weer in de stoel tegenover de haard zakken. Hij hief zijn glas. 'Proost.'

'Gezondheid,' zei Olivia.

Ze dronken en begonnen te praten. Het was allemaal erg gemakkelijk en ontspannen. Hij bewonderde haar huis, was geïnteresseerd in haar schilderijen, vroeg naar haar werk, wilde weten hoe ze de Ridgeways had leren kennen, de mensen bij wie ze elkaar een paar avonden eerder hadden ontmoet. En toen bracht ze hem er tactvol toe iets over hemzelf te vertellen. Hij handelde in tapijten en was hier voor een internationale conferentie over textiel. Hij kwam uit New York maar woonde nu in Dalton in Georgia.

'Dat is wel een heel verschil, denk ik. Dalton of New York.'

'Ja.' Hij hield zijn ogen neergeslagen en draaide zijn glas om en om. 'Maar ik ben op een geschikt moment verhuisd. Mijn vrouw en ik waren juist gescheiden en zo werd alles een stuk eenvoudiger.'

'O, wat vervelend.'

'Ach, zulke dingen gebeuren gewoon.'

'Heb je kinderen?'

'Ja. Twee tieners. Een jongen en een meisje.'

'Zie je ze nog wel?'

'Ja, hoor. Ze komen in de zomervakantie bij mij. Het is in het zuiden heerlijk voor kinderen. Ze kunnen het hele jaar door tennissen, paardrijden, zwemmen. En ze kunnen een heleboel jongeren van hun eigen leeftijd ontmoeten.'

'Dat klinkt geweldig.'

Er viel een pauze. Olivia gaf hem tactvol de kans foto's van zijn kinderen te voorschijn te halen, wat hij gelukkig niet deed. Ze begon hem steeds meer te waarderen. 'Je glas is leeg,' zei ze. 'Wil je nog wat?'

Het gesprek kwam op ernstiger onderwerpen: de Amerikaanse politiek, de economische verhoudingen tussen Engeland en Amerika. Zijn opvattingen waren zowel liberaal als praktisch en hoewel hij haar vertelde dat hij republikeins stemde, leek hij diep begaan met de problemen van de Derde Wereld. Op een bepaald moment zag ze tot haar verbazing dat het al negen uur was.

'Misschien moesten we eens wat gaan eten,' zei ze.

Hij stond op, pakte hun lege glazen en volgde haar naar de tafel. Ze deed het licht erboven aan. Meteen viel hem haar kobaltblauwe muur op, die van boven tot onder bedekt was met ingelijste foto's.

'Kijk nou eens. Wat een geweldig idee.'

'Ik vind familiefoto's altijd zo'n probleem. Ik weet nooit waar ik ze moet zetten, dus heb ik de muur er maar mee behangen.'

Ze haalde pâté en bruinbrood uit haar keukentje terwijl hij met zijn rug naar haar toe de foto's stond te bekijken met de belangstelling en de aandacht van iemand op een tentoonstelling.

'Wie is dat knappe meisje hier?'

'Mijn zusje Nancy.'

'Ze ziet er geweldig uit.'

'Vroeger wel, ja,' gaf Olivia toe. 'Maar ze heeft zich laten gaan, zoals men dat noemt. Je weet wel, ze is dik geworden en is nu duidelijk iemand van middelbare leeftijd. Maar in haar jeugd was ze erg aantrekkelijk. Deze foto is van vlak voor haar huwelijk.'

'Waar woont ze?'

'In Gloucestershire. Ze heeft twee vreselijke kinderen en een stomvervelende man en ze gaat helemaal in het buitenleven op.'

'En wie is deze knappe vrouw?' vroeg hij verder.

'Dat is mijn moeder.'

'Heb je geen foto van je vader?'

'Nee, mijn vader leeft niet meer. Maar dit is mijn broer Noel. Die man met die blauwe ogen.'

'Die ziet er ook aantrekkelijk uit. Is hij getrouwd?'

'Nee. Hij is nu bijna dertig en is nog niet getrouwd.'

'Heeft hij een vriendin?'

'Niet iemand met wie hij samenwoont. Hij heeft er een vreselijke hekel aan gebonden te zijn. Hij neemt nooit een uitnodiging aan als hij denkt dat er nog een betere kan komen.'

Hanks schouders schokten van het lachen. 'Je bent niet erg vriendelijk over je familie.'

'Dat weet ik wel. Maar waarom zou je je op mijn leeftijd nog aan sentimentele illusies vastklampen?'

Ze zette de pâté en de boter en het bruinbrood op de tafel en stak de kaarsen aan.

'En wie is dit?'

'Wie bedoel je?'

'Deze knaap, met dat jonge meisje.'

'O.' Ze ging naast hem staan. 'Dat is een man die Cosmo Hamilton heet. En het meisje is zijn dochter Antonia.'

'Wat een leuk kind.'

'Die foto is van vijf jaar geleden. Ze moet nu achttien zijn.'

'Zijn ze familie van je?'

'Nee. Hij is een vriend. Was een vriend. Een minnaar om precies te zijn. Hij woont op Ibiza en vijf jaar geleden ben ik daar een jaar bij hem gebleven.'

Hank trok zijn wenkbrauwen op. 'Een jaar. Dat is een hele tijd.'

'Het ging heel vlug voorbij.'

Ze voelde dat hij haar aankeek. 'Was je erg dol op hem?'

'Ja. Meer dan ik ooit op iemand anders geweest ben.'

'Waarom ben je niet met hem getrouwd. Of had hij al een vrouw?'

'Nee, hij had geen vrouw. Maar ik wilde niet met hem trouwen omdat ik met niemand wilde trouwen. Dat wil ik nog steeds niet.'

'Zie je hem nog?'

'Nee. Ik heb afscheid van hem genomen en dat was het eind van de affaire.'

'En die dochter, Antonia?'

'Ik weet niet wat er van haar geworden is.'

'Schrijven jullie elkaar niet?'

Olivia haalde haar schouders op. 'Ik stuur hem met Kerstmis een kaart. Dat was de afspraak. Elk jaar een kerstkaart, met een roodborstje erop.'

'Dat klinkt niet erg gul.'

'Nee, hè? En je begrijpt er waarschijnlijk niets van. Maar Cosmo begrijpt het gelukkig wel.' Ze glimlachte. 'Als je klaar bent met mijn familie en vrienden, wil je dan misschien de wijn inschenken zodat we kunnen gaan eten?'

'Morgen is het zaterdag,' zei hij. 'Wat doe je dan meestal?'

'Soms ga ik het weekend weg. Soms blijf ik ook gewoon hier. Ik ontspan me, ik vraag een paar vrienden om iets te komen drinken.'

'Heb je plannen voor morgen?'

'Hoezo?'

'Ik heb geen enkele afspraak. We zouden een auto kunnen nemen en samen ergens heen gaan. Je zou me dat fameuze Engelse platteland kunnen laten zien waar ik altijd van alles over hoor maar nog nooit geweest ben.'

Ze waren klaar met eten en zaten weer bij de haard, maar nu allebei op de bank, een eindje van elkaar af. Olivia's donkere hoofd rustte op een roze kussen, ze had haar voeten op de bank getrokken. Een van haar leren slippers was afgegleden en lag op de grond.

'Ik was eigenlijk van plan morgen naar mijn moeder te gaan, in Gloucestershire,' zei ze.

'Weet ze dat je komt?'

'Nee. Maar ik wilde haar opbellen voor ik naar bed ga.'

'Is het nodig dat je gaat?'

Olivia dacht even na. Ze had besloten te gaan en na dat besluit had ze zich prettiger gevoeld. Maar nu . . .

'Nodig niet,' zei ze. 'Maar ze is ziek geweest en ik heb haar al veel te lang niet gezien.'

'Ben je er niet toe te bewegen van gedachten te veranderen?'

Olivia glimlachte. Ze nam nog een slokje koffie en zette het kopje zorgvuldig precies midden op het schoteltje.

'Hoe wil je dat doen?'

'Ik kan je een duur diner beloven. Of een tochtje op de rivier. Of een wandeling. Wat je maar wilt.'

Olivia dacht weer na.

'Ik denk dat ik wel een week zou kunnen wachten. Ze weet niet dat ik zou komen en kan dus niet teleurgesteld zijn.'

'Je gaat dus mee?'

Ze nam een besluit. 'Ja.'

'Zal ik een auto huren?'

'Ik heb zelf een goede auto.'

'Waar gaan we heen?'

Olivia haalde haar schouders op en zette haar kopje weer neer. 'Wat je maar wilt. De rivier op naar Henley of naar Sissinghurst of . . .'

'Zullen we dat morgen maar beslissen?'

'Goed.'

'Hoe laat gaan we weg?'

'Vroeg, vind ik. Dan zijn we Londen uit voor het al te druk wordt.'

'In dat geval zou ik nu misschien beter naar mijn hotel kunnen gaan.'

'Ja,' zei Olivia. 'Misschien wel.'

Maar ze bleven allebei zitten. Ze keken elkaar aan. Het was erg stil. Buiten kletterde de regen tegen de ruiten. Er reed een auto voorbij en het klokje op Olivia's schoorsteen tikte de ogenblikken weg. Het was bijna één uur.

Hij schoof naar haar toe, zoals ze wel verwacht had, en sloeg zijn arm om haar schouders. Hij trok haar naar zich toe zodat haar hoofd niet langer op het roze kussen rustte maar tegen zijn borst lag. Met zijn andere hand streek hij haar haar van haar wang. Toen legde hij zijn vingers onder haar kin en draaide haar gezicht omhoog. Hij boog zich over haar heen en kuste haar mond. Zijn hand ging van haar kin naar

haar keel, en verder omlaag naar de welving van haar kleine borsten.
'Dit heb ik de hele avond al willen doen,' zei hij.
'Ik geloof dat ik het ook wilde,' zei ze.
'Als we zo vroeg weggaan, is het dan niet een beetje dwaas dat ik helemaal naar mijn hotel ga om vier uur te slapen en dan terugkom?'
'Vreselijk dwaas.'
'Mag ik blijven?'
'Waarom niet?'
Hij keek op haar neer, met een vreemd mengsel van verlangen en plezier in zijn ogen.
'Er is maar één probleem,' zei hij. 'Ik heb geen scheerapparaat en geen tandenborstel bij me.'
'Die heb ik wel voor je. Gloednieuw. Voor noodgevallen.'
Hij begon te lachen. 'Je bent een vrouw vol verrassingen,' zei hij.
'Dat heb ik vaker gehoord.'

Olivia werd zoals altijd vroeg wakker. Half acht in de ochtend. Door een kier tussen de gordijnen stroomde frisse, koude lucht naar binnen. Het was net licht en de lucht was helder. Misschien werd het een mooie dag.
    Ze bleef nog even ontspannen liggen doezelen. Met een tevreden glimlach op haar gezicht dacht ze terug aan de afgelopen nacht. Ze draaide haar hoofd op het kussen en keek met diepe voldoening naar de slapende man die de andere kant van haar grote bed in beslag nam. Zijn ene arm lag onder zijn hoofd, de andere over de dikke, witte deken. Die arm was net als zijn hele gezonde, jong aandoende lichaam erg bruin en met kleine, gouden haartjes begroeid. Ze stak haar hand uit en raakte zijn onderarm aan, alsof het een beeldhouwwerk was, zuiver om het genot de vorm en de welving ervan onder haar vingertoppen te voelen. Die lichte aanraking stoorde hem niet en toen ze haar hand terugtrok, sliep hij nog steeds.
    Ze was nu klaar wakker. Voorzichtig ging ze thee zetten. Ze sloeg het dek weg en stapte uit bed. Ze trok haar zachtroze, wollen ochtendjas aan en maakte de ceintuur vast om haar smalle middel. Ze ging de kamer uit, deed de deur achter zich dicht en liep de trap af.
    Ze trok de gordijnen open en zag dat het inderdaad een prachtige dag leek te worden. 's Nachts had het licht gevroren maar er was geen wolkje aan de hemel te zien en de eerste stralen van de lage winterzon drongen al door in de verlaten straat. Ze deed de voordeur open en haalde de melk binnen. Ze bracht die naar de keuken en zette de flessen in de koelkast. Ze zette de vuile boel van de vorige avond in de vaatwasmachine en dekte de tafel voor het ontbijt. Ze liep de zitkamer in en stak de haard aan. De rozen die hij meegebracht had, waren

opengegaan. Ze rook eraan maar ze hadden nog steeds geen geur. Het geeft niet, hoor, zei ze. Jullie zijn toch mooi. Daar moeten jullie maar tevreden mee zijn.

De post viel met gerammel van de brievenbus op de voordeurmat. Ze wilde juist gaan kijken wat er was toen de telefoon ging. Ze pakte vlug de hoorn, bang dat de man boven wakker zou worden van het gerinkel.

'Hallo.'

Ze zag haar eigen beeld in de spiegel op de schoorsteen. Haar donkere haar viel over haar wang. Ze streek het naar achteren en zei toen nog eens: 'Hallo.'

Er klonk een klikje en gezoem en toen een vrouwenstem die zei: 'Olivia?'

'Ja.'

'Olivia, met Antonia.'

'Antonia?'

'Antonia Hamilton. Cosmo's Antonia.'

'Antonia!' Olivia zonk neer op de bank, trok haar voeten op en klemde de hoorn tegen haar oor. 'Waar ben je?'

'Op Ibiza.'

'Je stem klinkt zo dichtbij.'

'Ja, de verbinding is gelukkig goed.' Er was iets in de jonge stem dat Olivia trof. Ze voelde de glimlach van haar gezicht verdwijnen, haar vingers klemden zich om het gladde, witte oppervlak van de hoorn.

'Waarom bel je me?'

'Olivia. Ik moest het je laten weten. Ik ben bang dat het nogal naar is. Mijn vader is dood.'

Dood. Cosmo dood. 'Dood.' Ze zei het woord, ze fluisterde het, maar wist niet dat ze het zei.

'Hij is donderdagavond laat overleden. In het ziekenhuis . . . Hij is gisteren begraven.'

'Maar . . .' Cosmo, dood. Het was niet te geloven. 'Maar . . . hoe? Waaraan?'

'Ik . . . ik kan het je niet vertellen – niet door de telefoon.'

Antonia, zonder Cosmo op Ibiza. 'Waar bel je nu?'

'Bij Pedro.'

'Waar woon je?'

'In Ca'n D'alt.'

'Ben je daar alleen?'

'Nee. Tomeu en Maria houden me gezelschap. Ze zijn geweldig geweest.'

'Maar . . .'

'Olivia, ik moet naar Londen. Ik kan hier niet blijven, want het huis

94

is niet van mij en . . . o, nog wel duizend andere redenen. Ik moet trouwens ook een soort baan zien te krijgen. Zou ik . . . zou ik dan een paar dagen bij jou kunnen logeren, tot ik orde op zaken gesteld heb? Ik zou het je niet vragen, maar er is niemand anders.'

Olivia aarzelde en haatte zichzelf omdat ze aarzelde, maar alles in haar verzette zich tegen de gedachte dat iemand, zelfs Antonia, zou binnendringen in de kostbare beslotenheid van haar huis en haar leven.

'En . . . en je moeder?'

'Ze is weer getrouwd. Ze woont nu helemaal in het noorden, in de buurt van Huddersfield. En ik wil daar niet heen . . . Dat zal ik ook later wel uitleggen.'

'Wanneer wil je komen?'

'Volgende week. Dinsdag misschien, als ik een plaats in een vliegtuig kan krijgen. Olivia, het zou maar voor een paar dagen zijn, tot ik alles geregeld heb.'

Haar smekende stem klonk jong en kwetsbaar, net als toen ze nog een kind was. Plotseling herinnerde Olivia zich Antonia zoals ze haar voor het eerst gezien had, in de ontvangsthal van het vliegveld op Ibiza, rennend over de gladde vloer om zich in Cosmo's armen te werpen. En ze kreeg een hekel aan zichzelf. Dit is Antonia, zelfzuchtig schepsel, die om hulp vraagt. Dit is Cosmo's Antonia en Cosmo is dood en dat ze zich tot jou wendt, is het grootste compliment dat ze je zou kunnen geven. Denk nu eens één keer in je leven niet aan jezelf.

Ze glimlachte troostend, bemoedigend, alsof Antonia haar zou kunnen zien. Ze zei met een stem die ze warm en krachtig liet klinken: 'Natuurlijk kun je komen. Laat me weten wanneer je arriveert, dan haal ik je van Heathrow. En dan kun je me alles vertellen.'

'O, wat lief van je. Ik zal niet lastig zijn.'

'Natuurlijk niet.' Haar praktische, getrainde geest ging op andere dingen over. 'Heb je geld genoeg?'

'O.' Het klonk verbaasd, alsof Antonia daar zelf geen moment over had nagedacht. 'Ja. Ik denk van wel.'

'Heb je genoeg voor je ticket?'

'Ja. Ik denk wel dat ik net genoeg heb.'

'Laat me dan weten wanneer je aankomt.'

'O, ik ben je zo dankbaar. En . . . ik vind het naar dat ik het je van pappie moest vertellen . . .'

'Ik vind het ook naar.' Het was het ergste understatement van haar leven. Ze deed haar ogen dicht om de pijn buiten te sluiten, het verdriet om een verlies dat nog niet geheel tot haar doorgedrongen was. 'Hij was een heel speciaal iemand.'

'Ja.' Antonia huilde. Ze kon de tranen horen, zien, bijna voelen. 'Ja . . . tot ziens, Olivia.'

'Tot ziens.'

Olivia legde de hoorn neer. Ze had het ineens ontzettend koud. Ze staarde naar haar keurige zitkamer, waarin nog alles hetzelfde was. Cosmo was weg. Cosmo was dood. De rest van haar leven zou Olivia moeten leven in een wereld zonder Cosmo. Ze dacht aan die avond toen ze buiten bij Pedro hadden zitten luisteren naar de jongen die het concert van Rodrigo op zijn gitaar speelde en het donker vulde met de muziek van Spanje. Waarom dacht ze juist aan die avond, terwijl ze toch zo'n overvloed aan herinneringen aan haar maanden met Cosmo had?

Een stap op de trap deed haar opkijken. Ze zag Hank Spotswood naar beneden komen. Hij had haar witte badjas aan en hij zag er niet belachelijk in uit, omdat het een mannenkledingstuk was dat hem goed paste. Ze was blij dat hij er niet belachelijk uitzag. Ze had het op dat moment niet kunnen hebben als hij er belachelijk uitgezien had. En dat was ook waanzinnig, want wat gaf het hoe hij er uitzag nu Cosmo dood was?

Ze keek hem zonder iets te zeggen aan. 'Ik hoorde de telefoon,' zei hij.

Ze wist niet dat ze doodsbleek was en haar donkere ogen wel twee gaten in haar gezicht leken.

'Wat is er aan de hand?' vroeg hij.

Hij had een stoppelbaard en zijn haar zat in de war. Ze dacht aan de afgelopen nacht en was blij dat hij het was.

'Cosmo is overleden. De man over wie ik je gisteravond vertelde. De man op Ibiza.'

'O, God.'

Hij was de trap af, de kamer door en zat naast haar. Zonder iets te zeggen nam hij haar in zijn armen, alsof ze een kind was dat zich pijn gedaan had en getroost moest worden. Met haar gezicht tegen de ruige badstof van haar eigen badjas gedrukt, wenste ze met heel haar hart dat ze kon huilen. Ze verlangde naar tranen, naar een lichamelijke manier om uiting te geven aan haar verdriet. Maar de tranen kwamen niet. Ze had nooit goed kunnen huilen.

'Wie was dat aan de telefoon?' vroeg hij.

'Cosmo's dochter, Antonia. Het arme kind. Hij is donderdagavond overleden. Gisteren is de begrafenis geweest. Verder weet ik niets.'

'Hoe oud was hij?'

'Zestig, geloof ik. Dat is nog jong.'

'Wat is er gebeurd?'

'Ik weet het niet. Ze wilde er niet over praten via de telefoon. Ze zei alleen dat hij in het ziekenhuis is overleden. Ze . . . ze wil naar Londen komen. Ze komt volgende week. Ze komt een paar dagen hier logeren.'

Daar zei hij niets op maar zijn armen klemden zich vaster om haar heen en zijn hand streelde haar schouder, alsof hij een zenuwachtig dier probeerde te kalmeren. Na een tijdje voelde ze zich wat getroost. Ze had het niet meer zo koud. Ze maakte haar handen vrij en legde ze tegen zijn borst en duwde hem van zich af. Ze was heel rustig nu, weer zichzelf.

'Het spijt me,' verontschuldigde ze zich. 'Ik doe gewoonlijk niet zo emotioneel.'

'Kan ik iets doen?'

'Niemand kan iets doen. Het is allemaal voorbij.'

'En wat doen we vandaag? Wil je misschien liever niet weg? Ik kan gewoon verdwijnen, als je dat prettiger vindt. Misschien wil je nu alleen zijn?'

'Nee, ik wil niet alleen zijn. Dat is het laatste dat ik wil.' Ze probeerde rustig na te denken en realiseerde zich toen dat ze nu eerst aan haar moeder wilde vertellen dat Cosmo dood was. Ze zei: 'Maar ik ben bang dat er geen sprake meer kan zijn van Sissinghurst of Henley. Ik moet toch naar Gloucestershire, naar mijn moeder. Ik heb je verteld dat ze ziek geweest is maar ik heb je niet gezegd dat ze een lichte hartaanval heeft gehad. En ze was zo dol op Cosmo. Toen ik op Ibiza woonde, heeft ze bij ons gelogeerd. Dat was zo'n fijne tijd. Een van de gelukkigste uit mijn leven. Ik moet haar dus vertellen dat hij is overleden en ik wil haar kunnen zien terwijl ik dat doe.' Ze keek Hank aan. 'Heb je zin mee te gaan? Ik ben bang dat het een vreselijk eind is maar we kunnen daar lunchen en dan een rustige middag bij haar doorbrengen.'

'Ik ga graag mee. En ik zal rijden.'

Hij was als een rots. Ze wist een dankbaar glimlachje te voorschijn te brengen. 'Dan ga ik haar nu bellen.' Ze pakte de telefoon. 'Ik zal zeggen dat ze op ons moet rekenen met eten.'

'Kunnen we haar niet mee uit eten nemen?'

Olivia draaide het nummer. 'Je kent mijn moeder niet.'

Hij accepteerde dat en stond op. 'Ik ruik koffie,' zei hij. 'Zal ik voor het ontbijt zorgen?'

Om een uur of negen waren ze op weg, Hank aan het stuur van Olivia's donkergroene Alfasud en zij naast hem. Hij reed eerst erg voorzichtig, bang te vergeten dat hij links moest houden, maar nadat ze gestopt waren om te tanken kreeg hij meer zelfvertrouwen.

Ze spraken niet. Hij concentreerde zich helemaal op het verkeer en de weg. Olivia zat zwijgend naar buiten te staren. Ze kwamen door kleine stadjes met smalle straatjes vol van de gebruikelijke zaterdagochtenddrukte. Voor een dorpscafé zagen ze ook een keer een jacht-gezelschap en Hank kon zijn geluk niet op. 'Zie je dat?' zei hij en hij zou gestopt zijn als een jonge politieagent hem niet beduid had dat hij door moest rijden. Dat deed hij toen wel maar hij bleef over zijn schouder kijken om nog een laatste glimp van het traditioneel Engels tafereel op te vangen.

'Het was net iets uit een film. Had ik mijn camera maar bij me.'

'Je kunt niet zeggen dat je geen waar voor je geld krijgt,' zei Olivia. 'We hadden het hele land door kunnen rijden zonder ooit zo iets te vinden.'

'Dit is kennelijk mijn geluksdag.'

Nu lagen de Cotswolds voor hen. De wegen werden smaller en slingerden zich tussen weilanden door en over kleine, stenen brug-getjes.

'Ik begrijp waarom je moeder hier wil wonen. Ik heb nog nooit zo'n landschap gezien. En alles is zo groen.'

'Vreemd genoeg is ze hier niet gekomen voor het mooie landschap. Toen ze haar Londense huis verkocht, wilde ze eigenlijk in Cornwall gaan wonen. Daar had ze in haar jeugd gewoond, zie je, en ik denk dat ze er heimwee naar had. Maar mijn zusje vond het te ver bij ons allemaal vandaan. Dus heeft ze dit huis voor haar gezocht. Dat is misschien maar beter ook achteraf maar toen heb ik het Nancy erg kwalijk genomen dat ze moeder niet haar gang liet gaan.'

'Woont je moeder alleen?'

'Ja. Ja, maar de dokters zeggen nu dat ze iemand bij zich in huis zou moeten hebben. Dat zou ze echter vreselijk vinden. Ze is enorm onaf-hankelijk en nog niet eens zo oud. Vierenzestig pas. Ik heb het gevoel dat het een belediging voor haar intelligentie is haar te behandelen alsof ze al seniel was. Ze is altijd bezig. Met koken en tuinieren en ze krijgt veel bezoek en leest alles wat ze te pakken kan krijgen. En ze luistert naar muziek en belt mensen op en heeft dan lange, interes-sante gesprekken. Soms gaat ze naar het buitenland om bij oude vrienden te logeren. Meestal naar Frankrijk. Haar vader was schilder en ze heeft een groot deel van haar jeugd in Parijs doorgebracht.' Ze keek Hank glimlachend aan. 'Maar waarom vertel ik je van alles over mijn moeder? Je zult haar straks zelf kunnen zien.'

'Vond ze het prettig op Ibiza?'

'Ze aanbad het. Cosmo woonde in een oude boerderij in de heuvels. Erg landelijk allemaal. Net iets voor mijn moeder. Als ze een ogenblik over had, verdween ze altijd in de tuin met een tuinschaar, net of ze thuis was.'

'Kent zij Antonia?'

'Ja. Antonia en zij hebben tegelijk bij ons gelogeerd. Ze mochten elkaar erg graag. Mijn moeder kan erg goed met kinderen en jonge mensen opschieten. Veel beter dan ik.' Ze zweeg even en voegde er toen in een opwelling van eerlijkheid aan toe: 'Ik weet er nog niet goed raad mee. Ik bedoel, ik wil Cosmo's kind helpen maar ik vind het niet prettig dat er iemand bij me komt wonen, al is het maar voor heel kort. Is dat niet schandelijk?'

'Niet schandelijk. Heel natuurlijk. Hoe lang blijft ze?'

'Ik denk tot ze werk en een kamer gevonden heeft.'

'Heeft ze een geschikte opleiding om werk te vinden?'

'Ik heb geen idee.'

Waarschijnlijk niet. Olivia zuchtte. Ze voelde zich ineens uitgeput. Ze was de schok van Cosmo's dood nog niet te boven en voelde zich ook omringd, belegerd als het ware, door de problemen van anderen. Antonia kwam en bleef logeren, moest getroost, bemoedigd, gesteund worden, en waarschijnlijk uiteindelijk ook aan een baan geholpen. Nancy zou over de kwestie van een huishoudster voor hun moeder blijven zeuren en moeder zelf zou zich tot het uiterste tegen een huisgenote blijven verzetten. En bovendien . . .

Toen kreeg ze ineens een idee. Nancy. Moeder. Antonia. Maar natuurlijk. De oplossing was gevonden. De problemen vielen tegen elkaar weg.

'Nu weet ik het,' zei ze.

'Wat dan?'

'Antonia kan bij mijn moeder gaan wonen.'

Ze verwachtte misschien een enthousiaste reactie van hem maar die kreeg ze niet. Hank dacht even na en zei toen voorzichtig: 'Zal ze dat willen?'

'Natuurlijk. Ze is dol op mama, dat heb ik je verteld. Ze wilde haar niet eens laten gaan toen ze weer naar huis moest na die logeerpartij op Ibiza. En het is toch beter voor Antonia als ze eerst eens rustig tot zichzelf komt bij iemand als mijn moeder voor ze in Londen naar een baan gaat zoeken?'

'Daar heb je gelijk in.'

'En voor mama zou het meer zijn of ze een vriendin te logeren had. Ik zal het haar vandaag voorstellen. Om te zien wat ze ervan vindt. Maar ik weet zeker dat ze geen nee zal zeggen. Ik ben er bijna zeker van.'

Olivia knapte er altijd van op als ze problemen kon oplossen en beslissingen nemen en ze voelde zich dan ook op slag een stuk beter. Ze ging rechtop zitten, trok de zonneklep naar beneden en bekeek zichzelf in het spiegeltje in de achterkant daarvan. Haar gezicht was nog steeds doodsbleek en ze had donkere kringen onder haar ogen. Het donkere bont van de kraag van haar jas accentueerde haar bleekheid nog en ze hoopte dat haar moeder er niets van zou zeggen. Ze deed een beetje lippenstift op en kamde haar haar. Toen draaide ze de zonneklep weer terug en richtte ze haar aandacht op de weg.

Ze hadden nog maar een kilometer of vijf te rijden en ze wist precies hoe ze moesten gaan. 'Hier rechtsaf,' zei ze tegen Hank en hij draaide het smalle weggetje met het bordje 'Temple Pudley' in en vertraagde zijn snelheid. De weg ging omhoog, een heuvel op, en bovenaan zagen ze het dorp als kinderspeelgoed in het dal liggen, met het zilveren water van de Windrush als een lint erlangs. Ze bereikten de eerste huizen en ze zagen de oude kerk. Bij het café stonden auto's geparkeerd en daar stopte Hank ook.

Verbaasd keek Olivia hem aan. 'Heb je soms dorst?' informeerde ze beleefd.

Hij glimlachte en schudde zijn hoofd. 'Nee, maar ik denk dat je je moeder liever eerst alleen spreekt. Ik stap hier uit en kom straks wel, als je me vertelt hoe ik haar huis kan vinden.'

'Het is het derde de weg af. Rechts, met een wit hek. Maar je hoeft dit niet te doen.'

'Dat weet ik wel.' Hij klopte haar even op de hand. 'Maar ik denk dat het zo gemakkelijker is voor jullie allebei.'

'Je bent erg lief,' zei ze gemeend.

'Ik wil ook wat voor je moeder meebrengen. Denk je dat ik hier in het café een paar flessen wijn zou kunnen kopen?'

'Vast wel, vooral als je zegt dat ze voor mevrouw Keeling zijn. Hij zal je waarschijnlijk de duurste wijn aansmeren die hij heeft.'

Hij grijnsde, deed het portier open en stapte uit de auto. Ze keek hem na tot hij in het café verdwenen was en schoof toen achter het stuur. Ze startte de motor. Het was bijna twaalf uur.

Penelope Keeling stond midden in haar warme, rommelige keuken en probeerde te bedenken wat ze nu moest gaan doen. Ze kwam tot de conclusie dat er niets meer te doen was omdat alles al klaar was. Ze had zelfs de tijd gevonden om naar boven te gaan en zich te verkleden. Olivia zag er altijd zo elegant uit en je kon jezelf toch in elk geval een beetje opknappen. Ze had een dikke rok van brokaat aangetrokken (erg geliefd en erg oud, de stof had eerst dienst gedaan als gordijn), een gestreept wollen herenoverhemd en een mouwloos vest in de kleur van rode pioenrozen. Ze had dikke, donkere kousen aan en stevige veterschoenen. Ze droeg een gouden ketting om haar hals en voelde zich met een beetje parfum en haar haar opnieuw opgestoken bepaald feestelijk gestemd. Olivia kwam niet zo vaak en dat maakte ieder bezoek van haar extra kostbaar. Sinds dat telefoontje die ochtend was

Penelope voortdurend druk in de weer geweest om alles voor te bereiden.

Maar nu was alles klaar. Er brandde een vuur in de zitkamer en in de eetkamer. In de keuken rook het naar vlees en uien en gebakken aardappelen. Ze had pastei gemaakt, appels geschild, worteltjes geschrapt. Later zou ze nog verschillende soorten kaas op een schaal leggen en koffie malen. Ze deed een schort voor om haar rok te beschermen en waste het keukengerei af dat ze niet meer nodig had. Ze veegde met een vochtige doek de tafel af en gaf haar geraniums water. Toen deed ze haar schort af.

Haar wasmachine was afgeslagen. Ze waste alleen als het goed weer was om te drogen, want ze had geen centrifuge. Ze hing het wasgoed graag buiten omdat het dan lekker fris ging ruiken en later gemakkelijker te strijken was. Olivia en haar vriend konden ieder ogenblik komen maar ze pakte haar grote mand en deed het vochtige wasgoed erin. Met de mand op haar heup liep ze de keuken uit en door de serre de tuin in. Ze stak het grasveld over en ging door de opening in de ligusterheg de boomgaard in. De helft daarvan was geen boomgaard meer. Ze had er een geweldig vruchtbare moestuin van gemaakt, maar de andere helft stond nog altijd vol met oude appelbomen en achter de heg van haagdoorns stroomde de Windrush.

Er hing een lang touw tussen drie van die bomen en daar hing Penelope haar wasgoed aan. Ze genoot altijd van die bezigheid op een heldere, frisse ochtend. Er zong een lijster en aan haar voeten kwamen de bollen al op in het vochtige gras. Ze had ze zelf geplant, bij duizenden. Narcissen en krokussen en sneeuwklokjes. Als die uitgebloeid waren en het gras groener en hoger werd, kwamen er allerlei wilde bloemen op. Sleutelbloemen en korenbloemen en klaprozen, allemaal van zaad dat ze daar zelf had uitgestrooid.

Lakens, blouses, slopen, kousen en nachtponnen flapperden en dansten in de wind. Toen de mand leeg was, liep ze er langzaam mee terug naar het huis. Ze liep eerst door haar moestuin om te zien of de konijnen haar kool nog niet hadden opgegeten en bleef toen nog even bij haar overvloedig bloeiende sneeuwbal staan. Ze zou een paar takken afsnijden voor in de zitkamer. Ze liep door om naar binnen te gaan maar werd opnieuw afgeleid. Dit keer door het prachtige gezicht op haar huis over het grote, groene grasveld heen. Het stond daar in de zonneschijn tegen een achtergrond van nog kale eiken en een hemel van het zuiverste blauw. Het was een lang, laag, wit vakwerkhuis en het rieten dak stak als dikke, borstelige wenkbrauwen boven de bovenramen uit.

Podmore's Thatch. Olivia vond het een belachelijke naam, die ze alleen met moeite over haar lippen kon krijgen. Ze had zelfs voorgesteld dat Penelope een andere naam voor het huis zou bedenken. Maar Penelope wist dat je de naam van een huis evenmin kon veranderen als de naam van een mens. Bovendien had ze van de dominee gehoord dat William Podmore meer dan tweehonderd jaar geleden de rietdekker van het dorp was geweest en dat het huis naar hem genoemd was. En dat had de zaak beslist.

Het waren oorspronkelijk twee huizen geweest maar een vroegere eigenaar had er één van gemaakt door deuropeningen in de scheidingsmuur te maken. Dat betekende dat het huis twee voordeuren, twee wankele trappen en twee badkamers had. Het betekende ook dat alle kamers in elkaar overliepen, wat nogal lastig was als je behoefte had aan een beetje afzondering. Beneden had je dus de keuken, de eetkamer, de zitkamer en nog de oude keuken van het tweede huis, waar Penelope alles bewaarde wat ze voor de tuin nodig had, haar strohoeden, laarzen, bloempotten en tuingerei. Daarboven was het kamertje waar de spullen van Noel stonden en dan drie grotere slaapkamers op een rij. Zelf sliep ze in de kamer boven de keuken.

Er was ook nog een muffe, donkere zolder en daar stond alles wat Penelope niet weg had willen gooien toen ze uit Oakley Street kwam en waar ze nergens anders plaats voor had. Vijf jaar lang had ze zichzelf beloofd dat ze de komende winter nu toch eens alles uit zou zoeken, maar als ze op de zolder kwam en om zich heen keek, wist ze zich geen raad met alle rommel en stelde ze het karwei maar weer een beetje langer uit.

De tuin was een wildernis geweest toen ze het huis betrok, maar dat had ze juist leuk gevonden. Ze was gek op tuinieren en bracht ieder vrij momentje buiten door met wieden, spitten, snoeien en planten. Na vijf jaar mocht ze tevreden zijn met het resultaat. En terwijl ze daar zo stond te genieten van haar tuin, vergat ze Olivia en vergat ze de tijd. Dat overkwam haar vaak. Tijd was niet belangrijk meer. Dat was een van de prettige dingen als je ouder werd: je had niet altijd haast meer. Haar hele leven had Penelope voor andere mensen gezorgd maar nu hoefde ze alleen nog maar aan zichzelf te denken. Er was tijd om stil te staan en te kijken en zich dingen te herinneren. Het was net als het uitzicht van de hellingen van een met veel moeite beklommen berg, waar je toch ook wel eens van wilde genieten.

Als je ouder werd, kreeg je natuurlijk ook met nare dingen te maken. Eenzaamheid en ziekte. De mensen hadden het altijd over de eenzaamheid van de ouderdom, maar op haar vierenzestigste, wat weliswaar nog niet een al te hoge leeftijd was, genoot Penelope van het alleenzijn. Ze had nooit eerder alleen gewoond en had het eerst erg vreemd gevonden, maar langzamerhand was ze het als een zegen gaan beschouwen. Ze kon nu opstaan als ze zin had, zich krabben als ze jeuk voelde, tot twee uur in de nacht opblijven om naar een concert te luisteren. En eten was ook zo iets. Ze had haar hele leven voor haar familie en vrienden gekookt en ze kon het erg goed maar nu ze alleen was, ontdekte ze bij zichzelf de neiging met de afschuwelijkste hapjes genoegen te nemen. Koude bonen die ze met een theelepeltje zo uit het blik at. Slasaus uit een fles over haar sla en een soort tafelzuur dat ze vroeger in Oakley Street nooit op tafel had durven zetten.

Zelfs ziekte had nog wel goede kanten ook. Door dat hikje van een maand tevoren, dat die idiote dokters beslist een hartaanval hadden willen noemen, was ze zich voor het eerst van haar leven bewust geworden van haar eigen sterfelijkheid. Dat was niet beangstigend, want ze had de dood nooit gevreesd, maar het had haar onderscheidingsvermogen gescherpt en haar met kracht herinnerd aan wat de Kerk zonde uit nalatigheid noemde. Ze was geen godsdienstige vrouw en ze tobde niet over haar zonden, die vanuit het gezichtspunt van de Kerk waarschijnlijk talrijk waren geweest, maar ze begon wel te denken aan de dingen die ze nooit gedaan had. Voor een deel waren dat bijna onuitvoerbare fantasieën, als een trektocht door de bergen van Bhutan of een bezoek aan de ruïnes van Palmyra, en ze had geaccepteerd dat ze die voorgoed uit haar hoofd moest zetten. Maar ze wilde ook zo vreselijk graag terug naar Porthkerris.

Veertig jaar was te lang. Zo lang geleden, aan het eind van de oorlog, was ze met Nancy in de trein gestapt. Ze had afscheid genomen van haar vader en was naar Londen gegaan. Het jaar daarop was de oude man overleden en ze had Nancy bij haar schoonmoeder gelaten en was voor zijn begrafenis naar Cornwall gereisd. Na de begrafenis hadden Doris en zij al zijn bezittingen uit Carn Cottage gehaald en toen was zij teruggegaan naar Londen, naar haar aanhoudende verantwoordelijkheden als vrouw en moeder. Sindsdien was ze er nooit meer geweest. Ze had het wel gewild. Ik neem de kinderen mee voor de vakantie, had ze gedacht. Dan kunnen ze spelen op het strand waar ik ook gespeeld heb. Maar het was er nooit van gekomen. Waarom was ze niet gegaan? Waarom waren de jaren zo door haar vingers gegleden? Meestal was er geen tijd geweest om te gaan, of had ze geen geld voor de treinkaartjes gehad. Ze had het te druk gehad met het grote huis, met de kostgangers, de kinderen, Ambrose.

Jarenlang had ze geweigerd Carn Cottage te verkopen, zichzelf toe te geven dat ze nooit terug zou gaan. Jarenlang had ze het laten verhuren en al die tijd had ze tegen zichzelf gezegd dat ze op een dag terug zou gaan. Ze zou de kinderen meenemen en hun het witte huis op de heuvel laten zien, met de geheime tuin met de hoge heggen en het uitzicht over de baai en de vuurtoren.

Toen had ze ten slotte van haar makelaar gehoord dat er een ouder echtpaar was dat het huis graag wilde kopen. Ze hadden enorm veel geld. Penelope, die moeite had om het hoofd boven water te houden, met drie kinderen en een man zonder fut, zag zich gedwongen hun hoge bod te accepteren. En zo was Carn Cottage eindelijk verkocht.

Daarna had ze er niet meer aan gedacht terug te gaan naar Cornwall. Toen ze Oakley Street verkocht, had ze er nog wel over gesproken daar weer te gaan wonen, maar Nancy had het haar uit het hoofd gepraat en misschien was dat maar goed ook. Bovendien had Penelope zodra ze Podmore's Thatch zag, geweten dat ze nergens anders wilde wonen. Die eer moest ze Nancy geven.

Maar toch . . . zou het prettig zijn voor haar dood nog één keer . . . terug te gaan naar Porthkerris. Ze kon bij Doris logeren. Olivia zou meegaan.

Olivia reed door het hek en langs de houten loods die dienst deed als garage en stopte toen aan de achterkant van Podmore's Thatch. Ze ging de keuken in, waar het warm was en heerlijk rook.

'Mama?'

Er kwam geen antwoord. Olivia liep door de keuken de serre in en zag Penelope meteen als in trance aan de andere kant van het grasveld staan, met een lege wasmand op haar heup en haar haar verward door de wind.

Ze deed de deur naar de tuin open en ging weer naar buiten.

'Hallo!'

Penelope schrok even, zag haar dochter en kwam meteen over het gras naar haar toe.

'Lieverd.'

Olivia had haar niet gezien sinds ze ziek geweest was en zocht nu vol spanning naar een teken van verandering. Maar haar moeder leek alleen een beetje magerder en zag er verder even veerkrachtig uit als altijd. Ze had kleur op haar wangen en liep even veerkrachtig als anders. Ze wilde dat ze haar niet hoefde te vertellen dat Cosmo was overleden. De gedachte kwam bij haar op dat mensen bleven leven tot iemand je vertelde dat ze dood waren. Misschien was het jammer dat mensen elkaar ooit iets vertelden.

'Olivia, wat heerlijk dat ik je zie.'

'Waarom stond u daar zo met die lege wasmand?'

'O, ik stond even te kijken. Het is zo'n hemelse dag. Heb je een goede reis gehad?' Ze keek over Olivia's schouder. 'Waar is je vriend eigenlijk?'

'Hij is uitgestapt om iets voor u te kopen.'

'Dat had hij echt niet hoeven doen.'

Ze liep langs Olivia heen en ging naar binnen. Olivia volgde haar en deed de deur achter hen dicht. De serre had een stenen vloer en er stonden rieten stoelen met een heleboel cretonnen kussens. Het was er erg warm en het rook er sterk naar fresia's, waar Penelope dol op was.

'Hij wilde tactvol zijn.' Ze zette haar tas op de tafel. 'Ik moet u iets vertellen.'

Penelope zette de wasmand naast Olivia's tas en keek haar dochter aan. De glimlach verdween van haar gezicht en er kwam een behoedzame blik in haar mooie, donkere ogen. Maar haar stem klonk even vast als altijd toen ze zei: 'Olivia, je bent zo wit als een doek.'

'Dat weet ik,' zei Olivia. 'Ik heb het vanochtend pas gehoord. Het is iets erg naars, vrees ik. Cosmo is dood.'

'Cosmo. Cosmo Hamilton? Dood?'

'Antonia belde me op van Ibiza.'

'Cosmo,' zei ze nog eens verdrietig. 'Ik kan het nauwelijks geloven. Die lieve man.' Ze huilde niet, zoals Olivia wel geweten had. Ze huilde nooit. Olivia had haar moeder nog nooit zien huilen. Maar ze werd doodsbleek en instinctief legde ze een hand op haar borst. 'Die lieve, lieve man. O, lieveling, ik vind het zo erg. Jullie betekenden zoveel voor elkaar. Is alles in orde met je?'

'Is alles in orde met ú? Ik vond het zo naar dat ik het u moest vertellen.'

'Ik ben alleen geschrokken. Zo plotseling.' Haar hand tastte naar een stoel en langzaam ging ze zitten. Olivia maakte zich ongerust. 'Mama?'

'Zo dwaas. Ik voel me een beetje vreemd.'

'Wilt u een beetje cognac?'

Penelope glimlachte even en deed haar ogen dicht. 'Wat een geweldig idee.'

'Ik zal het pakken.'

'Het is in de . . .'

'Ik weet wel waar het is.' Ze pakte een krukje. 'Leg uw voeten hier maar op en blijf zo zitten.'

De cognacfles stond altijd in het buffet in de eetkamer. Ze liep ermee naar de keuken, haalde glazen uit de kast en schonk twee flinke, als medicijn bedoelde porties in. Ze morste een beetje op het tafelblad maar dat gaf niet. Niets deed er iets toe behalve mama en haar onzekere hart. Laat haar niet een nieuwe aanval krijgen. Lieve God, laat haar niet een nieuwe aanval krijgen. Ze pakte de twee glazen op en bracht ze naar de serre.

'Hier.'

Ze gaf haar moeder het glas in de hand. Zwijgend dronken ze. De cognac verwarmde en troostte hen. Na een paar slokjes wist Penelope een glimlach op haar gezicht te brengen.

'Denk je dat het een van de gebreken van de oude dag is als je zo'n behoefte hebt aan een drankje?'

'Helemaal niet. Ik had er ook behoefte aan.'

'Arme schat.' Ze nam nog een slokje. De kleur kwam terug op haar wangen. 'Vertel het me nu nog eens allemaal,' zei ze.

Olivia deed wat ze vroeg. Maar er was niet veel te vertellen. Toen ze zweeg, zei Penelope: 'Je hield van hem.' En het was geen vraag maar een constatering.

'Ja. In dat jaar is hij een deel van mezelf geworden. Hij heeft me veranderd, meer dan iemand anders ooit heeft gedaan.'

'Je had met hem moeten trouwen.'

'Dat wilde hij ook. Maar ik kon het niet, mama. Ik kon het niet.'

'Ik wilde dat je het maar gedaan had.'

'Zeg dat toch niet. Ik ben nu beter af.'

Penelope knikte. Begrijpend. Aanvaardend. 'En Antonia? Hoe moet het nu met haar? Dat arme kind. Was ze daar toen het gebeurde?'

'Ja.'

'En nu? Blijft ze op Ibiza?'

'Nee. Dat kan ze niet. Het huis is nooit van Cosmo geweest. Ze heeft geen onderdak. En haar moeder is weer getrouwd en woont ergens in het noorden. En ik denk niet dat er veel geld is.'

'Maar wat moet ze dan?'

'Ze komt terug naar Engeland. Volgende week. Ze komt eerst een paar dagen bij mij. Ze zegt dat ze een baan zal moeten zoeken.'

'Maar ze is nog zo jong. Hoe oud is ze nu?'

'Achttien. Geen kind meer.'

'Het was zo'n lief kind.'

'Zou u haar nog eens willen zien?'

'Meer dan wat ook.'

'Zou u . . .' Olivia nam nog een slokje cognac. Het brandde in haar keel, verwarmde haar maag, vulde haar met kracht en moed. 'Zou u willen dat ze bij u kwam logeren? Een paar maanden bij u kwam wonen?'

'Waarom vraag je dat?'

'Om verschillende redenen. Omdat ik denk dat Antonia tijd nodig zal hebben om tot zichzelf te komen en om te beslissen wat ze met haar leven gaat doen. En omdat Nancy voortdurend zit te zeuren dat de dokters zeggen dat u na uw hartaanval niet meer alleen zou moeten wonen.'

Ze zei het ronduit, op de manier waarop ze altijd dingen tegen haar moeder had gezegd, eerlijk, zonder om de zaak heen te draaien. Dat was een van de dingen die hun verhouding altijd zo bevredigend had gemaakt en een van de redenen waarom ze zelfs in de meest gespannen omstandigheden nooit ruzie kregen.

'Die dokters praten onzin,' zei Penelope. De cognac had haar ook verwarmd.

'Dat denk ik ook, maar Nancy ziet dat anders en ze blijft aan de telefoon hangen tot er hier iemand bij u is. Als u besloot Antonia hier te laten blijven, zou u mij dus ook een plezier doen. En u zou het prettig vinden. Of niet soms? Die maand op Ibiza zaten jullie altijd samen te giechelen. Zij zou u gezelschap houden en u zou haar door een moeilijke tijd heen kunnen helpen.'

Maar Penelope aarzelde nog.

'Zal het hier niet vreselijk vervelend voor haar zijn? Mijn leven is niet erg opwindend en zij is misschien wel zo'n meisje geworden dat elke avond uit wil.'

'Zo klonk ze niet. Ze klonk precies zoals ze altijd was. En als ze naar neonlicht en disco's en mannen verlangt, kunnen we haar altijd aan Noel voorstellen.'

De hemel verhoede het. Maar dat zei Penelope niet.

'Wanneer komt ze?'

'Ze wil dinsdag in Londen aankomen. Dan zou ik haar het volgende weekend hier kunnen brengen.'

Gespannen keek ze haar moeder aan. Maar Penelope zei niets en leek aan iets heel anders te denken want ineens kwam er een geamuseerde glimlach op haar gezicht.

'Wat is er?'

'Ik moest ineens aan dat strand denken waar Antonia leerde surfen. En al die bruine lijven die daar lagen en al die oude dames met hun afhangende borsten die wel van leer leken. Wat een gezicht! Weet je nog hoe we daarom gelachen hebben?'

'Dat zal ik nooit vergeten.'

'Wat was dat toch een gelukkige tijd.'

'Ja, een heel gelukkige tijd. Kan ze komen?'

'Komen? Als ze dat wil, kan ze natuurlijk komen. En blijven zolang ze wil. Dat zal goed voor me zijn. Dat zal me weer jong maken.'

Toen Hank arriveerde, was de crisis dus voorbij. Olivia's voorstel was aanvaard en het verdriet was – voorlopig – vergeten. Het leven ging door en gestimuleerd en getroost door de cognac en het gezelschap van haar moeder, voelde Olivia zich weer tot alles in staat. Toen de bel ging, sprong ze overeind en liep ze vlug naar de deur om Hank binnen te laten. Nadat hij aan Penelope voorgesteld was, gaf hij haar meteen de papieren draagtas die hij bij zich had. Penelope was verrukt.

'Château Latour, Grand Cru! Vertel me niet dat je Hodgkins zover gekregen hebt die af te staan?'

'Zodra hij wist voor wie ze waren, kwam hij er meteen mee op de proppen, zoals Olivia me al voorspeld had.'

'Ik wist niet dat hij zo iets in zijn kelder had. De wonderen zijn de wereld nog niet uit. Heel erg bedankt. We zouden ze nu wel bij het eten kunnen drinken maar ik heb al wijn opengemaakt . . .'

'Houd ze maar voor een speciale gelegenheid,' zei hij.

'Dat zal ik doen.' Ze zette ze op het buffet. Hank deed zijn jas uit en ze gingen naar de zitkamer.

Die was niet groot en Olivia verbaasde er zich voortdurend over dat Penelope er zoveel van haar kostbaarste bezittingen in had weten te proppen. Oude banken en stoelen, bekleed met beddetijk, met vrolijke, Indiase spreien erover en bezaaid met geborduurde kussens. Haar bureau lag zoals altijd vol oude rekeningen en brieven. Haar naaitafeltje, haar lampen, haar kostbare tapijten. Overal boeken en schilderijen, porseleinen vazen met droogbloemen. Foto's, snuisterijen en kleine zilveren voorwerpen bedekten ieder plekje dat vrij was. En overal lagen tijdschriften, kranten en zaadcatalogi. Alles waar ze in haar drukke leven warm voor gelopen was, bevond zich binnen deze vier muren. Maar Hank werd zoals iedereen die hier voor het eerst kwam, meteen getroffen door het schilderij boven de enorme open haard.

Het was ongeveer één bij anderhalve meter en beheerste de hele kamer. *De schelpenzoekers.* Olivia wist dat het doek haar nooit zou vervelen, ook al kende ze het al haar hele leven. De hemel met jagende wolken, de schuimende zee, het roze en grijs van het zand. En de drie kinderen aan de zijkant van het schilderij, twee meisjes met strohoedjes en opgeschorte rokken en een jongen. Allemaal met bruine benen, op blote voeten en gespannen kijkend naar de inhoud van een rood emmertje.

'Hé.' Hij leek eens een keer geen woorden te kunnen vinden. 'Wat een geweldig schilderij.'

'Ja, hè?' Penelope keek hem trots en stralend aan. 'Mijn kostbaarste bezit.'

'Van wie is het?'

'Van mijn vader. Lawrence Stern.'

'Was Lawrence Stern uw vader? Dat had je me helemaal niet verteld, Olivia.'

'Dat heb ik aan mijn moeder overgelaten. Zij is veel beter op de hoogte dan ik.'

'Was hij geen . . . hoe heet dat . . . prerafaëliet?'

Penelope knikte. 'Ja.'

'Dit lijkt meer het werk van een impressionist.'

'Ja, dat weet ik. Interessant, niet waar?'

'Wanneer is dit gemaakt?'

'Rond 1927. Hij had een atelier in Porthkerris en hij heeft dit schilderij uit het raam van zijn atelier geschilderd. Het heet *De schelpenzoekers* en ik ben het kleine meisje links.'

'Maar waarom is zijn stijl zo anders?'

Penelope haalde haar schouders op. 'Een schilder moet zich nu eenmaal ontwikkelen, veranderen. Anders zou hij niets te betekenen hebben. En bovendien had hij toen al last van artritis in zijn handen en was hij niet meer in staat dat fijne, gedetailleerde, precieze werk van vroeger te doen.'

'Hoe oud was hij toen?'

'In 1927? Tweeënzestig, geloof ik. Hij was erg laat getrouwd.'

'Hebt u nog meer schilderijen van hem?' Hij keek om zich heen, naar muren vol schilderijen, als op een tentoonstelling.

'Niet hier,' zei Penelope echter. 'Dit is voornamelijk werk van zijn collega's. Er zijn een paar onvoltooide panelen, maar die hangen op de overloop. Dat is zijn allerlaatste werk en toen was de artritis zo erg dat hij amper nog een penseel vast kon houden. Daarom heeft hij ze ook nooit afgemaakt.'

'Artritis? Wat erg.'

'Ja. Het was heel naar. Maar hij nam het heel filosofisch op. Hij zei altijd: "Ik heb tijd genoeg gehad." Maar het moet vreselijk frustrerend zijn geweest. Toen hij al niet meer schilderde, heeft hij nog heel lang zijn atelier aangehouden en als hij zich gedeprimeerd voelde, ging hij daar voor het raam naar het strand en de zee zitten kijken.'

'Herinner jij je hem nog?' vroeg Hank aan Olivia.

Ze schudde haar hoofd. 'Nee. Hij leefde al niet meer toen ik geboren werd. Maar mijn zuster Nancy is in zijn huis in Porthkerris geboren.'

'Hebt u dat huis nog?'

'Nee,' zei Penelope. 'Ik heb het helaas moeten verkopen.'

'Gaat u er nog wel eens heen?'

'Ik ben er in geen veertig jaar geweest. Maar vreemd genoeg dacht ik juist vanochtend dat ik er toch werkelijk nog eens heen zou moeten gaan.' Ze keek Olivia aan. 'Waarom ga jij niet mee? Voor een week of zo. We zouden bij Doris kunnen logeren.'

'O . . .' Olivia wist niet zo gauw wat ze moest zeggen. 'Ik . . . ik weet niet . . .'

'We zouden al gauw kunnen gaan.' Penelope beet op haar lip. 'Maar wat dom van me. Jij kunt natuurlijk niet zomaar ineens.'

'O, mama, het spijt me, maar het is een beetje moeilijk. Ik heb pas van de zomer weer vakantie en ik heb afgesproken om met vrienden naar Griekenland te gaan. Ze hebben een villa en een jacht.' Dat was niet helemaal waar daar er nog geen definitieve plannen gemaakt waren maar vakanties waren zo kostbaar en Olivia verlangde naar de zon. Zodra ze de woorden gezegd had, voelde ze zich echter schuldig. Penelope keek even heel teleurgesteld maar glimlachte toen begrijpend.

'Natuurlijk. Daar had ik aan moeten denken. Het was zomaar een idee. Ik kan ook alleen gaan.'

'Het is een heel eind rijden voor u alleen.'

'Ik kan heel goed met de trein gaan.'

'Neem Lalla Friedmann mee. Zij zou graag naar Cornwall gaan.'

'Lalla. Daar had ik niet aan gedacht. Nou, misschien doe ik dat wel . . .' Penelope wendde zich tot Hank. 'En wij staan maar te kletsen en die arme man heeft nog niet eens iets te drinken gekregen. Wat wil je hebben?'

Ze namen ruim de tijd voor het eten en alles smaakte heerlijk. Terwijl ze de harst, de groenten, de mierikswortelsaus en de Yorkshirepudding aten, stelde Penelope Hank de ene vraag na de andere. Over Amerika, over zijn huis en zijn vrouw en zijn kinderen. Niet uit beleefdheid, omdat ze nu eenmaal ergens over moest praten, wist Olivia, maar uit oprechte belangstelling. Mensen waren haar hartstocht, vooral als ze uit het buitenland kwamen, en dan met name als ze aantrekkelijk en charmant waren.

'Je woont in Dalton, Georgia? Ik kan me niets voorstellen bij Dalton, Georgia. Woon je in een flat of heb je een huis met een tuin?'

'Ik heb een huis met een tuin.'

'In dat klimaat groeit praktisch alles, denk ik.'

'Ik ben bang dat ik daar niet veel van weet. Ik laat de tuin doen. Ik moet bekennen dat ik niet eens mijn eigen gras maai.'

'Dat is verstandig. Daar hoef je je niet voor te schamen.'

'En u, mevrouw Keeling?'

'Mama heeft nooit hulp gehad,' vertelde Olivia hem. 'Alles wat je uit het raam ziet, heeft ze helemaal zelf tot stand gebracht.'

Hank stond versteld. 'Dat is niet te geloven. Die enorme tuin?'

Penelope lachte. 'Je hoeft niet zo verschrikt te kijken. Ik vind het heerlijk om te doen. Ik kan echter niet eindeloos zo doorgaan, dus maandagmorgen, tromgeroffel, trompetgeschal, begin ik met een tuinman.'

Olivia's mond viel open. 'Echt?'

'Ik had je toch verteld dat ik iemand zocht?'

'Ja, maar ik geloofde het niet zo erg.'

'Er is een heel goed bedrijf in Pudley. Het heet Autogarden, wat ik niet zo'n geweldige naam vind, maar dat doet er niet toe. En ze sturen hier drie dagen in de week iemand naar toe. Dan kan hij in elk geval spitten en als hij een beetje handelbaar is, kan hij ook nog wel een paar andere karweitjes voor me doen, zoals zagen en sjouwen. We zien wel hoe het gaat. Als ze een luilak sturen of het te duur wordt, stop ik er weer mee. Neem nog wat vlees, Hank.'

De maaltijd duurde bijna de hele middag. Toen ze eindelijk opstonden van de tafel, was het bijna vier uur. Olivia bood aan af te wassen maar haar moeder wilde dat niet laten doen en in plaats daarvan gingen ze de tuin bekijken. Ze liepen rond en Hank hielp Penelope bij het opbinden van een clematistak en Olivia vond onder een van de appelbomen een groepje akonieten waar ze wat van plukte om mee terug te nemen naar Londen.

Toen het tijd was om afscheid te nemen gaf Hank Penelope een kus.

'Ik weet niet hoe ik u moet bedanken. Het was geweldig.'

'Je moet nog eens terugkomen.'

'Misschien. Op een keer.'

'Wanneer ga je terug naar Amerika?'

'Morgenochtend.'

'Wat een kort bezoek. Wat jammer. Maar ik heb het erg prettig gevonden je te ontmoeten.'

'Ik heb het ook prettig gevonden u te ontmoeten.'

Hij liep naar de auto en hield het portier voor Olivia open.

'Tot ziens, mama.'

'O, liefje.' Ze omhelsden elkaar. 'Ik vind het toch zo erg van Cosmo. Maar je moet niet om hem treuren. Wees alleen maar dankbaar dat je die tijd met hem gehad hebt. Je moet niet terugkijken. Geen spijt hebben.'

Olivia dwong zich dapper te glimlachen. 'Nee. Ik zal geen spijt hebben.'

'En als ik niets meer hoor, verwacht ik je het volgende weekend. Met Antonia.'

'Ik bel nog wel.'

'Tot ziens, liefje.'

Ze waren weg. Zij was weg. Olivia, in haar mooie, kastanjebruine jas, met de nertskraag omhoog tegen haar oren en het bosje akonieten in haar hand geklemd. Als een kind. Penelope had zo met haar te doen. Je kinderen bleven altijd kinderen. Ook al waren ze achtendertig en hadden ze carrière gemaakt. Je kon alles dragen als het om jezelf ging, maar je kon er niet tegen je kinderen verdrietig te zien. Haar hart ging met Olivia mee naar Londen maar haar lichaam, dat vermoeid was na de drukke dag, nam haar langzaam mee terug naar binnen.

De volgende ochtend was ze nog steeds moe. Ze voelde zich gedeprimeerd toen ze wakker werd. Eerst wist ze niet hoe dat kwam maar toen herinnerde ze zich Cosmo. Het regende en ze verwachtte eens een zondag geen gasten, dus bleef ze tot over half elf in bed. Toen stond ze op. Ze kleedde zich aan en liep naar het dorp om haar zondagsbladen te halen. De kerkklokken luidden en een handvol mensen was op weg naar de ochtenddienst. Niet voor het eerst wenste Penelope dat godsdienst echt veel voor haar betekende. Ze geloofde natuurlijk wel en ging met Kerstmis en Pasen naar de kerk, omdat je niet kon leven zonder ergens in te geloven. Maar nu ze de weinige dorpelingen over het kerkhof naar de kerk zag lopen, dacht ze dat het goed zou zijn zich bij hen aan te sluiten in de zekerheid troost te vinden. Maar ze deed het niet. Het had nog nooit gewerkt en het zou nu waarschijnlijk ook niet werken. Dat lag niet aan God, het had gewoon iets met haar eigen geesteshouding te maken.

Toen ze weer thuis was, stak ze het vuur aan en las ze *The Observer*. Toen zocht ze wat te eten, wat koud vlees, een appel en een glas wijn. Ze at aan de keukentafel en ging toen terug naar de zitkamer, waar ze een dutje deed. Toen ze wakker werd, zag ze dat het niet meer regende. Ze trok haar laarzen en haar oude jas aan en ging de tuin in. Ze had haar rozen in de herfst gesnoeid en ze flink wat mest gegeven maar er zat nog wat dood hout aan en ze dook in de doorns en ging aan het werk.

Zoals altijd als ze zo bezig was, verloor ze alle besef van tijd. En ze dacht alleen maar aan haar rozen toen ze even rechtop ging staan omdat haar rug pijn deed. Tot haar verbazing zag ze echter twee mensen over het grasveld komen. Ze had geen auto gehoord en verwachtte ook geen bezoek. Een meisje en een man. Een lange, bijzonder aantrekkelijke, jonge man, met donker haar en blauwe ogen, zijn handen in zijn zakken. Ambrose. Haar hart sloeg over en ze zei tegen zichzelf dat ze geen dwaas moest zijn, want het was niet Ambrose die terugkwam uit het verleden, maar haar zoon Noel, die zo sprekend op zijn overleden vader leek dat ze vaak schrok als ze hem onverwachts zag.

Noel. Natuurlijk met een meisje.

Ze vermande zich, keek glimlachend in hun richting en kwam uit het rozenbed.

'Hallo, ma.' Met zijn handen nog in zijn zakken boog hij zich naar voren om haar een vlugge kus te geven.

'Wat een verrassing. Hoe kom jij ineens hier?'

'We zijn in Wiltshire geweest. We vonden dat we wel even langs konden komen om te zien hoe het hier gaat.' Wiltshire? Dan waren ze wel een eind omgereden om bij haar te komen. 'Dit is Amabel.'

'Leuk je te zien.'

'Hallo,' zei Amabel, zonder haar hand uit te steken. Ze was erg klein en had zeewierachtig haar en ronde, lichtgroene ogen, net twee kruisbessen. Ze droeg een enorme tweed jas die tot haar enkels reikte en die Penelope meteen bekend voorkwam. Ze bekeek het kledingstuk nog eens goed en herkende er toen de oude jas van Lawrence Stern in die zo geheimzinnig verdwenen was bij haar verhuizing uit Oakley Street.

Ze keek Noel weer aan.

'In Wiltshire geweest? Wat hebben jullie daar gedaan?'

'We hebben gelogeerd bij mensen die Early heten, vrienden van Amabel. Maar we zijn na de lunch vertrokken en ik vond dat we maar even hier langs moesten komen om te zien hoe het gaat.' Hij keek haar stralend aan. 'Ik moet zeggen dat u er fantastisch uitziet. Ik had verwacht dat u bleek en kwijnend met uw voeten op de bank zou zitten.'

Penelope ergerde zich altijd als iemand een toespeling op haar ziekte maakte.

'Er is ook niets met me aan de hand. Nancy heeft weer eens van een mug een olifant gemaakt en ik haat het als iemand me zo zit te betuttelen.' En toen kreeg ze wroeging, want het was toch echt erg lief van hem dat hij helemaal hierheen gekomen was om haar te zien. 'Het is lief van je dat je je zo bezorgd maakt maar ik ben volkomen in orde. Maar het is leuk dat jullie er zijn. Hoe laat is het? Lieve help, bijna half vijf. Willen jullie thee? Laten we dan naar binnen gaan. Neem jij Amabel maar mee naar binnen, Noel. Het vuur brandt in de zitkamer. Ik moet eerst even mijn laarzen uittrekken.'

Noel en Amabel liepen over het gras in de richting van de serredeur. Ze zag hen gaan en ging zelf de deur naar het rommelkamertje in, waar ze haar schoenen aantrok en haar jas ophing. Toen ging ze naar boven. Ze liep door de lege slaapkamers naar haar eigen kamer, waar ze haar handen waste en haar haar een beetje fatsoeneerde. Ze liep de andere trap weer af en in de keuken zette ze water op. Ze vond nog wat vruchtencake. Noel was daar dol op en het meisje, Amabel, leek wel iets voedzaams te kunnen gebruiken. Penelope vroeg zich af of ze misschien anorexia nervosa had. Dat zou niet zo verrassend zijn. Noel had altijd de vreemdste vriendinnetjes.

Ze zette thee en bracht die naar de zitkamer, waar Amabel, die de jas van Lawrence had uitgetrokken, zich als een kat in de hoek van de bank genesteld had terwijl Noel blokken hout op de smeulende as in de haard stapelde. 'Wat een geweldig huis,' zei Amabel.

Penelope probeerde iets voor haar te gaan voelen. 'Ja. Het doet vriendelijk aan, hè?'

De ogen als kruisbessen richtten zich op *De schelpenzoekers*.

'Dat is een geweldig schilderij.'

'Dat zegt iedereen altijd.'

'Is het in Cornwall?'

'Ja. In Porthkerris.'

'Dat dacht ik wel. Ik ben er een keer met vakantie geweest en het regende de hele tijd.'

'Wat vervelend.' Ze kon niets anders bedenken om te zeggen en begon thee in te schenken. Toen ze de kopjes voor hen had neergezet en de vruchtencake had gesneden, probeerde ze opnieuw een gesprek te beginnen.

'En vertel me nu eens wat over jullie weekend? Was het leuk?'

Ja, zeiden ze, het was leuk geweest. Ze waren met een stuk of tien mensen geweest en hadden ergens gedineerd en toen gedanst en waren niet voor vieren naar bed gegaan.

Het leek Penelope allemaal niet zo aantrekkelijk maar ze zei: 'Wat enig.'

Daarmee leek hun nieuws uitgeput, dus begon ze met dat van haarzelf. Ze vertelde hun over Olivia's bezoek met haar Amerikaanse vriend. Amabel onderdrukte een geeuw en Noel, die op een krukje bij het vuur zat, met zijn kopje naast hem op de grond, luisterde beleefd maar, voelde Penelope, zonder veel aandacht. Ze overwoog hem van Cosmo te vertellen en besloot toen het niet te doen. Ze overwoog hem te vertellen dat Antonia bij haar zou komen logeren, maar deed ook dat toch maar niet. Hij had Cosmo niet gekend en was niet erg geïnteresseerd in de aangelegenheden van zijn familie. Hij was, eerlijk gezegd, eigenlijk alleen maar in zichzelf geïnteresseerd, want hij leek niet alleen in uiterlijk maar ook in karakter op zijn vader.

Ze wilde hem juist vragen hoe het met zijn werk ging, toen hij zei: 'Ma, over Cornwall gesproken . . .' (hadden ze daarover gesproken) '. . . weet u dat een van de schilderijen van uw vader van de week bij Boothby onder de hamer komt? *De waterdraagsters*. Volgens de geruchten gaat het zo ongeveer tweehonderdduizend opbrengen. Ben benieuwd of dat inderdaad zo zal zijn.'

'Ja, ik heb het gehoord. Olivia had het er gisteren over.'

'U zou naar Londen moeten gaan om erbij te zijn. Zou grappig zijn.'

'Ga jij?'

'Als ik weg kan van mijn werk.'

'Het is vreemd dat die oude werken weer zo in de mode zijn gekomen. En de prijzen die de mensen ervoor betalen. Die arme papa zou zich in zijn graf omdraaien als hij wist wat ze opbrachten.'

'Ze moeten Boothby al een fortuin opgebracht hebben. Hebt u die advertentie in *The Sunday Times* gezien?'

'Ik heb *The Times* nog niet gelezen.'

De krant lag opgevouwen op haar stoel. Noel pakte hem en bladerde erin tot hij vond wat hij zocht. Hij gaf haar de krant. En ze zag in

de benedenhoek een van die advertenties van Boothby, de kunsthandel.
'Minder Belangrijk Werk of Grote Ontdekking?'
Haar ogen gingen naar de kleine lettertjes. Er waren blijkbaar twee olieverfschilderijen op de markt gekomen, die veel met elkaar gemeen hadden. Het ene had driehonderdveertig pond opgebracht, het andere meer dan zestienduizend.
Terwijl ze Noels ogen op zich gericht voelde, las ze verder.

Boothby's veilingen hebben een belangrijke rol gespeeld bij de herwaardering van deze verwaarloosde Victoriaanse periode. Onze ervaring en ons advies staan ter beschikking van potentiële klanten. Als u een werk uit deze periode bezit dat u wilt laten taxeren, belt u dan onze expert, de heer Roy Brookner, die graag naar u toe zal komen om u, zonder dat daar kosten aan verbonden zijn, van advies te dienen.

Dan volgden het adres en het telefoonnummer en dat was alles.
Penelope legde de krant neer. Noel wachtte. Ze hief haar hoofd op en keek hem aan.
'Waarom wilde je dat ik dit las?'
'Dacht gewoon dat het u zou interesseren.'
'Dat ik mijn schilderijen wilde laten taxeren?'
'Niet allemaal. Alleen die van Lawrence Stern.'
'Met het oog op de verzekering?' vroeg Penelope rustig.
'Misschien. Ik weet niet voor hoeveel ze verzekerd zijn. Maar vergeet u niet dat ze op het ogenblik erg veel waard zijn. Een Millais heeft pas nog achthonderdduizend opgebracht.'
'Ik bezit geen Millais.'
'U . . . denkt niet aan verkopen?'
'Verkopen? De schilderijen van mijn vader?'
'Niet *De schelpenzoekers* natuurlijk. Maar misschien de panelen?'
'Die zijn onvoltooid. Die zijn waarschijnlijk niets waard.'
'Dat denkt u. Daarom moet u ze laten taxeren. Nu. Als u weet wat ze waard zijn, verandert u misschien wel van gedachten. Ze hangen daar toch maar op de overloop waar niemand ze ziet. U kijkt er waarschijnlijk zelf ook nooit naar. U zou ze niet eens missen.'
'Hoe kun jij dat nou weten?'
Hij haalde zijn schouders op. 'Zomaar een gedachte. Ze zijn ook niet bijzonder goed en het onderwerp is walgelijk.'
'Als je dat vindt, is het maar goed dat je ze niet meer elke dag hoeft te zien.' Ze wendde zich tot Amabel. 'Wil je nog thee, liefje?'
Noel wist dat zijn moeder altijd koel en waardig ging doen als ze op

115

het punt stond boos te worden. Hij moest nu niet langer aandringen, want dat zou haar alleen maar nog koppiger maken. Hij had het onderwerp in elk geval aangesneden en haar op een idee gebracht. Als ze er nog eens rustig over nadacht, veranderde ze misschien nog wel van gedachten. En dus gaf hij met zijn aantrekkelijkste glimlach toe dat hij verslagen was.

'Goed. U wint. Ik zal er niet meer over praten.' Hij zette zijn kopje neer en keek op zijn horloge.

'Hebben jullie haast?' vroeg zijn moeder hem.

'We moesten maar niet te lang meer blijven. Het is nog een heel eind naar Londen en het zal wel vreselijk druk zijn. Ma, weet u of mijn squash-racket boven in mijn kamer is? Ik heb het nodig en ik kan het bij mij in de flat nergens vinden.'

'Ik weet het niet,' zei Penelope, opgelucht dat hij over iets anders begon. Zijn kamer hier in Podmore's Thatch stond vol dozen en koffers en losse spullen. Ze kwam er echter zo weinig mogelijk omdat hij bijna nooit een nacht bleef slapen, en had geen idee wat er allemaal lag. 'Waarom ga je niet kijken?'

'Ja, dat zal ik doen.' Hij kwam overeind en zei: 'Ik ben zo terug.' Ze hoorden zijn voetstappen op de trap. Amabel onderdrukte nog een geeuw en keek als een somber gestemde zeemeermin.

'Ken je Noel al lang?' vroeg Penelope, terwijl ze zichzelf verfoeide omdat het zo stijf en vormelijk klonk.

'Een maand of drie.'

'Woon je in Londen?'

'Mijn ouders wonen in Leicestershire maar ik heb een flat in Londen.'

'Werk je?'

'Alleen als ik moet.'

'Wil je nog een kopje thee?'

'Nee, maar nog wel een plak cake.'

Die kreeg ze en ze nam een flinke hap. Penelope vroeg zich af of Amabel het zou merken als zij een krant pakte en ging lezen. Jonge mensen konden erg charmant zijn maar ook erg onaantrekkelijk, want Amabel leek nooit geleerd te hebben met haar mond dicht te eten.

Eindelijk gaf ze haar pogingen op. Ze bracht de theeboel naar de keuken en ging afwassen. Toen ze klaar was, was Noel nog niet terug. Hij was waarschijnlijk nog steeds op zoek naar het squash-racket. Ze besloot hem te gaan helpen en ging de keukentrap op. Ze liep door de slaapkamers naar zijn kant van het huis. De deur naar zijn kamer stond open maar hij was er niet. Ze aarzelde even verbaasd en hoorde toen voorzichtige voetstappen boven haar. De zolder? Wat deed hij op zolder?

Ze keek omhoog. De oude, houten ladder leidde naar de vierkante opening in het plafond.

'Noel?'

Een ogenblik later verscheen hij, eerst zijn lange benen en toen de rest.

'Wat doe je daar in 's hemelsnaam?'

Hij stond naast haar. Met pluisjes op zijn jasje en een beetje spinrag in zijn haar.

'Kon het racket niet vinden,' zei hij. 'Dacht dat het misschien op zolder was.'

'Natuurlijk is het niet op zolder. Er is niets op zolder, behalve een heleboel oude rommel uit Oakley Street.'

Hij lachte en klopte het stof van zijn kleren. 'Dat kun je wel zeggen.'

'Je hebt vast niet goed gekeken.' Ze ging de overvolle slaapkamer in, schoof hier en daar wat opzij en vond het racket meteen. 'Hier is het, domkop. Je hebt nooit iets kunnen vinden.'

'O, hoe kan dat nou? Bedankt in elk geval.' Hij nam het van haar aan. Hij keek volkomen onbevangen.

'Amabel draagt de jas van mijn vader,' zei ze. 'Wanneer heb je die meegenomen?'

Zelfs dat bracht hem niet van de wijs. 'Ik heb hem tijdens de grote verhuizing gejat. U droeg hem nooit en het is zo'n geweldig ding.'

'Je had het moeten vragen.'

'Dat weet ik. Wilt u hem terug?'

'Natuurlijk niet. Houd hem maar.' Ze dacht aan Amabel, met de vervallen luxe om zich heen. Amabel en ongetwijfeld talloze andere meisjes. 'Ik weet zeker dat jij er een betere bestemming voor hebt dan ik.'

Ze vonden Amabel vast in slaap. Noel maakte haar wakker en ze kwam geeuwend overeind. Hij hielp haar in de jas, gaf zijn moeder een kus en reed met Amabel weg. Toen ze weg waren, ging ze weer naar binnen. Wat had hij op zolder gezocht, vroeg ze zich af. Hij had heel goed geweten dat het squash-racket daar niet was.

Ze ging de zitkamer in. De krant lag nog op de grond. Ze bukte zich en raapte hem op en las nog eens de advertentie van Boothby. Toen liep ze naar haar bureau om een schaar te pakken. Ze knipte de advertentie uit en borg die in een van de laatjes van haar bureau op.

Midden in de nacht werd ze met een schok wakker. De wind was opgestoken, het was erg donker en het regende weer. De ramen rammelden en de regen sloeg tegen het glas. 'Ik ben in Cornwall geweest maar het regende de hele tijd,' had Amabel gezegd. Porthkerris. Ze herinnerde zich de regen die van de Atlantische Oceaan kwam. Ze herinnerde zich haar slaapkamer in Carn Cottage, waar ze net als nu in het donker had gelegen terwijl ze de golven hoorde breken op het strand ver beneden haar en de gordijnen voor de open ramen bewogen en het licht van de vuurtoren over de witte muren gleed. Ze herinnerde zich de tuin en het weggetje de heuvel op en het uitzicht vanaf de top, de baai, het schitterende blauw van de zee. De zee was een van de redenen waarom ze er zo graag nog eens heen wilde. Gloucestershire was wel mooi maar had geen zee en ze verlangde zo naar de zee. Het verleden is een ander land, maar de reis was te maken. Er was niets dat haar tegenhield. Alleen of met iemand anders, dat deed er niet toe. Voor het te laat was, zou ze de weg naar het westen nemen, naar die ruige uitloper van Engeland waar ze eens gewoond en bemind had en jong was geweest.

HOOFDSTUK 6

Lawrence

Ze was negentien. Tussen nieuwsbulletins waar vol spanning naar geluisterd werd, speelde de radio wijsjes als 'Deep Purple' en 'These Foolish Things' en muziek uit de laatste film van Fred Astaire en Ginger Rogers. De hele zomer had het stadje vol vakantiegangers gezeten. De winkels liepen over van de emmertjes en schopjes en de strandballen, die in de warme zon naar rubber roken, en elegante dames die in het Castle Hotel logeerden, choqueerden de plaatselijke bevolking door in hun strandpyjama over straat te lopen en in een gedurfd tweedelig badpak te zonnen. De meeste vakantiegangers waren nu vertrokken maar er waren er nog wel wat over en de tenten en de badhokjes waren nog niet opgeruimd. Penelope, die langs de rand van de zee liep, zag de kinderen, in het oog gehouden door kinderjuffrouwen in uniform die in strandstoelen zaten te breien.

Het was een warme, zonnige zondagochtend, te mooi om binnen te blijven. Ze had Sophie gevraagd mee te gaan maar Sophie was liever in de keuken gebleven om het eten klaar te maken. En papa had na het ontbijt zijn oude, breedgerande hoed opgezet en was naar zijn atelier gegaan. Penelope zou hem daar halen. Dan zouden ze samen teruglopen, de heuvel op, naar Carn Cottage en het traditionele middagmaal dat wachtte.

'Laat hem niet naar het café gaan, liefje. Vandaag niet. Breng hem meteen naar huis.'

Ze had het beloofd. Tegen de tijd dat ze aan tafel zaten, was het allemaal voorbij. Dan wisten ze het.

Ze was aan het eind van het strand – bij de rotsen en de duikplank. Ze liep de betonnen trap op en kwam in een smal straatje, dat tussen de gewitte huizen door naar beneden leidde, de heuvel af. Er waren daar een heleboel katten, die in de goot naar visafval zochten, en er vlogen zeemeeuwen boven haar hoofd, die ook wel op een dak of een schoorsteen gingen zitten om de wereld met hun koude ogen te bekijken en uitdagend te krijsen naar niets in het bijzonder.

Onder aan de heuvel stond de kerk. De klokken luidden voor de ochtenddienst en heel wat meer mensen dan gewoonlijk liepen het pad op en verdwenen in het donker achter de grote, eiken deuren. In een donker pak, vroom met een hoed op, met een ernstig gezicht en een plechtige gang kwamen ze uit de hele stad. Er waren er niet veel die glimlachten en niemand zei goedemorgen.

Het was vijf voor elf. In de haven lagen de vissersboten afgemeerd. Alles zag er vreemd verlaten uit. Alleen een groepje kinderen, dat met een oud sardineblikje speelde, en aan de andere kant van de haven een man die aan zijn boot werkte. Het geluid van hamerslagen klonk luid over het verlaten strand.

De kerkklok begon elf uur te slaan en de meeuwen die op de toren zaten, vlogen krijsend op uit woede omdat ze gestoord werden door het weergalmende geluid. Ze liep langzaam door, haar handen in de zakken van haar jasje. Af en toe blies een windvlaag haar lange, donkere lokken over haar wangen. Ineens werd ze zich ervan bewust dat ze volkomen alleen was. Er was niemand anders te zien en terwijl ze de haven achter zich liet en een steile straat inliep, hoorde ze door open ramen de laatste klanken van de Big Ben. Ze hoorde de stem die begon te spreken. Stelde zich voor hoe gezinnen binnen rond de radio zaten, dicht bij elkaar om steun van elkaar te krijgen.

Nu was ze echt in Downalong, in het oude deel van de stad, waar ze haar weg zocht door het labyrint van smalle straatjes en onverwachte pleintjes dat naar de open kust van het noordelijke strand leidde. Ze hoorde de golven tegen de kust slaan en voelde de wind. Hij rukte aan de rok van haar katoenen jurk en maakte haar haar in de war. Ze ging een hoek om en zag het strand. Ze zag het winkeltje van mevrouw Thomas, dat voor een uur open was om kranten te verkopen. De rekken voor de deur lagen er vol mee. Ze zag de grote, sombere koppen. Ze had wat geld in haar zak en ze had trek, dus ging ze naar binnen om een reep pepermuntchocola te kopen.

'Ben je aan het wandelen, meid?' vroeg mevrouw Thomas.

'Ja. Ik ga papa halen. Hij is in zijn atelier.'

'De beste plaats op zo'n ochtend. Buiten.'

'Ja.'

'Het is dan toch gebeurd.' Ze schoof de reep over de toonbank. 'We zijn in oorlog met die verwenste Duitsers, zegt meneer Chamberlain.' Mevrouw Thomas was zestig. Ze had al een verwoestende oorlog meegemaakt, evenals de vader van Penelope en miljoenen andere onschuldige mensen overal in Europa. De man van mevrouw Thomas was in 1916 gesneuveld en haar zoon Stephen was al opgeroepen als soldaat in de lichte infanterie van de hertog van Cornwall. 'Het kon niet anders, denk ik. We konden niet zo doorgaan. Niet met die arme Polen die maar doodgaan of het niets is.'

'Nee.' Penelope pakte haar reep.

'Doe je vader de groeten, meid. Gaat het goed met hem?'

'Ja, uitstekend.'

'Tot kijk dan.'

'Tot kijk.'

Toen ze weer buiten stond, had ze het koud. Het was harder gaan waaien en haar dunne jurk en jasje leken niet warm genoeg. Ze haalde het papier van de reep en begon te eten. Oorlog. Ze keek omhoog naar de hemel en verwachtte half horden bommenwerpers te zien verschijnen, zoals de formaties boven Polen die ze in het bioscoopjournaal had gezien. Maar er waren alleen maar wolken, voortgedreven door de wind.

Oorlog. Het was een vreemd woord. Net zo iets als dood. Hoe vaker je het zei, hoe meer je eraan dacht, des te onbegrijpelijker werd het. Chocolade knabbelend liep ze door het smalle straatje naar het atelier van Lawrence Stern, om hem te vertellen dat het tijd was om te gaan eten en dat hij niet eerst een biertje mocht gaan drinken en dat de oorlog toch echt begonnen was.

Zijn atelier was een oude nettenloods, met een hoge zoldering en een groot raam op het noorden dat uitzag op het strand en de zee. Lang geleden had hij er een grote potkachel neergezet maar al brandde die nog zo hard, het werd er toch nooit echt warm.

Het was er nu ook niet warm.

Lawrence Stern werkte al tien jaar niet meer maar alles in het atelier zag er nog uit alsof hij elk moment weer zou kunnen beginnen. De ezels en de doeken waren er nog, de half opgebruikte tubes verf, de paletten met de opgedroogde verf erop. De stoel voor het model stond op een verhoging en op een wankele tafel lag een stapel oude nummers van *The Studio*. Er hing een nostalgisch luchtje van olieverf en terpentijn, vermengd met de zilte wind die door het open raam kwam.

Ze zag de houten surfplanken, in een hoek opgestapeld, en een gestreepte baddoek vergeten over een stoel gegooid. Ze vroeg zich af of er ooit nog een zomer zou komen en ze ze ooit nog zouden gebruiken.

De wind sloeg de deur achter haar dicht. Hij keek om. Hij zat in de vensterbank, met zijn lange benen over elkaar. Hij had naar de zeevogels zitten kijken, naar de wolken, de blauwgroene zee, de eindeloos brekende golven.

'Papa.'

Hij was vierenzeventig. Lang en gedistingeerd, met diepe rimpels in zijn gebruinde gezicht en een paar heldere, blauwe ogen. Zijn kleren waren zowel zwierig als jeugdig. Een verschoten rode, linnen broek, een oud jasje van groen corduroy en in plaats van een stropdas een vlekkerige zakdoek om zijn hals geknoopt. Alleen zijn sneeuwwitte, onmodieus lange haar verried zijn leeftijd. Zijn haar en zijn handen,

121

verwrongen en verminkt door de artritis die zo tragisch een eind aan zijn carrière had gemaakt.

'Papa.'

Zijn blik was somber, alsof hij haar niet herkende, alsof ze een vreemde was, iemand die alleen maar akelig nieuws kwam brengen. Toen begon hij ineens te glimlachen. En hij stak een arm op in een bekend, verwelkomend gebaar.

'Dag, lieve meid.'

Ze liep naar hem toe. Onder haar voeten kraakte er zand op de ongelijke, houten vloer, alsof iemand een zak suiker had laten vallen. Hij trok haar naar zich toe.

'Wat eet je?'

'Pepermuntchocola.'

'Je zult je eetlust nog bederven.'

'Dat zegt u altijd.' Ze trok zich van hem terug. 'Wilt u ook een stukje?'

Hij schudde zijn hoofd. 'Nee.'

Ze deed de rest van de reep in haar zak. 'De oorlog is begonnen,' zei ze.

Hij knikte.

'Mevrouw Thomas zei het.'

'Ik weet het. Ik wist het wel.'

'Sophie is met het eten bezig. Ze zei dat u niet iets moest gaan drinken. Ze zei dat ik u meteen mee naar huis moest nemen.'

'In dat geval kunnen we beter gaan.'

Maar hij verroerde zich niet. Ze deed de ramen dicht en vergrendelde ze. Toen was het geluid van de golven niet meer zo duidelijk te horen. Zijn hoed lag op de grond. Ze raapte hem op en gaf hem aan haar vader en hij zette hem op en kwam overeind. Ze nam zijn arm en ze begonnen aan de lange wandeling naar huis.

Carn Cottage stond hoog op de heuvel boven het stadje, een klein, rechthoekig, wit huis in een tuin die door hoge muren omringd werd. Als je door het poortje in de muur naar binnen ging, was het net of je een geheime ruimte inging waar niets je kon bereiken – zelfs de wind niet. Het gras was nu, op het eind van de zomer, nog erg groen en de randen herfstasters en leeuwebekjes en dahlia's van Sophie zorgden voor een zee van kleuren. Het huis was begroeid met roze hanggeraniums en een clematis die elk jaar in mei een overvloed aan zachtpaarse bloemen produceerde. Er was ook een moestuin, verborgen achter een heg, en aan de achterkant van het huis een stukje land met een vijvertje waarin Sophie haar kippen en eenden hield.

Ze was in de tuin, waar ze op hen wachtte terwijl ze een armvol dahlia's plukte. Toen ze hen hoorde, kwam ze meteen naar hen toe. Ze leek net een jongen in haar lange broek en haar gestreepte trui. Ze droeg haar donkere haar heel kort, wat haar slanke, gebruinde hals en de fraaie vorm van haar hoofd goed deed uitkomen. Haar ogen waren donker, groot en glanzend. Iedereen zei dat vooral haar ogen haar aantrekkelijk maakten, tot ze glimlachte en dan wisten ze het niet meer zo zeker.

Ze was de vrouw van Lawrence en de moeder van Penelope. Ze kwam uit Frankrijk. Haar vader, Philippe Charlroux en Lawrence hadden lang geleden in de zorgeloze tijd voor de oorlog van 1914 een Parijs atelier gedeeld. Ze waren ongeveer even oud geweest. Lawrence had Sophie voor het eerst gezien als een klein meisje dat in de tuin van de Tuilerieën speelde en soms met haar vader en zijn vrienden meeging naar de cafés waar ze bij elkaar kwamen om te drinken en wat plezier te maken met de knappe meisjes van de stad. Ze hadden elkaar allemaal erg na gestaan en zich niet kunnen voorstellen dat er ooit een eind zou komen aan dat aangename leventje, maar de oorlog was gekomen en had niet alleen hen en hun gezinnen uit elkaar gerukt maar ook hun landen, heel Europa, hun wereld.

Ze waren elkaar kwijtgeraakt. In 1918 was Lawrence over de vijftig. Hij was te oud geweest om soldaat te worden en had die vier verschrikkelijke jaren achter het stuur van een ambulance in Frankrijk doorgebracht. Ten slotte was hij aan een been gewond geraakt en naar huis gestuurd. Maar hij leefde nog. Anderen waren niet zo gelukkig geweest. Philippe was dood, wist hij. Maar hij wist niet wat er van diens vrouw en kind geworden was. Toen het allemaal voorbij was, ging hij terug naar Parijs om naar hen te zoeken, maar het was hopeloos. En Parijs was triest, koud en hongerig. Je kwam voortdurend mensen in zwarte rouwkleding tegen en de straten van de stad, die hem altijd in verrukking hadden gebracht, leken hun betovering kwijt te zijn. Hij keerde naar Londen terug, naar het oude huis van de familie in Oakley Street. Zijn ouders leefden niet meer en het huis was van hem, maar het was veel te groot voor een man alleen. Hij loste dat op door alleen het souterrain en de benedenverdieping te gebruiken en de rest van de kamers te verhuren aan iedereen die woonruimte nodig had en hem wat huur kon betalen. In de grote tuin achter het huis was zijn atelier. Hij zette de herinneringen aan de oorlog resoluut van zich af en pakte zijn penseel en daarmee de draad van zijn leven weer op.

Het viel hem niet mee. Toen hij op een dag zat te worstelen met een hels moeilijke compositie, kwam een van zijn huurders hem vertellen dat er bezoek voor hem was. Lawrence was woedend, want hij had er een hekel aan gestoord te worden als hij aan het werk was. Hij veegde zijn handen aan een doek af en ging kijken wie dat kon zijn. Hij ging uit de tuin zijn keuken binnen. Daar stond een jong meisje bij het fornuis, met haar handen naar de warmte uitgestrekt alsof ze koud was tot in haar botten. Hij herkende haar niet.

'Wat wilt u?'

Ze was erg mager en droeg haar donkere haar opgestoken. Ze had een oude, versleten jas aan, waar de ongelijke zoom van haar rok onderuit hing. Haar schoenen waren kapot en ze leek nog het meest op een zwerfster.

'Lawrence,' zei ze.

Iets in haar stem kwam hem bekend voor. Hij liep naar haar toe, nam haar kin in zijn hand en draaide haar gezicht naar het raam en het licht.

'Sophie.'

Hij kon het nauwelijks geloven maar: 'Ja, ik ben het,' zei ze.

Ze was naar Engeland gekomen om hem te zoeken. Ze was alleen. Hij was de beste vriend van haar vader geweest. 'Als er iets met mij gebeurt,' had Philippe tegen haar gezegd, 'moet je naar Lawrence Stern gaan. Hij zal je helpen.' En nu was Philippe dood en haar moeder ook, weggerukt in de griepepidemie die na de oorlog Europa had geteisterd.

'Ik heb jullie in Parijs gezocht,' vertelde Lawrence haar. 'Waar was je toen?'

'In Lyon, bij de zuster van mijn moeder.'

'Waarom ben je niet bij haar gebleven?'

'Omdat ik jou wilde vinden.'

Ze bleef. Ze was op een gelukkig moment gekomen, moest hij toegeven, toen hij juist zonder vriendin zat, want hij was een zinnelijke en zeer aantrekkelijke man en er waren vele mooie vrouwen in zijn leven geweest. Maar Sophie was anders. Een kind. Ze deed de huishouding ook met de doelmatigheid van een welopgevoed Frans meisje. Ze kookte en deed boodschappen en verstelde en waste gordijnen en boende de vloer. Er was nog nooit zo goed voor hem gezorgd. Ze ging er al gauw wat beter uitzien en hoewel ze nooit dikker werd, kwam er kleur op haar wangen en begon haar haar te glanzen. En het duurde niet lang of hij gebruikte haar als zijn model. Ze bracht hem geluk. Hij schilderde, èn verkocht, uitstekend. Hij gaf haar wat geld om iets te kopen dat ze kon dragen en ze kwam trots en voldaan terug in haar goedkope jurk. Ze was mooi en hij hield op haar als een kind te beschouwen. Ze was een vrouw en zo kwam ze op een nacht bij hem om rustig naast hem in bed te gaan liggen. Ze had een aantrekkelijk lichaam en hij wees haar niet af, want hij was misschien wel voor het eerst van zijn leven verliefd. Ze werd zijn maîtresse. Ze raakte al gauw in verwachting. Lawrence was verrukt en trouwde met haar.

Tijdens haar zwangerschap gingen ze voor het eerst naar Cornwall.

124

Ze kwamen in Porthkerris terecht, dat al door schilders uit het hele land ontdekt was en waar heel wat tijdgenoten van Lawrence zich hadden gevestigd. Om te beginnen huurden ze de loods die zijn atelier zou worden en daar woonden ze twee lange wintermaanden. Het was allemaal niet bepaald geriefelijk maar ze voelden zich volkomen gelukkig. Toen werd Carn Cottage te koop aangeboden en Lawrence, die een goede opdracht had, deed een bod en kocht het huis. Penelope werd in Carn Cottage geboren en ze brachten er alle zomers door maar als de herfststormen opstaken, sloten ze Carn Cottage af of verhuurden ze het voor de winter. Dan gingen ze terug naar Londen, naar het souterrain van het warme, vriendelijke, overvolle oude huis in Oakley Street. Ze maakten de reis altijd per auto, want Lawrence was nu de trotse eigenaar van een Bentley met een linnen kap die omlaag kon, en enorme koplampen. In het voorjaar haalden ze soms de zuster van Lawrence, Ethel, op en dan namen ze de boot naar Frankrijk en reden dan naar de mimosastruiken en de rode rotsen en het blauwe water van de Middellandse Zee om daar bij Charles en Chantal Rainier te gaan logeren, oude vrienden uit het vooroorlogse Parijs, die een villa hadden met jaloezieën en een tuin vol cicaden en hagedissen. Bij die gelegenheden spraken ze alleen Frans, ook tante Ethel, die altijd erg Gallisch werd zodra ze in Calais aankwamen. Ze zette een Baskische baret schuin op haar hoofd en rookte talloze gauloises. Penelope ging overal mee naar toe, het kind van een moeder die jong genoeg was om haar zuster en een vader die oud genoeg was om haar grootvader te zijn.

Ze vond hen volmaakt. Als ze bij andere kinderen werd uitgenodigd en stijve, vormelijke maaltijden uitzat met barse kinderjuffrouwen die op je tafelmanieren moesten letten, of door de een of andere gespierde vader tot sportieve prestaties werd gedwongen, vroeg ze zich soms af hoe die kinderen hun beperkte, gedisciplineerde leven uithielden. En dan kon ze bijna niet wachten tot ze naar huis mocht.

Sophie zei nu niets over de nieuwe oorlog die begonnen was. Ze gaf alleen haar man een zoen, sloeg haar arm om haar dochter heen en liet hun de bloemen zien die ze geplukt had. Dahlia's. In een explosie van kleuren, oranje en paars en scharlaken en geel.

'Ik denk, ze doen me aan het Russische ballet denken,' zei ze. Ze was haar bekoorlijke accent nooit kwijtgeraakt. 'Maar ze hebben geen geur.' Ze glimlachte. 'Dat doet er niet toe. Ik dacht dat jullie laat zouden zijn. Ik ben blij dat dat niet zo is. Laten we een fles wijn openmaken en dan wat gaan eten.'

Twee dagen later, op dinsdag, begon hun oorlog serieus. De bel ging en Penelope, die open ging doen, trof miss Pawson op de stoep aan.

Miss Pawson was een van die erg mannelijke dames die van tijd tot tijd in Porthkerris opdoken. De buitenbeentjes van de jaren dertig noemde Lawrence hen, die niet naar de normale vreugden van een man, een huis en kinderen verlangden maar hun eigen brood verdienden op een manier die gewoonlijk iets met dieren te maken had. Ze gaven les in paardrijden of hadden een kennel of fotografeerden de honden van andere mensen. Miss Pawson fokte spaniels en je zag haar vaak met die dieren op het strand, waar ze ze probeerde af te richten, of in de stad, waar ze haar meetrokken aan hun riem.

Miss Pawson woonde samen met miss Preedy, een bezadigde dame die dansles gaf. Niet volksdansen of ballet maar een vreemd nieuw soort dansen, gebaseerd op Griekse friezen, diep ademhalen en ritmische gymnastiek. Af en toe gaf ze een uitvoering en Sophie had een keer kaartjes gekocht en toen waren ze allemaal gaan kijken. Het was een openbaring geweest. Miss Preedy en vijf van haar leerlingen (sommige nog erg jong, andere oud genoeg om beter te weten) waren op blote voeten het toneel op gekomen, met een oranje tuniek aan die tot de knieën reikte en een hoofdband over hun voorhoofd. Ze hadden zich in een halve cirkel opgesteld en miss Preedy was naar voren gekomen. Met een hoge, duidelijke stem had ze gezegd dat een kleine uitleg misschien noodzakelijk was en die had ze daarom gegeven. Het bleek dat het haar niet om dansen in de algemeen aanvaarde betekenis van het woord ging maar om een reeks oefeningen en bewegingen die op zichzelf een uitbreiding waren van de natuurlijke functies van het lichaam.

'Lieve God,' mompelde Lawrence en Penelope moest hem een por met haar elleboog geven om hem stil te houden.

Miss Preedy snaterde nog een poosje door en stapte toen weer achteruit op haar plaats. Ze klapte in haar handen, gaf het bevel 'Eén' en haar leerlingen en zij lagen allemaal op hun rug alsof ze bewusteloos of dood waren. Het gefascineerde publiek moest helemaal rechtop gaan zitten om nog iets te kunnen zien. Toen hieven ze bij 'Twee' allemaal heel langzaam hun benen op, zodat hun tenen naar het plafond wezen. De oranje tunieken vielen weg en onthulden zes bijpassende kniebroeken. Lawrence begon te hoesten, sprong overeind en liep vlug de zaal uit. Hij kwam niet meer terug maar Sophie en Penelope zaten de volle twee uur uit, met hun hand tegen hun mond geklemd om het niet uit te schateren.

Toen ze zestien was, had Penelope *De bron van eenzaamheid* gelezen. Sindsdien bekeek ze miss Pawson en miss Preedy met nieuwe ogen, maar ze bleef hun relatie in haar onschuld verbijsterend vinden.

En nu stond miss Pawson voor de deur, met haar stevige schoenen, haar lange broek, haar jack, haar boord en das en een baret schuin op haar korte, grijze haren. Ze had een klembord met papieren in haar hand en haar gasmasker hing over haar ene schouder. Ze was kennelijk gekleed voor de strijd en zou met een geweer en een kogelriem een aanwinst zijn geweest voor elke zichzelf respecterende guerrillabende.

'Goedemorgen, miss Pawson.'

'Is je moeder thuis, kind? Het gaat over onderdak voor evacués.'

Sophie verscheen en ze lieten miss Pawson in de zitkamer. Daar dit kennelijk een officiële gelegenheid was, gingen ze met hun drieën aan de tafel in het midden van de kamer zitten. Miss Pawson draaide de dop van haar vulpen los.

Ze viel met de deur in huis. 'Hoeveel kamers hebt u?'

Sophie keek een beetje verbaasd. Miss Pawson en miss Preedy waren meer dan eens in Carn Cottage geweest en wisten heel goed hoeveel kamers er waren. Maar ze genoot zo dat het niet aardig zou zijn haar plezier te bederven, dus zei Sophie: 'Drie. Deze kamer en de eetkamer en de studeerkamer. En de keuken.'

Miss Pawson schreef 'drie plus keuken' op haar formulier.

'En boven?'

'Onze slaapkamer en de slaapkamer van Penelope en de logeerkamer en de badkamer.'

'Logeerkamer?'

'Ik wil niemand in de logeerkamer hebben, want Lawrence heeft een zuster die niet zo jong meer is en alleen in Londen woont en als de bommen komen, wil zij misschien wel bij ons komen wonen.'

'Ik begrijp het. En de toiletten?'

'O ja,' verzekerde Sophie haar, 'we hebben een toilet. In de badkamer.'

'Maar één toilet?'

'Er is er nog een in de tuin achter de keuken, maar daar bewaren we ons hout.'

Miss Pawson schreef: 'Eén toilet, één privaat.'

'En de zolder?'

'De zolder?'

'Hoeveel zouden er daar kunnen slapen?'

Sophie was ontzet. 'Ik wil niemand op de zolder stoppen. Het is er donker en het zit er vol met spinnen.' En toen voegde ze er aarzelend aan toe: 'Ik denk dat de dienstmeisjes er vroeger sliepen. Die arme schepselen.'

Dat was genoeg voor miss Pawson.

'In dat geval kunnen er drie op zolder. We kunnen nu niet te kieskeurig zijn. We moeten niet vergeten dat er een oorlog aan de gang is.'

'Moeten we evacués hebben?'

'Ja, natuurlijk. We moeten allemaal ons steentje bijdragen.'

'Wat voor mensen zullen het zijn?'

'Waarschijnlijk mensen uit het oosten van Londen. Ik zal proberen een moeder met een paar kinderen voor u te krijgen. Nou . . .' Ze pakte haar papieren bij elkaar en ging staan. 'Dan ga ik nu maar meteen weer. Ik heb nog minstens tien adressen af te werken.'

Ze vertrok, met een bars gezicht en opeengeklemde lippen. Toen ze afscheid nam, verwachtte Penelope half dat ze zou salueren – maar dat deed ze niet, ze marcheerde enkel door de tuin weg. Sophie deed de deur dicht en keek haar dochter aan, lachend maar toch min of meer verbijsterd. Drie mensen op zolder. Ze gingen naar boven om die trieste ruimte te bekijken en het was nog erger dan ze dachten. Donker, vuil en stoffig en vol met spinnewebben. En het rook er naar muizen. Sophie trok haar neus op en probeerde een van de raampjes open te krijgen maar dat lukte niet. Het zat vast.

'Als we alles wit maken, is het misschien niet zo erg,' zei Penelope. Ze liep naar het andere raampje, wreef een stukje glas schoon en keek naar buiten. 'En het uitzicht is gewoon schitterend . . .'

'Daar zullen evacués niet naar kijken.'

'Hoe weet je dat nou? Vooruit, niet zo zwartgallig doen, Sophie. Als ze komen, moeten ze ergens slapen. Het is dit of niets.'

Het was haar eerste oorlogswerk. Ze trok het behang eraf en witte de muren en de zoldering, zeemde de raampjes, verfde het hout en boende de vloer. Sophie ging intussen naar een veiling. Ze kocht een vloerkleed, drie divanbedden, een linnenkast en een ladenkastje van mahoniehout, gordijnen, een ets die *Voor de kust van Valparaiso* heette en een beeldje van een meisje met een strandbal. Voor dat alles betaalde ze nog geen negen pond. De meubelen werden bezorgd en met veel gebonk naar boven gebracht door een vriendelijke man met een pet en een lange, witte voorschoot. Sophie gaf hem een kroes bier en een halve kroon en hij ging tevreden weg. Penelope en zij maakten de bedden op en hingen de gordijnen op en toen konden ze alleen maar afwachten tot de evacués kwamen, tegen beter weten in hopend dat dat nooit zou zijn.

Ze kwamen. Een jonge moeder met twee kleine jongens. Doris Potter, Ronald en Clark. Doris had blond haar in de stijl van Ginger Rogers en droeg een strakke, zwarte rok. Haar man heette Bert en was al opgeroepen. Hij was in Frankrijk. Haar zoontjes, zeven en zes jaar oud, heetten Ronald en Clark naar Ronald Colman en Clark Gable. Ze waren klein en mager en bleek. Ze waren met een trein uit Hackney gekomen. Ze waren nog nooit eerder verder dan Southend geweest en er zaten bagagelabels op de jasjes van de kinderen voor als ze onderweg hun moeder kwijtraakten.

Het vredige leven in Carn Cottage raakte volkomen in de war door de aankomst van de Potters. Binnen twee dagen hadden Ronald en Clark een ruit gebroken, in bed geplast, alle bloemen uit de border van Sophie geplukt, onrijpe appels gegeten (waar ze misselijk van werden) en het schuurtje in brand gestoken.

Het brandde helemaal af en Lawrence nam dat nogal filosofisch op. Hij zei alleen dat het jammer was dat zij er zelf niet in waren geweest. Tegelijk bleken ze vreselijk angstig. Ze vonden het buitenleven niet prettig. De zee was te groot en ze waren bang van koeien en kippen en eenden en pissebedden. Ze waren ook bang op zolder, maar dat kwam doordat ze elkaar voortdurend de stuipen op het lijf joegen met allerlei spookverhalen.

De maaltijden werden een nachtmerrie, niet omdat ze niet wisten waar ze over moesten praten maar omdat Ronald en Clark absoluut geen manieren geleerd hadden. Ze aten met hun mond open, dronken met hun mond vol, graaiden naar de botervloot en gooiden de kan met water om. Ze maakten ruzie en sloegen elkaar en weigerden beslist de gezonde groenten en toetjes van Sophie te eten.

Ze schreeuwden voortdurend van vreugde, woede of verontwaardiging. Doris zelf was niet veel beter. Ze scheen nooit rustig tegen haar kinderen te kunnen praten.

Duizelig van het lawaai begreep Penelope twee dingen. In de eerste plaats dat Doris op haar ruwe manier een goede moeder was, die veel van haar magere jongens hield. En verder dat ze altijd zo tegen hen schreeuwde omdat ze dat hun hele leven al had gedaan, in die straat in Hackney waar ze geboren en getogen waren, zoals Doris' moeder waarschijnlijk ook altijd tegen haar geschreeuwd had. Ze wist gewoon niet dat het ook anders kon. Als Doris Ronald en Clark riep, gaven ze nooit antwoord. En dan ging ze hen niet zoeken maar ze gilde nog eens een octaaf hoger.

Ten slotte kon Lawrence het niet meer verdragen. Hij zei tegen Sophie dat hij, als de Potters niet een beetje rustiger werden, gedwongen zou zijn in zijn atelier te gaan wonen. Hij meende dat ook en Sophie stormde meteen, woedend dat ze in zo'n positie werd gebracht, de keuken binnen om een woordje met Doris te wisselen.

'Waarom schreeuw je altijd zo tegen die kinderen?' Als ze boos was, viel haar accent meer op dan anders maar nu leek ze wel een visvrouw uit Marseille. 'Ze zijn hier vlak in de buurt. Je hoeft niet te schreeuwen. Mon Dieu, dit is maar een klein huis en je maakt ons allemaal gek.'

Doris stond versteld maar was zo verstandig niet beledigd te doen. Ze was erg laconiek en ook bepaald niet dom. Ze wist dat ze een goed plekje gevonden had bij de Sterns. Ze had een paar afschuwelijke verhalen gehoord van andere evacués en wilde niet ingekwartierd worden bij iemand die haar als een dienstbode behandelde en verwachtte dat ze altijd in de keuken zat.

'Sorry,' zei ze op haar nonchalante manier. Ze grijnsde. 'Zo ben ik nu eenmaal.'

'En je kinderen . . .' Sophie kalmeerde wat maar besloot toch het ijzer te smeden nu het heet was. '. . . moeten tafelmanieren leren. Als jij hun die niet kunt leren, zal ik het wel doen. En ze moeten leren te doen wat hun gezegd wordt. Dat doen ze heus wel, als je maar rustig spreekt. Ze zijn niet doof maar ze worden het wel als jij zo schreeuwt.'

Doris haalde haar schouders op. 'Best, hoor,' zei ze opgewekt. 'We zullen het eens proberen. En hoe staat het met de aardappelen voor het eten? Zal ik die schillen?'

Daarna ging het allemaal beter. Het werd rustiger en de kinderen leerden door de inspanningen van Sophie en Penelope alstublieft en dank u wel te zeggen, met hun mond dicht te eten en om zout en peper te vragen. Een deel ervan sloeg zelfs op Doris over, die erg verfijnd werd en haar pink gebogen hield en met haar servet haar mondhoeken depte. Penelope nam de jongens mee naar het strand om zandkastelen te bouwen en ze werden zo onverschrokken dat ze gingen pootjebaden. Toen begon de school en waren ze het grootste deel van de dag weg. Doris, die altijd gedacht had dat alle soep uit een blikje kwam, leerde wat beter koken en hielp met het huishouden. Ze bereikten een zeker nieuw evenwicht. De dingen zouden nooit meer hetzelfde zijn maar ze waren nu in elk geval draaglijk.

De kamers op de tweede verdieping van het huis in Oakley Street werden gebruikt door Peter en Elizabeth Clifford. Andere huurders kwamen en gingen maar zij woonden daar al vijftien jaar en in die tijd waren ze de beste vrienden van de Sterns geworden. Peter was nu zeventig. Hij was psychiater, had in Wenen bij Freud gestudeerd en had zijn geslaagde carrière beëindigd als professor in een van de grote academische ziekenhuizen van Londen. Die functie had hij neergelegd maar hij ging nog elk jaar naar Wenen om daar aan de universiteit college te geven.

Ze hadden geen kinderen en bij die gelegenheden ging zijn vrouw altijd mee. Elizabeth, die een paar jaar jonger was dan Peter, was op haar manier even briljant. Vóór haar huwelijk had ze veel gereisd, in Duitsland en Frankrijk gestudeerd en een reeks diepzinnige, politiek getinte romans, artikelen en essays geproduceerd, die haar internationaal veel aanzien hadden bezorgd.

De Cliffords hadden Lawrence en Sophie voor het eerst opmerkzaam gemaakt op de onheilspellende dingen die er in Duitsland aan de gang waren. Ze hadden lange avonden met hen zitten praten om uiting te geven aan hun angst en bezorgdheid. Maar daar spraken ze niet met iedereen over. Tegenover de buitenwereld hielden ze hun gedachten voor zich. Want vele van hun vrienden in Oostenrijk en Duitsland waren joden en hun officiële bezoeken aan Wenen waren een goede dekmantel voor hun geheime activiteiten.

Onder het oog van de autoriteiten en met veel persoonlijk risico legden ze contacten, verkregen ze paspoorten, regelden ze reizen en leenden ze geld uit. Zo wisten ze een aantal joodse gezinnen het land uit te krijgen, die dan verder vluchtten naar Engeland of doorreisden naar de Verenigde Staten. Ze kwamen allemaal zonder een cent op zak aan omdat ze al hun geld en bezit achter hadden moeten laten, maar ze waren in elk geval vrij. Dit gevaarlijke werk was doorgegaan tot begin 1938, toen het nieuwe regime duidelijk had gemaakt dat hun aanwezigheid niet langer gewenst was. Er had iemand gepraat. Ze waren verdacht en stonden op de zwarte lijst.

In januari van het nieuwe jaar, 1940, hielden Lawrence en Sophie en Penelope familieberaad. Nu Doris en haar kinderen vermoedelijk de hele oorlog zouden blijven, was er geen sprake van dat de Sterns terug konden gaan naar Oakley Street. Maar Sophie wilde er toch wel een keer heen. Ze was er al een half jaar niet geweest en wilde kijken hoe het met de huurders stond, verduisteringsgordijnen maken voor het souterrain, een inventarislijst opmaken en iemand zoeken die de tuin wilde spitten. Ze wilde ook haar winterkleren halen, want het was erg koud en Carn Cottage had geen centrale verwarming, en de Cliffords zien.

Lawrence vond dat een uitstekend idee. Afgezien van de rest, maakte hij zich ook zorgen over *De schelpenzoekers*. Als de bombardementen begonnen, zoals ongetwijfeld zou gebeuren, liep het schilderij gevaar.

Sophie beloofde hem dat ze *De schelpenzoekers* zorgvuldig verpakt naar Porthkerris zou verzenden. Ze belde Elizabeth Clifford op om haar te zeggen dat ze kwamen. Drie dagen later liepen ze allemaal naar het station en stapten Penelope en Sophie in de trein. Lawrence ging niet mee. Hij bleef thuis om een oogje op het huishouden te houden. Doris zou voor hem zorgen en ze leek erg blij met die taak. Het was voor het eerst sinds hun huwelijk dat Sophie en hij van elkaar gingen en Sophie was in tranen toen de trein wegreed, alsof ze bang was dat ze hem nooit meer zou zien.

De reis leek eindeloos te duren. Het was ijskoud in de trein, er was geen restauratiewagen en in Plymouth stapte er een afdeling matrozen in. Daarna was de trein overvol en struikelde je in de gangen over de plunjezakken, rokende zeelui en kaartspellen. Penelope hield nog maar een klein plekje over naast een jongen die zich stijf en ongemak-

131

kelijk voelde in zijn gloednieuwe uniform, en toen de trein weer ging rijden, viel hij prompt met zijn hoofd op haar schouder in slaap. Het werd donker en toen kon je zelfs niet meer lezen, zo spaarzaam was de verlichting. Tot overmaat van ramp werden ze in Reading opgehouden en ze kwamen ten slotte drie uur te laat op Paddington aan.

Het verduisterde Londen leek een stad vol geheimen. Ze hadden het geluk een taxi te vinden, die ze met een stel vreemden deelden. De taxi reed langzaam door de donkere, halfverlaten straten en het regende pijpestelen en was nog steeds erg koud. Penelope voelde zich doodongelukkig. Het was altijd heel anders geweest als ze naar huis gingen.

Maar Elizabeth zat al op hen te wachten. Toen ze de taxi betaald hadden en tastend hun weg zochten door de pikdonkere tuin naar het trapje omlaag naar hun eigen souterraindeur, vloog die open en werden ze vlug naar binnen getrokken voor een verboden glimpje licht naar buiten door kon dringen.

'O, arme schatten, ik dacht dat jullie nooit kwamen. Wat zijn jullie vreselijk laat.'

Ze omhelsden en kusten elkaar en Sophie en Penelope vertelden alles over hun akelige reis en daarna werden ze erg vrolijk omdat het zo'n opluchting was uit de kou en het donker en de trein te zijn, en in hun eigen huis.

De grote, vertrouwde ruimte strekte zich over de volle lengte van het huis uit. Aan de kant van de straat was de keuken-eetkamer, aan de kant van de tuin de zitkamer. Het licht brandde, want Elizabeth had dekens voor de ramen gehangen in plaats van verduisteringsgordijnen. Ze had ook het fornuis aangemaakt en er stond een pan met kippesoep te sudderen en de ketel zong. Sophie en Penelope deden hun jas uit en warmden hun handen en Elizabeth zette thee en gaf er kaneelbeschuitjes bij. En ze gingen aan tafel zitten en begonnen allemaal tegelijk te praten. Ze voelden zich niet meer zo terneergeslagen en de vervelende treinreis raakte vergeten.

'En hoe gaat het met die beste Lawrence?'

'Geweldig goed, maar hij maakt zich zorgen over zijn *Schelpenzoekers*, voor als er gebombardeerd wordt. Dat is een van de redenen waarom we hier zijn, om voor de verzending daarvan naar Cornwall te zorgen.' Sophie lachte. 'De rest van zijn bezittingen lijkt hem koud te laten.'

'En wie zorgt er voor hem?' Ze kreeg alles over Doris te horen. 'Evacués! O, wat vervelend voor jullie.' Ze praatte door om hun alles te vertellen wat er de laatste weken gebeurd was. 'Ik moet wat opbiechten. Die jongen op zolder is opgeroepen en vertrokken en ik heb de zolder in zijn plaats aan een jong stel gegeven. Het zijn vluchtelingen uit München. Ze zijn al een jaar hier maar moesten weg van hun kamers in St. John's Wood en konden niets vinden. Ze waren wanhopig, dus heb ik voorgesteld dat ze hier zouden komen. Je moet me mijn eigenmachtige optreden maar vergeven maar ze zaten zo omhoog en ik weet zeker dat het goede huurders zullen zijn.'

'Maar natuurlijk. Wat verstandig van je.' Sophie glimlachte waarderend. Elizabeth hield nooit op mensen te helpen. 'Hoe heten ze?'

'Friedmann. Willi en Lalla. Jullie moeten hen leren kennen. Ze komen vanavond bij ons koffie drinken, dus waarom komen Penelope en jij dan ook niet meteen? Peter wil jullie graag zien. En dan kunnen we nog eens praten. Net als vroeger.'

Ze straalde als het ware enthousiasme uit. Ze veranderde nooit. De ogen in haar knappe, gerimpelde gezicht stonden even helder en intelligent als altijd. Haar dikke, grijze haar droeg ze in een losse knot achter op haar hoofd. Haar kleren waren ouderwets maar toch niet te dateren. Er zaten vele ringen aan haar vingers met de opgezwollen knokkels.

'Natuurlijk doen we dat,' zei Sophie.

'Om een uur of negen dan? Wat heerlijk.'

Ze gingen en troffen de Friedmanns daar al aan, bij de gaskachel in de ouderwetse huiskamer van de Cliffords. Ze waren erg jong en erg beleefd en stonden op om zich te laten voorstellen. Maar ze waren ook oud, dacht Penelope. Ze hadden een soort door armoede getekende waardigheid en hun glimlach bereikte hun ogen niet.

Eerst was alles in orde. Ze praatten wat. Ze hoorden dat Willi Friedmann in München rechten had gestudeerd maar nu zijn brood verdiende met vertaalwerk voor een Londense uitgever. Lalla gaf pianoles. Lalla was op haar vreemde, bleke manier erg mooi. Ze zat heel rustig terwijl Willi's handen zenuwachtig bewogen. Hij rookte voortdurend en scheen het moeilijk te vinden stil te zitten.

Hij was nu een jaar in Engeland maar terwijl ze hem stilletjes observeerde, dacht Penelope dat hij er uitzag als iemand die net was aangekomen. Vol medelijden probeerde ze zich zijn leven voor te stellen. Hij moest zich een toekomst scheppen in een vreemd land, beroofd van zijn vrienden en collega's, en zijn brood verdienen op een manier die hem niet bevredigde. Waarschijnlijk maakte hij zich ook voortdurend zorgen over zijn familie in Duitsland. Ze stelde zich een vader, een moeder, broers en zusters voor, wier lot misschien nu al bezegeld was. Een ruk aan de bel, een klop op de deur in de stilte van de nacht, die de ergste vrees tot werkelijkheid maakte.

Elizabeth ging naar haar keukentje om koffie te halen. Peter haalde een fles cognac en kleine gekleurde glaasjes te voorschijn. Sophie wendde zich met haar charmante glimlach tot Willi en zei: 'Ik ben zo blij dat jullie hier zijn komen wonen. Ik hoop dat jullie hier erg gelukkig worden. Ik vind het alleen jammer dat wij niet ook hier zullen zijn, maar we moeten terug naar Cornwall om voor iedereen daar te zorgen. En we zullen het souterrain niet verhuren. Het is beter dat we onze eigen kamers hebben als we naar Londen willen komen om jullie allemaal op te zoeken. Maar als de bombardementen beginnen, moeten jullie daar gaan schuilen.'

Het was een verstandig idee. Tot dan toe was er alleen maar af en toe luchtalarm geweest dat bijna meteen gevolgd werd door het eindsignaal. Maar iedereen was voorbereid. Londen zat helemaal in de zandzakken, in de parken waren schuilkelders aangelegd, met waterreservoirs en noodvoorraden. En er was voor versperringsballons en luchtdoelkanonnen gezorgd en vele militairen wachtten van minuut tot minuut, van uur tot uur en van week tot week op het begin van de aanvallen.

Een verstandig idee, maar het had een schokkende uitwerking op Willi Friedmann.

'Ja,' zei hij. Hij goot in één teug zijn cognac naar binnen en protesteerde niet toen Peter zonder iets te zeggen zijn glas weer vulde. Willi begon te praten. Hij was Sophie dankbaar. Hij was Elizabeth dankbaar voor al haar vriendelijkheid. Zonder Elizabeth was hij dakloos, zonder mensen als Elizabeth en Peter waren Lalla en hij waarschijnlijk dood geweest. Of erger . . .

'O, kom nou, Willi,' zei Peter maar Willi was begonnen en leek niet te weten hoe hij weer moest ophouden. Hij had zijn tweede glas cognac op en was ver genoeg heen om de fles te pakken en zichzelf aan een derde te helpen. Lalla zat als verstard met ogen vol afschuw naar haar man te kijken maar probeerde niet hem tegen te houden.

Hij praatte. De woordenvloed werd een stroom die zich uitstortte over het hoofd van de vijf die als gehypnotiseerd naar hem zaten te luisteren. Penelope keek naar Peter maar Peter had enkel oog voor de arme, verwarde man. Misschien wist Peter dat Willi móest praten. Dat het er allemaal een keer uit moest en waarom dan niet nu, nu zijn vrouw en hij warm en veilig achter dikke gordijnen bij vrienden zaten.

Het ging maar door en hij vertelde hun meer – dingen die hij gezien en gehoord had, dingen die zijn vrienden waren overkomen. Na een poosje wilde Penelope niet meer luisteren, ze wilde haar vingers in haar oren stoppen en haar ogen dichtdoen en de akelige beelden doen verdwijnen. Maar ze bleef toch luisteren en werd geleidelijk overmand door een afschuw die niets te maken had met naar het bioscoopjournaal kijken of naar de radio luisteren of de krant lezen. Het werd ineens persoonlijk en de angst blies haar in de nek. De ontketende onmenselijkheid van de ene mens tegenover de andere was een schandaal en dat schandaal was ieders eigen verantwoordelijkheid. Dat betekende oorlog dus. Het was niet alleen je gasmasker dragen en verduisteren en giechelen om miss Pawson en de zolder witten voor de evacués. Maar het was een eindeloos veel ergere nacht-merrie, waaruit je niet opgelucht wakker kon worden. Het hielp niets of je wegliep of je hoofd onder de dekens stopte, je moest een zwaard pakken en vechten.

Zij had geen zwaard maar de volgende ochtend zei ze al vroeg tegen Sophie dat ze boodschappen ging doen. Toen ze vlak voor het mid-dageten terugkwam zonder kennelijk iets gekocht te hebben, wist Sophie niet meer wat ze ervan moest denken.

'Ik dacht dat je boodschappen wilde doen.'

Penelope pakte een stoel en ging zitten. En tegenover haar moeder aan de keukentafel gezeten vertelde ze haar dat ze voor de duur van de oorlog dienst genomen had bij de W.R.N.S., de vrouwenafdeling van de marine.

HOOFDSTUK 7

Antonia

De ochtend kwam steels, met tegenzin. Het was erg stil. Er stroomde koude lucht binnen door het open raam en daarachter hief de kastanjeboom kale takken op naar de grijze hemel zonder sterren.

Cornwall, zoals het toen was, vervulde nog steeds haar geest, als een schitterende droom, maar terwijl ze daar lag, glipte de droom weg in het verleden, waar hij misschien thuishoorde. Ronald en Clark waren geen kleine jongens meer maar volwassen mannen, die de wereld in waren getrokken. Hun moeder was niet meer Doris Potter maar Doris Penberth, nu bijna zeventig. En ze woonde nog steeds in het witte huisje in een van de oude straatjes van Porthkerris. Lawrence en Sophie waren al lang heengegaan, en de Cliffords ook. En Carn Cottage was weg, en Oakley Street ook, en zij lag hier in Gloucestershire in haar eigen bed, in haar eigen huis, Podmore's Thatch. En ze was – en dit was een van die gelegenheden waarbij het feit haar volkomen verraste, alsof de jaren haar een wrede poets hadden gebakken – geen negentien, maar vierenzestig. Niet eens meer van middelbare leeftijd maar al bijna bejaard. Een oudere vrouw met een dwaas hart dat op hol sloeg, waardoor ze in het ziekenhuis was beland. Een oudere vrouw met drie volwassen kinderen en allerlei nieuwe mensen in haar leven. Nancy, Olivia en Noel. En natuurlijk Antonia Hamilton, die kwam logeren. Wanneer kwam ze? Aan het eind van de volgende week. Nee, aan het eind van deze week. Want het was nu maandag. Maandagochtend. Mevrouw Plackett kwam altijd 's middags, onverwoestbaar op haar ouderwetse fiets. En de tuinman. De nieuwe tuinman begon vandaag, om half negen.

Die gedachte bracht Penelope meteen in beweging. Ze draaide zich om en keek op haar horloge. Half acht. Het was belangrijk dat ze aangekleed en wel beneden was als de tuinman kwam, anders dacht hij dat hij met een luie, oude vrouw te maken had. Je moest nu eenmaal een oogje op je personeel houden. Wie had het daar toch altijd over? Haar schoonmoeder natuurlijk, Dolly Keeling. Wie anders? Ze hoorde het haar nog zeggen terwijl ze haar vingers over de rand van de schoorsteenmantel haalde om te kijken of er stof lag, of de lakens van haar bed trok om er zeker van te kunnen zijn dat haar veelgeplaagde dienstbode het behoorlijk opmaakte. Die arme Dolly. Ook zij was heengegaan, nadat ze tot het laatst de schijn had opgehouden. Ze had geen gevoel van gemis nagelaten en dat was triest.

Half acht. Geen tijd te verliezen met herinneringen aan Dolly Keeling, die ze nooit had gemogen. Penelope stapte uit bed.

Een uur later had ze zich gewassen en aangekleed, alle deuren van slot gedaan en ontbeten. Sterke koffie, een gekookt eitje, geroosterd brood en honing. Terwijl ze aan haar tweede kopje koffie zat, luisterde ze of ze een auto aan hoorde komen. Ze had nog nooit iets met het hoveniersbedrijf te maken gehad maar ze wist dat de werknemers daarvan in een klein, groen bestelwagentje reden met in grote, witte letters AUTOGARDEN op de zijkanten. Ze was een beetje bang. Ze had nog nooit een tuinman gehad en hoopte dat hij niet nors en eigenwijs zou zijn. Ze moest hem meteen heel duidelijk zeggen dat hij niets mocht snoeien of weghalen zonder haar toestemming. Ze zou hem met iets eenvoudigs laten beginnen. De heg achter de boomgaard. Die kon hij snoeien. Ze nam aan dat hij met haar kleine kettingzaag om kon gaan. Was er genoeg benzine voor de motor in de garage? Zou ze gaan kijken terwijl er nog tijd was om wat bij te gaan halen?

Er was geen tijd want op dat moment werden die benauwde overwegingen abrupt onderbroken door het onverwachte geluid van voetstappen op het grind, die op weg waren naar het huis. Penelope zette haar kopje neer en stond op. Ze keek uit het raam. Daar kwam hij in het rustige, koele ochtendlicht naar haar toe. Een lange jongeman in een kaki jack en een spijkerbroek, waarvan de onderkant van de pijpen was weggestopt in zwarte rubberlaarzen. Zijn bruine haar was onbedekt. Terwijl ze naar hem keek, bleef hij even staan terwijl hij om zich heen keek, misschien omdat hij niet wist waar hij precies moest zijn. Ze zag zijn stevige schouders, zijn krachtige kin, de hoekige lijn van zijn kaken. Net als gisteren toen ze haar zoon Noel aan zag komen, sloeg haar hart over. Ze legde een hand op tafel, deed haar ogen dicht. Ze haalde diep adem. Haar hart kwam tot rust. Ze deed haar ogen weer open. De bel ging.

Ze liep naar de deur om open te doen. Daar stond hij. Lang. Langer dan zijzelf. 'Goedemorgen,' zei hij.

'Goedemorgen.'

'Mevrouw Keeling?'

'Ja.'

'Ik ben van Autogarden.'

Hij glimlachte niet. Zijn blauwe ogen knipperden niet. Zijn gezicht was mager en bruin. Hij had een rode, wollen das om zijn hals geknoopt maar zijn handen waren bloot.

Ze keek over zijn schouder. 'Ik heb geen auto gehoord.'

'Ik ben op de fiets. Die staat bij het hek. Ik wist niet zeker of dit het huis was.'

'Ik dacht dat de mannen van Autogarden altijd in die groene wagentjes reden.'

'Nee. Ik ben op de fiets gekomen.' Penelope fronste haar voorhoofd. Hij stak zijn hand in zijn zak. 'Ik heb een brief van mijn baas.' Hij haalde die te voorschijn en vouwde hem open. Ze zag het briefhoofd en werd meteen verlegen. 'Ik heb geen moment gedacht dat u niet echt van Autogarden was. Ik vroeg me alleen af . . .'

'Is dit Podmore's Thatch?' Hij stopte de brief weer in zijn zak.

'Ja, natuurlijk. Komt u binnen.'

'Nee. Ik wil u niet storen. Als u me alleen maar wilt zeggen wat ik moet doen . . . en me laat zien waar het gereedschap is. Omdat ik op de fiets gekomen ben, heb ik niets mee kunnen brengen.'

'O, dat geeft niet. Ik heb alles.' Ze wist dat het zenuwachtig klonk maar ze was ook zenuwachtig. 'Als u . . . als u even wilt wachten. Dan pak ik een jas.'

'Ja.'

Ze trok haar jas en haar laarzen aan en haalde de sleutel van de garage van de haak. Toen ze buiten kwam, zag ze dat hij zijn fiets had gehaald en tegen de muur van het huis zette.

'Die staat hier niet in de weg, hè?'

'Nee, natuurlijk niet.'

Ze ging hem voor over het grind en maakte de deuren van de garage open. Hij hielp haar daarbij en ze knipte het licht aan en daar was de gebruikelijke warboel. Haar oude Volvo, de drie kinderfietsen die ze met geen mogelijkheid weg kon gooien, een oude kinderwagen, de grasmaaier, een verzameling harken en schoffels en schoppen.

Ze wrong zich door die verzameling heen en bereikte een gammel ladenkastje, een overblijfsel uit Oakley Street, waarin ze hamers en schroevedraaiers, roestige blikjes met spijkers en eindjes touw bewaarde. Boven op het kastje lag de kettingzaag.

'Kunt u hiermee omgaan?'

'Natuurlijk.'

'Nou, dan moeten we maar eens kijken of er genoeg benzine is.' Die wàs er gelukkig. Niet veel, maar genoeg.

'Ik wil graag dat u mijn haagdoornheg snoeit.'

'Prima.' Hij legde de kettingzaag over zijn schouder en pakte het benzineblik op. 'Als u me even zegt waar ik moet zijn.'

Maar ze liep helemaal met hem mee, om er zeker van te zijn dat hij niet de verkeerde heg zou nemen. Ze liepen om het huis heen, over het grasveld en door de boomgaard. Toen stonden ze voor de haag-

doorns. Erachter stroomde, rustig en koud, het riviertje de Windrush.

'U woont hier mooi,' merkte hij op.

'Ja. Ja, het is mooi hier. Nu wil ik de heg op deze hoogte hebben.
Niet lager.'

'Wilt u het hout bewaren?'

Daar had Penelope niet over nagedacht. 'Is het dat waard?'

'Het brandt geweldig.'

'Goed. Bewaar de stukken die van nut kunnen zijn. En verbrand de
rest.'

'In orde.' Hij zette de zaag en het benzineblik neer. 'Dan ga ik nu
maar aan de gang.'

Het klonk net of hij haar zei dat ze kon gaan maar ze liet zich niet
wegsturen. 'Blijft u hier de hele dag?'

'Tot half vijf, als dat u uitkomt. 's Zomers werk ik van acht tot vier.'

'En tussen de middag?'

'Ik neem een uur vrij. Van twaalf tot een.'

'Nou . . .' Ze praatte tegen de achterkant van zijn hoofd. 'Als u iets
nodig hebt . . ., ik ben de hele dag thuis.'

Hij zat al op zijn hurken en pakte de kettingzaag. Hij gaf geen
antwoord maar knikte alleen. Ze had het gevoel dat ze hem in de weg
stond. Ze draaide zich om en liep een beetje geërgerd maar tegelijk
geamuseerd door de tuin terug naar het huis. In de keuken stond haar
koffiekopje nog halfvol op tafel. Ze nam een slokje maar de koffie was
koud geworden, dus gooide ze de rest in de gootsteen.

Tegen de tijd dat mevrouw Plackett kwam, was de kettingzaag al
een half uur te horen geweest en kringelde achter de boomgaard de
rook van een vuurtje omhoog in de stille ochtendlucht, zodat de heerlijke lucht van brandend hout de tuin vulde.

'Hij is er dus,' zei mevrouw Plackett toen ze binnenkwam. Ze leek
net een schip met volle zeilen. Omdat het koud was, droeg ze haar
bontmuts en ze had een plastic tas met werkschoenen en een schort bij
zich. Ze wist dat Penelope besloten had een tuinman te nemen, zoals
ze bijna alles wist wat er in het leven van haar werkgeefster omging.
Ze waren erg goede vriendinnen en hielden niets voor elkaar verborgen. Toen mevrouw Placketts dochter Linda 'te pakken genomen'
was door de jongen die in de garage van Pudley werkte, was mevrouw
Keeling de eerste aan wie mevrouw Plackett dat vertelde. En mevrouw
Keeling was een grote steun voor haar geweest, had zich fel verzet
tegen de gedachte dat Linda met die zwakkeling zou trouwen en had
een schattig jasje voor de baby gebreid. En uiteindelijk had ze gelijk
gekregen, want kort na de geboorte van de baby had Linda Charlie
Wheelwright leren kennen, de beste jongen die mevrouw Plackett ooit

gekend had, en hij was met Linda getrouwd en had de kleine bastaard erbij genomen en nu was er een tweede baby onderweg. Alles ging nu eenmaal zoals het moest gaan. Maar mevrouw Plackett bleef mevrouw Keeling dankbaar voor haar vriendelijke en praktische raad op een moeilijk moment.

'De tuinman? Ja, hij is er.'

'Ik zag de rook van het vuur al toen ik door het dorp fietste.' Ze zette haar bontmuts af en maakte haar jas los. 'Maar waar is de bestelwagen?'

'Hij is op de fiets.'

'Hoe heet hij?'

'Dat heb ik niet gevraagd.'

'Wat is het voor iemand?'

'Jong en hij praat netjes en ziet er goed uit.'

'Ik hoop dat ze iemand gestuurd hebben die een beetje betrouwbaar is.'

'Hij ziet er heel betrouwbaar uit.'

'O, nou.' Mevrouw Plackett bond haar schort voor. 'We zullen wel zien.' Ze wreef haar rode, gezwollen handen over elkaar. 'Het is koud vanochtend. En vochtig.'

'Neem een kop thee,' zei Penelope, zoals ze altijd deed.

'Nou, dat sla ik niet af,' zei mevrouw Plackett, zoals zij altijd deed. De ochtend was begonnen.

Mevrouw Plackett stofzuigde het hele huis, poetste de koperen traproeden, schrobde de keukenvloer, werkte een stapel strijkgoed weg en gebruikte minstens een half doosje boenwas. Toen vertrok ze om kwart voor twaalf om eten voor haar man te gaan koken. Ze liet een huis achter waar alles blonk. Penelope keek op de klok en ging eten voor twee klaarmaken. Ze zette een pan eigengemaakte groentesoep op en haalde een halve koude kip en bruinbrood uit de kast. Ze dekte de keukentafel met een geruit, katoenen tafellaken. Als de zon geschenen had, had ze de tafel in de serre gedekt, maar het was een sombere, bewolkte dag. Ze zette een glas en een blikje bier voor hem klaar. Later wilde hij misschien wel thee. Hij zou zo wel komen. Ze wachtte.

Toen hij om tien over twaalf nog niet was verschenen, ging ze hem zoeken. Ze vond een keurig gesnoeide heg, een smeulend vuurtje en een stapeltje hout maar geen spoor van de tuinman. Ze had hem wel willen roepen maar dat kon niet omdat ze zijn naam niet wist. Ze ging terug naar het huis en begon zich af te vragen of hij er na één ochtend al de brui aan gegeven had. Maar zijn fiets stond nog tegen het huis, dus ze wist dat hij in de buurt was. Ze liep over het grind naar de garage en daar zat hij op een omgekeerde emmer een boterham te eten. Hij

140

had al zijn aandacht bij wat alleen maar de puzzel uit *The Times* kon zijn.

'Wat doe je in vredesnaam hier?' vroeg ze verontwaardigd.

Hij sprong overeind, zo schrok hij van haar onverwachte verschijning en haar stem, waarbij hij zijn krant liet vallen en de emmer omstootte, wat een vreselijk lawaai maakte. Hij had zijn mond vol en moest een hele tijd kauwen en slikken voor hij iets kon uitbrengen. Hij was rood en voelde zich kennelijk enorm opgelaten.

'Ik . . . ik zit te eten.'

'Eten?'

'Van twaalf tot een. U zei dat dat goed was.'

'Maar niet hier. Niet op een emmer in de garage. Je moet binnen bij mij komen eten. Ik dacht dat je dat begrepen had.'

'Bij u?'

'Waar anders? Geven je andere werkgevers je geen middageten?'

'Nee.'

'Ik heb nog nooit zo iets afschuwelijks gehoord. Hoe kun je nu een hele dag werken op een boterham?'

'Dat lukt me best.'

'Nou, toch niet bij mij. Gooi dat vreselijke stuk brood weg en kom binnen.'

Hij keek nogal onthutst maar deed wat hem gezegd werd, dat wil zeggen hij gooide de boterham niet weg maar deed er een stuk papier om en deed hem toen in zijn fietstas. Hij raapte de krant op en borg die ook op. Toen zette hij de emmer weg. Daarna liep hij achter haar aan naar binnen. Hij deed zijn jasje uit, zodat een marineblauwe trui met veel stoppen zichtbaar werd. Hij waste zijn handen, droogde ze af en nam zijn plaats aan tafel in. Ze zette een grote kom dampende soep voor hem neer en zei hem dat hij brood en boter moest nemen. Ze nam zelf een kleinere kom en ging naast hem zitten.

'Dit is werkelijk erg vriendelijk van u,' zei hij.

'Helemaal niet vriendelijk. Zo doe ik dat altijd. Nee, dat is niet waar, want ik heb nog nooit een tuinman gehad. Maar als er iemand voor mijn ouders aan het werk was, nodigden ze hem altijd binnen om te eten. Ik heb er nooit bij stilgestaan dat dat ook anders kon. Het spijt me. Misschien was dat kleine misverstand wel helemaal mijn schuld. Ik had het duidelijker moeten zeggen.'

'Ik had het niet begrepen.'

'Nee, natuurlijk niet. En vertel me nu eens alles over jezelf. Hoe heet je?'

'Danus Muirfield.'

'Wat een volmaakte naam.'

'Heel gewoon, dacht ik.'

'Volmaakt voor een tuinman, bedoel ik. Sommige mensen hebben een naam die precies bij hun beroep past. Wat had Charles de Gaulle nu anders kunnen worden dan de bevrijder van Frankrijk? En die arme Alger Hiss moest met zo'n naam wel spion worden.'

'Toen ik klein was, hadden we in onze kerk een dominee die Paternoster heette,' zei hij.

'Zie je . . . dat bedoel ik nou. Waar woonde je toen? Waar ben je opgegroeid?'

'In Edinburgh.'

'Je bent dus een Schot.'

'Ja, dat denk ik wel.'

'Wat doet je vader?'

'Hij is advocaat.'

'En wilde jij dat niet worden?'

'Ik heb het wel een poosje gedacht maar toen . . .' Hij haalde zijn schouders op. 'Ik ben van gedachten veranderd. En naar de landbouwschool gegaan.'

'Hoe oud ben je?'

'Vierentwintig.'

Ze was verbaasd. Hij leek ouder. 'Vind je het prettig bij Autogarden?'

'O ja. Zo afwisselend.'

'Hoe lang werk je daar al?'

'Een maand of zes.'

'Ben je getrouwd?'

'Nee.'

'Waar woon je?'

'In een huisje bij de boerderij van Sawcombe, net buiten Pudley.'

'O, ik ken de Sawcombes wel. Woon je daar leuk?'

'Dat gaat best.'

'Wie zorgt er voor je?'

'Ik zorg voor mezelf.'

Ze dacht aan de boterham die ze gezien had. Stelde zich het ongezellige huisje voor, met een onopgemaakt bed en wasgoed dat bij de kachel hing te drogen. Ze vroeg zich af of hij wel ooit een behoorlijke maaltijd voor zichzelf klaarmaakte.

'Ben je in Edinburgh op school geweest?' vroeg ze. Ze was plotseling heel benieuwd naar zijn jeugd, wilde weten wat hem ertoe bewogen had zo'n eenvoudig leven te kiezen.

'Ja.'

'Ben je meteen toen je van school kwam naar de landbouwschool gegaan?'

'Nee. Ik ben eerst een paar jaar in Amerika geweest. Ik heb in Arkansas op een boerderij gewerkt.'

'Ik ben nog nooit in Amerika geweest.'

'Het is een geweldig land.'

'Heb je er nooit aan gedacht daar te blijven ... voorgoed, bedoel ik?'

'Ik heb eraan gedacht maar ik heb het niet gedaan.'

'Ben je de hele tijd in Arkansas geweest?'

'Nee. Ik heb een rondreis gemaakt. Ik heb een heleboel van het land gezien. Ik ben ook zes maanden op de Maagdeneilanden geweest.'

'Wat een ervaring!'

Hij had zijn soep op. Ze vroeg hem of hij nog wat wilde en hij zei ja, dus vulde ze zijn kom nog eens. Terwijl hij zijn lepel pakte, zei hij: 'U zei dat u nog nooit een tuinman had gehad. Hebt u dan alles hier zelf gedaan?'

'Ja,' zei ze met enige trots. 'Het was een wildernis toen ik hier kwam.'

'U hebt er kennelijk verstand van.'

'Dat weet ik niet.'

'Hebt u hier altijd gewoond?'

'Nee. Ik heb het grootste deel van mijn leven in Londen gewoond. Maar daar had ik ook een grote tuin en daarvóór, als meisje, heb ik in Cornwall gewoond en daar was ook een tuin. Ik heb geluk gehad. Ik heb altijd een tuin gehad. Ik kan me niet voorstellen hoe ik zonder tuin zou moeten leven.'

'Hebt u kinderen?'

'Ja. Drie. Alle drie volwassen. Er is er een getrouwd. Ik heb twee kleinkinderen.'

'Mijn zuster heeft twee kinderen,' zei hij. 'Ze is met een boer in Perthshire getrouwd.'

'Kom je nog wel in Schotland?'

'Ja. Een paar keer per jaar.'

'Het moet er erg mooi zijn.'

'Ja,' zei hij. 'Ja, het is er mooi.'

Na de soep at hij bijna alle kip op. Hij wilde geen bier maar was blij met een kop thee. Toen keek hij op de klok. Hij stond op. Het was vijf voor een.

'Ik ben klaar met de heg,' zei hij. 'Ik zal het hout naar het huis brengen. Als u me dan wilt wijzen waar ik het op moet bergen ... En misschien wilt u me ook zeggen wat ik dan moet gaan doen. En ook hoeveel dagen in de week u me nodig hebt.'

'Ik had drie dagen gezegd maar als je zo vlug werkt, heb ik aan twee misschien wel genoeg.'

'Dat is in orde. Zegt u het maar.'
'Hoe moet ik je betalen?'
'U betaalt Autogarden en zij betalen mij.'
'Ik hoop dat ze je goed betalen.'
'Heel behoorlijk.'
Hij pakte zijn jasje en trok het aan. 'Waarom hebben ze je geen auto gegeven?' vroeg ze.
'Ik rijd niet.'
'Maar alle jonge mensen rijden tegenwoordig. Je zou het gemakkelijk kunnen leren.'
'Ik zei niet dat ik niet kòn rijden,' zei Danus Muirfield. 'Ik zei dat ik het niet dééd.'

Toen ze hem gewezen had waar hij het hout kon leggen en hem weer aan het werk gezet had in haar moestuin, ging Penelope terug naar de keuken om af te wassen. '*Ik zei niet dat ik niet kòn rijden. Ik zei dat ik het niet dééd.*' Hij had geen bier willen hebben. Ze vroeg zich af of hij misschien dronken achter het stuur was betrapt, waarna hem zijn rijbewijs was afgenomen. Misschien had hij iemand doodgereden en toen gezworen dat hij nooit meer een druppel alcohol zou drinken. Ze huiverde bij de gedachte aan zo iets vreselijks. En toch kwamen zulke dingen voor. En het zou een heleboel verklaren . . . zijn strakke gezicht, zijn mond zonder glimlach, zijn starre ogen. Er was iets met hem. Een geheim. Maar ze mocht hem wel. O ja, ze mocht hem graag.

Om negen uur de volgende dag, een dinsdag, draaide Noel Keeling met zijn Jaguar Ranfurly Road op. Hij reed door de donkere regenachtige straat en stopte voor het huis van zijn zuster Olivia. Ze wist niet dat hij kwam en hij was erop voorbereid dat hij haar niet thuis zou treffen. Ze ging nu eenmaal erg vaak uit. Maar verrassend genoeg brandde er licht achter de dichtgetrokken gordijnen van haar zitkamer. Hij stapte dus uit, sloot de auto af en liep over het tuinpad naar haar voordeur om aan te bellen. Even later ging de deur open en daar stond Olivia, in een vuurrode, wollen peignoir, zonder make-up en met haar bril op. Ze was kennelijk niet gekleed voor bezoek. 'Hallo,' zei hij.
'Noel.' Het klonk verbaasd en dat mocht ook wel, want het was niet zijn gewoonte zomaar bij haar langs te gaan, al woonden ze dan niet eens zo ver van elkaar. 'Wat is er?'
'Ik kom gewoon eens aan. Heb je het druk?'
'Ja, nogal. Ik ben me aan het voorbereiden op een vergadering morgen. Maar dat doet er niet toe. Kom binnen.'
'Ik ben wat wezen drinken bij vrienden in Putney.' Hij streek zijn haar glad en volgde haar naar de zitkamer. Het was er zoals ge-

woonlijk heerlijk warm en er stonden overal bloemen . . . hij benijdde haar. Hij had haar altijd benijd. Niet alleen om haar succes maar om de manier waarop ze ieder onderdeel van haar drukke leven leek te beheersen. Op de lage tafel bij de haard lagen allerlei papieren maar ze pakte die vlug op en legde ze op haar bureau. Hij liep naar het vuur, ogenschijnlijk om zijn handen te warmen maar in werkelijkheid om een blik te werpen op de uitnodigingen die ze op de schoorsteen had gezet. Hij zag dat ze gevraagd was voor een huwelijksfeest waarvoor hij niet was uitgenodigd, en ook voor de opening van een nieuwe galerie in Walton Street.

'Heb je al gegeten?'

Hij draaide zich naar haar toe. 'Een paar canapés.'

'Wil je wat hebben?'

'Wat heb je aan te bieden?'

'Een restje quiche Lorraine. En crackers met kaas.'

'Dat zou geweldig zijn.'

'Eén moment dan. Schenk jezelf intussen wat te drinken in.'

Dat liet hij zich geen twee keer zeggen en hij hielp zichzelf aan een flink glas whiskysoda. Olivia liep naar haar kleine keukentje en Noel volgde haar. Hij trok een hoge kruk bij de afscheiding tussen de keuken en de kamer en ging zitten. Hij was nu precies een man in een café die met de barmeid zat te kletsen.

'Ik ben zondag bij ma geweest,' zei hij.

'O ja? Ik zaterdag.'

'Ja, dat zei ze. Met een decoratieve Amerikaan. Hoe vond je haar?'

'Ze zag er erg goed uit, naar omstandigheden.'

'Denk je dat het echt een hartaanval geweest is?'

'Nou, in elk geval een waarschuwing.' Ze keek hem een beetje spottend aan. 'Nancy heeft haar al begraven.' Noel lachte en schudde zijn hoofd. Over Nancy waren Olivia en hij het altijd eens geweest. 'Ze doet natuurlijk te veel. Dat heeft ze altijd gedaan. Maar ze heeft nu tenminste een tuinman gezocht. Dat is in elk geval een begin.'

'Ik heb geprobeerd haar ertoe te bewegen morgen naar Londen te komen.'

'Waarvoor?'

'Om naar Boothby te gaan. Om te zien hoe de Lawrence Stern onder de hamer komt. Te horen wat hij opbrengt.'

'O ja, *De waterdraagsters*. Daar had ik helemaal niet meer aan gedacht. Zei ze dat ze zou komen?'

'Nee.'

'Nou, waarom zou ze ook? Zij wordt er geen cent rijker van.'

'Nee.' Noel keek neer op zijn glas. 'Maar dat zou ze wel worden als ze haar eigen schilderijen verkocht.'

'Als je *De schelpenzoekers* bedoelt, dan moest je wijzer zijn. Dat schilderij zal ze nooit verkopen.'

'En de panelen?'

Olivia keek hem argwanend aan. 'Heb je het daar met mama over gehad?'

'Waarom niet? Het zijn vreselijke schilderijen, geef het maar rustig toe. En ze hangen daar boven aan de trap gewoon te vergaan. Ze zou ze niet eens missen.'

'Ze zijn onvoltooid.'

'Ik wilde dat niet iedereen dat voortdurend tegen me zei. Ik denk dat ze toch wel heel wat op zouden brengen vanwege de zeldzaamheidswaarde.'

Ze zweeg even en zei toen: 'En als ze ze nu eens verkocht?' Ze pakte een blad, legde er een vork en een mes bij en zette er borden, boter en kaas op. 'Ga je haar dan voorstellen wat ze met de buit moet doen of laat je dat aan haarzelf over?'

'Je kunt je geld veel beter weggeven terwijl je nog leeft.'

'Dus jij wilt het in je begerige klauwtjes krijgen?'

'Niet ik speciaal. Wij alle drie. O, kijk nu niet zo vreemd, Olivia, het is niet iets om je voor te schamen. Iedereen heeft tegenwoordig geld te weinig en vertel me niet dat Nancy niet heel goed wat duiten zou kunnen gebruiken. Ze loopt altijd maar te mekkeren dat alles zo duur is.'

'Dat geldt misschien voor Nancy en jou. Maar mij kun je erbuiten laten.'

Noel draaide zijn glas rond. 'Je zou toch geen nee zeggen, denk ik.'

'Ik hoef niets van mama te hebben. Ze heeft ons al genoeg gegeven. Ik wil alleen maar dat ze er is, gezond en wel, zonder geldzorgen en in staat van haar leven te genieten.'

'Ze zit er warmpjes bij. Dat weten we allemaal.'

'O ja? En in de toekomst? Ze kan wel heel oud worden.'

'Des te meer reden om die armzalige nimfen te verkopen. Dan kan ze het geld beleggen voor haar oude dag.'

'Ik wil er niet over praten.'

'Dus je vindt het geen goed idee?'

Olivia gaf geen antwoord. Ze pakte eenvoudig het blad op en liep ermee naar de haard. Terwijl hij haar volgde, stelde hij vast dat geen vrouw zo'n geduchte indruk kon maken als Olivia als je probeerde iets te doen dat zij niet goedkeurde.

Ze zette het blad nogal hard op de lage tafel. Toen richtte ze zich op. Ze keek hem recht aan. 'Nee,' zei ze.

'Waarom niet?'

'Ik vind dat je mama met rust moet laten.'

'Best.' Hij gaf meteen toe. Hij wist dat dat de beste manier was om uiteindelijk te krijgen wat hij hebben wilde. Hij ging in een van haar lage stoelen zitten en boog zich naar voren om aan zijn geïmproviseerde maal te beginnen. Olivia leunde tegen de schoorsteenmantel, haar handen diep in de zakken van haar peignoir. Hij voelde dat ze naar hem keek. 'We vergeten de panelen. Praten over iets anders.'

'Waarover?'

'Nou, heb je ma bij voorbeeld ooit over ruwe olieverfschetsen horen praten die Lawrence Stern voor al zijn grote werken heeft gemaakt?'

Hij had zich de hele dag afgevraagd of hij Olivia al of niet zou vertellen over de oude brief die hij gevonden had. Uiteindelijk had hij besloten het risico te nemen. Olivia kon een belangrijke bondgenote zijn. Zij was de enige van hen drieën die enige invloed op hun moeder had. Terwijl hij de vraag stelde, keek hij haar aan en hij zag dat er een behoedzame, argwanende uitdrukking op haar gezicht kwam. Dat was natuurlijk te verwachten.

Het bleef even stil. 'Nee,' zei ze toen. Hij wist dat ze de waarheid sprak, want dat deed ze altijd. 'Nooit.'

'Die moeten er geweest zijn.'

'Hoe ben je op dat idee gekomen?'

Hij vertelde haar over de brief.

'*De terrazzotuin*? Dat schilderij hangt in het Metropolitan in New York.'

'Precies. En als er een ruwe schets is gemaakt voor *De terrazzotuin*, waarom dan niet voor *De waterdraagsters* en *De vrijage van de visser* en al die andere klassieke werken die nu in vervelende musea in alle zichzelf respecterende hoofdsteden van de wereld hangen?'

Olivia dacht even na. Toen zei ze: 'Ze zijn waarschijnlijk vernietigd.'

'O, onzin. Hij vernietigde nooit iets. Dat weet jij ook wel. Geen huis heeft ooit zo vol met oude rommel van eeuwen gezeten als Oakley Street. Behalve Podmore's Thatch misschien. Die zolder van ma is vreselijk riskant met het oog op brand, weet je. Als een verzekeringsman zag wat daar allemaal onder het riet staat, kreeg hij meteen een beroerte.'

'Ben je daar de laatste tijd dan nog geweest?'

'Zondag, om mijn squash-racket te zoeken.'

'Zocht je nergens anders naar?'

'Nou, ik heb eens rondgekeken.'

'Naar ruwe schetsen.'

'Zo iets.'

'Maar je hebt ze niet gevonden.'

'Natuurlijk niet. Je zou nog geen olifant kunnen vinden in al die troep.'

'Wist mama waar je naar zocht?'

'Nee.'

'Je bent een akelig wezen, Noel. Waarom moet je toch altijd alles zo stiekem doen?'

'Omdat ze evenmin weet wat er op die zolder is als ze vroeger wist wat er allemaal in Oakley Street op zolder te vinden was.'

'En wat is er dan wel?'

'Van alles. Oude dozen, kisten met kleren en bundels brieven. Paspoppen, poppewagens, voetenbankjes, zakken met tapisseriewol, weegtoestellen, dozen met houten blokken, stapels tijdschriften, breipatronen, oude schilderijlijsten . . . je kunt het zo gek niet bedenken of het is er. En zoals ik al zei, eigenlijk heel gevaarlijk. Met dat riet. Eén vonkje en het hele huis brandt uit. Je kunt alleen maar hopen dat ma zich dan nog op tijd kan redden. Dit is heerlijke quiche, weet je. Zelf gebakken?'

'Ik bak nooit iets. Ik koop alles in de supermarkt.' Ze liep naar de tafel achter hem. Hij hoorde dat ze iets inschonk en hij veroorloofde zich een glimlach, want hij wist dat hij haar ongerust had gemaakt en zo haar aandacht en naar hij hoopte haar sympathie had opgewekt. Met het glas in haar hand kwam ze tegenover hem op de bank zitten.

'Noel, denk je echt dat het gevaarlijk is?'

'Ja. Eerlijk.'

'Wat moeten we dan doen?'

'Die hele zolder leeghalen.'

'Dat zou mama nooit willen.'

'Nou, de boel sorteren dan. Maar de helft van de troep is alleen nog maar geschikt om verbrand te worden, zoals die tijdschriften en de breipatronen en de tapisseriewol . . .'

'Waarom die tapisseriewol?'

'Die zit vol motten.'

Daar zei ze niets op. Hij had de quiche op en begon nu aan de kaas.

'Noel. Je zit niet alleen maar te overdrijven om een goed excuus te hebben om te gaan snuffelen? Als je die ruwe schetsen of iets anders van waarde vindt, mag je niet vergeten dat alles in dat huis van mama is.' Met een uitdrukking van vlekkeloze onschuld in zijn ogen keek hij haar aan. 'Je denkt toch niet dat ik iets zou willen stelen?'

'Daar acht ik je best toe in staat.'

Hij ging daar niet op in. 'Heb jij enig idee wat die ruwe schetsen waard zijn? Minstens vijfduizend per stuk.'

'Waarom doe je net of je weet dat ze er zijn?'

'Ik weet niet of ze er zijn. Ik denk het alleen maar. Maar belangrijker is, dat het zo gevaarlijk is op die zolder. Ik vind dat daar iets aan gedaan zou moeten worden.'

'Denk je dat we het hele huis opnieuw zouden moeten laten taxeren voor de verzekering, als we toch bezig zijn?'

'George Chamberlain heeft daar destijds voor gezorgd. Misschien zou je eens met hem moeten praten. En ik heb dit weekend niets. Ik ga er meteen vrijdagavond heen om aan het herculeswerk te beginnen. Ik bel ma gewoon op dat ik kom.'

'Vraag je dan ook naar die schetsen?'

'Vind je dat ik dat moet doen?'

Olivia antwoordde niet meteen. Toen zei ze: 'Nee, doe het maar niet.' Hij keek haar een beetje verbaasd aan. 'Ik denk dat het haar zou opwinden en ik wil niet dat ze zich opwindt. Als ze te voorschijn komen, kunnen we het haar vertellen. En als ze er niet zijn, maakt het toch geen verschil. Maar je moet niet over het verkopen van haar schilderijen beginnen, Noel. Daar heb je echt niets mee te maken.'

Hij legde zijn hand op zijn hart. 'Op mijn woord als padvinder.' Hij glimlachte. 'Ik heb je dus weten om te praten.'

'Je bent een stiekeme schurk en je zult me nooit ompraten.'

Hij accepteerde dat heel kalm, at zwijgend door tot alles op was en stond toen op om zijn glas nog eens te gaan vullen.

'Ga je echt?' vroeg Olivia achter hem. 'Naar Podmore's Thatch, bedoel ik?'

'Ik zie niet in waarom niet.' Hij liep terug naar zijn stoel. 'Hoezo?'

'Dan zou je wat voor me kunnen doen.'

'Ik?'

'Weet je wie ik bedoel met Cosmo Hamilton?'

'Cosmo Hamilton? Maar natuurlijk. Die geliefde van je in het zonnige Spanje. Zeg niet dat hij weer in je leven is gekomen.'

'Nee, hij is niet in mijn leven gekomen. Hij is helemaal niet meer in leven. Hij is dood.'

Noel schrok nu toch echt. 'Dood.' Olivia's gezicht was kalm, maar erg bleek. 'O, dat spijt me,' zei Noel. 'Wat is er gebeurd?'

'Ik weet het niet. Hij is in het ziekenhuis overleden.'

'Wanneer heb je dat gehoord?'

'Vrijdag.'

'Maar hij was nog jong.'

'Hij was zestig.'

'Wat afschuwelijk dat hij dood is.'

'Ja. Maar zie je, hij heeft een dochter, Antonia. Zij komt morgen op Heathrow aan en blijft een paar dagen hier logeren. En dan gaat ze naar Podmore's Thatch om mama een poosje gezelschap te houden.'

'Weet ma dat?'

'Natuurlijk. Dat hebben we zaterdag afgesproken.'
'Ze heeft er niets van gezegd.'
'Nee, dat zal wel niet.'
'Hoe oud is dat kind . . . Antonia?'
'Achttien. Ik was van plan haar zelf te brengen en het weekend te blijven maar ik zit met een man . . .'

Noel was weer helemaal zichzelf. Met opgetrokken wenkbrauwen vroeg hij: 'Zakelijk of voor je plezier.'

'Volkomen zakelijk. Een Franse ontwerper, honderd procent homo. Ik moet hem dit weekend spreken en . . .'

'Dus?'

'Dus als je vrijdagavond naar Gloucestershire gaat, zou je me een groot plezier doen als je haar mee wilde nemen.'

'Is ze knap?'

'Hangt je antwoord daarvan af?'

'Nee, maar ik zou het wel graag willen weten.'

'Op haar dertiende was ze heel charmant.'

'Niet dik en met puistjes?'

'Helemaal niet. Toen mama bij ons op Ibiza logeerde, was Antonia er ook. Ze konden het erg goed met elkaar vinden. En sinds mama ziek geweest is, zeurt Nancy steeds maar dat ze niet alleen zou moeten wonen. Nou, als Antonia bij haar is, is ze niet alleen. Ik vond dat nogal een goed idee.'

'Je hebt het allemaal prima geregeld, hè?'

Olivia negeerde zijn spot. 'Wil je haar meenemen?'

'Natuurlijk.'

'Hoe laat kom je haar halen?'

Vrijdagavond . . . Hij rekende . . . 'Zes uur.'

'Dan zal ik zorgen dat ik er ben. En, Noel . . .' Ze glimlachte ineens. Dat had ze de hele avond nog niet gedaan maar nu deed ze het wel en even was er iets van gevoel tussen hen, een soort verbondenheid. Ze leken wel een liefhebbende broer en zus die juist een gezellig uurtje met elkaar hadden doorgebracht. '. . . ik ben je erg dankbaar.'

De volgende ochtend op kantoor belde Olivia Penelope.

'Mama.'

'Olivia.'

'Mama, hoor eens, ik heb mijn plannen moeten veranderen. Ik kan dit weekend toch niet komen. Ik heb zaken af te doen met een Fransman en die is alleen zaterdag en zondag beschikbaar. Het spijt me vreselijk.'

'En Antonia?'

'Noel brengt haar. Heeft hij u nog niet opgebeld?'

'Nee.'

'Dan zal hij dat nog wel doen. Hij komt vrijdag en blijft een paar dagen. We hebben gisteravond een langdurige familieconferentie gehouden en besloten dat er werkelijk wat aan die zolder van u gedaan moet worden. Die staat zo vol dat het echt gevaarlijk wordt.'

'Een familieconferentie?' Het klonk verbaasd. 'Noel en jij?'

'Ja, hij kwam gisteravond langs en heeft hier wat gegeten. Hij zei dat hij bij u op zolder geweest was om iets te zoeken en dat het daar zo'n bende is, dat het werkelijk gevaarlijk wordt met het oog op brand. Dus hebben we besloten dat hij naar u toe zou gaan om de boel op te ruimen. Maak u niet boos, we zijn echt niet zo bazig, alleen maar bezorgd. En hij heeft beloofd dat hij niets zou weggooien of verbranden zonder uw toestemming. Ik vind het nogal vriendelijk van hem en word nu niet nijdig en ga niet zeggen dat we u als een idioot behandelen of zo.'

'Ik ben helemaal niet nijdig en ik vind het ook heel aardig van Noel. Ik neem me al vijf jaar voor de boel nu toch eens uit te zoeken, maar het is zo'n enorm karwei dat ik altijd wel weer een excuus kan vinden om het niet te doen. Denk je dat Noel het alleen klaarspeelt?'

'Antonia is er dan ook. Ze zal het waarschijnlijk enig vinden. Maar ga alstublieft zelf niet die zolder op.'

Penelope kreeg een idee. 'Ik zou Danus kunnen vragen ook te komen. Nog een paar sterke armen kunnen ze vast wel gebruiken en dan kan hij voor het vuur zorgen.'

'Wie is Danus?'

'Mijn nieuwe tuinman.'

'Ik had helemaal niet meer aan hem gedacht. Wat is het voor iemand?'

'Een lieverd. Is Antonia er al?'

'Nee. Ik ga haar vanavond van het vliegveld halen.'

'Doe haar de groeten en zeg dat ik erg naar haar uitzie.'

'Dat zal ik doen. En Noel en zij komen vrijdagavond en zullen dan nog wel wat willen eten. Het spijt me dat ik er dan niet ook kan zijn.'

'Ik zal je missen. Maar een andere keer dan maar.'

'Tot kijk dan, mama.'

'Tot ziens, liefje.'

's Avonds belde Noel.

'Ma.'

'Noel.'

'Hoe is het met u?'

'Uitstekend. Ik heb gehoord dat je het weekend komt.'

'Heeft Olivia u gebeld?'

'Vanochtend.'

'Ze zegt dat ik die zolder van u leeg moet gaan maken. Ze zegt dat ze er nachtmerries van heeft en u in vlammen op ziet gaan.'

'Ja, dat heeft ze me verteld. Ik vind het een goed idee. En het is erg aardig van je dat je het wilt doen.'

'Nou, dat valt mee. We dachten dat u hels zou zijn.'

'Dan hadden jullie het mis,' antwoordde Penelope, die dat nieuwe beeld van haarzelf als een koppige oude dame een beetje moe werd. 'En ik zal Danus laten komen om te helpen. Dat is mijn nieuwe tuinman en ik weet zeker dat hij het niet erg vindt. Hij kan erg goed vuurtjes stoken.'

Noel aarzelde even en zei toen: 'Geweldig.'

'En je brengt Antonia mee. Ik verwacht jullie dan vrijdagavond. En rijd niet te hard.'

Ze wilde de hoorn al neerleggen maar hij voelde dat en riep: 'Ma!' Ze bracht de hoorn weer naar haar oor.

'Ik dacht dat we klaar waren.'

'Ik wil je nog vertellen hoe het met de veiling is gegaan. Ik ben vanmiddag naar Boothby geweest. Hoeveel denk je dat *De waterdraagsters* heeft opgebracht?'

'Ik heb geen idee.'

'Tweehonderdvijfenveertigduizend en achthonderd pond.'

'Lieve hemel. Wie heeft het gekocht?'

'Een Amerikaanse kunstgalerij. In Denver in Colorado, geloof ik.'

Ze schudde verbaasd haar hoofd, alsof hij haar kon zien.

'Wat een bedrag.'

'Om misselijk van te worden, hè?'

'Het zet je in elk geval aan het denken,' zei ze.

Donderdag. Tegen de tijd dat Penelope uit bed en beneden was, was de tuinman al aan het werk. Ze had hem een sleutel van de garage gegeven, zodat hij bij het gereedschap kon, en uit haar slaapkamerraam zag ze hem al in de moestuin bezig. Ze stoorde hem niet, want die eerste dag had ze begrepen dat hij niet alleen iemand was die hard werkte maar ook iemand die graag alleen was en het niet leuk vond als er voortdurend iemand kwam kijken wat hij deed. Als hij iets nodig had, kwam hij het wel vragen. En anders ging hij gewoon door met zijn werk.

Maar toen ze om kwart voor twaalf klaar was met haar huishoudelijke bezigheden, ging ze toch maar even naar de tuin om hem eraan te herinneren dat ze hem voor het middageten binnen verwachtte. Het was wat warmer en de zon scheen. De zon gaf nog wel niet veel warmte maar toch wilde ze de tafel in de serre dekken, zodat ze daar konden eten.

'Goedemorgen.'

Hij richtte zich op, leunend op de schop. 'Goedemorgen, mevrouw Keeling.'

Hij had zijn jasje en trui uitgedaan en werkte in zijn hemdsmouwen. Zijn onderarmen waren bruin en gespierd. Terwijl ze naar hem keek, veegde hij met zijn pols wat modder van zijn kin. Het gebaar deed erg bekend aan maar nu was ze daarop voorbereid en het bracht haar hart niet meer van slag maar deed haar alleen plezier.

'Je ziet er warm uit,' zei ze.

Hij knikte. 'Het is warm werk.'

'Om twaalf uur is het eten klaar.'

'Fijn.'

Hij ging verder met spitten. Er fladderde een roodborstje rond, evenzeer op zoek naar gezelschap als naar wormen, dacht Penelope. Roodborstjes hielden erg van gezelligheid. Ze draaide zich om en liep terug naar het huis. Onderweg plukte ze een bosje vroege primula's. Er zat een sterke geur aan de bloemen die haar aan de lichte sleutelbloemen van Cornwall herinnerde, die al bloeiden als de rest van het land zich nog in de greep van de winter bevond.

Ik moet nu toch gauw gaan, zei ze tegen zichzelf. De lente in Cornwall is zo verrukkelijk. Ik moet gauw gaan, anders is het te laat.

'Danus, wat doe je in de weekends?' vroeg ze.

Vandaag gaf ze hem koude ham en gebakken aardappelen en bloemkool met kaassaus. En vruchtentaartjes en eiervla toe. Niet maar een hapje maar een behoorlijk maal. En ze at zelf met hem mee en vroeg zich af of ze op deze manier niet erg dik zou worden.

'Niets bijzonders.'

'Ik bedoel, werk je in de weekends ook?'

'Ik doe soms 's zaterdagsmorgens wat voor de bankdirecteur van Pudley. Hij houdt meer van golf dan van tuinieren en zijn vrouw klaagt over het onkruid.'

Penelope glimlachte. 'De arme man. En 's zondags?'

'Dan ben ik altijd vrij.'

'Zou je dan een dag hier willen komen? Ik zal jou betalen en niet Autogarden en dat is heel eerlijk, want het gaat niet om werk in de tuin.'

Hij keek een beetje verbaasd en dat was geen wonder.

'Wat moet ik dan doen?'

Ze vertelde hem van Noel en de zolder. 'Er is daar zoveel rommel en het moet allemaal naar beneden en uitgezocht. Dat kan hij met geen mogelijkheid alleen. Ik zou het fijn vinden als je hem een handje wilde helpen.'

'Natuurlijk wil ik komen. Maar u hoeft me niet te betalen.'
'Maar ...'
'Nee,' zei hij vastbesloten. 'Ik wil er geen geld voor hebben. Hoe laat zal ik komen?'
'Een uur of negen?'
'Prima.'
'Dat wordt gezellig met het eten 's middags. Er is dan ook een meisje dat een paar weken bij me komt logeren. Noel brengt haar morgenavond mee. Ze heet Antonia.'
'Dat is leuk voor u,' zei Danus.
'Ja.'
'Een beetje gezelschap.'

Nancy was niet erg in kranten geïnteresseerd. Als ze naar het dorp moest om boodschappen te doen, wat ze bijna elke ochtend deed, want de communicatie tussen mevrouw Croftway en haar verliep nooit zo vlot en ze schenen altijd net zonder boter of poederkoffie of jusblokjes te zitten, kocht ze gewoonlijk een *Daily Mail* of een nummer van *Woman's Own* om onder de lunch door te kijken, maar *The Times* kwam het huis pas 's avonds binnen, in de diplomatentas van George.

Donderdag was de vrije dag van mevrouw Croftway en dan was Nancy in de keuken als George thuiskwam. Ze hadden viscroquetjes voor het avondeten, die mevrouw Croftway al klaargemaakt had, maar Croftway had een mand met van die akelige, bittere spruitjes van hem binnengebracht en Nancy stond die bij de gootsteen schoon te maken. Ze haatte het werkje en wist zeker dat de kinderen ze toch niet zouden willen eten. Toen hoorde ze de auto aankomen. Even later ging de achterdeur open en kwam haar man binnen. Hij zag er moe uit. Ze hoopte dat hij geen vervelende dag had gehad, want dan moest zij het meestal bezuren.

Ze keek op en glimlachte vastberaden. George keek zo zelden opgewekt dat het belangrijkste was dat ze zich niet door zijn sombere stemming liet aansteken maar de illusie bewaarde – ook al was zijzelf de enige die zich daardoor liet bedriegen – dat ze een hartelijke en vriendschappelijke relatie hadden.

'Hallo, schat. Heb je een goede dag gehad?'
'Ja, hoor.'
Hij liet zijn diplomatentas op tafel vallen en haalde *The Times* eruit. 'Moet je dit eens zien.'

Nancy was verbaasd over zijn toeschietelijkheid. De meeste avonden gromde hij enkel iets om dan meteen naar de bibliotheek te verdwijnen voor een rustig uurtje voor het eten. Er moest iets bijzonders gebeurd zijn. Ze hoopte dat het geen atoombom was. Ze liet de spruitjes in de steek, waste haar handen en ging naast hem staan. Hij spreidde de krant op de tafel uit, bladerde tot hij bij de kunstpagina was en wees toen met een lange, bleke wijsvinger een kolom aan.

Ze staarde wanhopig naar de onduidelijke letters. 'Ik heb mijn bril niet op,' zei ze.

Hij zuchtte. 'Het nieuws over de veiling, Nancy. Dat schilderij van je grootvader is gisteren bij Boothby verkocht.'

'Was dat gisteren?' Ze was *De waterdraagsters* niet vergeten. Ze had integendeel sinds die lunch in *L'Escargot* voortdurend aan haar gesprek met Olivia moeten denken, maar ze werd zo geobsedeerd door de mogelijke waarde van de schilderijen die nog in Podmore's Thatch hingen, dat ze niet meer aan de dag van de veiling had gedacht. Ze had nooit goed data kunnen onthouden.

'Weet je wat het heeft opgebracht?' Nancy schudde haar hoofd. 'Tweehonderdvijfenveertigduizend en achthonderd pond.'

Hij sprak de magische woorden zo duidelijk uit dat ze hem onmogelijk verkeerd kon verstaan. Nancy voelde zich duizelig worden. Ze legde haar hand op de keukentafel en staarde hem aan.

'Door een Amerikaan gekocht. Je wordt er misselijk van als je ziet hoe alles van waarde altijd uit het land verdwijnt.'

Eindelijk vond ze haar stem terug. 'En het was een afschuwelijk schilderij,' zei ze.

George glimlachte kil en ongeamuseerd. 'Gelukkig voor Boothby en de vorige eigenaar deelt niet iedereen die mening.'

Die steek drong nauwelijks tot Nancy door. 'Olivia had het dus niet zo ver mis,' zei ze.

'Hoezo?'

'We hebben erover gesproken, die dag dat ik naar Londen ben geweest. Zij schatte dat het schilderij ongeveer zoveel op zou brengen.' Ze keek George aan. 'En ze schatte dat *De schelpenzoekers* en die andere twee schilderijen die moeder nog heeft, waarschijnlijk een half miljoen waard zijn. Misschien heeft ze daar ook wel gelijk in.'

'Ongetwijfeld,' zei George. 'Onze Olivia vergist zich zelden ergens in. In die kringen waarin ze verkeert, valt er heel wat te snuffelen met die lange neus van haar.'

Nancy ging zitten. Ze zei: 'George, denk jij dat moeder weet wat ze waard zijn?'

'Ik ben bang van niet.' Hij tuitte zijn lippen. 'Ik moet er maar eens met haar over spreken. De verzekeringspremie moet eigenlijk ook omhoog. Iedereen kan daar binnenlopen en ze van de muur halen. Ik geloof niet dat ze ooit van haar leven een deur op slot heeft gedaan.'

Nancy begon zich opgewonden te voelen. Ze had George nog niets over het gesprek met Olivia verteld omdat George haar zusje niet mocht en weinig belangstelling had voor iets dat zij gezegd had. Maar nu George zelf over het onderwerp begon, maakte dat alles veel eenvoudiger.

Ze smeedde het ijzer terwijl het heet was en zei: 'Misschien moeten we moeder eens gaan opzoeken. Om alles te bespreken.'

'De verzekering, bedoel je?'

'Als de premie te hoog wordt, wil ze misschien . . .' Nancy's stem werd hees. Ze schraapte haar keel. '. . . besluit ze misschien dat het eenvoudiger is ze te verkopen. Volgens Olivia brengen die oude Victoriaanse werken nu topprijzen op . . .' (dat klonk alsof ze er heel wat verstand van had en Nancy was trots op zichzelf) '. . . en het zou jammer zijn zo'n goede kans voorbij te laten gaan.'

George leek voor één keer eens naar haar te luisteren. Hij tuitte zijn lippen, las het stukje nog een keer en vouwde de krant toen heel nauwkeurig op.

'Misschien wel,' zei hij.

'O, George. Een half miljoen. Ik kan me zoveel geld amper voorstellen.'

'Er zou natuurlijk belasting betaald moeten worden.'

'Maar dan nog! We moeten naar haar toe. Ik ben trouwens toch al te lang niet bij haar geweest. Het is tijd dat ik eens ga kijken hoe het met haar gaat. En dan kan ik over het onderwerp beginnen. Tactvol.' George keek bedenkelijk. Ze wisten allebei dat tact niet Nancy's sterkste punt was. 'Ik ga haar nu meteen opbellen.'

'Moeder.'

'Nancy.'

'Hoe gaat het met u?'

'Heel goed. En met jou?'

'Niet te druk?'

'Heb je het nu over mij of over jezelf?'

'Over u natuurlijk. Is de tuinman al geweest?'

'Ja, maandag, en vandaag weer.'

'Ik hoop dat hij voldoet.'

'Nou, ik ben tevreden over hem.'

'En hebt u er nog eens aan gedacht dat u iemand bij u in huis zou moeten hebben? Ik heb een advertentie in onze plaatselijke krant gezet maar er heeft niemand op gereageerd. Nog geen telefoontje.'

'O, daar hoef je je geen zorgen meer over te maken. Antonia komt morgenavond en ze blijft een poosje bij me.'

'Antonia? Wie is Antonia?'

'Antonia Hamilton. Lieve help, ik ben bang dat we allemaal vergeten zijn het je te vertellen. Ik dacht dat Olivia je wel gebeld zou hebben.'

'Nee,' zei Nancy ijzig. 'Niemand heeft mij iets verteld.'

'Nou, die aardige vriend van Olivia, die op Ibiza, is overleden. Zo droevig. En dus komt zijn dochter een poosje hier om tot rust te komen en te besluiten wat ze daarna zal gaan doen.'

Nancy was woedend. 'Nou, ik moet zeggen dat iemand me dat wel eens had kunnen laten weten. Dan had ik die advertentie niet hoeven zetten.'

'Het spijt me, liefje, maar ik heb er gewoon niet aan gedacht. Maar in elk geval hoef je je nu geen zorgen meer over me te maken.'

'Maar moeder, wat voor meisje is het?'

'Erg aardig, denk ik.'

'Hoe oud?'

'Pas achttien. Ze zal heel prettig gezelschap voor me zijn.'

'Wanneer komt ze?'

'Dat zei ik al. Morgenavond. Noel komt haar brengen. Hij blijft het weekend hier om de zolder op te ruimen. Olivia en hij hebben besloten dat het daar te gevaarlijk is met het oog op brand.' Het bleef even stil en toen ging ze door. 'Waarom komen jullie zondagmiddag niet eten? Breng de kinderen mee. Dan kun je Noel zien en Antonia leren kennen.'

En over de schilderijen beginnen.

'O . . .' Nancy aarzelde. '. . . ik denk dat dat wel zou gaan. Wacht even, dan vraag ik het aan George . . .'

Ze liet de hoorn hangen en ging op zoek naar haar man. Ze hoefde niet ver te zoeken. Ze vond hem, zoals ze wel wist, in zijn armstoel, verborgen achter *The Times*.

'George.' Hij liet zijn krant zakken. 'Ze vraagt of we zondag komen eten.' Ze zei het fluisterend, alsof haar moeder haar zou kunnen horen, terwijl de telefoon toch ver buiten gehoorsafstand was.

'Ik kan niet,' zei George meteen. 'Er is een bijeenkomst van het diocees.'

'Dan ga ik alleen met de kinderen.'

'Ik dacht dat de kinderen die dag naar de Wainwrights gingen . . .'

'Dat is ook zo. Daar dacht ik even niet aan. Nou, dan ga ik alleen.'

'Dat lijkt wel het beste,' zei George.

Nancy liep terug naar de telefoon.

'Moeder?'

'Ja, ik ben er nog.'

'George en de kinderen kunnen zondag niet maar ik kom graag alleen als u dat goedvindt.'

'Alleen?' (Klonk het een beetje opgelucht? Nancy zette die gedachte uit haar hoofd.) 'Wat leuk. Kom om een uur of twaalf, dan kunnen we eerst nog wat praten. Tot zondag dan.'

Nancy legde de hoorn neer en ging George vertellen wat ze afgesproken had. Ze vertelde hem ook uitgebreid over de onnadenkendheid en eigengereidheid van Olivia die zonder enige moeite iemand gevonden had om hun moeder gezelschap te houden en daar Nancy niet eens over opgebeld had.

'... en ze is pas achttien. Waarschijnlijk zo'n tante die de hele dag in bed ligt en verwacht bediend te worden. Zodat moeder nog meer werk heeft. Olivia had het me toch wel kunnen laten weten, vind je ook niet, George? Ik heb tenslotte de verantwoordelijkheid op me genomen een oogje op moeder te houden en toch doen ze alles maar buiten mij om. Het lijkt werkelijk erg onnadenkend ... George?'

Maar George luisterde niet meer. Nancy zuchtte en ging terug naar de keuken om zich af te reageren op de rest van de spruitjes.

Noel en Antonia arriveerden pas om kwart over negen en tegen die tijd zag Penelope hen al dodelijk verongelukt tussen de resten van de Jaguar aan de kant van de weg liggen. Het regende aan één stuk door en ze liep steeds maar weer naar het keukenraam om hoopvol in de richting van het hek te kijken. Ze dacht er juist aan om de politie te bellen toen ze de auto aan hoorde komen.

Ze bleef een ogenblik staan om tot zichzelf te komen. Noel had er een vreselijke hekel aan als ze bezorgd ging doen. En als ze pas om een uur of zes uit Londen waren vertrokken, had ze zich niet zo druk hoeven te maken. Met een kalme glimlach op haar gezicht liep ze naar de deur.

Noel stond al naast de auto en ging het andere portier opendoen. Antonia stapte uit. 'Loop maar hard,' zei Noel, 'anders word je drijfnat.' Antonia volgde zijn raad op en rende naar de beschutting van het portiek, recht in de wachtende armen van Penelope.

Antonia liet haar tas op de mat vallen en ze klemden zich aan elkaar vast, Penelope vervuld van opluchting en genegenheid, Antonia eenvoudig dankbaar dat ze er eindelijk was, veilig en in de armen van zo ongeveer de enige bij wie ze op het ogenblik wilde zijn.

'Antonia.' Ze lieten elkaar los maar Penelope hield haar arm nog vast en trok haar mee naar binnen, weg van de donkere, koude, natte nacht, de warmte van de keuken in. 'O, ik dacht dat jullie nooit kwamen.'

'Ik ook.'

Ze zag er nog hetzelfde uit als op haar dertiende. Langer natuurlijk maar even slank ... ze had mooie, lange benen ... en haar gezicht paste nu beter bij haar mond, maar verder leek er niets veranderd. De sproeten op haar neus, de schuine, groenachtige ogen en de lange, dikke, blonde wimpers waren er nog. En ook het rood-gouden haar, dat zwaar en recht tot op haar schouders hing. Ze droeg ook nog hetzelfde soort kleren: een spijkerbroek en een wit shirt met een dikke herentrui met een V-hals eroverheen.

'Wat heerlijk dat je er bent. Hebben jullie een goede reis gehad. Regende het erg?'

'Nogal, ja.'

Antonia draaide zich om toen Noel binnenkwam met niet alleen Antonia's koffer en zijn eigen tas maar ook de tas die Antonia bij de voordeur had laten liggen.

'O, Noel.' Hij zette alles neer. 'Wat een vreselijke avond.'

'Laten we hopen dat het niet het hele weekend regent, want dan kunnen we niets doen.' Hij snoof. 'Dat ruikt goed hier.'

'Jachtschotel.'

'Ik ben uitgehongerd.'

'Geen wonder. Ik neem Antonia mee naar boven om haar haar kamer te laten zien en dan gaan we eten. Schenk wat voor jezelf in. Dat zul je wel nodig hebben. We zijn zo weer beneden. Kom mee, Antonia . . .'

Ze pakte de tas op en Antonia nam haar koffer en Penelope ging haar voor naar boven, over een kleine overloop, door de eerste slaapkamer de tweede in.

'Wat een enig huis,' zei Antonia achter haar.

'Ja, maar je hebt er niet veel privacy. Alle kamers lopen in elkaar over.'

'Net als in Ca'n D'alt.'

'Het zijn eigenlijk twee huizen geweest. Er zijn nog steeds twee trappen en twee voordeuren. Hier zijn we er.' Ze zette de tas neer en keek in de zorgvuldig in gereedheid gebrachte kamer om zich heen, om nog eens te controleren of ze niets vergeten had. De kamer zag er erg leuk uit. De witte vloerbedekking was nieuw maar verder kwam alles uit Oakley Street. Het lits-jumeaux en de gebloemde gordijnen die bij de sprei pasten. De kleine mahoniehouten toilettafel en de stoelen met bolpoten. Ze had een vaas van lustrewerk met primula's gevuld en van een van de bedden was de sprei teruggeslagen zodat de witte, linnen lakens en roze dekens te zien waren. 'Dit is de hangkast en door die deur kom je in de badkamer. Noels kamer is daarachter en je zult de badkamer met hem moeten delen, maar als hij er is, kun je naar de andere kant van het huis gaan en de mijne gebruiken. Nu . . .' Ze had alles uitgelegd en draaide zich naar Antonia toe. 'Wat wil je nu? Eerst in bad? Er is tijd genoeg.'

'O nee. Ik wil alleen even mijn handen wassen als ik mag. En dan kom ik beneden.'

Ze had kringen onder haar ogen. 'Je moet wel moe zijn,' zei Penelope.

'Ja, nogal. Ik moet nog een beetje aan alles wennen, vrees ik.'

'O, dat komt wel. Je bent nu hier en je hoeft nergens heen zolang je geen zin hebt. Kom beneden als je klaar bent en dan geeft Noel je wel wat te drinken.'

Ze ging terug naar de keuken waar Noel met een grote whiskysoda aan tafel de krant zat te lezen. Ze deed de deur achter zich dicht en hij keek op. 'Alles in orde?'

'Dat arme kind, ze ziet er doodmoe uit.'

'Ja. Ze was ook niet erg spraakzaam onderweg. Ik dacht eerst dat ze sliep maar dat was toch niet zo.'

'Ze is helemaal niet veranderd. Ik geloof dat ik nog nooit zo'n aantrekkelijk kind had gezien.'

'U moet me niet op een idee brengen.'

Ze wierp hem een waarschuwende blik toe. 'Gedraag je alsjeblieft dit weekend, Noel.'

Hij keek als de onschuld zelf. 'Wat bedoelt u daarmee?'

'Je weet heel goed wat ik bedoel.'

Hij grijnsde, totaal niet uit het veld geslagen. 'Tegen de tijd dat ik al die rommel van de zolder heb gesleept, kan ik alleen nog maar in mijn eigen bedje van mijn stokje gaan.'

'Dat hoop ik zeker.'

'Toe nou, ma, u moet toch zien dat ze helemaal mijn type niet is. Witte wimpers trekken me niet. Doen me aan konijnen denken. Ik ga dood van de honger. Wanneer gaan we eten?'

'Als Antonia beneden komt.' Ze deed de deur van de oven open om te zien of alles nog in orde was met de jachtschotel. 'En wat vond u van de veiling van woensdag?' vroeg Noel. '*De waterdraagsters.*'

'Dat heb ik je gezegd. Niet te geloven.'

'Hebt u al besloten wat u gaat doen?'

'Moet ik dan iets doen?'

'Doe niet zo traag van begrip. Dat schilderij heeft bijna een kwart miljoen opgebracht! U bezit drie Lawrence Sterns en de financiële verantwoordelijkheid verandert de hele situatie. Doe wat ik u de laatste keer voorstelde. Laat ze taxeren. Als u ze dan nog niet wilt verkopen, laat ze dan in elk geval opnieuw verzekeren. De eerste de beste handige jongen kan op een dag naar binnen lopen als u in de tuin bent en gewoon wegwandelen met de buit.'

Over de tafel heen keek ze hem aan, aarzelend tussen een soort moederlijke trots op zijn bezorgdheid en het boze vermoeden dat haar zoon – die zo op zijn vader leek – iets in zijn schild voerde. Hij keek haar recht en onbevangen aan maar ze bleef aarzelen.

'Goed,' zei ze ten slotte. 'Ik zal erover denken. Maar mijn lieve *Schelpenzoekers* verkoop ik nooit. Dat is het enige dat ik nog van vroeger in Cornwall over heb.'

Hij keek een beetje geschrokken. 'Hoor die klagende violen toch eens. Het is niets voor u om zo sentimenteel te doen.'

'Ik doe niet sentimenteel. Ik verlang er de laatste tijd alleen zo naar om nog eens naar Porthkerris te gaan. Het heeft iets met de zee te maken. Ik wil de zee nog eens zien. En waarom ook niet? Er is niets dat me tegenhoudt. Alleen maar voor een paar dagen.'

'Weet u wel zeker dat dat verstandig is? Kunt u er niet beter aan blijven denken zoals het vroeger was? Alles verandert en de meeste dingen worden er niet mooier op.'

'De zee verandert niet,' hield Penelope vol.

'U kent er niemand meer.'

'Ik ken Doris. Ik zou bij haar kunnen logeren.'

'Doris?'

'Onze evacuée uit het begin van de oorlog. Ze woonde bij ons in. Ze is nooit teruggegaan naar Hackney. Ze is gewoon in Porthkerris gebleven. En we schrijven elkaar nog steeds en ze vraagt me altijd wanneer ik haar eens op kom zoeken . . .' Ze aarzelde. Toen vroeg ze haar zoon: 'Zou jij mee willen gaan?'

'Ik mee?' Hij deed geen moeite zijn verbazing te verbergen.

'Dan zou ik gezelschap hebben.' Het klonk een beetje zielig, alsof ze eenzaam was. Ze veranderde van koers. 'En het zou leuk zijn voor ons allebei. Ik heb er nog altijd spijt van dat ik jullie vroeger nooit meegenomen heb naar Porthkerris. Maar om de een of andere reden is het er nooit van gekomen.'

Ze voelden allebei een lichte gêne. Noel besloot er een grapje van te maken. 'Ik ben een beetje groot voor zandkastelen op het strand.'

Zijn moeder was niet bijzonder geamuseerd. 'Je kunt er ook andere dingen doen.'

'Zoals?'

'Ik zou je Carn Cottage kunnen laten zien, waar we gewoond hebben. En het atelier van je grootvader. De kunstgalerij die hij heeft helpen oprichten. Je hebt ineens zoveel belangstelling voor zijn schilderijen, het zou je ook moeten interesseren te zien waar het allemaal begonnen is.'

Soms gaf ze plotseling van die steken onder water. Noel nam een flinke slok om kalm te blijven. 'Wanneer wilt u gaan?'

'O. Binnenkort. Voor de lente voorbij is. Voor de zomer.'

Hij was blij dat hij een excuus had. 'Zo gauw kan ik niet weg.'

'Zelfs niet voor een lang weekend?'

'Ma. We zitten tot over onze oren in het werk en ik kan op zijn vroegst in juli vakantie krijgen.'

'Nou, in dat geval gaat het niet.' Tot zijn opluchting ging ze er niet verder op in. 'Wil je misschien een fles wijn openmaken, Noel?'

Hij kwam overeind. Hij voelde zich een beetje schuldig. 'Het is jammer. Ik was graag meegegaan.'

'Dat weet ik,' zei ze.

Tegen de tijd dat Antonia weer verscheen, was het kwart voor tien. Noel schonk de wijn in en ze gingen zitten om de jachtschotel te eten, en de vruchtensalade en de kaas. Toen maakte Noel koffie klaar voor zichzelf en daarmee ging hij naar boven, om de zolder vast eens te bekijken, naar hij zei.

Toen hij weg was, stond ook Antonia op. Ze begon af te ruimen maar Penelope hield haar tegen.

'Laat dat maar staan. Ik doe alles in de vaatwasmachine. Het is bijna elf uur en je zult wel naar je bed verlangen. Misschien wil je nu een bad nemen?'

'Ja, dat zou heerlijk zijn. Ik weet niet hoe het komt maar ik voel me vreselijk vuil. Ik denk dat het er iets mee te maken heeft dat ik in Londen geweest ben.'

'Dat gevoel heb ik ook altijd. Neem een heleboel warm water en ga eens lekker liggen weken.'

'Het eten was heerlijk. Dank u wel.'

'O, liefje . . .' Penelope was geroerd en wist ineens geen woorden meer te vinden. En toch was er zoveel te zeggen. 'Als je in bed ligt, kom ik misschien nog wel even welterusten zeggen.'

'O, wilt u dat?'

'Natuurlijk.'

Toen ze weg was, ruimde Penelope langzaam de tafel af. Ze zette de vaatwasmachine vol, zette de melkflessen buiten en dekte de tafel voor het ontbijt. Ze hoorde het bad van Antonia vollopen. Het was nu eenmaal een gehorig huis. Ze hoorde ook Noels gedempte voetstappen op zolder. Die arme jongen, hij had wel een enorm karwei op zich genomen. Ze hoopte dat hij niet halverwege de moed zou verliezen, zodat zij met een nog grotere rommel dan tevoren zou blijven zitten. Ze hoorde het bad leeglopen. Ze hing de theedoek op, deed het licht uit en ging naar boven.

Antonia lag al in bed. Ze bladerde in een tijdschrift dat Penelope op het nachtkastje had laten liggen. Haar blote armen waren bruin en dun en haar glanzende haar lag uitgespreid over het kussensloop.

Penelope deed de deur achter zich dicht.

'Was het bad lekker?'

'Zalig.' Antonia glimlachte. 'Ik heb er wat van dat verrukkelijke badzout in gedaan. Ik hoop dat dat goed was.'

'Daar is het voor.' Ze ging op de rand van het bed zitten. 'Het heeft je goedgedaan. Je ziet er niet meer zo moe uit.'

'Nee. Ik ben er wakker van geworden. Ik heb echt zin om nog een poosje te praten. Ik zou met geen mogelijkheid kunnen slapen.'

Van boven hun hoofd kwam het geluid van iets dat over de vloer gesleept werd.

'Dat is misschien maar goed ook,' zei Penelope. 'Met al die herrie die Noel maakt.'

Op dat moment klonk er een enorme plof, alsof iets zwaars onbedoeld omviel. Toen hoorden ze de stem van Noel. 'Verrek.'

Penelope begon te lachen en Antonia ook, maar toen kreeg ze ineens tranen in haar ogen.

'O, mijn lieve kind.'

'Zo dwaas . . .' Ze snufte en tastte naar een zakdoek en snoot haar neus. 'Het is alleen maar dat ik het zo geweldig vind dat ik hier bij u ben en weer om gekke dingen kan lachen. Weet u nog hoe we altijd lachten? Toen u bij ons logeerde, gebeurden er voortdurend grappige dingen. Daarna was het nooit meer helemaal hetzelfde.'

Alles was goed met haar. Ze ging niet huilen. Haar tranen waren alweer gedroogd en Penelope zei zachtjes: 'Wil je praten?'

'Ja, ik denk het wel.'

'Wil je me over Cosmo vertellen?'

'Ja.'

'Ik vond het zo erg. Toen Olivia me vertelde . . . ik was zo geschokt.'

'Hij had kanker.'

'Dat wist ik niet.'

'Longkanker.'

'Maar hij rookte niet eens.'

'Hij had het wel gedaan. Voor u hem kende. Voor Olivia hem kende. Vijftig of meer per dag. Hij is ermee opgehouden maar het is toch zijn dood geworden.'

'Was jij bij hem?'

'Ja. Ik heb de laatste twee jaar bij hem gewoond. Sinds mijn moeder weer getrouwd is.'

'Vond je dat erg?'

'Nee. Ik vond het fijn voor haar. Ik mag haar man niet zo, maar dat doet er niet toe. Zij wel. Ze woont nu ergens in het noorden, daar komt hij vandaan.'

'Wat doet hij?'

'Hij handelt in wollen stoffen, kamgaren en dat soort dingen.'

'Ben je er geweest?'

'Ja, het eerste jaar ben ik er met Kerstmis geweest. Maar het was vreselijk. Hij heeft twee afgrijselijke zoons en ik wist niet hoe gauw ik weer weg moest komen, voor een van hen me werkelijk verkrachtte. Nou, misschien is dat een beetje overdreven maar daarom kon ik niet naar mijn moeder gaan toen pappie overleden was. Ik kon het gewoon niet. En de enige aan wie ik toen kon denken was Olivia.'

'Ja, dat begrijp ik. Maar vertel me eens wat meer over Cosmo.'

'Nou, hij was in orde. Ik bedoel, hij leek gewoon gezond. En toen begon hij een maand of zes geleden vreselijk te hoesten. Hij kon er 's nachts niet van slapen en ik lag dan maar te luisteren en probeerde mezelf wijs te maken dat het niets ergs was. Maar eindelijk wist ik hem zover te krijgen dat hij naar de dokter ging en hij ging naar het ziekenhuis voor een röntgenfoto en een onderzoek. En toen hebben ze hem geopereerd en de helft van zijn ene long verwijderd en ze zeiden dat hij gauw weer naar huis kon maar toen kreeg hij ineens een inzinking en toen was het gebeurd. Hij is in het ziekenhuis overleden. Hij is niet meer bij bewustzijn geweest.'

'En jij was alleen?'

'Ja. Ik was alleen, maar Maria en Tomeu waren altijd in de buurt en ik dacht er nooit aan dat er zo iets ergs zou kunnen gebeuren, dus ik was eigenlijk helemaal niet zo ongerust of bang. En het is allemaal zo vlug gegaan. Het was net of we de ene dag nog gewoon samen in Ca'n D'alt waren, net als altijd, en hij de volgende dag dood was. Natuurlijk was het niet de volgende dag. Het leek alleen maar zo.'

'Wat heb je toen gedaan?'

'Nou . . . het klinkt vreselijk, maar we moesten een begrafenis hebben. Op Ibiza moet dat altijd erg gauw, de volgende dag al. En je begrijpt niet hoe het kan, op een eiland waar bijna niemand telefoon heeft, maar iedereen wist het toen. Net de tamtam. Hij had zoveel vrienden. Niet alleen mensen zoals wij, maar ook mannen die hij uit Pedro's bar kende en vissers uit de haven en de boeren uit de omgeving. Ze waren er allemaal.'

'Waar is hij begraven?'

'Op de begraafplaats bij het kerkje in het dorp.'

'Maar . . . dat is een katholieke kerk.'

'Natuurlijk. Maar dat was in orde. Pappie ging nooit naar de kerk maar als kind was hij katholiek gedoopt. En hij had het altijd goed met de priester van het dorp kunnen vinden. Zo'n vriendelijke man . . . enorm troostend. Hij heeft de dienst voor ons geleid, niet in de kerk maar bij het graf, in de zonneschijn. Toen we weggingen, kon je het graf niet meer zien van de bloemen. Het was zo mooi. En toen ging iedereen mee naar Ca'n D'alt en Maria had wat te eten gemaakt en ze kregen allemaal wijn en toen gingen ze weer weg. Zo is het gegaan.'

'Het klinkt allemaal erg droevig, maar wel volmaakt. Heb je dit ook allemaal aan Olivia verteld?'

'Gedeeltelijk. Ze wilde er eigenlijk niet te veel over horen.'

'Ja, zo is ze nu eenmaal. Als er iets ergs is, stopt ze altijd haar gevoelens weg, alsof ze net wil doen of er niets gebeurd is.'

'Ja. Dat weet ik. Ik begreep het wel. En het deed er niet toe.'

'Wat heb je gedaan toen je bij haar in Londen was?'

'Niet veel. Ik ben naar Marks & Spencer geweest en heb wat warme kleren gekocht. En ik ben bij de notaris geweest. Dat was niet zo'n prettig gesprek.'

Penelope schrok. 'Heeft hij je niets nagelaten?'

'Bijna niets. Hij had niets na te laten, die arme lieverd.'

'En het huis op Ibiza?'

'Dat is nooit van ons geweest. Het is van een zekere Carlos Barcello. En ik zou daar niet willen blijven. En als ik dat wel wilde, zou ik toch nooit de huur kunnen betalen.'

'Zijn boot. Wat is daarmee gebeurd?'

'Die heeft hij kort na het vertrek van Olivia verkocht. Hij heeft nooit meer een andere gekocht.'

'Maar de rest. Zijn boeken en meubelen en schilderijen?'

'Tomeu heeft geregeld dat alles bij een vriend van hem wordt opgeslagen tot ik het nodig heb of in staat ben terug te gaan om het te halen.'

'Het is moeilijk te geloven, Antonia, dat weet ik, maar die tijd komt wel.'

Antonia legde haar armen achter haar hoofd en staarde naar het plafond. 'Alles is nu in orde met me. Ik heb wel verdriet maar niet omdat hij niet meer leeft. Hij zou ziek en zwak geweest zijn en het had hoogstens nog een jaar kunnen duren. Dat zei de dokter. Dus is het beter dat het zo gegaan is. Ik vind het alleen erg dat hij nooit meer de oude geworden is na het vertrek van Olivia. Hij heeft nooit meer een andere vrouw gehad. Hij hield erg veel van Olivia. Zij was waarschijnlijk de grote liefde van zijn leven.'

Het was nu stil. Het gebons en de voetstappen op zolder waren opgehouden. Noel had er waarschijnlijk de brui aan gegeven, dacht Penelope.

Ze koos haar woorden zorgvuldig toen ze zei: 'Olivia hield ook van hem, voor zover ze ooit haar hart aan een man heeft kunnen geven.'

'Hij wilde met haar trouwen. Maar zij wilde niet.'

'Neem je haar dat kwalijk?'

'Nee. Ik bewonder haar. Het was eerlijk, en erg sterk.'

'Ze is een bijzonder iemand.'

'Dat weet ik.'

'Ze heeft nooit willen trouwen. Ze heeft er zo'n afschuw van afhankelijk te zijn en zich voorgoed te binden.'

'Ze heeft haar carrière.'

'Ja. Haar carrière. Die betekent meer voor haar dan wat ter wereld ook.'

Antonia dacht even na. 'Het is vreemd,' zei ze toen. 'Je zou het beter kunnen begrijpen als ze een akelige jeugd had gehad. Maar dat lijkt me onmogelijk met u als moeder. Is ze zo anders dan uw andere kinderen?'

'Volkomen.' Penelope glimlachte. 'Nancy is precies het tegenovergestelde. Ze heeft er altijd alleen maar van gedroomd een getrouwde vrouw met een eigen huis te worden. Een beetje de chatelaine, begrijp je? Maar wat geeft dat? Ze doet geen kwaad. Ze is gelukkig. Dat denk ik tenminste. Ze heeft precies wat ze altijd heeft willen hebben.'

'En u?' vroeg Antonia. 'Wilde u ook altijd trouwen?'

'Ik? Hemel, dat is zo lang geleden dat ik het me bijna niet meer kan herinneren. Ik geloof niet dat ik er vaak over nagedacht had. Ik was negentien en het was oorlog. Dan denk je niet zo ver vooruit. Je leeft van de ene dag in de andere.'

'Wat is er met uw man gebeurd?'

'Met Ambrose? O, hij is overleden, een paar jaar nadat Nancy getrouwd was.'

'Was u toen eenzaam?'

'Ik was alleen. Maar dat is niet hetzelfde als eenzaam.'

'Ik heb nog nooit iemand gekend die gestorven is. Niet voor Cosmo.'

'De eerste keer dat je iemand verliest die je erg na staat, is altijd het ergste. Maar de tijd gaat voorbij en je raakt eraan gewend.'

'Dat zal wel. Hij zei altijd: "Het hele leven is een compromis." '

'Dat was wijs. Voor sommigen is dat ook zo. Maar ik hoop dat jou wat beters te wachten staat.'

Antonia glimlachte. Het tijdschrift was al lang op de grond gevallen en haar ogen stonden niet meer zo koortsachtig helder. Ze werd een beetje doezelig, als een kind.

'Je bent moe,' zei Penelope.

'Ja. Ik kan nu wel slapen.'

'Word niet te vroeg wakker.' Ze stond op van het bed en liep naar het raam om de gordijnen open te trekken. Het was opgehouden met regenen en uit het donker klonk het geluid van een uil. 'Welterusten.' Ze liep naar de deur, opende die en deed het licht uit.

'Hoort u eens.'

'Ja.'

'Ik vind het heerlijk dat ik hier ben. Bij u.'

'Slaap wel.' Ze deed de deur dicht.

Het was stil in huis. Beneden waren alle lampen uit. Noel was kennelijk naar bed gegaan. Er was niets meer te doen.

In haar kamer scharrelde ze nog wat rond. Ze borstelde haar haar en deed nachtcrème op haar gezicht. In haar nachtjapon liep ze naar het raam om de zware gordijnen open te trekken. De lucht die door het open raam binnenkwam, was koud en vochtig maar rook heerlijk, alsof haar tuin ontwaakt was uit de lange winterslaap. De uil kraste weer en het was zo stil dat ze zelfs het zachte geruis van de Windrush achter de boomgaard kon horen.

Ze draaide zich van het raam af en stapte in bed. Haar lichaam was zwaar en moe, dankbaar voor het gemak van koele lakens en zachte kussens, maar haar geest bleef klaar wakker, want Antonia's onschuldige nieuwsgierigheid had op een verontrustende en niet geheel welkome wijze het verleden tot leven gewekt. Penelope had haar vragen met enige voorzichtigheid beantwoord en haar niets voorgelogen maar haar ook niet de volle waarheid verteld. De waarheid was te verward om te vertellen, en het was allemaal te lang geleden. Te lang geleden om alles nu nog eens precies te gaan uitrafelen. Ze had langer dan ze zich kon herinneren niet over Ambrose gesproken of zijn naam genoemd of aan hem gedacht. Maar nu lag ze met open ogen in het donker dat niet echt donker was, te staren en ze wist dat ze geen keus had dan terug te gaan. En het was een bijzondere ervaring. Het was alsof ze een oude film zag of in een oud fotoalbum zat te bladeren en zich erover verbaasde dat de sepiakleurige foto's niet verbleekt waren maar nog even levensecht, scherp en helder waren als altijd.

HOOFDSTUK 8

Ambrose

De Wren-officier ordende haar papieren en draaide de dop van haar vulpen.

'Nu, Stern, nu zullen we eens bekijken wat we je zullen laten doen.'

Penelope zat aan de andere kant van haar bureau en keek naar haar. De Wren-officier had twee blauwe strepen op haar mouw en heel kort haar. Haar boord en das zaten zo stijf dat het net leek of ze haar zouden doen stikken. Ze droeg een herenhorloge en naast haar op het bureau lagen haar leren sigarettenkoker en een zware, gouden aansteker. Penelope herkende een andere miss Pawson en voelde zich heel mild tegenover haar gestemd.

'Heb je bijzondere kwalificaties?'

'Nee. Dat geloof ik niet.'

'Steno? Typen?'

'Nee.'

'Een universitaire graad?'

'Nee.'

De Wren-officier schraapte haar keel. Ze wist niet goed raad met de onschuldige blik en de dromerige, bruine ogen van het meisje tegenover haar. Ze droeg een uniform maar op de een of andere manier leek het niet bij haar te passen. Ze was te lang en haar benen waren ook te lang en haar haar was een ramp, zacht en donker en bijeengehouden in een losse vlecht die er niet al te stevig uitzag.

'Je bent op school geweest, neem ik aan?' Ze verwachtte half te horen te krijgen dat Stern thuis les had gehad van een deftige gouvernante. Zo'n soort meisje leek ze. Dat een beetje Frans geleerd en een beetje met waterverf geschilderd had en verder niets. Maar Stern zei: 'Ja.'

'Op kostschool?'

'Nee. Op dagscholen. Die van miss Pritchett toen we in Londen woonden, en de plaatselijke middelbare school in Porthkerris. Dat is in Cornwall,' voegde ze er vriendelijk aan toe.

De Wren-officier merkte dat ze naar een sigaret verlangde.

'Is dit de eerste keer dat je van huis bent?'

'Ja.'

De Wren-officier zuchtte. Stern werd zo'n probleemgeval. Beschaafd maar zonder een geschikte opleiding en volkomen onbruikbaar. 'Kun je koken?' vroeg ze zonder veel hoop.

'Niet erg goed.'

Er was geen andere keus. 'In dat geval zul je serveerster moeten worden, vrees ik.'

Stern glimlachte stralend. Ze leek blij dat ze eindelijk tot een soort beslissing gekomen waren.

'Goed.'

De Wren-officier maakte een paar aantekeningen op het formulier en deed toen de dop weer op haar vulpen. Penelope wachtte af wat er nu ging gebeuren. 'Dat is het dan wel.' Penelope stond op maar de Wren-officier was nog niet klaar. 'Stern. Je haar. Daar moet je wat aan doen.'

'Wat?' vroeg Penelope.

'Het mag niet op je boord komen, weet je. Zo zijn de voorschriften. Waarom laat je het niet knippen?'

'Ik wil het niet laten knippen.'

'Probeer er in elk geval toch iets aan te doen. Steek het op of zo.'

'O. Ja. Goed.'

'Dan kun je nu wel gaan.'

Ze werd naar de artillerieschool van de marine op Whale Island gestuurd. Ze werkte als serveerster maar misschien omdat ze 'netjes sprak', mocht ze in de officiersmess bedienen: tafels dekken, drankjes brengen, tegen mensen zeggen dat er iemand voor hen aan de telefoon was, zilver poetsen en maaltijden opdienen. Ze moest ook voor het donker werd, langs de hutten gaan en voor de verduistering zorgen. Ze was eigenlijk een veredeld dienstmeisje en ontving ook het loon van een dienstmeisje, dertig shilling per twee weken. Om de twee weken moest ze in de rij staan tot het tijd was om voor de norse betaalmeester te salueren – die keek alsof hij een afkeer van vrouwen had, wat waarschijnlijk ook zo was – haar naam te zeggen en de dunne, bleekgele enveloppe in ontvangst te nemen.

Ze moest een hele nieuwe taal leren en kreeg daarvoor een opleiding van een week. Een slaapkamer was een hut, de vloer het dek en als ze naar haar werk ging, ging ze aan boord.

Whale was een eiland en je moest een brug over om er te komen, wat nogal opwindend was en je het idee gaf dat je aan boord van een schip ging ook al was dat niet zo. Lang geleden was het zijn leven begonnen als een zandbank in het midden van de haven van Portsmouth maar nu was het een groot, belangrijk opleidingscentrum van de marine, met een paradeplaats en een kerk en steigers.

Het was er altijd erg rumoerig. Er werd op bugels en fluitjes geblazen en via de krakende intercom werden de dagorders verspreid. De mannen in opleiding gingen overal in looppas heen, zodat hun laarzen op het teermacadam bonkten. Op de paradeplaats schreeuwden onderofficieren zich een beroerte tegen groepen doodsbenauwde jonge matrozen die hun best deden de bevelen te begrijpen. Iedere ochtend werd de marinevlag gehesen, een ceremonie die begeleid werd door muziek.

De vrouwen waren ondergebracht in een gevorderd hotel aan de noordelijke rand van de stad. Penelope deelde daar een hut met vijf andere meisjes. Ze sliepen in kooien boven elkaar. Een van de meisjes rook niet al te fris. Daar ze zich nooit waste, was dat geen wonder. Het gebouw was drie kwartier lopen van Whale Island en omdat de marine niet voor vervoer zorgde en er geen bussen waren, belde Penelope Sophie op om haar te vragen haar oude schoolfiets op te sturen. Sophie beloofde het. Ze zou de fiets in de trein zetten en dan kon Penelope hem later in Portsmouth van het station halen.

'En hoe gaat het met je, lieverd?'

'Goed.' Het was afschuwelijk de stem van Sophie te horen en niet bij haar te zijn. 'En met jou? En met pappa?'

'Miss Pawson heeft hem geleerd een voetpomp te gebruiken.'

'En met Doris en de jongens?'

'Ronald zit in het voetbalteam. En we denken dat Clark mazelen heeft. En ik heb sneeuwklokjes in de tuin.'

'Nu al?' Ze wilde hen zien. Ze wilde bij hen zijn. Het was afschuwelijk te bedenken dat zij allemaal in Carn Cottage waren en dat zij niet bij hen was. Aan haar eigen dierbare slaapkamer te denken, met de gordijnen die in de zeewind bewogen en de stralen van de vuurtoren die over de muur gleden.

De volgende dag was het donderdag. Het was nu februari. Het was nog wel koud maar de zon had de hele dag geschenen en om vijf uur was Penelope eindelijk vrij. Ze verliet het eiland, salueerde voor de officier van de wacht en liep over de smalle brug. Het was hoog water en Portsdown Hill zag er in de schemer verleidelijk landelijk uit. Als haar fiets er was, kon ze misschien tochtjes maken en een beetje gras zoeken om op te zitten. Nu strekten de lege uren van de avond zich voor haar uit en ze vroeg zich af of ze geld genoeg had om naar de bioscoop te gaan.

Er kwam een auto over de brug achter haar aan. Ze liep door. De auto remde en stopte naast haar. Het was een pittige, kleine Morris met de kap omlaag.

'Waar ga je heen?'

Een moment kon ze nauwelijks geloven dat hij het tegen haar had. Het was voor het eerst dat een man iets tegen haar zei, behalve om iets te bestellen of een aanmerking te maken. Maar er was niemand anders in de buurt, dus het moest wel voor haar bedoeld zijn. Penelope herkende hem. De lange, donkere, blauwogige tweede luitenant die Keeling heette. Hij zag er opgewekt en onbezorgd uit, als een man die een plezierige avond voor zich had.

'Naar het Wren-gebouw,' zei ze.

Hij leunde naar voren en deed het portier open. 'Stap dan vlug in, dan kun je meerijden.'

'Moet u daar in de buurt zijn?'

'Nee. Maar ik rijd er wel even heen.'

Ze stapte in en sloeg het portier dicht. De kleine wagen schoot naar voren.

'Ik heb je binnen wel eens gezien. Je werkt in de officiersmess.'

'Ja.'

'Vind je dat leuk?'

'Niet zo erg.'

'Waarom doe je het dan?'

'Ik kan niets anders.'

'Ben je pas begonnen?'

'Ja. Nog maar een maand geleden.'

'Wat vind je van de marine?'

Hij leek zo enthousiast dat ze hem niet wilde vertellen dat ze het hele gedoe haatte. 'O, het is hier best. Ik begin eraan gewend te raken.'

'Net zo iets als op kostschool?'

'Ik ben niet op een kostschool geweest, dus ik zou het niet weten.'

'Hoe heet je?'

'Penelope Stern.'

'Ik ben Ambrose Keeling.'

Er was geen tijd voor veel meer. In vijf minuten waren ze er. Hij draaide het hek in en stopte knarsend in het grind voor de deur. De dienstdoende onderofficier keek met een afkeurende frons uit het raam.

Hij zette de motor af en Penelope zei: 'Dank u wel,' en stak haar hand uit om het portier open te doen.

'Wat doe je de rest van de avond?'

'Niets eigenlijk.'

'Ik ook niet. Laten we wat gaan drinken in de officiersclub.'

'Wat? Nu?'

'Ja. Nu.' Zijn blauwe ogen blonken geamuseerd. 'Is dat zo'n ramp-zalig voorstel?'

'Nee ... Het is alleen dat ...' Ze mocht niet in haar uniform in officiersclubs komen. 'Dan zal ik me moeten gaan verkleden.'

'Goed. Ik wacht wel op je.'

Hij pakte een sigaret om de tijd te doden. Penelope stapte uit en ging naar binnen. Ze rende de trap op. Ze wilde geen moment verspillen, want ze was bang dat hij, als ze te lang wegbleef, zijn geduld zou verliezen en weg zou rijden en nooit meer tegen haar zou spreken. In haar hut trok ze vlug haar uniform uit. Ze gooide het op haar kooi. Ze waste haar handen en haar gezicht, haalde de spelden uit haar haar en schudde het los. Terwijl ze het borstelde, genoot ze van het bekende gevoel van haar dat op haar schouders hing. Het was alsof ze weer vrij en zichzelf was en haar zelfvertrouwen keerde terug. Ze deed de gemeenschappelijke hangkast open en pakte de jurk die Sophie haar met Kerstmis gegeven had, en het oude bontjasje dat tante Ethel naar de rommelmarkt had willen doen maar dat Penelope voor zichzelf gered had. Ze vond een paar kousen zonder ladders en haar beste schoenen. Ze had geen handtas nodig want ze had geen geld en ze gebruikte nooit make-up. Ze rende weer naar beneden.

Het was nu bijna donker maar hij zat nog in zijn kleine wagentje en rookte nog dezelfde sigaret.

'Het spijt me dat het zo lang heeft geduurd.' Ademloos liet ze zich weer naast hem vallen.

'Lang?' Hij lachte, drukte zijn sigaret uit en gooide de rest ervan weg. 'Ik heb nog nooit zo'n vlugge vrouw gekend. Ik was er helemaal op voorbereid dat ik minstens een half uur moest wachten.'

Het feit dat hij zo lang op haar had willen wachten, was zowel verrassend als strelend. Ze glimlachte naar hem. Ze was vergeten parfum te gebruiken en ze hoopte dat hij de motteballenlucht van het jasje van tante Ethel niet zou opmerken.

'Het is voor het eerst sinds ik hier ben dat ik gewone kleren draag.' Hij startte de motor.

'En hoe voelt dat?' vroeg hij.

'Zalig.'

Ze gingen naar de officiersclub in Southsea en hij nam haar mee naar boven en ze zaten aan de bar en hij vroeg wat ze wilde drinken. Ze wist het niet zo goed, dus bestelde hij twee jenevers. En ze vertelde hem niet dat ze nog nooit jenever gedronken had.

En toen praatten ze en het was allemaal erg gemakkelijk en ze vertelde hem dat ze in Porthkerris woonde en dat haar vader daarheen was gegaan omdat hij schilder was, maar dat hij nu niet meer schilderde. En ze vertelde hem dat haar moeder uit Frankrijk kwam.

'Dat is de verklaring,' zei hij.

'De verklaring waarvan?'

'Ik weet het niet precies. Iets aan jou. Ik merkte het meteen. Donkere ogen. Donker haar. Je ziet er heel anders uit dan de andere Wrenmeisjes.'

'Ik ben een stuk langer.'

'Dat is het niet, hoewel ik gek op lange vrouwen ben. Een soort . . .' Hij haalde zijn schouders op en werd zelfs ineens nogal Frans. '. . . *je ne sais quoi*. Heb je in Frankrijk gewoond?'

'Nee. Ik heb er wel vaak gelogeerd. We hebben een keer een winter een appartement in Parijs gehad.'

'Spreek je Frans?'

'Natuurlijk.'

'Heb je broers en zusters?'

'Nee.'

'Ik ook niet.' Hij vertelde haar over hemzelf. Hij was eenentwintig. Zijn vader, die de leiding had gehad van het familiebedrijf, dat iets met uitgeven te maken had, was overleden toen Ambrose tien was. Toen hij van kostschool kwam, had hij bij dezelfde uitgeverij kunnen beginnen, maar hij wilde zijn leven niet op kantoor doorbrengen . . . Bovendien was het duidelijk dat er oorlog dreigde en dus was hij bij de marine gegaan. Zijn moeder woonde in een flat in Knightsbridge, op Wilbraham Place, maar na het uitbreken van de oorlog was ze daar weggegaan om in een hotelletje in een uithoek van Devon te gaan wonen.

'Daar zit ze beter, buiten Londen. Ze is niet zo sterk en als de bombardementen beginnen, kan ze toch niets doen.'

'Hoe lang ben je hier al?'

'Een maand. Hopelijk kan ik hier over twee weken weg. Hangt van de examens af. Artillerie is mijn laatste cursus. Navigatie, torpedo's en seinen heb ik gelukkig al gedaan.'

'Waar ga je dan heen?'

'Naar zee, hoop ik.'

Hun glas was leeg en hij bestelde nog iets te drinken. Toen gingen ze naar de eetzaal. Na het diner reden ze een poosje rond in Southsea en toen bracht hij haar thuis, want ze moest om half elf binnen zijn.

'Het was erg fijn,' zei ze. 'Dank je wel.' Maar die formele woorden drukten maar een klein deel van haar dankbaarheid uit. Hij was juist op het goede moment gekomen en nu had ze een vriend en hoefde ze zich niet langer eenzaam te voelen.

'Ben je zaterdag vrij?' vroeg hij.

'Ja.'

'Ik heb kaartjes voor een concert. Heb je zin om mee te gaan?'

'O . . .' Ze voelde hoe de glimlach zich over haar gezicht verspreidde. 'Dat zou ik heerlijk vinden.'

'Dan kom ik je halen. Om zeven uur.'

Het concert was in Southsea. Anne Zeigler en Webster Booth zongen liedjes als 'Only a Rose' en 'If You Were the Only Girl in the

World'. Ambrose hield haar hand vast. Toen hij haar die avond thuisbracht, stopte hij een eindje voor het Wren-gebouw in een rustig straatje. En hij nam haar met motteballenjasje en al in zijn armen en kuste haar. Het was voor het eerst dat een man haar kuste en ze moest er even aan wennen maar ze vond het al gauw heel prettig. Zijn nabijheid, zijn heldere mannelijkheid en de frisse lucht van zijn huid wekten in haar een lichamelijke reactie die volkomen nieuw voor haar was. Een opgewonden gevoel in haar binnenste. Een pijn die geen pijn was.

'Lieve Penelope, je bent verrukkelijk.'

Maar over zijn schouder zag ze het klokje op het dash-board. Het was vijf voor half elf. Met tegenzin maakte ze zich los uit zijn omhelzing en met een automatisch gebaar streek ze haar haar glad.

'Ik moet gaan,' zei ze. 'Ik mag niet te laat komen.'

Hij zuchtte en liet haar met tegenzin gaan. 'Die ellendige klok. Die ellendige tijd.'

'Het spijt me.'

'Jij kunt er niets aan doen. We moeten gewoon andere plannen maken.'

'Wat voor plannen?'

'Ik heb het volgende weekend vrij. En jij? Kun jij ook vrij krijgen?'

'Ik kan het proberen.'

'Dan gaan we naar Londen. We gaan naar het theater. En blijven dan de nacht in de stad.'

'O, wat een geweldig idee. Ik heb nog helemaal geen verlof gehad. Ik weet zeker dat ik het wel kan regelen.'

'Alleen . . .' Hij keek bezorgd. 'Mijn moeder heeft haar flat verhuurd, dus daar kunnen we niet heen. We kunnen misschien wel naar mijn club gaan maar . . .'

Het was heerlijk dat ze zijn problemen op kon lossen. 'Dan gaan we naar mijn huis.'

'Jouw huis?'

Penelope begon te lachen. 'Niet naar mijn huis in Porthkerris, domoor. Naar mijn huis in Londen.'

'Heb je dan een huis in Londen?'

'Ja. In Oakley Street. Het is heel eenvoudig. Ik heb een sleutel en alles.'

Het was te eenvoudig. 'Is het je eigen huis?'

Ze lachte nog steeds. 'Niet van mijzelf. Het is van papa.'

'Maar vinden ze dat niet erg? Je ouders, bedoel ik.'

'Erg? Waarom zouden ze dat erg vinden?'

Hij overwoog even haar te vertellen waarom en besloot toen dat niet te doen. Een Franse moeder en een vader die schilder was. Bohémiens.

Hij had nog nooit een bohémien ontmoet maar hij begon te beseffen dat hij er nu een had leren kennen.

'O, ik zou niet weten,' loog hij vlug. Hij kon het nauwelijks geloven.

'Maar je kijkt zo verbaasd.'

'Misschien was ik dat ook wel,' gaf hij toe en toen glimlachte hij, zo charmant als hij kon. 'Maar misschien moet ik me niet langer over jou verbazen. Misschien moet ik gewoon accepteren dat niets dat jij doet mij kan verbazen.'

'Is dat iets goeds?'

'Het kan niet slecht zijn.'

Toen reed hij door naar het Wren-gebouw en ze kusten elkaar welterusten en zij ging naar binnen.

Ze kreeg verlof en Ambrose maakte zijn plannen. Een vriend wist twee kaartjes voor *The Dancing Years* in het Drury Lane Theater te bemachtigen. Van een andere knaap wist hij een beetje benzine en wat geld te lenen. En op zaterdagmiddag stopte hij weer op het grind voor het Wren-gebouw. Er kwam juist een meisje langs en hij zei haar dat ze Penelope Stern voor hem moest gaan zoeken en haar vertellen dat tweede luitenant Keeling op haar zat te wachten. Ze keek met grote ogen naar het wagentje en de knappe, jonge officier maar Ambrose was gewend dat er met grote ogen naar hem gekeken werd en zag niets bijzonders in haar duidelijke afgunst en bewondering.

'Niets dat jij doet, kan mij verbazen,' had hij tegen Penelope gezegd maar toch was dat moeilijk vol te houden, toen ze eindelijk verscheen. Want ze was in uniform en droeg haar oude bontjasje en een leren tas aan haar schouder en dat was alles.

'Waar is je bagage?' vroeg hij toen ze instapte en het jasje in de ruimte tussen haar voeten propte.

'Hier.' Ze hield haar handtas omhoog.

'Is dàt je bagage? Maar we blijven het hele weekend weg. We gaan naar het theater. Dan wil je dat overdreven uniform toch niet dragen?'

'Nee, natuurlijk niet. Maar ik ga naar huis. Daar zijn kleren genoeg. Ik zoek wel wat om aan te trekken.'

Ambrose dacht aan zijn moeder, die zich graag voor iedere gelegenheid in het nieuw stak en dan twee uur nodig had om zich aan te kleden.

'En een tandenborstel?'

'Mijn tandenborstel en mijn haarborstel zitten in mijn tas. Verder heb ik niets nodig. Gaan we nu nog naar Londen of niet?'

Het was een mooie, heldere dag, een dag om te ontsnappen, om met vakantie te zijn, om voor het weekend weg te gaan met iemand op wie je echt dol was. Ambrose nam de weg over Portsdown Hill en op de top keek Penelope om naar Portsmouth om het opgewekt gedag te zeggen. Ze reden via Purbrook en over de Downs naar Petersfield en daar besloten ze dat ze honger hadden. Dus gingen ze een broodje eten.

Ze reden verder langs Haslemere en Farnham en Guildford en kwamen via Hammersmith Londen binnen. Ze volgden de King's Road en draaiden eindelijk Oakley Street in, zo heerlijk bekend, met de Albert Bridge aan het eind en de meeuwen en de zilte lucht van de rivier en het getoet van sleepboten.

'Hier is het.'

Hij stopte en zette de motor af. Met enig ontzag bekeek hij de hoge voorgevel van het statige, oude huis.

'Is dit het?'

'Ja. Ik weet dat het hek wel eens geverfd mag worden, maar dat komt wel een keer. En natuurlijk is het veel te groot, maar we gebruiken niet alles zelf. Kom, dan zal ik het je laten zien.'

Ze pakte haar tas en haar jasje en hielp hem de kap dicht te doen voor als het ging regenen. Toen pakte hij zijn weekendtas. Hij verheugde zich er al op achter Penelope aan het indrukwekkende, van zuilen voorziene bordes naar de grote voordeur op te gaan. Het stelde hem dan ook teleur toen ze in plaats daarvan het trapje naar het souterrain afging. Terwijl hij haar volgde, ving hij een glimp op van een vuurrode vuilnisemmer en potten van aardewerk die 's zomers ongetwijfeld overliepen van geraniums en kamperfoelie.

De deur was even rood als de vuilnisemmer. Hij wachtte terwijl zij de sleutel omdraaide en volgde haar toen voorzichtig naar binnen. Hij kwam in een lichte, frisse keuken die heel ongewoon aandeed. Niet dat hij veel ervaring had met keukens. Zijn moeder kwam alleen maar in die van haar om Lily, het meisje voor alles, te vertellen hoeveel mensen er de volgende dag kwamen eten. Omdat ze er zo weinig tijd doorbracht en er zeker nooit werkte, was de inrichting ervan volkomen onbelangrijk voor haar en Ambrose herinnerde zich een onaantrekkelijk, somber vertrek met donkergroene verf en een houten aanrecht dat altijd nat was. Als Lily niet aan het werk was, huisde ze in een slaapkamer achter de keuken, die was ingericht met een ijzeren ledikant en een geelgelakt ladenkastje. Ze moest haar kleren op een haak op de deur hangen en ze mocht alleen 's middags in bad, als niemand anders de badkamer nodig had. Toen de oorlog uitbrak, had Lily mevrouw Keeling de schrik van haar leven gegeven door ontslag te nemen en in een munitiefabriek te gaan werken. Mevrouw Keeling had niemand kunnen vinden om haar plaats in te nemen en dat was een van de redenen waarom ze besloten had zich voor de duur van de oorlog terug te trekken in donker Devon.

Maar deze keuken. Hij zette zijn weekendtas neer en keek om zich heen. Zag de lange tafel, de bonte mengeling van stoelen, het buffet met de borden en kannen en schalen van beschilderd aardewerk. Boven het fornuis hing een rij koperen steelpannen, keurig naar grootte gerangschikt, naast bossen kruiden en gedroogde bloemen. De gootsteen was onder het raam, zodat je onder de afwas naar de voeten van de voorbijgangers kon kijken. Op de tegelvloer lagen biezen matten en het rook naar knoflook en kruiden, als in een *épicerie* op het Franse platteland.

Hij kon zijn ogen bijna niet geloven. 'Is dit jullie keuken?'

'Het is onze kamer-voor-alles. We wonen hier beneden.'

Hij begreep toen dat het souterrain zich over de volle lengte van het huis uitstrekte, want helemaal aan het eind gaven openslaande deuren toegang tot de tuin. De ruimte werd echter in tweeën gedeeld door een overwelfde doorgang met gordijnen die Ambrose niet als het werk van William Morris herkende. 'Oorspronkelijk was dit natuurlijk alleen maar een soort opslagruimte,' ging Penelope door, terwijl ze haar jas en haar tas op de keukentafel gooide, 'maar papa's vader heeft hier een tuinkamer gemaakt en wij gebruiken die als zitkamer. Kom maar kijken.' Hij volgde haar.

Ze gingen onder de doorgang door en hij zag de open haard met vrolijke, Italiaanse tegels, de piano, de ouderwetse grammofoon. Er stonden met cretonne beklede banken en stoelen, met zijden lappen erover en bezaaid met kussens. De witte muren vormden de achtergrond van boeken, kunstvoorwerpen, foto's ... herinneringen aan vele jaren, dacht hij. De overgebleven ruimte op de muren hing vol met schilderijen, zo doordrenkt van zonlicht dat Ambrose de warmte van die betegelde terrassen en die zuidelijke tuinen bijna kon voelen.

'Zijn die schilderijen van je vader?'

'Nee. We hebben maar drie van zijn schilderijen en die zijn in Cornwall. Hij kan niet meer werken, zie je. Hij heeft artritis. Deze zijn allemaal van zijn grote vriend, Charles Rainier. Voor de vorige oorlog hebben ze samen in Parijs gezeten en ze zijn nog altijd bevriend. De Rainiers wonen in een verrukkelijk huis in het zuiden van Frankrijk. We gingen daar vaak logeren. We maakten de reis dan per auto ... kijk ...' Ze pakte een foto van een plank en liet hem die zien. 'Hier zijn we onderweg ...'

Hij zag een gewoon familiegroepje, dat zich zorgvuldig voor de foto had opgesteld, Penelope met vlechten en in een katoenen jurk die een beetje te krap was. En haar ouders, nam hij aan, en nog een vrouwelijk familielid. Hij had eigenlijk meer belangstelling voor de auto.

'Dat is een oude Bentley!' Er klonk ontzag door in zijn stem.

'Ja. Papa is er gek op. Net als meneer Pad in *De wind in de wilgen*.

Hij wil altijd de kap omlaag, zodat we doornat worden als het regent.'
'Hebben jullie hem nog?'
'Natuurlijk. Hij zou hem nooit weg willen doen.'

Ze zette de foto weer neer en Ambrose keek als vanzelf weer naar de verleidelijke schilderijen van Charles Rainier. Hij kon zich niets aanlokkelijkers voorstellen dan zo'n zorgeloos, vooroorlogs tochtje naar het zuiden van Frankrijk in een oude Bentley, op weg naar een wereldje van zonneschijn, maaltijden in de openlucht en zwemmen in de Middellandse Zee. Hij dacht aan lange, luie siësta's, met gesloten jaloezieën en omhelzingen en naar druiven smakende kussen in de middag.

'Ambrose.'

Hij schrok op uit zijn dagdroom en keek haar aan. Ze glimlachte onschuldig en hij stelde zich voor hoe het zou zijn als ze al haar kleren uittrok, zodat hij haar meteen hier op een van die banken de zijne kon maken.

Hij deed een stap naar haar toe maar het was al te laat, want ze draaide zich om en was bezig met de grendel van de openslaande deuren. De betovering was verbroken. Er stroomde koude lucht naar binnen en hij zuchtte en volgde haar plichtmatig naar buiten om de tuin te bekijken.

'Kijk, de tuin is enorm groot omdat de mensen hiernaast lang geleden hun stuk tuin aan papa's vader verkocht hebben. Het is wel vervelend voor de mensen die er nu wonen. Ze hebben alleen maar een akelig klein plaatsje. En de muur aan de achterkant van de tuin is erg oud, nog uit de tijd van de Tudors, geloof ik. Misschien is dit vroeger wel een koninklijke boomgaard of zo geweest.'

Het was inderdaad een bijzonder grote tuin, met gras en borders en bloembedden en een doorzakkende pergola.

'Wat is dat voor een schuur?' vroeg hij.

'Dat is geen schuur. Het is het Londense atelier van mijn vader. Maar ik kan het je niet laten zien want ik heb er geen sleutel van. Het zit trouwens alleen maar vol met linnen en verf en tuinmeubelen en kampeerbedden. Hij gooit nooit iets weg. Zo zijn we allemaal. We moeten alles bewaren. Hij zegt altijd dat hij het atelier gaat opruimen, maar hij doet het nooit. Het is een manier om het verleden vast te houden, denk ik, of gewoon luiheid.' Ze huiverde. 'Koud, hè? Laten we weer naar binnen gaan, dan zal ik je de rest laten zien.'

Zonder iets te zeggen volgde hij haar. De uitdrukking van beleefde belangstelling op zijn gezicht verried niets van zijn voortrazende gedachten. Hij was diep onder de indruk van dit grote, oude huis, ondanks de wat ongewone inrichting ervan, en besloot dat het verre te prefereren was boven de perfect gemeubileerde flat van zijn moeder.

Hij dacht ook na over de kleine beetjes informatie die Penelope hem ongemerkt gegeven had, over haar familie en hun romantische, wat ongeregelde manier van leven. In vergelijking daarmee leek zijn eigen leven hem eindeloos saai en gewoon. Hij was in Londen opgegroeid, had zijn vakanties in Torquay of Frinton doorgebracht en was na zijn schooltijd bij de marine gegaan. En dat leek tot nog toe ook alleen maar een soort school. Hij was zelfs nog niet op zee geweest en dat zou pas gebeuren als hij klaar was met zijn opleiding.

Maar Penelope had meer van de wereld gezien. Ze had in Parijs gewoond en haar familie bezat niet alleen dit Londense huis maar ook een huis in Cornwall. Hij had pas *Rebecca* van Daphne du Maurier gelezen en stelde zich een huis als Manderley voor, met misschien een sfeer die aan de tijd van Elizabeth herinnerde en een honderden meters lange oprijlaan met hortensia's erlangs. En haar vader was een beroemde schilder en haar moeder kwam uit Frankrijk en ze leek het heel gewoon te vinden in een oude Bentley naar het zuiden van Frankrijk te rijden om bij vrienden te gaan logeren. Vooral die Bentley vervulde hem met afgunst. Hij had altijd naar zo'n auto verlangd, een statussymbool dat rijkdom en mannelijkheid uitstraalde en waar de mensen naar omkeken en ook een tikkeltje excentriek, wat de aantrekkelijkheid ervan nog vergrootte.

Terwijl hij dat allemaal dacht, liep hij, benieuwd wat er nog meer te ontdekken viel, achter haar aan naar binnen, door het souterrain en een donkere, smalle trap op. Weer een deur door en ze stonden in de ruime, smaakvolle hal van het huis, met een mooi bovenlicht boven de voordeur en een brede draaitrap naar de volgende verdieping. Onder de indruk van die onverwachte grandeur keek hij om zich heen.

'Ik ben bang dat het er allemaal erg vervallen uitziet,' zei ze verontschuldigend. Ambrose vond het helemaal niet vervallen. 'Op die akelige, verschoten plek op het behang heeft *De schelpenzoekers* altijd gehangen. Dat is het liefste schilderij van papa en hij wilde niet dat er een bom op zou vallen. Dus hebben Sophie en ik het naar Cornwall vervoerd. Het huis lijkt nu niet meer helemaal hetzelfde.'

Ambrose liep naar de trap. Hij wilde de rest van het huis ook zien, maar: 'Verder gaan we niet,' zei Penelope. Ze deed een deur open. 'Dit is de slaapkamer van mijn ouders. Vroeger was het waarschijnlijk de eetkamer. 's Morgens is het er heerlijk, want je krijgt er alle zon en kijkt uit over de tuin. En dit is mijn kamer, met uitzicht op de straat. En dit is de badkamer. En hier staat de stofzuiger. En dat is het dan.'

De rondleiding was voorbij. Ambrose liep weer naar de trap en keek omhoog.

'Wie woont er in de rest van het huis?'

'Een heleboel mensen. De Hardcastles en de Cliffords en op de zolder de Friedmanns nog.'

'Inwoning,' zei Ambrose. Het woord bleef bijna in zijn keel steken, want zijn moeder had het altijd met de grootste minachting uitgesproken.

'Ja, zo kun je ze noemen. Het is enig. Het is net of je vrienden hebt die er altijd zijn. En nu bedenk ik dat ik tegen Elizabeth Clifford moet gaan zeggen dat we er zijn. Ik heb geprobeerd haar te bellen maar het nummer was bezet en toen ben ik het vergeten.'

'Ga je haar ook vertellen dat ik hier ben?'

'Natuurlijk. Ga je mee? Ze is een schat, je zult haar vast wel aardig vinden.'

'Nee, ik blijf wel hier.'

'In dat geval kun je beter teruggaan naar de keuken en water opzetten, dan kunnen we thee zetten. Ik zal zien of ik een stukje cake of zo van Elizabeth kan lenen en dan gaan we na de thee boodschappen doen. Anders hebben we morgenochtend niets te eten.'

Ze leek net een klein meisje dat met haar poppenhuis aan het spelen was.

'Goed.'

'Ik ben zo weer beneden.'

Ze rende op haar lange benen de trap op en Ambrose keek haar na. Hij, die gewoonlijk zo zeker van zichzelf was, voelde zich nu onzeker. Hij had het gevoel dat hij hier, in het huis van Penelope, de situatie niet meer onder controle had. Dat was verwarrend want dat was hem nog nooit overkomen. En hij had het akelige voorgevoel dat haar bijzondere mengsel van naïviteit en wereldwijsheid wel eens hetzelfde effect op hem zou kunnen hebben als een vreselijk sterke cocktail en hem duizelig en onbekwaam zou achterlaten.

Het grote fornuis in de keuken brandde niet, maar er was ook een elektrische waterkoker, die hij vulde en aanzette. In het donker van de februarimiddag was het koud in het grote vertrek, maar er lag hout en papier in de haard in de zitkamer. Hij stak het aan, wachtte tot het goed brandde en deed er toen wat kolen op uit de koperen kit die ernaast stond. Tegen de tijd dat Penelope de trap af kwam rennen, gaf het vuur al wat warmte en kookte het water.

'O, wat goed, je hebt het vuur aangestoken. Dat maakt alles altijd veel vrolijker. Er was geen cake maar ik heb een beetje brood en margarine geleend. Maar ik mis iets.' Ze keek even om zich heen en besefte toen wat het was. 'De klok. Natuurlijk, die is niet opgewonden. Wind de klok eens op, Ambrose. Dat getik klinkt zo gezellig.'

Het was een ouderwetse hangklok. Ambrose klom op een stoel,

deed het deurtje open, zette de wijzers in de goede stand en wond de klok op. Penelope haalde intussen kop-en-schotels en een theepot te voorschijn.

'Heb je je vriendin gezien?' De klok begon te tikken en Ambrose stapte van de stoel.

'Nee, ze was er niet, maar ik ben naar de zolder gegaan en heb Lalla Friedmann gesproken. Ik was blij dat ik haar zag want ik had me een beetje bezorgd gemaakt over hen. Het zijn vluchtelingen, zie je, een jong, joods echtpaar uit München, en ze hebben een vreselijke tijd gehad. De laatste keer dat ik Willi zag, dacht ik dat hij misschien helemaal zou instorten.' Ze vroeg zich even af of ze aan Ambrose zou vertellen dat ze door Willi bij de marine was gegaan, maar besloot toen dat niet te doen. Ze wist niet zeker of hij het zou begrijpen. 'Maar ze zegt dat het nu veel beter met hem gaat. En hij heeft een nieuwe baan en zij krijgt een baby. Ze is erg aardig. Ze geeft muziekles, dus ze moet verschrikkelijk knap zijn. Vind je het erg om thee zonder melk te drinken?'

Na de thee liepen ze naar de King's Road. Ze vonden een kruidenier en deden wat inkopen en liepen toen terug naar Oakley Street. Het was bijna donker, dus deden ze alle verduisteringsgordijnen dicht. En Penelope maakte de bedden op terwijl hij zat toe te kijken.

'Jij kunt in mijn kamer slapen en ik neem het bed van mijn ouders. Wil je een bad nemen voor je je verkleedt? Er is altijd warm water genoeg. Of wil je wat drinken?'

Ambrose zei op beide vragen ja, dus gingen ze weer naar beneden en ze haalde een paar flessen te voorschijn.

'Van wie zijn die?' vroeg hij.

'Van papa.'

'Zou hij het niet erg vinden dat ik ervan drink?'

Ze keek hem verbaasd aan. 'Maar daar is het voor. Om aan vrienden te geven.'

Ook dat was iets nieuws voor hem. Zijn moeder verstrekte sherry in kleine glaasjes, maar als hij iets sterkers wilde, moest hij daar zelf voor zorgen. Hij gaf echter geen commentaar maar schonk zich een flink glas whisky in en ging met het glas in zijn ene en zijn weekendtas in zijn andere hand de trap op naar boven, naar de slaapkamer die hem was toegewezen. Het deed vreemd aan je in zo'n vreemde, vrouwelijke omgeving uit te kleden en hij snuffelde een beetje rond, als een kat die thuis probeert te raken. Hij bekeek de platen aan de muur, ging op het bed zitten en inspecteerde de titels van de boeken op de plank. Hij verwachtte Georgette Heyer en Ethel M. Dell maar vond Virginia Woolf en Rebecca West. Ze was dus niet alleen een bohémien maar ook een intellectueel. Toen ging hij naar de badkamer. Hij schoor zich en liet toen het bad vollopen. Het was veel te kort voor zijn lange benen maar het water was heerlijk warm. Terug in de slaapkamer kleedde hij zich weer aan. Hij verfraaide zijn uniform met een gesteven overhemd, een zwarte, satijnen das van Gieves en zijn beste zwarte schoenen, opgewreven met een zakdoek. Hij borstelde zijn haar, draaide zijn hoofd naar beide kanten om zijn profiel te bewonderen en ging toen tevreden met het lege glas naar beneden.

Penelope was verdwenen. Waarschijnlijk was ze in de kast van haar moeder een jurk voor die avond gaan zoeken. Hij hoopte dat ze hem niet te schande zou maken. Bij het licht van het vuur zag de zitkamer er heel romantisch uit. Hij schonk zich nog een whisky in en bekeek de stapels grammofoonplaten. De meeste waren klassiek, maar tussen Beethoven en Mahler vond hij ook Cole Porter. Hij legde de plaat op de oude grammofoon en draaide aan de zwengel.

You're the top,
You're the Coliseum,
You're the top,
You're the Louvre Museum.

Hij begon te dansen, met zijn ogen half dicht en een denkbeeldig meisje in zijn armen. Misschien konden ze aan het eind van de avond naar een nachtclub gaan. Als hij niet genoeg geld had, accepteerden ze daar waarschijnlijk wel een cheque. Met een beetje geluk was die niet ongedekt.

'Ambrose.'

Hij had haar niet binnen horen komen. Een beetje verlegen omdat ze hem bij zijn kleine pantomime had betrapt, draaide hij zich om. Ze kwam door de kamer naar hem toe, wachtend op zijn goedkeuring. Maar Ambrose kon voor één keer eens geen woorden vinden, want in het zachte licht van de lamp en het vuur was ze erg mooi. De jurk die ze had opgediept, was waarschijnlijk vijf jaar eerder in de mode geweest. De golvende rok van crème chiffon met rode en paarse bloemen zat strak om haar smalle heupen en waaierde dan uit. Het lijfje had kleine knoopjes aan de voorkant en er was ook nog een soort cape, die trillend als vlindervleugels met haar mee bewoog. Ze had haar haar opgestoken zodat de lange, volmaakte lijn van hals en schouders en een opvallend paar oorhangers van zilver en koralen goed zichtbaar waren. Ze had koraalrode lippenstift op en rook verrukkelijk.

'Je ruikt heerlijk,' zei hij.

'Chanel nummer vijf. Ik vond een beetje onder in een flesje. Ik dacht dat het misschien verschaald was ...'

'Geen sprake van.'

'Nee . . . kan ik er zo mee door? Ik heb wel zes jurken geprobeerd maar ik vond dit de beste. Hij is vreselijk oud en een beetje te kort omdat ik langer ben dan Sophie, maar . . .'

Ambrose zette zijn glas neer en stak zijn hand uit. 'Kom hier.'

Ze kwam en legde haar hand in de zijne. Hij trok haar in zijn armen en kuste haar, heel zacht en teder, want hij wilde haar elegante kapsel of haar bescheiden make-up niet bederven. Haar lippenstift smaakte zoet. Hij trok zich wat terug en keek glimlachend neer in haar warme, donkere ogen.

'Ik zou bijna willen dat we niet uit hoefden te gaan,' zei hij.

'We komen weer terug,' zei ze en zijn hart sprong op bij het vooruitzicht.

The Dancing Years was erg romantisch en droevig en nogal onecht. Er waren een heleboel dirndls en korte leren broeken en aardige liedjes en alle figuren werden verliefd op elkaar en gaven elkaar daarna dapper op en namen afscheid en om het andere wijsje was een wals. Na afloop reden ze door de pikdonkere straten naar Piccadilly. Ze gingen bij Quaglino eten. Er speelde een band en de dansvloer was stampvol. Alle mannen waren in uniform en heel wat meisjes ook.

Boum.
Why does my heart go boum,
Me and my heart go boum-boumpety-boum,
All the time.

Tussen de verschillende gangen dansten Ambrose en Penelope ook, maar eigenlijk was het geen dansen omdat er alleen maar ruimte was om op één plaats te staan en zich van de ene voet op de andere te verplaatsen. Maar dat gaf niet omdat ze hun armen om elkaar heen hadden en hun wangen elkaar raakten en Ambrose af en toe haar oor kuste of iets buitensporigs fluisterde.

Het was bijna twee uur voor ze terugkeerden naar Oakley Street. Ze hielden elkaars hand vast en probeerden hun lachen te onderdrukken toen ze door het inktzwarte donker hun weg zochten door het smeed-ijzeren hek en het stenen trapje af.

'Wie maakt zich druk om bommen?' zei Ambrose. 'We kunnen even gemakkelijk verongelukken als we zo rondstommelen in het donker.'

Penelope maakte zich van hem los, vond de sleutel en het slot en kreeg eindelijk de deur open. Hij liep langs haar heen het warme, fluwelen duister in. Hij hoorde hoe ze de deur achter hen sloot en toen, toen het veilig was, draaide ze het licht aan.

Het was heel stil. Boven hen sliepen de andere mensen in het huis. Alleen het getik van de klok verstoorde de stilte, of een voorbijrijdende auto buiten op straat. Het vuur dat hij had aangestoken, was bijna uit maar Penelope liep erheen om het op te poken. Ze deed een lamp aan. Achter de boog was de zitkamer net een toneel vlak nadat het doek is opgegaan. Eerste bedrijf, eerste toneel. Er was alleen nog behoefte aan spelers.

Hij voegde zich niet meteen bij haar. Hij was op een prettige manier een beetje aangeschoten maar had het punt bereikt dat hij wist dat hij nog wat moest drinken. Hij pakte de whiskyfles en schonk een scheutje in een glas, dat hij verder met sodawater vulde. Toen deed hij het keukenlicht uit en liep naar het vuur en de grote bank met kussens en het meisje waar hij de hele avond al naar verlangde.

Ze knielde op het haardkleedje, dicht bij de warmte van het vuur. Ze had haar schoenen uitgedaan. Bij zijn nadering draaide ze zich glimlachend naar hem toe. Het was laat en ze had moe kunnen zijn, maar haar donkere ogen stonden helder en haar gezicht gloeide.

'Waarom zou een vuur zo gezellig zijn?' zei ze. 'Net of er nog iemand in de kamer is.'

'Ik ben blij dat die er niet is. Nog iemand, bedoel ik.'

Ze was ontspannen, rustig. 'Het was een heerlijke avond.'

'De koek is nog niet op.'

Hij ging in een lage stoel zitten en zette zijn glas neer. 'Je haar deugt niet,' zei hij.

'Waarom niet?'

'Het zit veel te netjes om te vrijen.'

Ze lachte en bracht haar handen omhoog en begon langzaam haar haar los te maken. Hij keek zwijgend naar het klassieke vrouwelijke gebaar. Toen ze de laatste speld eruit gehaald had, schudde ze haar haar zodat het over haar schouders viel.

'Nu ben ik mezelf weer,' zei ze.

In de keuken liet de oude klok twee slagen horen.

'Twee uur in de ochtend,' zei ze.

'Precies de goede tijd.'

Ze lachte weer, alsof niets dat hij zei, haar iets anders dan vreugde kon brengen. Het was erg warm bij het vuur. Hij trok zijn jasje uit en maakte zijn das en het knoopje van zijn boord los. Hij ging staan, boog zich over haar heen en trok haar overeind. Hij kuste haar en begroef zijn gezicht in haar schone, geurige haar. Zijn handen voelden onder haar dunne japon haar slanke, jonge lichaam en het regelmatige kloppen van haar hart. Hij tilde haar op in zijn armen – en voor zo'n lang meisje was ze verbazend licht – deed een paar stappen en zette haar neer op de bank. En terwijl ze daar lag met dat betoverende haar uitgespreid over de versleten kussens, lachte ze nog steeds. Nu ging zijn eigen hart als een razende tekeer en deed zijn hele lichaam pijn van verlangen naar haar. Sinds hij met haar omging, had hij zich af en toe afgevraagd of ze nog maagd was, maar dat vroeg hij zich nu niet meer af, want het deed er niet meer toe. Terwijl hij naast haar zat, begon hij heel voorzichtig de kleine knoopjes aan de voorkant van haar jurk los te maken. Ze bleef rustig en probeerde niet hem tegen te houden en toen hij haar weer begon te kussen, haar mond, haar hals, haar zachte, ronde borsten, verzette ze zich niet.

'Je bent zo mooi.' Toen hij dat gezegd had, besefte hij tot zijn eigen verbazing dat hij zonder nadenken had gesproken en dat de woorden recht uit zijn hart kwamen. 'Jij bent ook mooi,' zei Penelope en ze sloeg haar sterke, jonge armen om hem heen en trok hem tegen zich aan. Ze drukte haar mond tegen de zijne en hij besefte dat heel haar lichaam op hem wachtte.

Het vuur vlamde op, verwarmde hem, verlichtte hun liefde. Er kwamen herinneringen bij hem op aan een kinderkamer in de nacht, gesloten gordijnen – sinds lang vergeten beelden uit zijn prilste jeugd. Niets dat je kon deren, niets dat je kon storen. Geborgenheid. En ook vervoering. En dan ook nog een beetje gezond verstand.

'Lieveling.'
'Ja.' Een fluistering. 'Ja.'
'Is alles in orde?'
'In orde? O, ja, alles is in orde.'
'Ik houd van je.'
'O.' Niet meer dan een ademtocht. 'Liefste.'

Half april kreeg Penelope enigszins tot haar eigen verbazing, want ze was hopeloos onpraktisch in zulke dingen, te horen dat ze een week verlof kon krijgen. Ze stelde zich dus op in de rij voor het kantoor van de dienstdoende onderofficier en vroeg een pas om met de trein naar Porthkerris te gaan.

De onderofficier was een opgewekte dame uit Noord-Ierland. Ze had sproeten en rood haar en keek heel geïnteresseerd toen Penelope zei waar ze heen wilde.

'Dat is in Cornwall, hè?'
'Ja.'
'Woon je daar?'
'Ja.'
'Jij boft, zeg.' Ze gaf de pas en Penelope bedankte haar en liep met haar kaartje voor de vrijheid stevig in haar hand geklemd de kamer uit.

De treinreis duurde eindeloos. Van Portsmouth naar Bath. Van

Bath naar Bristol. Van Bristol naar Exeter. In Exeter moest ze een uur wachten voor ze in de trage stoptrein naar Cornwall kon stappen. Ze vond het niet erg. Ze zat op een hoekplaats in de vuile trein en keek door het beroete raampje naar buiten. Dawlish, Plymouth en toen Cornwall en alle kleine stationnetjes met hun heilige en romantische namen. Na Redruth deed ze het raampje omlaag en hing naar buiten om de eerste blik op de Atlantische Oceaan, de duinen en de aanrollende golven niet te missen. Ze trok haar koffer uit het net en ging in het gangpad staan terwijl ze de laatste bocht maakten en stopten.

Het was tegen die tijd half negen in de avond. Ze deed de zware deur open en stapte dankbaar uit. De lucht deed warm en zoet en fris aan en de ondergaande zon wierp lange stralen over het perron en uit dat verblindende licht kwamen papa en Sophie op haar af.

Het was ongelofelijk heerlijk om thuis te zijn. Het eerste wat ze deed, was naar boven rennen, haar uniform uittrekken en behoorlijke kleren opzoeken – een oude, katoenen rok, een blouse uit haar schooltijd, een vest met stoppen. Er was niets veranderd. De kamer was precies zoals toen ze wegging, alleen netter en blinkend schoon. Ze rende met blote benen de trap af en liep van de ene kamer naar de andere, alleen maar om te zien of ook daar nog alles precies hetzelfde was. En dat was het.

In grote lijnen tenminste. Charles Rainiers portret van Sophie, dat vroeger de voornaamste plaats had ingenomen op de schoorsteen in de zitkamer, was op een minder opvallende plaats gehangen omdat het plaats moest maken voor *De schelpenzoekers*, dat na een aantal onvermijdelijke vertragingen uit Londen was aangekomen. Het was te groot voor de kamer en het licht was niet goed genoeg om de kleuren ervan recht te doen, maar toch zag het er nog heel aantrekkelijk uit.

En de Potters waren een stuk opgeknapt. Doris was veel slanker geworden en ze liet haar geverfde haar uitgroeien, zodat het nu half geblondeerd en half bruin was. En Ronald en Clark waren gegroeid en waren niet meer zo spichtig en bleek. Hun haar was ook gegroeid en ze hadden al iets van de tongval van Cornwall overgenomen. En er waren twee keer zoveel eenden en kippen en één oude kip was broeds geworden en had toen niemand keek, een nest kuikens uitgebroed in een kapotte kruiwagen die tussen de struiken verborgen lag.

Penelope wilde alles weten wat er gebeurd was sinds de dag, die nu zo lang geleden leek, dat ze in de trein gestapt was om naar Portsmouth te gaan. Lawrence en Sophie stelden haar niet teleur. Kolonel Trubshot leidde de luchtbescherming en maakte het iedereen moeilijk. Hotel Sands was gevorderd en zat vol soldaten. De oude mevrouw Treganton – de douairière van het stadje, een indrukwekkende dame met lange oorhangers – had een schort voorgebonden en leidde de kantine van de strijdkrachten. Er was prikkeldraad op het strand en er werden langs de hele kust betonnen bunkers met akelige stukken geschut gebouwd. Miss Preedy gaf geen dansles meer maar gaf nu gymnastiek op een meisjesschool die uit Kent geëvacueerd was. En miss Pawson was in het donker door de verduistering over haar pomp en emmer gevallen en had haar been gebroken.

Toen ze eindelijk niet meer wisten wat ze nog meer moesten vertellen, hoopten ze begrijpelijk genoeg verhalen van hun dochter te horen te krijgen over haar nieuwe leven, waar zij zich nauwelijks een voorstelling van konden maken. Maar ze wilde niets vertellen. Ze wilde er niet over praten. Ze wilde niet aan Whale Island en Portsmouth denken. Ze wilde zelfs niet aan Ambrose denken. Vroeg of laat zou ze dat natuurlijk wel moeten. Maar niet nu. Niet die avond. Ze had een week. Het kon wachten.

Van de top van de heuvel keken ze uit over het land dat lag te soezen in de zonneschijn van een warme lentemiddag. Het was heel stil. Ze hadden gewandeld, Sophie en zij, en nu zaten ze uit te rusten.

Hoog boven hen in de lucht vloog een vliegtuig over, een klein stukje speelgoed van zilver. Ze keken allebei omhoog. 'Ik houd niet van vliegtuigen,' zei Sophie. 'Ze herinneren me aan de oorlog.'

'Vergeet je die dan ooit?'

'Soms. Dan doe ik net of er niets gebeurd is. Dat is niet zo moeilijk op een dag als vandaag.'

Penelope stak haar hand uit en trok aan een bosje gras.

'Er is nog niet veel gebeurd, hè?'

'Nee.'

'Denk je dat dat wel komt?'

'Natuurlijk.'

'Maak je je daar zorgen over?'

'Ik maak me bezorgd over je vader. Hij maakt zich zorgen. Hij heeft het allemaal al eens meegemaakt.'

'Jij ook.'

'Niet zoals hij. Nooit zoals hij.'

Penelope gooide het gras weg en trok aan een ander bosje.

'Sophie.'

'Ja.'

'Ik krijg een baby.'

Het geluid van het vliegtuig stierf weg, ging op in de oneindige hemel. Sophie bewoog zich, ging langzaam rechtop zitten. Penelope ontmoette de ogen van haar moeder en zag op dat jeugdige, gebruinde gezicht een uitdrukking van wat alleen maar diepe opluchting genoemd kon worden.

'Is dit het wat je ons niet wilde vertellen?'

'Wisten jullie dat dan?'

'Natuurlijk wisten we dat. Zo stil, zo zwijgzaam. Er moest iets aan de hand zijn. Waarom heb je het ons niet eerder verteld?'

'Niet omdat ik me schaamde of bang was. Ik wilde het alleen op het goede moment doen. Ik wilde tijd hebben om erover te praten.'

'Ik heb me zoveel zorgen gemaakt. Ik dacht dat je ongelukkig was en spijt had van wat je gedaan had. Of dat je op de een of andere manier in moeilijkheden was.'

Penelope moest lachen. 'Ben ik dat dan niet?'

'Maar natuurlijk ben je niet in moeilijkheden!'

'Ik blijf me over jou verbazen, weet je.'

Sophie reageerde daar niet op. Ze werd praktisch. 'Weet je zeker dat je een kind krijgt?'

'Ja.'

'Ben je bij een dokter geweest?'

'Dat is niet nodig. In Portsmouth zou ik trouwens alleen naar de dokter van de marine kunnen en dat wilde ik niet.'

'Wanneer komt de baby?'

'In november.'

'En wie is de vader?'

'Hij is tweede luitenant. Krijgt een opleiding op Whale. Hij heet Ambrose Keeling.'

'Waar is hij nu?'

'Nog in Portsmouth. Hij is voor zijn examen gezakt en moet de hele cursus nog eens doen.'

'Hoe oud is hij?'

'Eenentwintig.'

'Weet hij dat je in verwachting bent?'

'Nee. Ik wilde het eerst aan jou en papa vertellen.'

'Ga je het hem vertellen?'

'Natuurlijk. Als ik terugkom.'

'Wat zal hij zeggen?'

'Ik heb geen idee.'

'Het klinkt niet alsof je hem erg goed kent.'

'Ik ken hem goed genoeg.' Ver beneden hen in het dal liep een man met een hond achter hem aan over een erf. Hij deed een hek open en begon de heuvel te beklimmen, naar de plaats waar zijn melkkoeien graasden. Penelope leunde achterover op haar ellebogen en zag hem gaan. Hij droeg een rood overhemd en zijn hond liep in kringen om hem heen. 'Zie je, je had gelijk dat ik me niet gelukkig voelde. Ik heb me nog nooit zo ellendig gevoeld als in het begin op Whale. Ik was net een vis op het droge. En ik had heimwee en voelde me eenzaam. Die dag dat ik me aanmeldde bij de marine, dacht ik dat ik een zwaard opnam om te gaan vechten, maar wat ik te doen kreeg, was maaltijden opdienen en gordijnen sluiten en in één huis wonen met een stel meisjes met wie ik niets gemeen had. En daar kon ik niets aan veranderen. Ik kon er niet aan ontsnappen. Toen leerde ik Ambrose kennen en daarna begon het allemaal beter te gaan.'

'Ik had me niet gerealiseerd dat het zo erg was.'

'Ik heb het je niet verteld. Dat had de zaak er ook niet beter op gemaakt.'

'Moet je weg bij de marine als je een baby krijgt?'

'Ja, dan word ik ontslagen. Oneervol waarschijnlijk.'

'Vind je dat erg?'

'Erg? Hoe eerder hoe liever.'

'Penelope . . . je bent niet met opzet in verwachting geraakt.'

'O nee. Zelfs ik zou niet zo wanhopig kunnen zijn. Nee. Het is gewoon gebeurd. Zo gaat dat nu eenmaal.'

'Je weet . . . je weet natuurlijk . . . dat je voorzorgsmaatregelen kunt nemen.'

'Natuurlijk, maar ik dacht dat de man dat altijd deed.'

'O, liefje, ik had er geen idee van dat je zo naïef was. Wat een waardeloze moeder ben ik geweest.'

'Ik heb je nooit als een moeder gezien. Ik heb je altijd als een zuster beschouwd.'

'Nou, een waardeloze zuster dan.' Ze zuchtte. 'Wat moeten we nu doen?'

'Naar huis gaan en het aan papa vertellen, neem ik aan. En dan teruggaan naar Portsmouth en het aan Ambrose vertellen.'

'Ga je met hem trouwen?'

'Als hij me vraagt.'

Sophie dacht even na. Toen zei ze: 'Ik weet dat je veel voor die jongen moet voelen, anders zou je zijn kind niet dragen. Ik ken je goed genoeg om dat te weten. Maar je moet niet alleen maar vanwege de baby met hem trouwen.'

'Jij bent met papa getrouwd toen ik onderweg was.'

'Maar ik hield van hem. Ik heb altijd van hem gehouden. Ik kon me geen leven zonder hem voorstellen. Ik had hem nooit verlaten, of hij nu met me getrouwd was of niet.'

'Komen jullie op de bruiloft als ik met Ambrose ga trouwen?'

'Niets zou ons weg kunnen houden.'

'Dat is fijn. En als hij klaar is op Whale, wordt hij naar zee gestuurd.

Kan ik dan naar huis komen en bij papa en jou wonen? De baby in Carn Cottage krijgen?'

'Wat een vraag! Wat zou je anders moeten doen?'

'Ik denk dat ik er mijn beroep van zou kunnen maken een gevallen vrouw te zijn, maar dat doe ik veel liever niet.'

'Daar zou je trouwens toch hopeloos in zijn.'

Penelope liep over van dankbare liefde. 'Ik wist wel dat je zo zou zijn. Wat zou het vreselijk zijn een moeder als andere moeders te hebben.'

'Misschien zou ik dan een beter mens zijn. Maar ik ben niet goed. Ik ben egoïstisch. Ik denk alleen maar aan mezelf. Deze vreselijke oorlog is begonnen en de dingen worden heel erg voor alles voorbij is. Er worden zonen gedood, en dochters ook, en vaders en broers. En ik kan me alleen maar dankbaar voelen omdat jij naar huis komt. Ik heb je zo erg gemist. Maar nu kunnen we weer bij elkaar zijn. Hoe erg alles ook wordt, we zijn in elk geval bij elkaar.'

Ambrose schonk zich een stevige borrel in en belde met het glas in zijn hand zijn moeder op.

'Hotel Coombe.' De stem was die van een vrouw en uiterst beschaafd.

'Kan ik mevrouw Keeling spreken?'

'Als u een ogenblik wilt wachten, zal ik kijken of ik haar kan vinden.'

'Als u zo vriendelijk wilt zijn.'

'Wie kan ik zeggen dat er is?'

'Haar zoon. Tweede luitenant Keeling.'

'Eén moment.'

Hij wachtte.

'Hallo?'

'Mammie.'

'Lieve jongen. Wat fijn je stem te horen. Waar ben je?'

'Op Whale Island. Mammie, hoor eens, ik moet u iets vertellen.'

'Goed nieuws, hoop ik.'

'Ja. Schitterend nieuws.' Hij schraapte zijn keel. 'Ik ben verloofd en ga trouwen.'

Absolute stilte.

'Mammie?'

'Ja, ik ben er nog.'

'Voelt u zich wel goed?'

'Ja. Ja, natuurlijk. Zei je dat je ging trouwen?'

'Ja. De eerste zaterdag in mei. Op het bureau van de burgerlijke stand in Chelsea. Komt u ook?'

Het klonk alsof hij haar voor een feestje uitnodigde.

'Maar . . . wanneer? . . . wie? Lieve hemel, je hebt me helemaal in de war gemaakt.'

'Rustig maar. Ze heet Penelope Stern. U zult haar vast graag mogen,' voegde hij er zonder veel hoop aan toe.

'Maar . . . wanneer is dit allemaal gebeurd?'

'Het is gewoon gebeurd. Daarom bel ik op. Om het u meteen te laten weten.'

'Maar . . . wie is ze?'

'Ze is bij de vrouwenafdeling van de marine.' Hij probeerde iets te bedenken dat zijn moeder gerust zou stellen. 'Haar vader is kunstschilder. Hij woont in Cornwall.' Het bleef weer stil. 'Ze hebben een huis in Oakley Street.' Hij overwoog even de Bentley te noemen maar zijn moeder had nooit veel om auto's gegeven.

'Lieverd. Het spijt me dat ik zo weinig enthousiast klink maar je bent nog erg jong . . . je carrière . . .'

'Er is een oorlog aan de gang, mammie.'

'Dat weet ik wel. Dat kan ik toch wel weten.'

'Komt u op onze bruiloft?'

'Ja. Ja, natuurlijk . . . Ik kom voor het weekend naar de stad.'

'Dat is geweldig. Dan kunt u kennis met haar maken.'

'O, Ambrose . . .'

Het klonk alsof ze bijna in tranen was.

'Het spijt me dat ik u er zo mee overvallen heb. Maar maak u geen zorgen.' De telefoon gaf een signaal. 'U zult haar vast wel graag mogen,' zei hij nog eens en toen hing hij haastig op, voor ze hem kon vragen meer geld in de gleuf te doen.

Dolly Keeling bleef nog even naar de telefoon staan staren. Mevrouw Musspratt, die aan haar bureau onder de trap zogenaamd iets zat op te tellen maar in werkelijkheid ieder woord had afgeluisterd, keek op en glimlachte vragend, haar hoofd naar één kant als een vogel met kraaloogjes.

'Goed nieuws hoop ik, mevrouw Keeling.'

Dolly vermande zich en bracht een uitdrukking van opgewekt enthousiasme op haar gezicht.

'Zo opwindend. Mijn zoon gaat trouwen.'

'O, enig. Wat romantisch. Die dappere jonge mensen. Wanneer?'

'Hoe bedoelt u?'

'Wanneer is de bruiloft?'

'Over twee weken. De eerste zaterdag van mei. In Londen.'

'En wie is de gelukkige bruid?'

Ze werd een beetje te nieuwsgierig. Geërgerd zette Dolly Keeling de vrouw op haar plaats. 'Ik heb nog niet het genoegen gehad haar te ontmoeten,' zei ze met waardigheid. 'Dank u wel dat u me bent komen roepen, mevrouw Musspratt.' En daarmee liet ze de vrouw aan haar berekeningen over.

Hotel Coombe was vroeger een particuliere woning geweest. Het had acht permanente gasten, maar vier van hen hadden zich aaneengesloten tot een soort elite. Dolly was een van hen. De anderen waren kolonel en mevrouw Fawcett Smythe en lady Beamish. Ze speelden 's avonds samen bridge en maakten aanspraak op de beste stoelen in de zitkamer en de beste tafeltjes in de eetkamer. De overige gasten moesten het doen met koude hoekjes waar nauwelijks voldoende licht was om te lezen en met tafeltjes in de buurt van de keukendeur. Kolonel en mevrouw Fawcett Smythe kwamen uit Kent. Ze waren allebei in de zeventig. De kolonel had het grootste deel van zijn leven in het leger doorgebracht en wist dus precies te vertellen wat die kerel Hitler nu zou gaan doen. Hij spelde alle nieuwtjes in de krant over geheime wapens en de beweging van oorlogsschepen. Hij was een kleine, bruine man met een snor, maar hij maakte zijn gebrek aan lengte goed door een blafferige manier van spreken en een militaire houding. Zijn vrouw had pluizig haar en was nogal kleurloos. Ze zat vaak te breien en was het eens met alles wat haar man zei. En dat was het beste voor iedereen want kolonel Fawcett Smythe liep helemaal rood aan als hij werd tegengesproken, en zag er dan uit alsof hij op het punt stond een beroerte te krijgen.

Lady Beamish was nog beter. Zij was de enige van hen die niet bang was voor bommen of tanks of wat dan ook dat de nazi's op haar af konden sturen. Ze was over de tachtig, lang en nogal dik, met grijs haar in een knot op haar achterhoofd en een paar onbarmhartig kille, grijze ogen. Ze liep erg slecht (als gevolg van een ongeluk bij de jacht, had ze een geïmponeerd publiek verteld), en moest een stevige stok gebruiken. Als ze zat, zette ze die tegen haar stoel, waar hij altijd erg in de weg stond. Ze was met tegenzin in het hotel gekomen om de oorlog uit te zitten, maar haar huis in Hampshire was door het leger gevorderd en haar familie wist niet goed raad met haar en had haar ertoe weten te brengen zich in Devon terug te trekken. 'De wei ingestuurd,' mopperde ze voortdurend, 'als een oud oorlogspaard.'

De echtgenoot van lady Beamish was in Brits-Indië bij de civiele dienst geweest en ze had het grootste deel van haar leven op dat uitgestrekte subcontinent doorgebracht, de parel in de kroon van het Britse rijk. Ze moest, dacht Dolly vaak, een enorme steun voor haar man zijn geweest. Het was niet moeilijk je haar voor te stellen terwijl ze, slechts gewapend met een tropenhelm en een zijden parasol, een opstandige troep inlanders met die staalharde ogen wist te bedwingen of als dat niet lukte, de dames bij elkaar haalde en hen hun onderjurken stuk liet scheuren om er zwachtels van te maken.

Ze zaten nog op Dolly te wachten zoals ze hen verlaten had, bij elkaar om de kleine haard. Mevrouw Fawcett Smythe met haar breiwerk, lady Beamish bezig een patience te leggen en de kolonel met zijn rug naar het vuur terwijl hij zijn reumatische knieën stond te buigen en te strekken.

Dolly ging in haar stoel zitten.

'Wat was er aan de hand?' vroeg lady Beamish. Ze legde een zwarte boer op een rode vrouw.

'Het was Ambrose. Hij gaat trouwen.'

De mededeling trof de kolonel onverhoeds terwijl hij zijn benen gebogen had. Het leek hem enige moeite te kosten om ze weer recht te krijgen.

'Wel verdraaid,' zei hij.

'O, wat opwindend,' zei mevrouw Fawcett Smythe met haar bevende stem.

'Met wie?' vroeg lady Beamish.

'Ze is . . . ze is de dochter van een kunstschilder.'

Lady Beamish trok haar mondhoeken omlaag.

'De dochter van een kunstschilder?' zei ze vol minachting.

'Hij is vast erg beroemd,' zei mevrouw Fawcett Smythe troostend.

'Hoe heet ze?'

'Eh . . . Penelope Stern.'

'Penelope Stein?' Het gehoor van de kolonel was niet altijd even betrouwbaar.

'O, hemeltje, nee.' Ze hadden natuurlijk allemaal erg met die arme joden te doen maar het was ondenkbaar dat je zoon met een jodin zou trouwen. 'Stern.'

'Ik heb nog nooit van een schilder Stern gehoord,' zei de kolonel, alsof Dolly hem wat wijs wilde maken.

'En ze hebben een huis in Oakley Street. En Ambrose zegt dat ik haar vast erg aardig zal vinden.'

'Wanneer gaan ze trouwen?'

'Begin mei.'

'Ga je erheen?'

'Natuurlijk. Ik zal het hotel bellen waar ik altijd logeer. Misschien moest ik een beetje eerder gaan om te winkelen en iets geschikts te zoeken om te dragen.'

'Wordt het een grote plechtigheid?' vroeg mevrouw Fawcett Smythe.

'Nee. Ze trouwen op het bureau van de burgerlijke stand in Chelsea.'

'Lieve help.'

Dolly voelde zich gedwongen haar zoon te verdedigen. Ze kon de gedachte niet verdragen dat ze medelijden met haar zouden krijgen. 'Tja, oorlogstijd, hè? En Ambrose kan nu elk moment naar zee gaan. Misschien is het zo wel het meest praktisch. Hoewel ik moet zeggen dat ik altijd gedroomd heb van een mooie huwelijksdienst in een kerk. Maar het is nu eenmaal zo.' Ze haalde dapper haar schouders op. '*C'est la guerre.*'

Lady Beamish ging door met haar patience. 'Waar heeft hij haar leren kennen?'

'Dat zei hij niet. Maar ze werkt bij de marine.'

'Nou, dat is tenminste iets,' merkte lady Beamish op. Ze wierp Dolly een scherpe, veelzeggende blik toe terwijl ze dat zei, die Dolly zorgvuldig ontweek. Lady Beamish wist dat Dolly pas vierenveertig was. Dolly had haar alles over haar lichamelijke ongemakken verteld: die vreselijke hoofdpijn (ze zei migraine) die haar op de meest ongelegen momenten volkomen uitschakelde, en haar rugpijn, die door de minste huishoudelijke bezigheid zoals bedden opmaken of strijken veroorzaakt kon worden. Er was geen sprake van dat ze enig werk ten behoeve van de oorlog zou kunnen doen. Maar lady Beamish leek dat niet te begrijpen en maakte af en toe onvriendelijke opmerkingen over mensen die bommen ontweken en niet hun steentje bijdroegen. 'Als Ambrose haar verkozen heeft, moet het wel een lieverd zijn,' zei Dolly nu ferm. 'En,' voegde ze eraan toe, 'ik heb altijd een dochter willen hebben.'

Dat was niet waar. Boven in haar slaapkamer, waar ze alleen was en niemand haar zag, kon ze zichzelf zijn en hoefde ze niet meer te doen alsof. Vervuld van zelfbeklag en eenzaamheid zocht ze troost bij haar schatkamer, haar kast vol dure, vrouwelijke kleren. Haar handen gleden over zacht chiffon en fijne wol. Ze haalde een ragdunne japon uit de kast en liep naar de lange spiegel om zich die voor te houden. Een van haar liefste toiletten. Ze voelde zich er altijd zo mooi in. Zo mooi. In de spiegel ontmoette ze haar eigen ogen. Ze vulden zich met tranen. Ambrose. Die van een andere vrouw hield. Met haar ging trouwen. Ze liet de japon vallen en gooide zich huilend op het bed.

Het was nu echt lente. Londen geurde naar bloesem en seringen. Het zonlicht lag als een warme zegening op straat en op de daken en werd in de hoogte weerkaatst door de zilverkleurige welvingen van versperringsballons. Het was mei, een vrijdag, twaalf uur in de middag. Dolly Keeling zat in de hal van haar hotel bij het open raam op haar zoon en diens verloofde te wachten.

Toen hij binnenkwam, zag hij er in zijn uniform geweldig knap uit.

Ze was blij, niet alleen omdat ze hem zag maar ook omdat hij alleen leek te zijn. Misschien kwam hij haar vertellen dat hij besloten had met de hele zaak te kappen en dat hij uiteindelijk toch niet ging trouwen. Gretig stond ze op om hem te begroeten.

'Hallo, mammie . . .' Hij bukte zich om haar een kus te geven. Ze was blij dat hij zo lang was, omdat ze zich daardoor kwetsbaar en hulpeloos voelde.

'Mijn lieve jongen . . . waar is Penelope? Ik dacht dat jullie samen zouden komen.'

'Ja. We zijn vanochtend samen uit Portsmouth gekomen. Maar ze wilde haar uniform uittrekken, dus heb ik haar in Oakley Street afgezet. Ze komt ook gauw.'

Haar hoop bleek dus ijdel maar in elk geval had ze Ambrose nog even alleen. Dat praatte gemakkelijker, zij met hun tweeën.

'Dan wachten we tot ze komt. Ga zitten en vertel me wat er allemaal gaat gebeuren.' Ze ving de blik van de ober en bestelde sherry voor haarzelf en gin voor Ambrose. 'Oakley Street. Zijn haar ouders daar?'

'Nee. Dat is slecht nieuws. Haar vader heeft bronchitis. Ze heeft het pas gisteravond gehoord. Ze kunnen niet bij het huwelijk zijn.'

'Maar dan zou haar moeder toch wel kunnen komen?'

'Ze zegt dat ze in Cornwall moet blijven om voor de ouwe baas te zorgen. En hij is echt oud. Vijfenzeventig. Ik denk dat ze geen risico willen nemen.'

'Maar wat jammer. Alleen ik maar bij het huwelijk.'

'Penelope heeft een tante die in Putney woont. En vrienden die Clifford heten. Die komen. Dat is genoeg.'

Hun drankjes werden gebracht en op Dolly's rekening gezet. Ze hieven hun glas. Dolly glimlachte, zich bewust van de blikken van de andere mensen in de hal, wier aandacht getrokken werd door de knappe jonge marineofficier en de aantrekkelijke vrouw die veel te jong leek om zijn moeder te zijn.

'En wat zijn je verdere plannen?'

Hij vertelde. Hij was eindelijk voor het laatste examen geslaagd en zou binnenkort naar zee gaan.

'Maar jullie huwelijksreis?'

'Geen huwelijksreis. Morgen trouwen, een nacht in Oakley Street en dan zondag terug naar Portsmouth.'

'En Penelope?'

'Ik zet haar zondagmorgen op de trein naar Porthkerris.'

'Porthkerris? Gaat ze niet met jou mee terug naar Portsmouth?'

'Nee.' Hij beet op zijn duim en keek uit het raam alsof er iets interessants te zien was op straat. En dat was niet zo. 'Ze heeft een poosje verlof.'

'Lieve help. Wat hebben jullie dan maar weinig tijd samen.'

'Daar is niets aan te doen.'

'Nee, ik neem aan van niet.'

Ze draaide zich om om haar sherryglas neer te zetten en zag het meisje aarzelend binnenkomen. Ze keek zoekend om zich heen. Ze was erg lang en had lang, donker haar dat haar voorhoofd vrij liet, het haar van een schoolmeisje. Haar gezicht met de romige teint en donkere ogen was opvallend onopgemaakt. Haar huid glom, haar mond was bleek en haar wenkbrauwen hadden hun natuurlijke vorm en waren niet geëpileerd. Ze droeg op die warme dag kleren die geschikter waren voor een vakantie buiten dan voor een formele lunch in een Londens hotel. Een donkerrode, katoenen jurk met witte stippen en een witte ceintuur om het slanke middel. Witte sandalen aan haar voeten en – Dolly moest nog eens kijken om er zeker van te zijn – ja, blote benen. Wie kon dat wel zijn? En waarom keek ze hun kant op? En kwam ze op hen af? Glimlachend . . .

O, lieve God.

Ambrose stond op. 'Mammie,' zei hij, 'dit is Penelope.'

'Hallo,' zei Penelope.

Dolly's mond viel bijna open. Met veel moeite bracht ze een glimlach op haar gezicht. Blote benen. Geen handschoenen. Geen tas. Geen hoed. Blote benen. Ze hoopte dat ze in het restaurant werden toegelaten.

'Liefje.'

Ze schudden elkaar de hand. Ambrose trok nog een stoel bij en wenkte de ober. Penelope zat in het volle licht van het raam en keek Dolly verwarrend recht aan. Ze bekijkt me, dacht Dolly geërgerd. Ze had niet het recht haar aanstaande schoonmoeder zo te bekijken en haar zenuwachtig te maken. Dolly had jeugd verwacht, verlegenheid, gebrek aan zelfvertrouwen zelfs. Zeker niet dit.

'Zo prettig dat ik je nu kan leren kennen. En hebben jullie een goede reis gehad uit Portsmouth? Ja, Ambrose heeft me verteld . . .'

'Penelope, wat wil je drinken?'

'Sinas of zo. Met ijs als het kan.'

'Geen sherry? Of een glas wijn?' Dolly probeerde haar in verleiding te brengen, nog steeds glimlachend om haar verwarring te verbergen.

'Nee. Ik heb het warm en ik heb dorst. Gewoon sinas.'

'Nu, ik heb voor de lunch een fles wijn besteld. Dan kunnen we wel toosten.'

'Goed.'

'Het spijt me dat je ouders morgen niet hier kunnen zijn.'

'Ja. Maar papa had griep en toen is hij niet in bed gebleven en nu zit hij met de ellende.'

'Is er niemand anders die voor hem kan zorgen?'

'Behalve Sophie, bedoelt u?'

'Sophie?'

'Mijn moeder. Ik noem haar Sophie.'

'O, juist. Ja. Is er niemand anders die voor je vader kan zorgen?'

'Alleen Doris, onze evacuée. En die heeft haar twee jongens in het oog te houden. Bovendien is papa vreselijk lastig als hij ziek is. Doris zou het vast niet klaarspelen.'

Dolly maakte een klein gebaar met haar handen.

'Ik neem aan dat jullie zoals iedereen tegenwoordig zonder personeel zitten.'

'We hebben nooit personeel gehad,' zei Penelope. 'O, dank je, Ambrose, dat is heerlijk.' Ze nam het glas van hem aan, dronk het in één teug half leeg en zette het toen op de tafel.

'Nooit? Hebben jullie nooit hulp gehad in huis?'

'Nee. Geen personeel. Wel mensen die bleven logeren en een handje hielpen maar geen personeel.'

'Maar wie kookt er dan?'

'Sophie. Ze is er gek op. Ze komt uit Frankrijk. Ze kan geweldig goed koken.'

'En wie houdt de boel schoon?'

Penelope leek een beetje uit het veld geslagen, alsof ze daar nog nooit over nagedacht had. 'Ik weet het niet. Het schijnt gewoon te gebeuren. Vroeg of laat.'

'Nu.' Dolly stond zichzelf een wereldwijs, mondain lachje toe. 'Het klinkt allemaal erg charmant. Het leven van bohémiens. En ik hoop dat ik je ouders spoedig zal mogen ontmoeten. Maar laten we het nu over morgen hebben. Wat draag je bij je huwelijk?'

'Ik weet het niet.'

'Weet je dat niet?'

'Ik heb er nog niet over nagedacht. Ik zal iets moeten dragen, neem ik aan.'

'Maar dan moet je wat gaan kopen!'

'O nee, ik ga niet winkelen. Er zijn massa's dingen in Oakley Street. Ik vind wel wat.'

'Je vindt wel wat?'

Penelope lachte. 'Ik ben bang dat ik niet veel om kleren geef. Wij geen van allen. En we gooien nooit iets weg. Sophie heeft nog wel een paar aardige dingen in Oakley Street. Vanmiddag gaan Elizabeth Clifford en ik wel eens op strooptocht.' Ze keek Ambrose aan. 'Kijk niet zo bezorgd, Ambrose, ik laat je niet zitten.'

Hij glimlachte. Dolly had medelijden met de arme jongen. Geen verliefde blik, geen tedere aanraking, geen vlugge kus hadden ze gewisseld, hij en dat vreemde meisje dat hij besloten had te trouwen. Waren ze wel verliefd? Konden ze verliefd zijn en zich zo nonchalant gedragen? Waarom trouwde hij met haar als hij niet gek op haar was? Waarom trouwde hij . . . ?

Haar gedachten vonden een mogelijkheid die zo ontstellend was dat ze die weer gauw liet rusten.

En er toen voorzichtig weer naar terugkeerde.

'Je gaat zondag naar huis, heeft Ambrose me verteld.'

'Ja.'

'Met verlof.'

Ambrose keek Penelope aan, probeerde haar aandacht te trekken. Dolly merkte het maar Penelope blijkbaar niet. Ze zat daar maar met die kalme blik in haar ogen.

'Ja. Voor een maand.'

'Blijf je op Whale Island?'

Ambrose sloeg zijn hand voor zijn mond.

'Nee, ik word ontslagen.'

Ambrose zuchtte diep.

'Voorgoed?'

'Ja.'

'Is dat gebruikelijk?' Ze was trots op zichzelf. Ze glimlachte nog steeds maar haar stem klonk ijzig.

Penelope glimlachte ook. 'Nee,' zei ze.

Ambrose sprong overeind. Hij dacht misschien dat de situatie nu wel erg genoeg was. 'Laten we wat gaan eten. Ik verga van de honger.'

Heel beheerst zocht Dolly haar tas en handschoenen bij elkaar. Ze ging staan en keek neer op de toekomstige vrouw van Ambrose met haar donkere ogen en lange haar en haar nonchalante charme. 'Ik weet niet zeker of ze Penelope in het restaurant toe zullen laten,' zei ze. 'Ze schijnt geen kousen te dragen.'

'O, in 's hemelsnaam . . . Dat merken ze niet eens.' Het klonk boos en ongeduldig, maar Dolly glimlachte in zichzelf omdat ze wist dat hij niet boos was op haar maar op Penelope, die zich verraden had.

Ze verwacht een baby, dacht ze terwijl ze voor hen uit naar de eetzaal liep. Ze heeft hem in de val laten lopen. Hij houdt niet van haar. Ze dwingt hem met haar te trouwen.

Na de lunch verontschuldigde Dolly zich. Ze wilde een poosje gaan liggen. Ze had een beetje hoofdpijn, zei ze tegen Penelope, met iets beschuldigends in haar stem. Ik moet zo uitkijken. De minste opwinding . . . Penelope keek wat verbaasd omdat de lunch niet bepaald opwindend was geweest, maar zei dat ze het begreep. Ze zouden Dolly morgen wel bij de burgerlijke stand zien en de lunch was heerlijk geweest. Dolly stapte in de ouderwetse lift en steeg als een vogel in een kooi omhoog.

Ze keken haar na. Toen hij aannam dat ze hen niet meer kon horen, wendde Ambrose zich tot Penelope.

'Waarom moest je het haar in godsnaam vertellen?'

'Wat? Dat ik in verwachting ben? Ik heb het haar niet verteld. Ze heeft het geraden.'

'Ze had het niet hoeven raden.'

'Ze komt er toch een keer achter. Waarom nu dan niet?'

'Omdat . . . nou, zulke dingen maken haar overstuur.'

'Heeft ze daarom hoofdpijn?'

'Ja, natuurlijk. Alles is helemaal verkeerd begonnen.'

'Dat spijt me dan. Maar ik begrijp echt niet dat het enig verschil maakt. Wat kan het haar nu schelen? We gaan trouwen. En wat heeft iemand anders daarmee te maken?'

Daar had hij geen antwoord op. Als ze het uit zichzelf niet begreep, kon hij het haar niet uitleggen. Zwijgend gingen ze het hotel uit. Door de zonnige straten liepen ze naar de plaats waar hij zijn auto geparkeerd had. Ze legde een hand op zijn arm. Ze glimlachte. 'O, Ambrose, je maakt je er toch niet echt druk over? Ze komt er wel overheen. Alles gaat voorbij, zegt papa altijd. En als de baby er eenmaal is, is ze natuurlijk verrukt. Elke vrouw ziet uit naar haar eerste kleinkind.'

Maar Ambrose was daar niet zo zeker van. Ze reden met enige snelheid terug naar Oakley Street. 'Ga je nog mee naar binnen?' vroeg ze toen hij voor het huis stopte. 'Dan kun je kennismaken met Elizabeth. Je vindt haar vast aardig.'

Maar hij weigerde. Hij had andere dingen te doen. Hij zag haar morgen wel. 'Goed.' Penelope bleef rustig en probeerde niet hem over te halen. Ze gaf hem een kus, stapte uit de auto en sloeg het portier dicht. 'Dan ga ik nu een bruidsjapon voor mezelf opdiepen.'

Hij grijnsde onwillig. Keek haar na. Ze zwaaide nog even en was verdwenen.

Hij keerde en reed snel dezelfde weg terug. Hij reed door Knightsbridge en toen door het hek het park in. Het was erg warm maar onder de bomen was het koel en hij parkeerde de auto en liep een eindje en ging toen op een bank zitten. De bomen ruisten en het park was vol plezierige, zomerse geluiden, kinderstemmen en vogelgezang, met het voortdurende gerommel van het Londense verkeer op de achtergrond.

Hij was somber gestemd. Penelope kon nu wel zeggen dat het er niet toe deed en dat zijn moeder wel aan hun gedwongen huwelijk zou wennen – want wat was het anders? – maar hij wist heel goed dat ze het nooit zou vergeten en waarschijnlijk ook niet vergeven. Het was heel vervelend dat de Sterns morgen niet bij het huwelijk konden zijn. Ze hadden Dolly in elk geval duidelijk kunnen maken dat de zaak ook nog op een andere manier te bekijken was.

Want volgens Penelope vonden ze het helemaal niet erg dat er een baby kwam. Ze vonden het integendeel geweldig en hadden Ambrose via hun dochter laten weten dat er beslist niet van hem verwacht werd dat hij een fatsoenlijke vrouw van haar maakte.

De mededeling dat hij vader ging worden, had hem volkomen uit het lood geslagen. Hij was geschokt, ontzet en woedend – op zichzelf omdat hij in de klassieke val was gelopen en op Penelope omdat ze hem bedrogen had. 'Is alles in orde?' had hij haar gevraagd en ze had gezegd van wel en in de opwinding van het moment was er geen gelegenheid geweest de zaak te controleren.

En toch was ze erg lief geweest. 'We hoeven niet te trouwen, Ambrose,' had ze hem verzekerd. 'Denk alsjeblieft niet dat je moet.' En ze had zo kalm geleken dat hij gemerkt had dat hij de zaak ineens van een andere kant bekeek.

Misschien was het allemaal toch niet zo erg. Er waren in elk geval ergere dingen. Ze was mooi, op haar ongewone manier. En welopgevoed. Niet zomaar een meisje dat hij in een café in Portsmouth had opgepikt maar de dochter van welgestelde, zij het onconventionele ouders. Om te beginnen was dat huis in Oakley Street bepaald niet te versmaden en dan hadden ze ook nog dat landhuis in Cornwall. En dan was er altijd de mogelijkheid dat Penelope uiteindelijk die schitterende Bentley zou erven.

Nee. Hij had de juiste beslissing genomen. Als zijn moeder eenmaal over de schrik heen was, kwam alles wel in orde. Bovendien was er een oorlog aan de gang. De strijd kon elk moment losbarsten en zou dan een hele tijd duren. En tot de oorlog voorbij was, zouden ze elkaar niet vaak kunnen zien. Ambrose dacht geen moment dat hij zou sneuvelen. Hij had niet zoveel fantasie en werd niet geteisterd door nachtmerries over explosies in de machinekamer of verdrinken of doodvriezen in het winterse water van de Atlantische Oceaan. En tegen de tijd dat de oorlog voorbij was, was hij er waarschijnlijk meer aan toe zich te gaan settelen en de rol van huisvader op zich te nemen dan op dat moment.

Hij schoof heen en weer op zijn harde, ongemakkelijke bank. Hij zag voor het eerst het vrijende paartje dat maar een paar meter bij hem vandaan in het gras lag. En dat gaf hem een geweldig idee. Hij liep terug naar zijn auto en reed het park uit en via Marble Arch de rustige straten van Bayswater in. Hij floot zachtjes. Hij parkeerde voor een hoog, zichzelf respecterend huis en ging een trapje af. Hij belde aan bij de gele souterraindeur. Hij probeerde het natuurlijk maar, maar om vier uur in de middag was ze gewoonlijk thuis. Ze deed dan een slaapje of was in haar kleine keukentje bezig. En hij had geluk. Ze kwam naar de deur met haar blonde haar in de war en een kanten negligé zedig over haar ronde, weelderige borsten gehouden. Angie. Die Ambrose, toen hij zeventien was, teder had ingewijd in de liefde en bij wie hij sindsdien altijd op moeilijke momenten zijn toevlucht zocht.

'O.' Haar gezicht lichtte verheugd op. 'Ambrose!'

Niemand had zich een beter welkom kunnen wensen.

'Hallo, Angie.'

'Ik heb je in geen eeuwen gezien. Ik dacht dat je nu wel op de oceaan zou dobberen.' Ze stak een dikke, moederlijke arm uit. 'Blijf daar niet op de drempel staan. Kom binnen.'

En dat deed hij.

Toen Penelope de voordeur van Oakley Street opendeed, leunde Elizabeth Clifford over de trapleuning. Ze riep haar naam. Penelope ging naar boven.

'Hoe is het gegaan?'

'Niet al te best.' Penelope grinnikte. 'Ze is vreselijk. Met een hoed en handschoenen en woest omdat ik geen kousen droeg. Ze zei dat ik daarom niet in het restaurant zou mogen maar natuurlijk zei niemand iets.'

'Begrijpt ze dat je een baby moet krijgen?'

'Ja. Ik heb het haar niet echt verteld maar ineens had ze het door. Dat is maar beter ook. Ambrose was woedend maar ze kan het net zo goed weten.'

'Waarschijnlijk wel,' zei Elizabeth, maar in haar hart had ze medelijden met de arme vrouw. Jonge mensen, zelfs Penelope, hadden soms verschrikkelijk weinig doorzicht en gevoel. 'Wil je thee?'

'Straks graag. Ik moet nu eerst iets gaan zoeken om morgen aan te trekken. Help me alsjeblieft.'

'Ik heb in een oude koffer zitten neuzen . . .' Elizabeth ging Penelope voor, haar slaapkamer in. Op het lits-jumeaux dat ze met Peter deelde, lagen allerlei gekreukte en gescheurde kledingstukken. 'Is deze niet leuk? Heb ik gekocht om naar Hurlingham te gaan. In 1921 of zo. Toen Peter cricket speelde.' Ze haalde een jurk van de stapel: heel fijn, crème linnen, een verlaagde taille, weinig model. 'Hij ziet er een beetje smoezelig uit maar ik kan hem voor morgen nog wel wassen en strijken. En kijk eens, ik heb zelfs bijpassende schoenen. Vind je die glittergespen niet leuk? En crème, zijden kousen.'

Penelope pakte de jurk op en liep ermee naar de spiegel. Ze hield hem voor en bekeek met half gesloten ogen het resultaat.

'Het is een prachtige kleur, Elizabeth. Mag ik hem echt lenen?'

'Natuurlijk.'

'En een hoed? Ik neem aan dat ik een hoed behoor te dragen. Of mijn haar opsteken of zo.'

'En we moeten een onderjurk zoeken. Anders zijn je benen te zien, met die dunne stof.'

'Dat kunnen we niet hebben. Dan krijgt Dolly Keeling een stuip.'

Ze begonnen te lachen. Terwijl ze al lachend de rode, katoenen jurk uittrok en het lichte linnen over haar hoofd liet glijden, begon Penelope zich heel zorgeloos te voelen. Dolly Keeling was natuurlijk een last maar ze trouwde met Ambrose en niet met zijn moeder. Wat deed het er dus toe wat die dame van haar dacht?

De zon scheen. De lucht was blauw. Dolly Keeling, die in bed ontbeten had, stond om elf uur op. Haar hoofdpijn was niet helemaal verdwenen maar wel minder geworden. Ze nam een bad, kapte haar haar en maakte haar gezicht op. Dat kostte heel wat tijd want het was belangrijk dat ze er zowel jeugdig als onberispelijk uitzag en hopelijk iedereen, inclusief de bruid, in de schaduw stelde. Eindelijk kon ze zich gaan kleden. Een zachtpaarse, zijden japon met een wijde, losse mantel van dezelfde stof. Een breedgerande strohoed met een zachtpaars lint. Haar schoenen met naaldhakken en open tenen, haar lange, witte handschoenen, haar witte handtas van geiteleer. Het beeld dat ze uiteindelijk in de spiegel zag, stelde haar gerust en gaf haar zelfvertrouwen. Ambrose zou trots op haar zijn. Ze nam nog een paar aspirientjes en ging naar beneden.

Ambrose zat in de hal op haar te wachten. Hij zag er in zijn beste uniform geweldig uit en rook alsof hij rechtstreeks van een dure kapper kwam, wat ook zo was. Er stond een leeg glas op het tafeltje naast hem en toen ze hem een kus gaf, rook ze de cognac. Haar hart ging naar haar lieve jongen uit. Hij was tenslotte pas eenentwintig en natuurlijk erg zenuwachtig.

Ze namen een taxi naar de King's Road. Onder het rijden hield Dolly de hand van haar zoon stevig in haar eigen gehandschoende vingers. Ze zeiden niets. Het had geen zin iets te zeggen. Ze was altijd een goede moeder voor hem geweest . . . Geen vrouw had meer kunnen doen. En wat Penelope betreft . . . Nu ja, sommige dingen kon je beter ongezegd laten.

De taxi stopte voor het indrukwekkende raadhuis van Chelsea. Ze stapten uit en Ambrose betaalde de chauffeur. Terwijl hij dat deed, bracht Dolly zichzelf weer in orde. Ze streek haar rok glad, voelde aan haar hoed en keek toen om zich heen. Een paar meter bij haar vandaan stond nog iemand te wachten. Ze zag er nogal vreemd uit. Ze was nog kleiner dan Dolly zelf en droeg de dunste kousen van zwarte zij die Dolly ooit gezien had. Hun ogen ontmoetten elkaar. Dolly keek haastig de andere kant op maar het was al te laat. De andere vrouw kwam al op haar af, greep haar stevig bij de pols en zei: 'Jullie moeten de Keelings zijn. Ik wist het meteen. Ik voelde het in mijn botten zodra ik jullie zag.'

Dolly staarde haar aan, overtuigd dat ze met een krankzinnige te maken had. En Ambrose, die zich omdraaide toen de taxi wegreed, was net zo verbaasd als zijn moeder.

'Het spijt me, ik . . .'

'Ik ben Ethel Stern. De zuster van Lawrence Stern.' Ze had een vuurrood jasje aan en een zwarte, fluwelen baret op haar hoofd. 'Tante Ethel voor jou, jongeman.' Ze liet Dolly's arm los en stak haar hand naar Ambrose uit. Toen hij die niet meteen drukte, kwam er een onzekere uitdrukking op Ethels gerimpelde gezicht.

'Zeg niet dat ik de verkeerde familie te pakken heb.'

'Nee. Nee, natuurlijk niet.' Hij was een beetje rood geworden, in verlegenheid gebracht door de ontmoeting en haar vreemde uiterlijk. 'Hoe maakt u het? Ik bèn Ambrose en dit is mijn moeder, Dolly Keeling.'

'Dat dacht ik ook wel. Ik sta al uren te wachten,' praatte ze door. Haar haar was donkerrood geverfd en het leek wel of ze zich met haar ogen dicht had opgemaakt. Haar zwart gemaakte wenkbrauwen kwamen niet helemaal overeen en haar donkere lippenstift begon al uit te lopen. 'Ik kom altijd overal te laat, dus heb ik vandaag ontzettend mijn best gedaan en toen was ik natuurlijk veel te vroeg.' Ze keek ineens heel tragisch. Ze was net een kleine clown, het aapje van een orgeldraaier. 'Is het niet vreselijk van die arme Lawrence? Hij zal zo teleurgesteld zijn.'

'Ja,' zei Dolly vaag. 'We hadden hem zo graag willen ontmoeten.'

'Geniet er altijd zo van naar Londen te gaan. Elke reden is goed . . .' Op dat moment slaakte ze een kreet, waar Dolly zich wild van schrok, en begon met haar armen in de lucht te zwaaien. Dolly zag een taxi aankomen en Penelope stapte uit, met wat vermoedelijk de Cliffords waren. Ze lachten allemaal en Penelope zag er volkomen ontspannen en helemaal niet zenuwachtig uit.

'Hallo! Daar zijn we dan. Precies op tijd. Tante Ethel, geweldig dat u er bent. Hallo, Ambrose.' Ze gaf hem een vlugge zoen. 'Je kent de Cliffords nog niet, hè? Professor en mevrouw Clifford. Peter en Elizabeth. En dit is de moeder van Ambrose . . .' Iedereen keek vriendelijk en schudde handen en zei: 'Hoe maakt u het?' Dolly glimlachte en knikte en was charmant terwijl haar ogen van de een naar de ander gingen en niets misten.

Penelope zag eruit alsof ze zich voor de grap verkleed had maar toch was ze heel mooi. Ze was zo lang en slank en de crème japon, een erfstuk, dacht Dolly, accentueerde haar benijdenswaardige elegantie alleen nog maar. Ze droeg haar haar in een lage wrong en had een enorme, hardgroene strohoed op met een krans van madeliefjes.

Mevrouw Clifford leek daarentegen wel een gepensioneerde gouvernante, waarschijnlijk erg intelligent en knap, maar slecht gekleed. De professor zag er iets beter uit (maar het was voor een man altijd gemakkelijker goed gekleed te zijn) in een donkergrijs pak met een krijtstreep en een blauw overhemd. Hij was lang en mager en had holle wangen, als een asceet. Heel aantrekkelijk op zijn manier. Dolly was niet de enige die dat vond. Uit haar ooghoeken had ze gezien hoe tante Ethel hem met een omhelzing begroette terwijl ze hem om de nek viel en haar oude benen achter haar omhoog schopte als een soubrette in een operette. Ze vroeg zich af of tante Ethel misschien een beetje getikt was en hoopte dat het niet in de familie zat.

Ten slotte werden ze allemaal op hun plaats gezet door Ambrose, die zei dat ze nu naar binnen moesten gaan omdat Penelope en hij anders te laat kwamen. Tante Ethel trok haar baret recht en ze liepen achter elkaar naar binnen voor de plechtigheid. Die nauwelijks tijd in beslag nam en al voorbij was voor Dolly een ogenblik gevonden had om haar met kant afgezette zakdoek naar haar ogen te brengen. Ze liepen weer achter elkaar naar buiten en gingen naar de Ritz waar Peter Clifford in opdracht van Cornwall een tafel besproken had.

Heerlijk eten en champagne verbeteren elke situatie. Iedereen, zelfs Dolly, begon zich te ontspannen, ondanks het feit dat tante Ethel voortdurend zat te roken en een hele reeks twijfelachtige verhalen vertelde, waarbij ze al lang voor de clou begon te schateren van het lachen. De professor was charmant en attent en zei tegen Dolly dat hij haar hoed mooi vond. En mevrouw Clifford leek werkelijk geïnteresseerd in Dolly's leven in Devon en wilde alles weten van de mensen die bij haar in het hotel woonden. Dolly vertelde en liet meer dan eens de naam van lady Beamish vallen. En Penelope hing haar groene hoed over haar stoel en die lieve Ambrose ging staan en hield een speech waarin hij Penelope zijn vrouw noemde, waarop iedereen begon te juichen. Al met al was het een plezierige maaltijd en tegen het eind had Dolly het gevoel dat ze vrienden voor het leven had gemaakt.

Maar zelfs aan de beste dingen komt een eind en ten slotte was het tijd om met tegenzin hun vergulde stoeltjes naar achteren te schuiven, op te staan en uit elkaar te gaan – Dolly naar haar hotel, de Cliffords naar een vroeg concert in de Albert Hall, tante Ethel naar Putney en het jonge paar naar Oakley Street.

Terwijl ze een klein beetje tipsy op hun taxi's stonden te wachten, gebeurde er iets dat de verhouding tussen Penelope en haar schoonmoeder voorgoed tot mislukken doemde. Want Dolly nam in een sentimentele en grootmoedige bui de handen van Penelope in de hare en zei terwijl ze naar haar opkeek: 'Liefje, nu je met Ambrose getrouwd bent, mag je me Marjorie noemen.'

Penelope keek verbaasd. Het leek nogal vreemd je schoonmoeder Marjorie te noemen als je heel goed wist dat ze Dolly heette. Maar als ze dat graag wilde . . .

'O, graag.' Ze bukte zich en kuste de zachte, geurige wang die haar zo minzaam werd aangeboden. En een jaar lang noemde ze haar Marjorie. Als ze haar schreef om voor een cadeautje te bedanken, begon ze de brief met 'Lieve Marjorie'. Als ze opbelde omdat er nieuws van Ambrose was, zei ze: 'O, Marjorie, met Penelope.'

Pas na vele maanden drong het tot haar door dat Dolly gezegd had dat ze haar madre mocht noemen.

's Zondagsmorgens reed Ambrose Penelope naar Paddington om haar in de trein naar Cornwall te zetten. Die zat zoals gewoonlijk vol militairen, matrozen en soldaten, plunjezakken en gasmaskers en helmen. Het was niet mogelijk geweest een plaats te bespreken maar Ambrose vond een hoekplaats die hij volzette met haar bagage, zodat niemand anders er kon gaan zitten.

Ze gingen weer naar het perron om afscheid te nemen. Het was moeilijk de woorden te vinden omdat alles ineens erg vreemd en nieuw leek. Ze waren man en vrouw en wisten niet wat er van hen verwacht werd. Ambrose stak een sigaret op en keek op zijn horloge. Penelope verlangde naar het sein van vertrek.

'Ik haat afscheid nemen,' zei ze nogal fel.

'Je zult eraan gewend moeten raken.'

'Ik weet niet wanneer we elkaar weer zullen zien. Ben jij al weg als ik over een maand naar Portsmouth kom voor mijn ontslag?'

'Waarschijnlijk wel.'

'Waar zullen ze je heen sturen?'

'Geen idee. De Atlantische Oceaan. De Middellandse Zee.'

'De Middellandse Zee zou fijn zijn. Zonnig in elk geval.'

'Ja.'

Weer een pauze.

'Ik wilde dat papa en Sophie er gisteren bij hadden kunnen zijn. Ik wilde dat je ze had kunnen zien.'

'Als ik een behoorlijk verlof krijg, kom ik misschien wel voor een paar dagen naar Cornwall.'

'O, dat moet je doen.'

'Ik hoop dat alles goed gaat. De baby, bedoel ik.'

Ze bloosde een beetje. 'Dat komt wel goed.'

Hij keek weer op zijn horloge. Ze zei een beetje wanhopig: 'Ik zal je schrijven. Je moet . . .'

Maar op dat moment klonk het fluitje. Opeens volgde de gebruikelijke lichte paniek. Er werden deuren dichtgeslagen, mensen riepen iets, op het laatste moment sprong er nog een man in de trein. Ambrose liet zijn sigaret vallen, stampte hem met zijn hak uit, bukte zich en kuste zijn vrouw. Toen duwde hij haar de trein in en sloeg de deur achter haar dicht. Ze deed het raampje naar beneden en hing naar buiten. De trein begon te rijden.

'Schrijf je me en laat je me je nieuwe adres weten, Ambrose?'

Er kwam een vreemde gedachte bij hem op. 'Ik weet jouw adres niet eens.'

Ze begon te lachen. Hij liep hard mee naast de trein. 'Carn Cottage,' riep ze boven het gedender uit. 'Carn Cottage, Porthkerris.'

De trein reed nu te hard voor hem en hij bleef staan en zwaaide haar na. De trein maakte een bocht en verdween uit het gezicht. Ze was weg. Hij draaide zich om en liep over het verlaten perron terug.

Carn Cottage. Geen landhuis uit de tijd van koningin Elizabeth. Carn Cottage. Het klonk ontnuchterend gewoon en hij had het gevoel dat hij op de een of andere manier beetgenomen was.

Maar toch. Ze was weg. En zijn moeder was weer naar Devon en het was allemaal achter de rug. Nu moest hij alleen weer naar Portsmouth rijden en zich melden. Het was vreemd maar eigenlijk vond hij het wel prettig dat alles dan weer zijn gewone gang zou gaan. Mannen waren over het algemeen makkelijker in de omgang dan vrouwen.

Kort daarna, op de tiende mei, begonnen de Duitsers hun offensief in het westen. En het werd ernst met de oorlog.

HOOFDSTUK 9

Sophie

Het duurde tot begin november voor ze elkaar weer zagen. Na lange maanden van scheiding kwam er ineens een telefoontje. Ambrose, in Liverpool. Hij had een paar dagen verlof en nam de eerste trein om het weekend in Carn Cottage door te brengen.

Hij kwam, bleef een paar dagen en vertrok weer. Door allerlei omstandigheden werd het bezoek een regelrechte ramp. Om te beginnen goot het drie dagen onafgebroken. Bovendien was tante Ethel er ook en zij was nu eenmaal niet de meest tactvolle en conventionele gast. En dan waren er nog andere redenen, te talrijk en te ontmoedigend om op te noemen of te analyseren.

Toen het voorbij was en hij weer op zijn torpedobootjager zat, besloot Penelope dat het allemaal te deprimerend geweest was om er nog over na te denken. En met de vastberadenheid van de jeugd zette ze de ongelukkige episode uit haar gedachten. Er waren belangrijker zaken om je druk over te maken.

De baby kwam eind november, precies op tijd. Ze werd niet in Carn Cottage geboren, zoals haar moeder, maar in het kleine ziekenhuis van Porthkerris. Het ging allemaal zo vlug dat de dokter pas arriveerde toen alles voorbij was, zodat Penelope en zuster Rogers het samen klaar moesten spelen. En dat lukte uitstekend. Nadat ze voor Penelope gezorgd had, droeg zuster Rogers de baby weg, zoals de gewoonte was, om haar te wassen en aan te kleden in de kleertjes die Sophie uit de ecn of andere la gehaald had.

Penelope had altijd haar eigen ideeën over baby's gehad. Ze had er nog nooit iets mee te maken gehad en had er zelfs nog nooit een vastgehouden, maar ze geloofde onvoorwaardelijk dat je je eigen kind meteen zou herkennen als je het voor het eerst zag. Natuurlijk, zou je zeggen als je in het kleine gezichtje keek, daar ben je dan.

Maar dat gebeurde niet. Toen zuster Rogers eindelijk terugkwam, zo trots alsof ze de baby zelf ter wereld had gebracht, en het kind teder in de wachtende armen van de jonge moeder legde, kon Penelope haar ogen bijna niet geloven. Dik, blond, met blauwe ogen die nogal dicht bij elkaar stonden, enorme, ronde wangen en het algemene uiterlijk van een koolroos, leek ze op niemand die Penelope ooit gekend had. Zeker niet op haar ouders, en ook niet op Dolly Keeling, en al helemaal niet op de Sterns.

'Is het geen schoonheid?' kirde zuster Rogers, terwijl ze vergenoegd over het bedje leunde.

'Ja,' gaf Penelope zwakjes toe. Als er nog meer moeders in het ziekenhuis waren geweest, had ze volgehouden dat er twee baby's verwisseld waren en zij de verkeerde had gekregen, maar zij was op dat moment de enige jonge moeder, dus dat leek niet erg waarschijnlijk.

'Kijk eens naar die blauwe ogen! Net een bloem. Ik laat haar even bij u terwijl ik uw moeder op ga bellen.'

Maar Penelope wilde niet alleen blijven met de baby. Ze kon niets bedenken om tegen het kind te zeggen. 'O nee, neemt u haar maar mee, zuster. Ik laat haar misschien vallen of zo.'

De zuster had de tact daar niet tegen in te gaan. Sommige jonge moeders waren nu eenmaal een beetje vreemd, dat had ze vaak genoeg gezien. 'Goed dan.' Ze nam het bundeltje weer in haar armen. 'Ben je dan zo'n lieverd?' vroeg ze. 'Ben jij zo'n schat van mij?' En met flinke passen liep ze de kamer uit. Haar schort kraakte.

Penelope was blij dat ze die twee kwijt was. Ze zonk terug in de kussens en keek omhoog naar het plafond. Ze had een baby. Ze was moeder. Ze was de moeder van het kind van Ambrose Keeling.

Ambrose.

Ze ontdekte tot haar ontzetting dat ze dat akelige weekend niet langer uit haar gedachten kon zetten. Het was al van tevoren tot mislukken gedoemd geweest omdat ze door het komende bezoek van Ambrose voor het eerst echt ruzie met haar moeder had gekregen. Penelope en tante Ethel waren die middag samen op de thee geweest bij een oude, afgeleefde kennis van tante Ethel in Penzance. Toen ze terugkwamen, zei Sophie verheugd tegen Penelope dat er boven een fijne verrassing op haar wachtte. Gehoorzaam liep ze achter haar moeder aan naar boven en daar zag ze in haar kamer in plaats van haar eigen vertrouwde bed een monsterlijk, nieuw lits-jumeaux, dat alle ruimte in beslag nam. Ze hadden nog nooit ruzie gehad maar nu werd Penelope ineens zo woedend dat ze tegen Sophie zei dat ze niet het recht had gehad dat te doen omdat het háár slaapkamer en háár bed was. En het was helemaal geen fijne verrassing, het was een nare verrassing. Ze wilde geen lits-jumeaux, het was afschuwelijk, ze wilde er niet in slapen.

En Sophies Franse temperament vlamde op om haar partij te geven. Van een dappere strijder in de oorlog mocht niet verwacht worden dat hij zijn vrouw in zijn armen nam in een eenpersoonsbed. Wat dacht Penelope eigenlijk? Ze was nu een getrouwde vrouw en niet langer een klein meisje. Het was niet meer alleen háár slaapkamer maar die van haar man en haar samen. Hoe kon ze zo kinderachtig zijn? En Penelope was in boze tranen uitgebarsten en had geschreeuwd dat ze in verwachting was en niet wilde dat hij haar in zijn armen nam. En ten slotte hadden ze als een paar viswijven tegen elkaar staan schreeuwen.

Zo hadden ze nog nooit tegenover elkaar gestaan. Het bracht iedereen in de war. Papa werd woedend op hen allebei en de anderen slopen op hun tenen door het huis alsof er een explosie was geweest. Natuurlijk legden ze het uiteindelijk bij. Ze boden elkaar hun verontschuldigingen aan en gaven elkaar een zoen en er werd niet meer over gesproken. Maar het was geen goed voorteken voor het bezoek van Ambrose. Achteraf leek het zelfs alsof het had bijgedragen tot de ramp die volgde.

Ambrose. Ze was de vrouw van Ambrose.

Haar lippen trilden. Ze voelde een brok in haar keel. De tranen sprongen haar in de ogen en gleden vervolgens over haar wangen omlaag, zodat het sloop nat werd. Ze kon maar niet ophouden met huilen. Het was alsof alle onvergoten tranen van jaren besloten hadden nu tegelijk te komen. Ze huilde nog toen haar moeder binnenkwam. Sophie was nog gekleed in de roestbruine, linnen broek en de zeemanstrui die ze gedragen had toen zuster Rogers opbelde. Ze had een enorme bos herfstasters bij zich, die ze haastig geplukt had terwijl ze door de tuin liep.

'O, lieveling, wat knap van je, zo vlug . . .' Ze liet de bloemen op een stoel vallen en sloeg haar armen om haar dochter heen. 'Zuster Rogers zegt . . .' Ze hield op. De blijdschap verdween uit haar gezicht en werd vervangen door een uiterst bezorgde uitdrukking. 'Penelope.' Ze ging op de rand van het bed zitten en pakte de hand van Penelope. 'Liefje, wat is er? Waarom huil je? Was het zo moeilijk, zo akelig?'

Penelope kon geen woord uitbrengen. Ze schudde alleen haar hoofd. Haar neus liep en haar gezicht was vlekkerig en gezwollen.

'Hier.' Praktisch als altijd haalde Sophie een schone en lekker ruikende zakdoek te voorschijn. 'Snuit je neus en droog je tranen.'

Penelope pakte de zakdoek aan en deed wat haar gezegd werd. Ze voelde zich al wat beter. Alleen het feit dat Sophie er was en naast haar zat, verbeterde de situatie al. Toen ze haar neus gesnoten en haar tranen gedroogd en een beetje gesnuft had, voelde ze zich sterk genoeg om rechtop te gaan zitten. En Sophie draaide de kussens om, zodat de natte kant onder lag.

'En vertel me nu eens wat er is. Er is toch niets mis met de baby?'

'Nee. Nee, dat is het niet.'

'Wat dan?'

'O, Sophie, het is Ambrose. Ik houd niet van Ambrose. Ik had nooit met hem moeten trouwen.'

Het was eruit. Het was gezegd. Ze voelde zich enorm opgelucht. Ze ontmoette de ogen van haar moeder, die ernstig stonden, maar zoals altijd was Sophie niet verrast of geschokt. Ze bleef alleen even zwijgend zitten en zei toen zijn naam alsof die het antwoord op een onopgelost raadseltje was.

'Ja. Ik weet het nu. Het is allemaal alleen maar een afgrijselijke vergissing geweest.'

'Hoe lang weet je dat al?'

'Sinds dat weekend. Toen hij uit de trein stapte en over het perron naar me toe kwam, begon ik al te twijfelen. Hij leek net een vreemde, iemand die ik niet bijzonder graag wilde zien. Ik had dat niet verwacht. Ik voelde me een beetje verlegen na al die maanden maar ik had nooit gedacht dat het zo zou gaan. Terwijl ik in de stromende regen met hem terugreed naar Carn Cottage, probeerde ik te doen of er niets aan de hand was. Maar zodra hij naar binnen ging, wist ik dat het hopeloos was. Hij was verkeerd. Alles was verkeerd. Het huis wees hem af en hij paste er niet. En daarna ging het allemaal steeds slechter.'

'Ik hoop dat het niets met papa en mij te maken had,' zei Sophie.

'O nee, niets,' stelde Penelope haar vlug gerust. 'Jullie waren engelachtig tegenover hem, jullie allebei. Ik gedroeg me zelf zo verachtelijk. Maar ik kon er niets aan doen. Hij verveelde me. Het was net of we de meest onmogelijke vreemde te logeren hadden. Je weet wel, dan zeggen mensen, die of die komt bij jullie in de buurt, ik weet zeker dat jullie aardig voor hem zullen zijn. En dan ben je aardig en je vraagt hem voor het weekend en dan wordt het een nachtmerrie van verveling. En ik weet wel dat het voortdurend regende, maar dat had niets moeten geven. Hij was het zelf. Hij was zo ongeïnteresseerd, zo waardeloos. Weet je dat hij niet eens zijn eigen schoenen kon poetsen? Dat had hij nog nooit gedaan. En hij was onbeschoft tegen Doris en Ernie en vond de jongens alleen maar een paar deugnieten. Hij is een snob. Hij begreep niet waarom we allemaal met elkaar aten. Hij begreep niet waarom Doris en Clark en Ronald niet voortdurend in de keuken zaten. Ik geloof dat ik dat nog het akeligste vond. Ik had me nooit gerealiseerd dat hij – of dat iemand – zulke dingen kon denken, kon zeggen, zo hatelijk kon zijn.'

'Ik vind eerlijk gezegd niet dat je hem die opvattingen kwalijk kunt nemen, liefje. Zo is hij nu eenmaal opgevoed. Misschien ligt het wel aan ons. Wij hebben altijd heel anders geleefd dan andere mensen.'

Maar Penelope was niet te troosten. 'Het lag niet alleen aan hem.

Het lag ook aan mij, dat heb ik al gezegd. Ik was afschuwelijk tegen hem. Ik wist niet dat ik zo afschuwelijk kon zijn. Ik wilde niet dat hij er was. Ik wilde niet dat hij me aanraakte. Ik wilde niet dat hij me in zijn armen nam.'

'Dat was niet zo verwonderlijk, in jouw conditie.'

'Maar hij werd boos.' Ze keek Sophie nogal wanhopig aan. 'Het is allemaal mijn fout. Jij zei dat ik niet met hem moest trouwen als ik niet echt van hem hield, en ik heb niet naar je geluisterd. Maar ik weet wel dat ik in geen duizend jaar met hem getrouwd was als ik hem nog voor onze verloving mee naar Carn Cottage had kunnen nemen om hem aan jullie voor te stellen.'

Sophie zuchtte. 'Ja. Het is jammer dat daar geen tijd voor was. En het was ook jammer dat papa en ik niet bij jullie huwelijk konden zijn. Zelfs toen had je misschien nog van gedachten kunnen veranderen. Maar gedane zaken nemen geen keer.'

'Jullie vonden hem niet aardig, hè? Papa en jij. Dachten jullie dat ik gek geweest moest zijn?'

'Nee, dat dachten we niet.'

'Wat moet ik doen?'

'Lieveling, op het ogenblik kun je niets doen. Behalve een beetje volwassen worden, denk ik. Je bent geen kind meer. Je hebt nu verant-woordelijkheden, een kind van jezelf. We zitten midden in die af-grijselijke oorlog en je man is op zee. We kunnen de situatie alleen maar accepteren en doorgaan. Bovendien,' zei ze glimlachend bij de herinnering, 'kwam hij niet op een erg geschikt moment. Al die regen en tante Ethel ook nog, die maar zat te roken en te drinken en provoce-rende opmerkingen te maken. En wat jou betreft, vrouwen zijn nooit helemaal zichzelf als ze een baby verwachten. Misschien is alles heel anders als je Ambrose de volgende keer ziet. Misschien sta je dan heel anders tegenover hem.'

'Maar ik heb me zo aangesteld, Sophie.'

'Welnee. Je bent alleen nog erg jong en je zat in een situatie die je niet aankon. En kijk nu eens een beetje vrolijker. En bel dan, dan komt zuster Rogers om me mijn eerste kleinkind te laten zien. En dit gesprek vergeten we.'

'Vertel je het aan papa?'

'Nee. Hij zou er maar over gaan tobben. En dat wil ik niet.'

'Maar je hebt nooit geheimen voor hem.'

'Dit keer toch wel.'

Penelope was niet de enige die geen raad wist met het uiterlijk van de baby. Lawrence, die de volgende dag kwam om haar voor het eerst te bekijken, stond even perplex.

'Lieve meid, op wie lijkt ze eigenlijk?'

'Ik heb geen idee.'

'Ze is erg lief maar ze ziet er niet uit of ze iets met jou of haar vader te maken heeft. Misschien lijkt ze op je schoonmoeder?'

'Helemaal niet. Waarschijnlijk is ze sprekend iemand van generaties terug. Het is werkelijk een raadsel voor me.'

'Het doet er niet toe. Ze lijkt helemaal in orde. En daar gaat het om.'

'Weten de Keelings het al?'

'Ja, ik heb een telegram naar het schip van Ambrose gestuurd en Sophie heeft zijn moeder opgebeld.'

Penelope trok een gezicht. 'Die dappere Sophie. En wat had Dolly Keeling te zeggen?'

'Ze leek verrukt. Ze had altijd op een meisje gehoopt.'

'Ik wed dat ze al haar vriendinnen en die verdraaide lady Beamish vertelt dat het een zevenmaands kindje is.'

'O, nou, wat geeft dat als zij zich daar prettiger bij voelt?' Lawrence aarzelde even en vervolgde toen: 'Ze zei ook dat ze graag zou willen dat de baby Nancy genoemd werd.'

'Nancy? Hoe komt ze daar in vredesnaam aan?'

'Zo heette haar moeder. Het is misschien een goed idee. Weet je,' hij maakte een klein, veelzeggend gebaar, 'dat maakt alles misschien een beetje gemakkelijker.'

'Goed, dan noemen we haar Nancy.' Penelope richtte zich op om naar het gezichtje van de baby te kijken. 'Nancy. Dat past eigenlijk heel goed bij haar.'

Lawrence was echter minder geïnteresseerd in de naam van de baby dan in haar gedrag.

'Ze gaat toch niet voortdurend schreeuwen, hè? Daar kan ik niet tegen.'

'O, natuurlijk niet, papa. Ze is erg rustig. Ze drinkt en slaapt en wordt dan wakker en drinkt weer. Verder niets.'

'Zo.'

'Denkt u dat ze knap wordt, papa? Daar hebt u altijd oog voor gehad.'

'O, dat komt wel goed. Het wordt een Renoir. Blond en bloeiend als een roos.'

En dan was er Doris. De meeste evacués waren, niet in staat hun ballingschap nog langer te dragen, naar Londen teruggekeerd maar Doris, Ronald en Clark bleven en waren nu vaste bewoners van Carn Cottage en een deel van de familie. In juni was Doris' man, Bert, gesneuveld bij de terugtrekking van het Engelse expeditieleger uit Frankrijk. Het nieuws werd hun gebracht door de telegrambesteller, een jongen die van het postkantoor van Porthkerris de heuvel op kwam fietsen. Hij liep fluitend door de tuin, waar Sophie en Penelope hard aan het wieden waren.

'Telegram voor mevrouw Potter.'

Sophie kwam overeind, met haar handen vol aarde, haar haar in de war en een uitdrukking op haar gezicht die Penelope nog nooit gezien had. '*Mon Dieu.*'

Ze nam de enveloppe aan en de jongen ging weg. De deur in de tuinmuur sloeg achter hem dicht.

'Sophie?'

'Het moet haar man zijn.'

Het bleef even stil. 'Wat moeten we doen?' fluisterde Penelope toen.

Sophie gaf geen antwoord. Ze veegde alleen haar handen aan haar broek af en trok de enveloppe open. Ze las het bericht en deed het toen weer in de enveloppe.

'Ja,' zei ze. 'Hij is dood. Waar is ze?'

'Op het landje. Ze is de was aan het ophangen.'

'En de jongens?'

'Die kunnen ieder ogenblik uit school komen.'

'Ik moet het haar voor die tijd vertellen. Als ik niet terug ben, moet je ze bij je zien te houden. Ze moet tijd hebben. Voor ze het hun vertelt, moet ze tijd hebben.'

'Die arme Doris.' Het klonk afschuwelijk ontoereikend, onnozel bijna, maar wat kon je anders zeggen?

'Ja. Arme Doris.'

'Wat zal ze doen?'

Wat Doris deed, was enorm dapper zijn. Ze huilde natuurlijk en uitte haar verdriet en woede in een soort tirade tegen haar man, die zo dwaas was geweest ten oorlog te trekken en zich te laten doden. Maar toen dat eenmaal voorbij was en ze tot zichzelf gekomen was en Sophie en zij samen aan de keukentafel een troostend kopje thee zaten te drinken, dacht ze alleen maar aan haar zoontjes.

'Die arme drommels, wat moeten ze beginnen zonder pa?'

'Kinderen kunnen veel hebben.'

'Hoe moet ik het in godsnaam klaarspelen?'

'Het lukt je wel.'

'Ik denk dat ik terug moet naar Hackney. Berts moeder heeft me misschien nodig. Ze zal de jongens willen zien.'

'Ja, je zou naar haar toe moeten gaan. Zien of alles goed met haar is. En als dat zo is, moet je terugkomen. De jongens hebben het hier naar hun zin, ze hebben hun vriendjes, het zou wreed zijn hen nu weer hier weg te halen. Ze moeten de veiligheid die ze hebben, houden.'

Doris staarde Sophie aan. Ze snufte een beetje. Ze was nog maar net opgehouden met huilen en haar gezicht was gezwollen en vlekkerig. 'Maar ik kan hier niet eindeloos blijven.'

'Waarom niet? Je bent gelukkig bij ons.'

'Dat zeg je niet alleen maar om vriendelijk te zijn?'

'O, mijn beste Doris, ik zou niet meer weten wat we zonder jou moesten beginnen. En de jongens zijn net kinderen van onszelf. We zouden je heel erg missen als je wegging.'

Doris dacht even na. 'Ik wil het liefst blijven. Ik heb me nog nooit ergens zo gelukkig gevoeld. En nu Bert er niet meer is . . .'. Haar ogen vulden zich weer met tranen.

'Je moet niet huilen, Doris. De jongens mogen je niet zien huilen. Ze moeten zien hoe dapper je bent. Zeg dat ze trots op hun vader moeten zijn, omdat hij voor zo'n zaak gevallen is, om al die arme mensen op het vasteland te bevrijden. Leer hun goede mannen te worden, zoals hij geweest is.'

'Hij was helemaal niet zo goed. Hij was soms vervloekt lastig.' De tranen verdwenen en er kwam iets als een glimlach op Doris' gezicht. 'Kwam dronken thuis na het voetballen, viel met zijn laarzen aan op bed.'

'Die dingen moet je niet vergeten,' zei Sophie. 'Ze maken allemaal deel uit van de mens die hij was. Je moet je zowel slechte als goede momenten herinneren. Zo is het leven nu eenmaal.'

En dus bleef Doris. En toen de baby van Penelope geboren was, kon ze niet wachten tot ze het kleine meisje te zien kreeg. Doris had altijd naar een dochter verlangd en nu Bert dood was, zag het er niet naar uit dat ze er ooit een zou krijgen. Maar deze baby . . . Ze was de enige van hen die op slag gek op het kind werd.

'O, wat een schat.'

'Vind je?'

'Penelope, ze is zo mooi. Mag ik haar optillen?'

'Natuurlijk.'

Doris bukte zich en pakte het kind in haar ervaren, bekwame armen. Ze keek met zo'n bewonderende, moederlijke uitdrukking op haar gezicht op de baby neer dat Penelope zich een beetje beschaamd voelde omdat ze wist dat zij niet tot zo'n toewijding in staat was.

'Niemand weet op wie ze lijkt.'

Maar Doris wel. Doris wist precies op wie ze leek. 'Ze is sprekend Betty Grable.'

En zodra moeder en kind teruggekeerd waren naar Carn Cottage, nam Doris Nancy over en Penelope, die haar schuldgevoel tot zwijgen probeerde te brengen door tegen zichzelf te zeggen dat dat goed was voor Doris, liet haar graag haar gang gaan. Doris deed Nancy in bad en waste haar luiers en maakte, toen Penelope er genoeg van kreeg de baby de borst te geven, de flesjes klaar en gaf de baby zelf eten. Ronald en Clark waren even gek op het kind en brachten hun schoolvriendjes mee om de nieuwe aanwinst te bewonderen. Nancy groeide goed en werd dikker dan ooit. Sophie haalde de oude kinderwagen van Penelope te voorschijn en Doris poetste hem op en duwde hem met enige trots de heuvels van Porthkerris op en af, waarbij ze vaak stilstond om Nancy te laten zien aan elke voorbijganger die toevallig belangstelling voor haar had of zich gedwongen voelde te doen alsof.

Nancy bleef erg rustig. Ze lag in haar kinderwagen in de tuin te slapen of stilletjes naar de voorbijglijdende wolken of de bewegende takken van de witte kers te kijken. Toen het voorjaar werd en de bloesem afviel, lagen haar dekentjes bezaaid met witte bloemblaadjes.

Ze was een bron van veel vermaak voor Sophie en Lawrence en een bron van veel troost en vreugde voor Doris. Maar Penelope, die plichtmatig met het kind speelde, vond haar in haar hart verschrikkelijk saai.

Intussen won over de grenzen van dit huiselijke wereldje de oorlog aan stootkracht. Europa was bezet, Lawrence Sterns geliefde Frankrijk onder de voet gelopen en er ging geen dag voorbij zonder dat hij zich zorgen maakte over dat land en oude vrienden. Op de Atlantische Oceaan loerden de onderzeeërs op de langzame konvooien van torpedojagers en hulpeloze koopvaardijschepen. De Slag om Engeland was gewonnen, maar tegen enorme kosten aan vliegtuigen, piloten en vliegvelden, en het leger nam, na Frankrijk en Duinkerken gehergroepeerd, stellingen in in Gibraltar en Alexandrië, in afwachting van de volgende Duitse aanval.

En natuurlijk waren de bombardementen begonnen. De eindeloze aanvallen op Londen. De ene nacht na de andere klonken de waarschuwende sirenes en de ene nacht na de andere verschenen de Heinkels van over het Kanaal, uit het donkere Frankrijk.

In Carn Cottage luisterden ze elke ochtend naar het nieuws en hun hart bloedde voor Londen. Op een persoonlijker niveau maakte Sophie zich ook zorgen over Oakley Street en de mensen die daar woonden. De Friedmanns waren in haar opdracht van de zolder naar het souterrain verhuisd, maar de Cliffords bleven waar ze altijd geweest waren, op de tweede verdieping, en elke keer als er nieuws over een aanval was (de meeste ochtenden dus), stelde Sophie zich hen dood, gewond, opgeblazen of begraven onder het puin voor.

'Ze zijn te oud voor die akelige ervaringen,' zei ze tegen haar man. 'Waarom vragen we niet of ze hier bij ons komen wonen?'

'Mijn lieve meid, we hebben geen ruimte. En ze zouden toch niet willen komen. Dat weet je ook wel. Het zijn Londenaars. Ze willen daar echt niet weg.'

'Ik zou me prettiger voelen als ik hen kon zien. Met hen kon praten. Kon vaststellen of alles goed met hen is . . .'

In stilte observeerde Lawrence zijn jonge vrouw. Hij voelde haar rusteloosheid wel aan. Ze zat nu al twee jaar in Porthkerris, zijn Sophie die zolang ze getrouwd waren nooit langer dan drie maanden achter elkaar in dezelfde plaats was geweest. En Porthkerris was in oorlogstijd grauw en saai en leeg, heel anders dan het levendige stadje waarheen ze vóór de oorlog dankbaar elke zomer waren ontsnapt. Ze verveelde zich niet, want ze verveelde zich nooit, maar het leven van alledag werd steeds moeilijker naarmate er minder voedsel beschikbaar kwam, de rantsoenen kleiner werden en er elke dag een nieuw, nog lastiger tekort opdook – shampoo, sigaretten, lucifers, filmrolletjes, whisky, jenever – elke kleine luxe die de sleur van het leven doorbrak. Huishouden werd ook moeilijker. Voor alles moest je in de rij staan en dan moest je het mee naar huis slepen, de heuvel op, omdat de winkeliers geen benzine meer hadden om te bezorgen. Dat gebrek aan benzine was misschien wel het ergste van alles. Ze hadden de oude Bentley nog steeds, maar hij stond bijna voortdurend in de garage omdat ze niet genoeg brandstof kregen om er meer dan een paar kilometer mee te rijden.

En dus begreep Lawrence de rusteloosheid van zijn vrouw wel. Hij wist dat ze er behoefte aan had voor een dag of wat bij hen vandaan te gaan. Hij wachtte op een geschikt moment om het onderwerp aan de orde te stellen maar het leek wel of ze nooit alleen waren. Doris en de jongens, Penelope en de baby vulden alle kamers en ieder uur van de dag en als ze 's avonds eindelijk in bed vielen, was Sophie zo uitgeput dat ze meestal al sliep tegen de tijd dat Lawrence naast haar kwam liggen.

Maar op een dag trof hij haar toch eindelijk eens alleen. Hij was aardappelen aan het rooien geweest, met moeite, want zijn vergroeide handen konden niet zo gemakkelijk een schop hanteren, maar eindelijk had hij een mand gevuld. Hij droeg die door de achterdeur naar binnen en vond daar zijn vrouw, die met een somber gezicht aan de keukentafel kool zat te snijden.

'Aardappelen.' Hij zette ze met een bons op de grond naast het fornuis.

Ze glimlachte. Zelfs als ze in de put zat, kon ze voor hem altijd die glimlach te voorschijn brengen. Hij trok een stoel naar achteren en ging zitten. Hij keek naar haar. Ze was te mager. Er waren rimpeltjes om haar mond en om haar mooie, donkere ogen.

'Eindelijk alleen,' zei hij. 'Waar is iedereen?'

'Penelope en Doris zijn met de kinderen naar het strand. Ze komen zo meteen terug, om te eten.' Ze sneed weer wat kool af. 'En ze krijgen dit en de jongens zeggen dat ze het haten.'

'Alleen maar kool. Verder niets.'

'Macaroni met kaas.'

'Jouw macaroni is heerlijk.'

'Het is zo vervelend. Koken is vervelend en eten ook. Ik begrijp best dat ze klagen.'

'Je hebt te veel te doen,' zei hij.

'Nee.'

'Jawel. Je bent moe en het zit je tot hier.'

Ze keek op en ontmoette zijn ogen. 'Is het zo goed te zien?' vroeg ze toen.

'Voor mij wel. Alleen voor mij. Ik ken je zo goed.'

'Ik schaam me. Ik haat mezelf. Waarom moet ik ontevreden zijn? Maar ik voel me zo nutteloos. Wat doe ik? Ik kook het eten. Ik denk aan vrouwen overal in Europa en dan haat ik mezelf, maar ik kan het niet helpen. En als ik weer een uur in de rij moet gaan staan voor een ossestaart die een ander juist heeft gekocht, ben ik bang dat ik hysterisch word.'

'Je moet eens voor een paar dagen weg.'

'Weg?'

'Naar Londen. Naar het huis kijken. Bij de Cliffords logeren. Om jezelf gerust te stellen.' Hij legde zijn hand op de hare, bedekte die met aarde van het aardappelveldje. 'We luisteren naar het nieuws over de bombardementen en we vinden het vreselijk, maar soms is iets minder erg als je het zelf meemaakt. Waarom ga je niet naar Londen om zelf eens te zien hoe het is?'

Sophie dacht na. Ze keek al wat opgewekter. 'Ga jij ook mee?'

Hij schudde zijn hoofd. 'Nee, liefje. Ik ben te oud voor zulke expedities en daar heb jij nu juist behoefte aan. Bij de Cliffords logeren, giechelen met Elizabeth. Met haar winkelen. En dan met Peter lunchen. Je kunt vast nog wel ergens goed eten, ondanks de schaarste. Vrienden opbellen. Naar een concert gaan, naar de schouwburg. Het leven gaat door. Zelfs in Londen in oorlogstijd. Misschien wel vooral in Londen in oorlogstijd.'

'Maar vind je het niet erg als ik zonder jou ga?'

'Ik vind het erger dan ik kan zeggen. Ik zal je voortdurend missen.'

'Voor drie dagen? Zou je het voor drie dagen uit kunnen houden?'

'Ja. En als je terugkomt, kun je me drie weken lang alles vertellen wat je gedaan hebt.'

'Lawrence, ik houd zoveel van je.'

Hij schudde zijn hoofd, niet om haar tegen te spreken maar om haar te laten weten dat ze hem dat niet hoefde te vertellen. Hij boog zich naar voren en gaf haar een kus op haar mond. Toen stond hij op om het vuil van zijn handen te gaan wassen.

De avond voor ze de trein naar Londen zou nemen, ging Sophie vroeg naar bed. Doris was gaan dansen en de kinderen sliepen al. Penelope en Lawrence bleven nog een poosje bij de radio zitten, maar toen begon Penelope te geeuwen. Ze legde haar breiwerk weg, gaf haar vader een nachtzoen en ging naar boven.

De deur van de slaapkamer van haar ouders stond open en het licht brandde nog. Penelope stak haar hoofd om de hoek van de deur. Sophie lag in bed te lezen.

'Ik dacht dat je vroeg naar bed was gegaan voor je schoonheidsslaap.'

'Ik ben te opgewonden om te slapen.' Ze legde het boek op het dekbed neer. Penelope ging naast haar zitten. 'Ik wilde dat je meeging.'

'Nee. Papa heeft gelijk. Alleen heb je veel meer plezier.'

'Wat zal ik voor je meebrengen?'

'Ik weet niets.'

'Ik zal wel iets bijzonders vinden. Iets waar je nooit van gedroomd hebt.'

'Dat is leuk. Wat ben je aan het lezen?' Ze pakte het boek op. '*Elizabeth and her German Garden*. Sophie, dat heb je al honderd keer gelezen.'

'Minstens. Maar ik kom er altijd weer bij terug. Het troost me. Maakt me kalm. Het herinnert me aan een wereld die eens bestaan heeft en weer zal bestaan als de oorlog voorbij is.'

Penelope sloeg het op goed geluk open en las hardop. 'Wat een gelukkige vrouw ben ik, dat ik in een tuin woon, met boeken, baby's, vogels en bloemen en een overvloed aan tijd om ervan te genieten.' Ze lachte en legde het boek weer neer. 'Al die dingen heb jij ook. Alleen de tijd ontbreekt je. Welterusten.' Ze gaven elkaar een zoen.

'Welterusten, lieveling.'

Ze belde op uit Londen, haar stem opgewekt over de krakende lijn. 'Lawrence. Met mij. Met Sophie. Hoe gaat het, schat? Ja, ik heb een geweldige tijd. Je had gelijk, niets is zo erg als ik gedacht had. Ja, natuurlijk, de bommen richten schade aan, lege plekken in rijen huizen, maar iedereen is dapper en opgewekt en doet alsof er niets aan de hand is. En er is zoveel te doen. We zijn naar twee concerten geweest, we hebben Myra Hess gehoord, zo volmaakt, je had haar moeten horen. En ik heb de Ellingtons gezien en die aardige jongen, Ralph. Hij is nu bij de luchtmacht. En alles is in orde met het huis en het is zo

218

fijn het weer te zien en Willi Friedmann kweekt groente in de tuin . . .'

Eindelijk kon hij er een woord tussen krijgen. 'Wat doe je van-avond?' vroeg Lawrence.

'We gaan bij de familie Dickins eten. Peter en Elizabeth en ik. Je weet wel, hij is arts en heeft met Peter samengewerkt. Ze wonen in de buurt van Hurlingham.'

'Hoe komen jullie daar?'

'O, met een taxi, of met de ondergrondse. Het is zo vreemd met de ondergrondse, de stations liggen vol met slapende mensen. Ze zingen en hebben verrukkelijke feestjes en dan gaan ze allemaal slapen. O, liefste, dat is het signaal. Ik moet ophangen. Doe iedereen de groeten en ik kom overmorgen thuis.'

Die nacht werd Penelope ineens met een schok wakker. Er was iets. De baby misschien. Had Nancy geroepen? Ze lag te luisteren maar hoor-de niets anders dan het angstige bonzen van haar eigen hart. Dat werd geleidelijk minder. Toen hoorde ze voetstappen op de overloop, het kraken van de trap, het klikje van het lichtknopje. Ze stapte uit bed en ging haar kamer uit. In de hal brandde het licht.

'Papa?'

Er kwam geen antwoord. Ze stak de overloop over en keek in zijn slaapkamer. Het bed was beslapen maar leeg. Ze ging terug naar de overloop en bleef daar aarzelend staan. Wat deed hij? Was hij ziek? Ze hoorde hem in de zitkamer. Toen was alles weer stil. Hij kon niet slapen, dat was alles. Als hij niet kon slapen deed hij dat soms: naar beneden gaan, het vuur oprakelen en een boek zoeken om te lezen.

Ze ging weer naar bed. Maar ze kon niet slapen. Ze lag in het donker en keek naar de hemel achter het open raam. Het was vloed, ze hoorde de golven breken op het zand. Zo wachtte ze met open ogen op de ochtend.

Om zeven uur stond ze op en ging ze naar beneden. Hij had de radio aan. Er was muziek. Hij wachtte op het nieuws.

'Papa.'

Hij stak een hand uit om haar te beduiden stil te zijn. De muziek stierf weg. Het tijdsignaal klonk. 'Dit is Londen. Het nieuws van zeven uur, gelezen door Alvar Liddell.' De rustige stem vertelde hun onbewogen en objectief wat er gebeurd was. Vertelde hun over de bomaanval van de afgelopen nacht op Londen. Nog niet alle branden waren geblust . . .

Penelope stak haar hand uit en zette de radio af. Lawrence keek naar haar op. Hij droeg zijn oude kamerjas, de stoppels op zijn kin waren wit.

'Ik kon niet slapen,' zei hij.

Ze knikte. 'Ik heb u naar beneden horen gaan.'

'Ik heb hier zitten wachten tot het ochtend werd.'

'Er zijn meer aanvallen geweest. Alles komt wel in orde. Ik zal thee zetten. Maak u niet bezorgd. We nemen een kop thee en dan bellen we Oakley Street. Alles is natuurlijk in orde.'

Ze probeerden Londen te bellen maar kregen te horen dat dat na de aanval van de afgelopen nacht niet mogelijk was. Ze probeerden het die ochtend nog een paar keer. Zonder succes.

'Sophie probeert natuurlijk ook ons te bellen, papa. Zij maakt zich vast net zo ongerust als wij, omdat ze weet dat wij ons zorgen maken.'

Maar het was twaalf uur voor de telefoon eindelijk begon te rinkelen. Penelope zat in de keuken soepgroente te snijden. Ze liet haar mes vallen en rende naar de zitkamer terwijl ze onder het lopen haar handen aan haar schort afveegde. Maar Lawrence, die naast het toestel zat, had de hoorn al in zijn hand. Ze knielde naast hem neer, zo dichtbij dat ze geen woord hoefde te missen.

'Hallo? Met Carn Cottage. Hallo?'

Gezoem, gekraak, een vreemd brommend geluid en toen eindelijk: 'Hallo.' Maar het was niet de stem van Sophie.

'Met Lawrence Stern.'

'O. Lawrence, met Lalla Friedmann. Ja, Lalla uit Oakley Street. Ik heb je niet eerder kunnen bereiken. Ik ben het al twee uur aan het proberen. Ik . . .' Ineens brak haar stem.

'Wat is er aan de hand, Lalla?'

'Ben je alleen?'

'Penelope zit naast me. Het . . . het gaat over Sophie, hè?'

'Ja. O, Lawrence, ja. En de Cliffords. Alle drie. Ze zijn alle drie gedood. Een luchttorpedo op het huis waar ze waren. Er is niets van over. Wij zijn wezen kijken, Willi en ik. Toen ze vanochtend niet terug waren, heeft Willi geprobeerd daarheen te bellen, maar dat was natuurlijk onmogelijk. Dus zijn we zelf gaan kijken wat er gebeurd was. We waren er al eens geweest, dus we wisten de weg. We namen een taxi maar toen moesten we lopen . . .'

Niets over.

'. . . en toen was de straat afgezet. Niemand mocht erin en de brandweer was nog bezig. Maar we konden het zien. Het huis was verdwenen. Er was alleen nog maar een groot gat. En ik heb met een politieagent gepraat en hij was erg vriendelijk, maar hij zei dat er geen hoop was. Geen hoop, Lawrence.' Ze begon te huilen. 'Allemaal dood. Ik vind het zo erg. Ik vind het zo erg dat ik je dit moet vertellen.'

Niets over.

Lawrence zei: 'Het is lief van je dat je bent gaan kijken. En het is ook lief dat je me opbelt . . .'

'Het is het ergste dat ik ooit heb moeten doen.'

'Ja,' zei Lawrence. 'Ja.' Hij zat daar maar. Na een poosje hing hij op. Penelope legde haar hoofd tegen de dikke wol van zijn trui. De stilte die volgde, was volkomen leeg.

'Papa.'

Hij hief een hand op, streek over haar haar.

'Papa.'

Ze keek naar hem op en hij schudde zijn hoofd. Ze wist dat hij er slechts naar verlangde alleen gelaten te worden. Ze zag toen dat hij oud was. Ze had hem nooit eerder oud gevonden maar nu wist ze dat hij nooit meer iets anders zou zijn. Ze stond op en ging de kamer uit en deed de deur achter zich dicht.

Niets over.

Ze liep de trap op en ging de slaapkamer van haar ouders binnen. Het bed was op die akelige ochtend niet opgemaakt. In het kussen was de indruk van het slapeloze hoofd van haar vader nog te zien. Hij had het geweten. Zij hadden het allebei geweten. Ze waren blijven hopen, hadden geprobeerd moed te houden, maar waren toch vervuld geweest van een dodelijke zekerheid. Ze hadden het allebei geweten.

Niets over.

Op het nachtkastje van Sophie lag het boek waar ze de avond voor haar vertrek in had liggen lezen. Penelope ging zitten en pakte het boek. Het viel in haar handen open bij die bijna versleten bladzijde.

Wat een gelukkige vrouw ben ik, dat ik in een tuin woon, met boeken, baby's, vogels en bloemen en een overvloed aan tijd om ervan te genieten. Soms heb ik het gevoel dat ik boven al mijn medemensen gezegend ben omdat ik zo gemakkelijk geluk kan vinden.

Zo gemakkelijk geluk kan vinden. Sophie had niet alleen geluk gevonden maar het ook uitgestraald. En nu was er niets over. Het boek gleed uit haar vingers. De tranen stroomden over haar wangen. Ze ging liggen en begroef haar gezicht in het kussen van Sophie. Het linnen was even koel als de huid van haar moeder en haar geur zat er nog in, alsof ze maar een ogenblik eerder de kamer was uitgegaan.

HOOFDSTUK 10

Roy Brookner

Noel Keeling was wel goed in sport, vooral in squash, maar hij was niet bepaald dol op lichamelijke inspanning. Als hij tijdens een weekend door zijn gastvrouw gedwongen werd tot een middagje bomen omhakken of gezamenlijk tuinieren, zorgde hij altijd dat hij de minst inspannende karweitjes te doen kreeg. Hij verzamelde kleine takjes voor een houtvuur of verwijderde de uitgebloeide rozen. Hij bood zich misschien wel aan om het gazon te maaien, maar alleen als er een grote machine was waar hij op kon zitten en als iemand anders – meestal een verliefd meisje – de kruiwagen met het gemaaide gras naar de composthoop rolde. Als er echt zwaar werk te doen viel, als er bij voorbeeld palen in harde grond gehamerd moesten worden of als er een enorm gat gegraven moest worden voor een nieuwe struik, glipte hij ongemerkt naar binnen, waar hij dan ten slotte door uitgeputte en verontwaardigde medegasten werd ontdekt terwijl hij op zijn gemak voor de televisie naar cricket of golf zat te kijken, met de kranten van de zondag als blaadjes uitgespreid om hem heen.

Zo had hij dan ook zijn plannen gemaakt. De hele zaterdag ging hij heel eenvoudig rondsnuffelen, de inhoud nagaan van elke koffer, elke doos, elk gammel ladenkastje. (Het eigenlijke zware werk, schuiven en tillen en de boel de twee smalle trappen af zien te krijgen, kon veilig tot de volgende dag worden bewaard, als de nieuwe tuinman het werk kon doen en Noel enkel orders hoefde te geven.) Als hij succes had en vond wat hij zocht – één, twee of nog meer ruwe olieverfschetsen van Lawrence Stern – wist hij zijn rol wel te spelen. *Deze zijn misschien wel interessant*, zou hij tegen zijn moeder zeggen en dan zou het van haar reactie afhangen hoe hij verder ging. *Moest misschien eens een expert naar kijken. Ik heb een vriend, Edwin Mundy . . .*

De volgende ochtend was hij vroeg op om een uitgebreid ontbijt voor zichzelf klaar te maken met spek, eieren, worstjes, vier sneetjes geroosterd brood en een pot zwarte koffie. Terwijl hij aan de keukentafel zat te eten, keek hij hoe de regen over het venster liep. Hij was daar blij om want nu was er geen sprake van dat zijn moeder hem ertoe kon bewegen de tuin in te gaan om een karweitje voor haar te doen. Zij verscheen in haar ochtendjas toen hij, klaar wakker, aan zijn tweede kop koffie bezig was. Ze keek nogal verbaasd dat hij op zaterdagochtend zo vroeg beneden was.

'Je maakt toch niet te veel leven, hè? Ik wil graag dat Antonia zo lang mogelijk blijft slapen. Dat arme kind, ze moet volkomen uitgeput zijn geweest.'

'Ik heb jullie tot in de kleine uurtjes horen kletsen. Waar hadden jullie het over?'

'O, gewoon, van alles.' Ze nam een kop koffie. 'Noel, je gooit toch niets weg zonder het me eerst te vragen, hè?'

'Voorlopig ga ik alleen maar kijken wat u daar allemaal hebt staan. Het verbranden en het vernietigen kunnen tot morgen wachten. Maar u moet verstandig zijn. Oude breipatronen en huwelijksfoto's van rond 1910 kunnen echt wel weg.'

'Ik moet er niet aan denken wat je allemaal te voorschijn zult halen.'

'Je kunt nooit weten,' zei Noel met een onschuldige glimlach op zijn gezicht. 'Je kunt eenvoudig nooit weten.'

Hij liet haar aan haar koffie en ging naar boven. Maar voor hij aan zijn werk kon beginnen, moesten er een paar praktische moeilijkheden worden opgelost. De zolder had maar één klein raampje en de ene lamp die er hing, gaf niet veel licht. Noel ging weer naar beneden en vroeg een goede, sterke lamp aan zijn moeder. Ze haalde er een uit een doos onder de trap en hij nam die mee naar de zolder, waar hij, balancerend op een wankele stoel, de oude lamp eruit en de nieuwe erin draaide. Maar toen hij het licht aandeed, zag hij dat het nog altijd niet voldoende was voor het zorgvuldige onderzoek dat hij in gedachten had. Hij keek om zich heen en zag een oude staande lamp met een kapotte kap en een lang snoer maar geen stekker. Dat maakte een nieuwe tocht naar beneden noodzakelijk. Hij haalde nog een sterke lamp uit de kartonnen doos en vroeg zijn moeder of ze misschien een stekker had. Ze zei van niet. Noel zei dat hij er een nodig had. Ze zei dat hij er dan maar een ergens af moest halen. Hij zei dat hij dan een schroevedraaier moest hebben. Ze wees hem waar hij er een kon vinden.

'In die la, Noel.'

Hij deed de la open en vond tussen allerlei rommel inderdaad een schroevedraaier. Daarmee haalde hij de stekker van haar strijkijzer. Boven bevestigde hij met enige moeite de stekker aan het snoer van de oude lamp. Biddend dat het snoer lang genoeg zou zijn, droeg hij het de trap af en deed de stekker in het stopcontact op de overloop. Voor wat wel de honderdste keer leek, liep hij de trap weer op. Hij knipte de lamp aan en slaakte een zucht van verlichting toen het licht inderdaad aanging. Hij liet zich altijd gemakkelijk door de kleinste moeilijkheid

223

uit het veld slaan en voelde zich dan ook nogal uitgeput, maar nu had hij licht en kon hij eindelijk beginnen.

Tegen het eind van de ochtend had hij de helft van de rommelige, stoffige zolder afgewerkt. Hij had drie koffers, een bureau met houtworm, een theekist en twee weekendtassen doorzocht. Hij had gordijnen en kussens gevonden, een aantal in kranten gewikkelde wijnglazen, fotoalbums, een poppeserviesje en een stapel vergeelde slopen, zo versleten dat ze niet meer gemaakt konden worden. Hij had in leer gebonden kasboeken gevonden, bundels brieven met linten eromheen, borduurwerkjes met roestige naalden en een gebruiksaanwijzing voor de allernieuwste uitvinding, een apparaat om messen te reinigen. Bij een grote, met bandjes dichtgebonden map had hij even gedacht dat hij beet had. Met handen die beefden van opwinding had hij de bandjes losgemaakt. In de map zaten een aantal gouvernanteachtige aquarellen van de Dolomieten, de hemel mocht weten van wie. De teleurstelling was enorm maar hij vermande zich en ging door met zijn werk. Er waren struisvogelveren en zijden sjaals met lange franje die in de war zat, geborduurde tafellakens, legpuzzels en een breiwerk dat niet af was. Hij vond een schaakbord maar geen stukken, speelkaarten en een editie van *Burke's Landed Gentry* van 1912.

Hij vond niets dat ook maar in de verte op werk van Lawrence Stern leek.

Er klonken voetstappen op de trap. Hij zat op een kruk en las net een tip over de beste manier om zwarte, wollen kousen te wassen. Toen hij opkeek, zag hij Antonia boven aan de trap staan. Ze droeg een spijkerbroek en gymschoenen en een witte trui en de gedachte kwam bij hem op dat het jammer was van die kleurloze wimpers omdat ze werkelijk een heel goed figuur had.

'Hallo,' zei ze. Het klonk verlegen, alsof ze bang was hem te storen.

'Hallo.' Hij deed het gehavende boek met een klap dicht en liet het voor hem op de grond vallen. 'Hoe laat ben je wakker geworden?'

'Om een uur of elf.'

'Ik heb je toch niet wakker gemaakt?'

'Nee. Ik heb niets gehoord.' Ze liep tussen de rommel door naar hem toe. 'Schiet je al op?'

'Niet al te best. De bedoeling is het kaf van het koren te scheiden. Proberen alles kwijt te raken wat misschien brandgevaar oplevert.'

'Ik had er geen idee van dat het zo erg was.' Ze bleef staan en keek om zich heen. 'Waar komt dat allemaal vandaan?'

'Dat mag je wel vragen. Van de zolder in Oakley Street. En van andere zolders van andere huizen, van eeuwen terug zo te zien. Het moet een erfelijke afwijking zijn, dat totale onvermogen ooit iets weg te gooien.'

Antonia bukte zich en pakte een vuurrode, zijden sjaal. 'Die is mooi.' Ze drapeerde hem om haar schouders en streek de franje glad. 'Hoe zie ik er zo uit?'

'Vreemd.'

Ze deed de sjaal weer af en vouwde hem zorgvuldig op. 'Je moeder vraagt of je iets wilt eten.'

Noel keek op zijn horloge en zag tot zijn verbazing dat het half een was. Het was een donkere dag en hij was zo druk aan het werk geweest dat hij alle besef van tijd verloren had. Hij realiseerde zich dat hij niet alleen honger had maar ook dorst. Hij kwam overeind. 'Ik heb in de eerste plaats een stevige borrel nodig.'

'Ga je vanmiddag verder?'

'Moet wel. Anders komt het nooit klaar.'

'Ik wil wel helpen.'

Maar dat mocht niet, hij wilde niet dat iemand precies zag wat hij deed. 'Dat is lief van je maar alleen schiet ik beter op. Vooruit . . .' Hij schoof haar voor zich uit in de richting van de trap. 'Laten we eens gaan kijken wat ma op tafel heeft staan.'

Tegen half zeven die avond was het zoeken klaar en wist Noel dat hij niet in de prijzen gevallen was. De zolder van Podmore's Thatch bevatte geen schatten. Er was zelfs geen enkele schets van Lawrence Stern opgedoken en het hele karwei was alleen maar tijdverspilling geweest. Terwijl hij probeerde die bittere waarheid onder ogen te zien bekeek hij met zijn handen in zijn zakken het resultaat van al zijn zwoegen: een nog grotere rommel. Hij voelde zich moe en vuil en zijn hoop was de bodem ingeslagen. Ineens werd hij woedend op zijn moeder, die de schuld van alles was. Ze had waarschijnlijk een keer de schetsen vernietigd of ze voor een grijpstuiver verkocht of zelfs weggegeven. Hij had er zich altijd al aan geërgerd dat ze zo gul was en die obsessie om alles te bewaren hing hem ook de keel uit. Zijn tijd was kostbaar en nu had hij een hele dag verspild met het wrakhout van de hemel mocht weten hoeveel generaties, alleen maar omdat zij dat zelf nooit had gedaan.

Hij dacht er werkelijk even over het schip te verlaten en te ontsnappen met het excuus dat hij wel vaker gebruikte als een weekend hem tegenviel, een dringende afspraak in Londen die hem plotseling te binnen was geschoten.

Maar dat was niet mogelijk omdat hij al te ver was gegaan en te veel had gezegd. Hij had zelf de hele zaak aan het rollen gebracht (onveilig huis, brandgevaar, onvoldoende verzekering, enzovoort) en ook tegen Olivia over het mogelijke bestaan van de schetsen gesproken. En hij was er nu wel behoorlijk zeker van dat die schetsen er niet waren, maar hij kon zich precies de bijtende opmerkingen van Olivia voorstellen als hij wegging zonder dat het werk klaar was. En hij had dan wel een dikke huid maar hij bleef toch liever gespaard voor de scherpe tong van zijn intelligente zuster.

Er was niets aan te doen. Hij moest blijven. Nogal venijnig schopte hij een kapot poppebedje opzij. Toen deed hij het licht uit en ging naar beneden.

's Nachts hield het op met regenen. Een zachte zuidoostenwind blies de lage wolken weg en verspreidde ze. De volgende ochtend was de hemel helder en rustig en werd de stilte slechts doorbroken door vogelgezang. Antonia werd er wakker van. De eerste stralen zonlicht vielen door het open raam haar slaapkamer binnen. Ze lagen warm op het tapijt en accentueerden het roze van de rozen op de gordijnen. Ze stapte uit bed en liep naar het raam. Ze leunde met haar blote onderarmen op het kozijn en snoof de vochtige lucht op. Het riet van het dak raakte de bovenkant van haar hoofd en ze zag de dauw glinsteren op het gras. In de kastanjebomen zaten twee lijsters te zingen. Het was nog een beetje nevelig maar het leek een volmaakte lenteochtend te worden.

Het was half acht. Gisteren had het de hele dag geregend en waren ze niet buiten geweest. Antonia had dat in haar vermoeidheid uitstekend gevonden. Ze had in haar eentje bij het vuur gezeten terwijl de regendruppels over de ruiten stroomden. En het licht brandde omdat het zo somber en donker was. Ze had een boek van Elizabeth Jane Howard gevonden dat ze nog niet kende en na het middageten had ze op de bank liggen lezen. Af en toe verscheen Penelope om naar het vuur te kijken of om haar bril te zoeken en later kwam ze bij Antonia zitten, niet om te praten maar om de kranten te lezen en nog later thee te brengen. Noel had de hele dag alleen op zolder gezeten en toen hij eindelijk verscheen, was hij niet bepaald in een aangenaam humeur.

Dat gaf Antonia een nogal onbehaaglijk gevoel. Penelope en zij waren toen in de keuken met het eten bezig en één blik op het gezicht van Noel was genoeg om te zien dat hij de vredige stemming van de dag zou bederven.

Eerlijk gezegd voelde ze zich toch al een beetje onbehaaglijk bij Noel. Hij was net zo vitaal en gevat als Olivia maar miste haar warmte. Hij maakte dat Antonia zich onaantrekkelijk en onhandig voelde en ze kon nauwelijks iets bedenken om tegen hem te zeggen dat niet banaal en vervelend klonk. Toen hij met een gezicht als een donderwolk en een vuile veeg over zijn ene wang de keuken binnenkwam, om een stevige whisky voor zichzelf in te schenken en zijn moeder te vragen waarom ze in vredesnaam al die rommel van Oakley Street naar Gloucestershire had gebracht, had Antonia staan trillen op haar benen bij het vooruitzicht van een scène of, nog erger, een avond van zwijgend gemok, maar Penelope had zich niet door haar zoon laten intimideren.

'Luiheid waarschijnlijk,' zei ze luchtig. 'Het was eenvoudiger alles in de verhuiswagen te stoppen dan het op dat moment uit te zoeken. Ik had al genoeg aan mijn hoofd zonder al die oude boeken en brieven te gaan bekijken.'

'Maar wie heeft al die rommel eigenlijk bij elkaar gebracht?'

'Ik heb geen idee.'

Tegen haar goede humeur kon hij niet op. Hij sloeg de whisky naar binnen en werd op slag een stuk kalmer. Hij wist zelfs een wrang glimlachje op zijn gezicht te brengen. 'U bent de onmogelijkste vrouw die ik ken,' zei hij tegen zijn moeder.

Ze accepteerde dat ook. 'Ja, dat weet ik, maar we kunnen niet allemaal volmaakt zijn. En bedenk eens hoe goed ik ben in andere dingen. Zoals voor je koken en zorgen dat ik altijd de goede borrels in huis heb. De moeder van je vader – weet je nog wel? – had altijd alleen maar sherry in huis die naar rozijnen smaakte.'

Hij trok een gezicht. 'En wat eten we vanavond?'

'Forel met amandelen, nieuwe aardappelen en frambozen met room. Niet minder dan je verdient. En je kunt een behoorlijke fles wijn uitzoeken en dan je glas mee naar boven nemen en in bad gaan.' Ze glimlachte naar haar zoon maar haar donkere ogen stonden scherp. 'Ik weet zeker dat je dat wel nodig hebt na al dat harde werken.'

En zo was het een gemakkelijke avond geworden. Ze waren allemaal vroeg naar bed gegaan en Antonia had de hele nacht doorgeslapen. Met de veerkracht van de jeugd voelde ze zich nu voor het eerst sinds dagen en dagen weer zichzelf. Ze wilde naar buiten, over het gras rennen, haar longen vullen met koele, frisse lucht. De lentemorgen wachtte op haar en ze wist dat ze er deel van uit moest gaan maken.

Ze kleedde zich aan, ging naar beneden, pakte een appel van het buffet in de keuken en ging toen door de serre de tuin in. Terwijl ze van de appel liep te eten, stak ze het gazon over. De dauw maakte haar linnen gymschoenen nat en ze lieten een spoor van voetstappen na op het vochtige gras. Door de opening in de ligusterhaag kwam ze in de boomgaard. Er liep een soort pad door het wilde gras, langs de resten van een vuurtje en om een pas gesnoeide heg van haagdoorns heen. Zo kwam ze bij de smalle rivier, die in de diepte tussen hoge oevers stroomde. Ze volgde die stroomafwaarts onder een boog van wilgen en toen kwamen er steeds minder wilgen en kronkelde de rivier zich verder door uitgestrekte uiterwaarden vol grazend vee. Daarachter klommen de heuvels omhoog. Er waren schapen op de hoger gelegen weiden en in de verte klom een man met een hond op zijn hielen de helling op ernaar toe.

Nu was ze dicht bij het dorp. De oude kerk met de vierkante toren, de goudkleurige, stenen huizen stonden in de bocht van de weg. De rook uit de schoorstenen ging recht omhoog. De zon klom in de kristallen hemel omhoog en in de zachte gloed ervan rook de brug naar creosoot. Het was een lekkere lucht. Ze ging op het bruggetje zitten en liet haar natte benen bengelen. Ze at de rest van de appel op en gooide het klokhuis in het heldere, stromende water. Ze keek het na terwijl het voor altijd werd meegevoerd.

Gloucestershire was schitterend, besloot ze, en overtrof alles wat ze zich had kunnen voorstellen. En Podmore's Thatch was volmaakt en Penelope nog volmaakter. Zodra je bij haar was, voelde je je rustig en veilig, alsof het leven – dat de laatste tijd zo akelig en droevig was geweest – toch iets opwindends was, dat voor de toekomst vreugde in zich borg. 'Je kunt blijven zolang je wilt,' had ze tegen Antonia gezegd. En dat was een verleiding op zichzelf maar ze wist dat ze het niet kon doen. Maar wat moest ze dan wel beginnen?

Ze was achttien. Ze had geen familie, geen huis, geen geld en was voor geen enkel beroep opgeleid. Die paar dagen in Londen had ze Olivia in vertrouwen genomen.

'Ik weet niet eens wat ik zou willen doen. Ik bedoel, ik heb me nooit ergens echt toe geroepen gevoeld. Als dat wel zo was, was het allemaal eenvoudiger. En zelfs als ik plotseling het besluit nam secretaresse of dokter of accountant te worden, zou de opleiding nog vreselijk duur zijn.'

'Ik zou je kunnen helpen,' had Olivia gezegd.

'Nee, nee, daar moet je niet eens aan denken,' had Antonia zich meteen opgewonden. 'Ik ben jouw verantwoordelijkheid niet.'

'In zekere zin ben je dat wel. Je bent Cosmo's kind. En ik dacht er niet zozeer aan enorme cheques uit te schrijven. Ik stelde me voor dat ik je op een andere manier kon helpen. Je aan mensen voorstellen. Heb je er ooit aan gedacht fotomodel te worden?'

Fotomodel. Antonia's mond was van verbazing opengevallen. 'Ik? Dat zou ik nooit kunnen. Ik ben helemaal niet mooi.'

'Je hoeft niet mooi te zijn. Je moet alleen maar de juiste maten hebben en die heb je.'

'Ik zou geen fotomodel kunnen worden. Ik krijg er al wat van als iemand met een fototoestel in mijn richting wijst.'

Olivia lachte. 'Daar zou je wel overheen kunnen komen. Je hebt alleen maar een goede fotograaf nodig, iemand die je zelfvertrouwen geeft. Dat heb ik zo vaak gezien. Lelijke eendjes bloeien op tot zwanen.'

'Ik niet.'

'Je moet niet zo timide zijn. Er is niets mis met je gezicht of het moesten die lichte wimpers zijn. Maar ze zijn wel wonderbaarlijk lang en dik. Ik begrijp niet waarom je geen mascara gebruikt.'

Antonia geneerde zich werkelijk voor haar wimpers en ze begon altijd te blozen als iemand er iets over zei.

'Ik heb het wel geprobeerd, Olivia, maar het gaat niet. Ik ben er allergisch voor of zo. Mijn oogleden worden dik, en dan mijn wangen, en mijn ogen beginnen te tranen en dan loopt al het zwart over mijn gezicht. Een ramp, maar ik kan er niets aan doen.'

'Waarom laat je ze niet verven?'

'Verven?'

'Ja. Zwart verven. Bij een schoonheidsspecialiste. Dan ben je van je probleem af.'

'Maar zou ik niet allergisch zijn voor verf?'

'Dat lijkt me niet. Je zou het moeten proberen. Maar we zijn afgedwaald. We hadden het erover dat je fotomodel kon worden. Alleen maar voor een jaar of twee. Je zou goed verdienen en wat kunnen sparen en als je dan besloten hebt wat je wilt gaan doen, heb je wat geld achter je, zodat je onafhankelijk kunt blijven. Denk er in elk geval eens over na terwijl je bij mijn moeder bent. Laat me weten wat je besloten hebt, dan zoek ik een fotograaf voor je.'

'Je bent lief.'

'Helemaal niet. Alleen maar praktisch.'

Objectief bekeken was het geen slecht idee. Antonia werd al zenuwachtig bij de gedachte dat ze echt zulk werk zou gaan doen, maar als ze op die manier een beetje geld kon verdienen was dat wel wat moeite waard. En in elk geval kon ze met geen mogelijkheid iets anders bedenken dat ze echt wilde doen. Ze hield van koken en tuinieren en planten en fruit plukken – in de tijd dat ze bij Cosmo op Ibiza was geweest, had ze weinig anders gedaan – maar je kon moeilijk je werk maken van fruit plukken. En ze wilde niet op kantoor en ze wilde niet in een winkel of bij een bank of in een ziekenhuis, dus wat moest ze anders?

De kerkklok begon te luiden. Het klonk een beetje weemoedig. Antonia dacht aan de bellen die de geiten op Ibiza droegen, die vroeg in de ochtend te horen waren op de velden rond het huis van Cosmo. En aan het kraaien van de hanen en aan de krekels in het donker, aan alle geluiden van Ibiza, die voorgoed verdwenen waren, weggeborgen in het verleden. Ze dacht aan Cosmo en voor het eerst kon ze dat doen zonder dat de tranen haar in de ogen sprongen. Verdriet was een vreselijke last maar die kon je tenminste aan de kant van de weg leggen om dan door te lopen. Antonia had nog maar een paar stappen gedaan maar ze kon zich al omdraaien en terugkijken zonder te huilen. Het had niets met vergeten te maken. Het was alleen maar een kwestie van aanvaarden. Niets was nog zo erg als je het eenmaal aanvaard had.

De kerkklok luidde wel een minuut of tien door en hield toen ineens op. De stilte die volgde, vulde zich langzaam met de kleine geluiden van de ochtend. Het stromende water, loeiende koeien, het geblaat van schapen in de verte. Er blafte een hond. Er startte een auto. Antonia kreeg honger. Ze stond op, ging het bruggetje af en volgde dezelfde weg terug die ze gekomen was, naar Podmore's Thatch en haar ontbijt. Gekookte eieren misschien, en bruinbrood en boter en sterke thee. Alleen de gedachte aan zulk heerlijk eten vulde haar al met voldoening. Voor het eerst in weken zorgeloos gelukkig begon ze te rennen, luchthartig en vrij als een meisje dat even later iets geweldigs zou overkomen.

Tegen de tijd dat ze bij de haagdoorns was, was ze buiten adem en warm van de inspanning. Hijgend leunde ze even tegen het hek van de boomgaard, toen deed ze het open. Terwijl ze dat deed, zag ze iets bewegen. Ze keek op en zag een man met een kruiwagen over het pad uit de tuin komen. Hij liep onder de waslijn en tussen de appel- en perebomen door. Hij was jong en lang. Niet Noel. Een onbekende.

Ze deed het hek dicht. Het geluid trok zijn aandacht en hij keek op en zag haar.

'Goedemorgen,' zei hij. De kruiwagen knarste. Antonia bleef naar hem staan kijken. Bij het uitgebrande vuur hield hij stil. Hij zette de kruiwagen neer en richtte zich op. Hij droeg een verstelde en verschoten spijkerbroek, rubberlaarzen en een wijde trui over een blauw overhemd. Zijn ogen waren net zo blauw in zijn gebruinde gezicht.

'Een mooie dag,' zei hij.

'Ja.'

'Wezen wandelen?'

'Alleen maar tot de brug.'

'Jij moet Antonia zijn.'

'Ja, dat ben ik.'

'Mevrouw Keeling heeft me verteld dat je zou komen.'

'Ik weet niet wie jij bent.'

'De tuinman. Danus Muirfield. Ik kom helpen vandaag. Met de zolder. Alle rommel verbranden.'

De kruiwagen bevatte een paar kartonnen dozen, oude kranten, een lange hooivork. Hij pakte de hooivork en begon de as van het vorige vuur ermee opzij te schuiven om een droog stukje grond vrij te maken.

230

'Er zal een hele berg verbrand moeten worden,' zei Antonia. 'Ik ben gisteren op zolder geweest en heb alles gezien.'

'Dat geeft niet. We hebben er een hele dag voor.'

Dat 'we' klonk leuk, vond ze. Het gaf haar het gevoel dat ze erbij hoorde, anders dan Noels koele afwijzing van haar aanbod hem te helpen. Het gaf haar ook het gevoel dat ze welkom was.

'Ik heb nog niet gegeten maar zodra ik klaar ben, kom ik helpen.'

'Mevrouw Keeling is in de keuken eieren aan het koken.'

Antonia glimlachte. 'Dat hoopte ik al.'

Maar hij glimlachte niet terug. 'Ga dan maar eten,' zei hij. Hij dreef de tanden van de hooivork in de zwarte aarde en pakte een stuk krant. 'Op een lege maag kun je niet werken.'

Nancy Chamberlain reed met haar handen in varkensleren handschoenen stevig om het stuur geklemd door de vriendelijke, door de zon beschenen Cotswolds naar Podmore's Thatch om bij haar moeder te gaan eten. Om een aantal redenen was ze in een uitstekend humeur. De onverwacht mooie dag was een van die redenen. De blauwe lucht had niet alleen haarzelf maar ook haar huishouding beïnvloed, zodat de kinderen aan het ontbijt geen ruzie hadden gemaakt, George zelfs met een paar grapjes was gekomen en mevrouw Croftway warempel aangeboden had 's middags de honden uit te laten.

Nu ze geen uitgebreid zondags middagmaal hoefde klaar te maken, had ze eens een keer tijd genoeg gehad. Ze had zich met zorg gekleed (ze droeg haar beste mantelpakje en een blouse van crêpe de Chine met een strik bij de hals), had Melanie en Rupert naar de Wainwrights gebracht en had George uitgezwaaid toen hij naar zijn diocesane vergadering vertrok. Ze had zelfs tijd gevonden om naar de kerk te gaan. Als ze naar de kerk geweest was, voelde Nancy zich altijd vroom en goed, zoals ze zich belangrijk voelde als ze een vergadering had bijgewoond. Het beeld dat ze van zichzelf had, kwam dus eens een keer overeen met haar ambities. Ze was een dame die buiten woonde en haar huishouding goed georganiseerd had, met kinderen die bij geschikte vriendjes waren uitgenodigd, een man die waardevolle plichten had te vervullen en toegewijd personeel.

Dat alles vervulde haar met een aangenaam en ongewoon zelfvertrouwen en onder het rijden overdacht ze wat ze die middag precies zou gaan doen en zeggen. Op een geschikt moment, misschien alleen met haar moeder aan de koffie, zou ze over de schilderijen van Lawrence Stern beginnen. Het enorme bedrag noemen dat *De waterdraagsters* had opgebracht en erop wijzen hoe kortzichtig het zou zijn niet van de hoge prijzen van het moment te profiteren. Ze zag zichzelf terwijl ze rustig zat te redeneren en duidelijk maakte dat ze alleen aan het welzijn van haar moeder dacht.

Verkopen. Alleen de panelen natuurlijk, die ongezien en ongewaardeerd op de overloop bij de slaapkamer van haar moeder hingen. Niet *De schelpenzoekers.* Er kon geen sprake van zijn dat schilderij weg te doen, dat zozeer deel uitmaakte van het leven van haar moeder, maar toch zou Nancy George citeren en erg zakelijk worden. Voorstellen het opnieuw te laten taxeren en misschien ook opnieuw te verzekeren. Penelope kon, hoe overgevoelig ze ook was als het om haar bezittingen ging, toch geen bezwaar hebben tegen een dergelijke verstandige bezorgdheid van haar dochter?

De kronkelige weg bereikte de top van de heuvel en beneden in het dal werd het dorp Temple Pudley zichtbaar, dat als een stuk vuursteen in de zon lag te glinsteren. Het was erg rustig, alleen de rookpluim die uit de tuin van haar moeder kwam, wees op enige activiteit. Nancy was zo verdiept geweest in haar plannen om de panelen te verkopen zodat er een heleboel geld beschikbaar kwam, dat ze niet meer aan het eigenlijke doel van het weekend had gedacht, het opruimen van de zolder van Podmore's Thatch en het verbranden van de rommel. Ze hoopte dat ze niet gedwongen zou zijn een vuil karweitje op te knappen. Ze was niet op houtvuren gekleed.

Even later draaide ze het hek van haar moeder in om voor de open deur te stoppen. Ze zag Noels oude Jaguar bij de garage staan, er leunde een onbekende fiets tegen de muur van het huis en een paar niet te verbranden voorwerpen lagen verloren op een hoop bij elkaar. Een babyweegschaal, een poppewagen die een wiel miste, een paar oude po's. Ze zocht haar weg erlangs en ging naar binnen.

'Moeder.'

Het rook als altijd heerlijk in de keuken. Nancy moest aan haar kinderjaren denken, aan de uitgebreide maaltijden die toen in de enorme keuken in het souterrain in Oakley Street werden klaargemaakt. Het leek een hele tijd geleden dat ze ontbeten had en het water liep haar in de mond.

'Moeder!'

'Ik ben hier.'

Nancy vond haar in de serre, waar ze niets deed en alleen diep in gedachten voor zich uit stond te staren. Ze zag dat haar moeder niet voor een speciale gelegenheid gekleed was, zoals Nancy zelf, maar haar oudste kleren droeg. Een versleten rok van denim, een katoenen blouse met een gerafelde kraag en een vest met stoppen. Nancy zette haar hagedisseleren handtas neer, trok haar handschoenen uit en gaf haar moeder een kus.

'Wat bent u aan het doen?' vroeg ze.

'Ik probeer te besluiten waar we zullen eten. Ik wilde juist de tafel in de eetkamer gaan dekken en toen dacht ik, het is zo'n mooie dag, waarom niet hier. En het is heerlijk warm, zelfs met de deur naar de tuin open. Hoe vind je mijn fresia's? Zijn ze niet prachtig? Wat leuk dat je er bent en wat zie je er elegant uit. Zeg nu eens, wat vind jij? Zullen we hier eten? Noel kan in de keuken het vlees snijden en we kunnen allemaal zelf onze borden dragen. Het zou enig zijn, denk ik. De eerste picknick van het jaar en iedereen is trouwens zo vuil, het zou misschien gemakkelijker zijn.'

Nancy keek in de richting van de boomgaard en de rook die boven de ligusterhaag uitkwam en opsteeg in de zuivere lucht.

'Hoe gaat het allemaal?'

'Geweldig. Iedereen is hard aan het werk.'

'U niet, hoop ik.'

'Ik? Ik heb alleen maar het eten klaargemaakt.'

'En dat meisje . . . Antonia?' Nancy sprak de naam koel uit. Ze had Olivia en Penelope de aanwezigheid van Antonia nog niet vergeven en hoopte in haar hart dat de regeling op een volkomen mislukking uit zou draaien.

Maar daar zag het nog niet naar uit.

'Ze is heel vroeg opgestaan en is na het ontbijt meteen gaan helpen. Noel is boven op zolder. Hij geeft naar alle kanten orders en Danus en Antonia brengen de rommel naar de boomgaard en stoken het vuur.'

'Ik hoop dat ze niet lastig voor u zal worden, moeder.'

'O, daar is geen sprake van, het is zo'n schat.'

'Wat vindt Noel van haar?'

'In het begin zei hij dat ze zijn type niet was omdat ze zulke lichte wimpers heeft. Kun je je dat voorstellen? Hij vindt nooit een vrouw als hij weigert verder te kijken dan haar wimpers.'

'In het begin? Is hij dan van gedachten veranderd?'

'Alleen maar omdat er nog een jonge man in de buurt is en Antonia goede maatjes met hem schijnt te zijn. Noel is altijd gauw jaloers.'

'Nog een jonge man? Bedoelt u uw tuinman?'

'Danus. Ja. Zo'n lieve jongen.'

Nancy was ontzet. 'Dus Antonia is goede maatjes met de tuinman?'

Haar moeder lachte alleen maar. 'O, Nancy, als je je eigen gezicht eens kon zien. Je moet niet zo snobistisch doen en je moet niet oordelen voor je die jonge man gezien hebt.'

Maar Nancy liet zich niet overtuigen. Wat kon er aan de hand zijn? 'Ik hoop niet dat ze iets verbranden dat u wilt houden.'

'Nee. Noel past echt erg goed op. Af en toe stuurt hij Antonia om me te halen en dan moet ik mijn mening over het een of ander geven.

Er is wat onenigheid geweest over een bureau met houtworm. Noel wilde het verbranden maar Danus zei dat het daar te goed voor was en dat de houtworm er nog wel uit te krijgen was. Dus toen heb ik gezegd dat hij het mocht hebben. Dat stond Noel niet aan. Hij stampte boos de trap op maar dat doet er niet toe. Maar nu moeten we een beslissing nemen. Laten we hier maar eten. Jij kunt me helpen met dekken.'

Ze gingen samen aan de slag. Ze schoven de oude tafel uit en legden er een donkerblauw, linnen laken op. Nancy haalde bestek en glazen uit de eetkamer en haar moeder vouwde witte, linnen servetten in een fraaie vorm. Ten slotte zette ze nog een roze geranium in een gebloemde sierpot midden op tafel. Het resultaat was informeel maar charmant en Nancy verbaasde zich zoals altijd over het talent van haar moeder om van de gewoonste voorwerpen een lust voor het oog te maken. Het had er waarschijnlijk iets mee te maken dat haar vader kunstenaar was geweest. Ontevreden dacht Nancy aan haar eigen eetkamer, die er hoe ze ook haar best deed, nooit anders dan donker en saai uitzag.

'Zo,' zei Penelope, 'alles is klaar. Nu hoeven we alleen nog maar te wachten tot de werkers komen eten. Ga hier in de zon zitten, dan ga ik me een beetje opknappen. Wat wil je drinken? Een glas wijn? Of wat sterkers?'

Nancy wilde wat sterkers. Alleen gebleven, trok ze haar jasje uit. Ze keek eens goed om zich heen. Toen haar moeder voor het eerst over een serre had gesproken, hadden George en zij zich daar krachtig tegen verzet. Het was volgens hen een dwaze luxe, een wilde buitensporigheid die Penelope zich onmogelijk kon veroorloven. Maar ze had niet naar hen geluisterd en de aanbouw was er gekomen. Nu moest Nancy toegeven dat het een aangenaam vertrek was geworden, warm, geurig en vol bloemen, maar ze had nooit kunnen ontdekken hoeveel alles gekost had. En zo kwam ze onvermijdelijk weer uit bij dat vervelende geld. Toen haar moeder terugkwam, met verzorgd haar en poeder op haar gezicht, vroeg Nancy zich af of dit het goede moment was om over de panelen te beginnen. Ze probeerde zelfs een paar tactvolle beginzinnen. Maar Penelope was haar voor en stuurde het gesprek in een heel andere en volkomen onverwachte richting.

'Zo, je borrel.' Voor zichzelf had ze een glas wijn ingeschonken. Ze trok een stoel naar voren en ging zitten, haar lange benen uitgestrekt en haar gezicht naar de warmte van de zon gekeerd. 'O, is het hier niet zalig? Wat doen George en de kinderen vandaag?'

Nancy vertelde het.

'Die arme George. Stel je voor dat je de hele dag binnen moet zitten met een stel vervelende bisschoppen. En wie zijn de Wainwrights?

Heb ik hen weleens ontmoet? Zo goed voor de kinderen alleen ergens heen te gaan. Dat is trouwens voor ons allemaal goed. Zou jij met me naar Cornwall willen?'

Nancy staarde haar moeder verbaasd en ongelovig aan.

'Naar Cornwall?'

'Ja. Ik wil nog eens naar Porthkerris. Binnenkort. Ik voel plotseling zo'n sterke drang. En het zou zoveel leuker zijn als ik iemand bij me had.'

'Maar . . .'

'Ja, ik weet het. Ik ben er in geen veertig jaar geweest en alles is veranderd en ik ken er niemand meer. Maar ik wil er toch heen. Om alles nog eens te zien. Waarom ga je niet mee? We zouden bij Doris kunnen logeren.'

'Bij Doris?'

'Ja, bij Doris. O, Nancy, je bent Doris toch niet vergeten? Dat kan gewoon niet. Ze heeft je tot je vierde praktisch grootgebracht, tot we uit Porthkerris weggingen.'

Natuurlijk herinnerde Nancy zich Doris nog. Ze kon zich geen duidelijke voorstelling meer maken van haar grootvader maar Doris herinnerde ze zich wel, haar sterke armen en de zachte troost van haar borst. Doris speelde een rol in Nancy's vroegste herinnering. Ze zat in een soort wandelwagentje op het landje achter Carn Cottage, omringd door naar voedsel zoekende eenden en kippen, terwijl Doris de was ophing. Het beeld was voorgoed in haar geheugen gegrift, zo vrolijk en kleurig als een illustratie in een prentenboek. Ze zag Doris met haar armen omhoog staan en ze zag de lakens en slopen en de blauwe lucht.

'Doris woont nog steeds in Porthkerris,' vervolgde Penelope. 'Ze heeft er een klein huisje, in het oude gedeelte van de stad, bij de haven. En nu de jongens weg zijn, heeft ze een slaapkamer over. Ze vraagt me altijd of ik eens kom logeren. En ze zou het heerlijk vinden jou nog eens te zien. Jij was háár baby. Ze huilde toen we weggingen. En jij huilde ook, hoewel ik niet denk dat je begreep wat er precies aan de hand was.'

Nancy beet op haar lip. Bij een oude huishoudster in een hokkerig huisje in een stadje in Cornwall logeren, was niet haar idee van een prettige vakantie. Bovendien . . .

'En de kinderen?' vroeg ze. 'Er zou geen ruimte zijn voor de kinderen.'

'Welke kinderen?'

'Melanie en Rupert natuurlijk. Ik kan niet zonder hen met vakantie gaan.'

'Lieve help, Nancy, ik vraag de kinderen niet. Ik vraag jou. En waarom kun je niet zonder hen met vakantie gaan? Ze zijn oud genoeg om bij hun vader en mevrouw Croftway te blijven. Wees eens lief voor jezelf. Ga alleen uit. Het zou maar voor een paar dagen zijn, hoogstens een week.'

'Wanneer wilt u gaan?'

'Gauw. Zo gauw mogelijk.'

'O, moeder, het is zo moeilijk. Ik heb zoveel te doen, de bazaar van de kerk en de vergadering van de partij. Ik moet die dag voor de lunch zorgen. En dan het kamp van de ponyclub van Melanie . . .'

Haar stem stierf weg toen ze geen verontschuldigingen meer kon bedenken. Penelope zei niets. Nancy nam een flinke slok van haar drankje en wierp een zijdelingse blik op haar moeder. Ze zag het scherpe profiel, de gesloten ogen.

'Moeder?'

'Hm?'

'Misschien later . . . als ik het minder druk heb. In september of zo.'

'Nee.' Ze was onvermurwbaar. 'Ik wil er binnenkort heen.' Ze stak een hand op. 'Maak je geen zorgen. Ik weet wel dat je het druk hebt. Het was zomaar een idee.'

Er viel een stilte tussen hen die Nancy onbehaaglijk vond, vervuld van niet uitgesproken verwijten. Maar waarom zou ze zich schuldig voelen? Ze kon onmogelijk zo gauw, met zo weinig tijd om alles te regelen, naar Cornwall verdwijnen.

Nancy kon niet goed tegen stiltes. Ze had liever dat er voortdurend gepraat werd. Maar ze wist met geen mogelijkheid een ander onderwerp van gesprek te vinden. Moeder kon soms toch wel erg irritant zijn. Het was niet Nancy's schuld. Ze had het alleen maar zo druk met haar huis en haar man en kinderen. Het was niet eerlijk dat iemand kon maken dat je je plotseling zo schuldig voelde.

Zo trof Noel hen aan. Nancy had misschien een goede ochtend gehad maar Noel bepaald niet. Hij had het de vorige dag niet zo erg gevonden om al die rommel op de zolder uit te zoeken omdat hij hoopte dat hij iets waardevols zou ontdekken. Maar dat dat niet gebeurd was, had het karwei van die ochtend er niet eenvoudiger op gemaakt. Hij was ook een beetje van de wijs gebracht door de verschijning van Danus. Hij had een domme, gespierde boerenjongen verwacht en was in plaats daarvan geconfronteerd met een koele, zwijgzame jonge man, door wiens blik hij zich wat uit het veld geslagen voelde. Antonia had het meteen goed met Danus kunnen vinden en dat maakte het humeur van Noel er niet beter op. In de loop van de ochtend ging hij zich dan ook steeds meer ergeren aan hun vriendschappelijke gepraat terwijl ze de smalle trappen op en af liepen met armen vol kartonnen dozen en kapotte meubelen. De botsing over het bureau met houtworm was bijna de druppel die de emmer deed overlopen en tegen kwart voor een, toen alles min of meer leeg was en de rest tegen de muur geschoven stond, had hij er schoon genoeg van. Hij was ook vuil. Hij had behoefte aan een douche maar hij had nog meer behoefte aan een borrel. Hij waste dus enkel even zijn handen en zijn gezicht en ging toen naar beneden, waar hij een verbijsterend sterke cocktail nam. Met zijn glas in de hand liep hij door de keuken naar de zonnige serre en zijn stemming werd er niet beter op toen hij zijn moeder en zijn zuster ontspannen in rieten stoelen zag zitten, alsof ze de hele dag nog niets hadden uitgevoerd.

Toen ze hem aan hoorde komen, keek Nancy op. Ze glimlachte verheugd, alsof ze eens een keer echt blij was hem te zien.

'Hallo, Noel.'

Hij glimlachte niet terug maar ging eenvoudig tegen de stijl van de open deur staan leunen en bekeek hen eens goed. Het leek wel of zijn moeder in slaap gevallen was.

'Jullie zitten hier maar lekker in de zon terwijl anderen zich de vingers kapotwerken. Wat denken jullie wel?'

Penelope verroerde zich niet. Nancy's glimlach werd wat minder spontaan maar verdween toch niet van haar gezicht. Noel knikte ten slotte even naar haar. 'Hoi,' zei hij. Hij trok een stoel die bij de zorgvuldig gedekte tafel stond naar achteren en ging eindelijk zitten.

Zijn moeder deed haar ogen open. Ze had niet geslapen.

'Is het gebeurd?'

'Ja, het is gebeurd. Ik ben kapot, een compleet wrak.'

'Ik bedoelde jou niet, ik bedoelde de zolder.'

'Zo ongeveer. We hebben alleen nog maar een flinke huisvrouw nodig om de vloer te vegen en dan is het klaar.'

'Noel, je bent een wonder. Wat had ik zonder jou moeten beginnen?'

Maar haar dankbare glimlach was aan hem verspild. 'Ik ga dood van de honger,' zei hij. 'Wanneer gaan we eten?'

'Wanneer je maar wilt.' Ze zette haar glas wijn neer en richtte zich wat op om over de potplanten heen de tuin in te kijken. Er steeg nog steeds rook op maar de anderen waren nergens te zien. 'Misschien wil iemand Danus en Antonia gaan halen, dan ga ik de saus maken.'

Het bleef even stil. Noel wachtte tot Nancy die niet al te inspannende taak op zich zou nemen maar ze haalde een pluisje van haar rok en deed alsof ze niets gehoord had. 'Ik heb geen kracht meer,' zei Noel. Hij leunde achterover, zodat zijn stoel kantelde. 'Ga jij maar, Nancy, zo'n wandelingetje zal je goeddoen.'

Nancy vatte dat op als een hatelijke toespeling op haar omvang en was meteen beledigd, zoals hij ook verwacht had.

'Bedankt, hoor.'

'Je ziet er niet naar uit dat je de hele ochtend een vinger hebt uitgestoken.'

'Alleen maar omdat ik me toevallig opknap als ik ergens ga eten.' Ze keek veelzeggend in zijn richting. 'En dat is meer dan ik van jou kan zeggen.'

'Wat draagt George 's zondags bij het middageten? Een geklede jas?'

Nancy richtte zich strijdlustig op. 'Als je denkt dat je leuk bent . . .'

Zo bleven ze door zitten zeuren. Het klonk precies als altijd. Penelope ergerde zich steeds meer en besefte dat ze er geen ogenblik langer naar kon luisteren. Ze stond abrupt op. 'Ik ga zelf wel,' zei ze en haar kinderen lieten haar gaan, over het door de zon beschenen gazon, over het ongelijke wintergras, terwijl ze zelf bleven waar ze waren, zonder de geurige warmte van de serre te waarderen en zonder te spreken of elkaar aan te kijken.

Penelope was verstoord. Het bloed steeg naar haar wangen, haar hart ging tekeer. Ze liep langzaam en haalde diep adem terwijl ze zichzelf vertelde dat ze niet zo dwaas moest doen. Ze deden er niet toe, die volwassen kinderen van haar die zich nog altijd gedroegen als de kinderen die ze niet langer waren. Het deed er niet toe dat Noel alleen maar aan zichzelf dacht of dat Nancy zo'n starre, burgerlijke dame van middelbare leeftijd was geworden. Het deed er niet toe dat niemand van hen, zelfs Olivia niet, met haar naar Cornwall wilde.

Wat was er verkeerd gegaan? Wat was er gebeurd met de baby's die ze gebaard en bemind en grootgebracht en opgevoed en vertroeteld had? Het antwoord was misschien dat ze niet genoeg van hen had verwacht. Maar ze had in de Londense jaren na de oorlog door schade en schande geleerd niets van wie dan ook te verwachten. Zonder ouders of oude vrienden om haar te steunen had ze alleen haar toevlucht kunnen nemen tot Ambrose en zijn moeder en ze had al na een paar maanden begrepen dat dat geen zin had. Ze was volkomen teruggeworpen op zichzelf.

Onafhankelijkheid. Dat was het sleutelwoord, het enige dat je door alle problemen heen kon halen. Jezelf zijn. Onafhankelijk van anderen. Niet hersenloos. Nog altijd in staat je eigen beslissingen te nemen en de koers voor de rest van je leven uit te zetten. Ze had haar kinderen niet nodig. Hoewel ze hun fouten kende en hun tekortkomingen zag, hield ze van hen, maar ze had hen niet nodig.

Ze bad dat dat nooit zou veranderen.

Ze was nu rustiger en kon zelfs in zichzelf glimlachen. Ze stapte door het gat in de ligusterhaag en zag de boomgaard voor zich liggen. Helemaal achterin vlamde het vuur nog altijd op. Danus en Antonia stonden ernaast. Danus pookte in de gloeiende as en Antonia keek toe. Ze praatten honderduit en hun stemmen waren duidelijk te horen in de stille lucht.

Ze leken het samen zo plezierig te hebben dat het jammer leek hen te storen, zelfs om te zeggen dat het tijd was om binnen te komen en geroosterd lamsvlees, citroensoufflé en met aardbeien gevulde zandtaart te eten. Dus bleef ze waar ze was en gunde ze zichzelf het genoegen het bekoorlijke tafereeltje te bekijken. Danus leunde op zijn hooivork en maakte een opmerking die ze niet kon verstaan. Antonia lachte. Het geluid van die lach herinnerde Penelope aan ander lachen en aan onverwachte bezieling en vreugden die plotseling op kunnen komen, misschien maar één keer in je leven.

Het was fijn. En fijne dingen gaan nooit verloren. Ze blijven een deel van jezelf.

Andere stemmen, andere werelden. Ze herinnerde zich die extase en ze had niet het gevoel dat ze iets verloren had maar het was of ze het opnieuw ontdekte. Nancy en Noel en de ergernis die ze hadden opgeroepen, waren vergeten. Ze deden er niet toe. Niets deed er iets toe behalve dit moment, dit ogenblik van de waarheid.

Ze had daar de hele dag kunnen blijven staan, verdiept in haar dromen, maar Danus kreeg haar ineens in het oog. Hij zwaaide en ze riep dat het etenstijd was. Hij beduidde haar dat hij het begrepen had, zette de hooivork in de grond en hij bukte zich om hun truien op te rapen. Hij sloeg Antonia's trui om haar schouders en legde onder haar kin een knoop in de mouwen. Toen kwamen ze tussen de bomen door naar haar toe. Ze waren allebei lang en slank en gebruind en jong en in de ogen van Penelope erg mooi.

Ze liep ineens over van dankbaarheid. Niet alleen tegenover hen voor al het harde werk dat ze in de loop van de ochtend hadden verzet, maar ook voor hen. Ze hadden haar zonder een woord te zeggen haar gemoedsrust weergegeven en ze zond een snel, diep gemeend dankwoord op naar het lot (of was het de hand van God geweest? wist ze dat maar zeker) dat hen als een nieuwe kans in haar leven had gebracht.

Wat beslist voor Noel pleitte, was dat zijn boze buien nooit lang duurden. Tegen de tijd dat het kleine gezelschap eindelijk bij elkaar was, was hij aan zijn tweede cocktail bezig (nadat hij ook het glas van zijn zuster nog eens had gevuld). En Penelope constateerde opgelucht dat ze werkelijk heel vriendschappelijk zaten te praten.

'Daar zijn we dan. Nancy, je hebt nog geen kennis gemaakt met

Danus en je hebt nog geen kennis gemaakt met Antonia. Dit is mijn dochter, Nancy Chamberlain. Noel, geef jij hun iets te drinken en dan kun je misschien het vlees voor me komen snijden.'

Noel zette zijn glas neer en werkte zich met overdreven veel moeite overeind.

'Wat wil jij, Antonia?'

'Een pilsje graag.' Ze leunde tegen de tafel. Haar benen leken in de verschoten spijkerbroek eindeloos lang. Als Nancy's dochter, Melanie, een spijkerbroek droeg, zag ze er vreselijk uit omdat ze te breed was. Maar Antonia stond een spijkerbroek fantastisch. Nancy besloot dat het leven werkelijk niet erg eerlijk was. Ze vroeg zich af of ze Melanie op dieet zou stellen en zette dat idee meteen weer uit haar hoofd omdat Melanie automatisch altijd precies het tegenovergestelde deed van wat haar moeder voorstelde.

'En jij, Danus?'

De lange man schudde zijn hoofd. 'Iets fris graag. Een sapje. Of een glas water.'

Noel protesteerde maar Danus was niet te vermurwen.

'Drink je helemaal niet?'

'Geen alcohol.' Hij zag er erg goed uit en had een beschaafde stem. Een heer. Vreemd. Waarom was hij in vredesnaam tuinman geworden?

'Heb je dat nooit gedaan?'

'Niet echt.' Hij leek er zich niet druk over te maken.

'Misschien vind je het niet lekker?' hield Nancy aan, omdat het zo vreemd was een man te ontmoeten die zelfs geen biertje wilde hebben.

Hij dacht even na en zei toen: 'Ja, dat is het misschien.' Zijn gezicht stond volkomen ernstig maar toch wist Nancy niet of hij om haar lachte of niet.

Het lamsvlees, de gebakken aardappelen, de erwtjes en de broccoli waren dankbaar geconsumeerd, de wijnglazen waren nog eens gevuld en het dessert stond op tafel. Iedereen was weer ontspannen en opgewekt en de vraag kwam aan de orde hoe ze de rest van de dag door zouden brengen.

'Ik zet er een punt achter,' zei Noel, terwijl hij room op zijn aardbeientaart deed. 'Ik vertrek na het eten, dan ben ik misschien met een beetje geluk voor de ergste drukte thuis.'

'Ja, dat moet je doen,' zei zijn moeder. 'Je hebt genoeg gedaan. Je moet uitgeput zijn.'

'Wat is er nog te doen?' wilde Nancy weten.

'De laatste rommel moet nog naar de boomgaard gekruid en verbrand en de vloer van de zolder moet geveegd.'

'Dat doe ik wel,' zei Antonia meteen.

Nancy dacht aan iets anders. 'En al die dingen die bij de voordeur staan? Die kunnen daar niet blijven. Podmore's Thatch lijkt zo wel een zigeunerkamp.'

Het bleef even stil terwijl iedereen wachtte tot iemand anders een voorstel deed. Toen zei Danus: 'We zouden ze naar de vuilstortplaats in Pudley kunnen brengen.'

'Hoe?' vroeg Noel.

'Als mevrouw Keeling het niet erg vindt, zouden we ze achter in haar auto kunnen doen.'

'Natuurlijk vind ik dat niet erg.'

'Wanneer?' vroeg Noel.

'Vanmiddag.'

'Is de vuilstortplaats 's zondags open?'

'Natuurlijk,' verzekerde Penelope. 'Die is altijd open. Er is een goede, beste man die daar in een soort schuur woont. Het hek is nooit op slot.'

Nancy was ontzet. 'U bedoelt dat hij daar echt woont? In een schuur bij de vuilstortplaats? Wat vindt de gemeenteraad daarvan? Het moet ontzettend onhygiënisch zijn.'

Penelope lachte. 'Ik denk niet dat hij zich druk maakt om hygiëne. Vreselijk vuil en ongeschoren maar erg aardig. De vuilnismannen staakten een keer en toen moesten we allemaal ons eigen afval wegbrengen en toen was die man zo behulpzaam.'

'Maar . . .'

Ze werd echter in de rede gevallen door Danus, wat op zichzelf al verrassend was omdat hij onder het eten nauwelijks iets had gezegd.

'In Schotland is een vuilstortplaats bij het stadje waar mijn grootmoeder woont en daar woont al dertig jaar een oude zwerver.' Hij maakte het nog mooier. 'In een kleerkast.'

'Hij woont in een kleerkast?' Nancy's afschuw kende nu geen grenzen meer.

'Ja, een grote. Uit de tijd van koningin Victoria.'

'Maar wat vreselijk ongerieflijk.'

'Dat zou u wel vinden maar hij lijkt er heel tevreden mee. Iedereen kent hem en heeft respect voor hem. Maakt op rubberlaarzen en met een oude regenjas aan lange wandelingen. En de mensen geven hem thee en brood.'

'Maar wat doet hij 's avonds?'

Danus schudde zijn hoofd. 'Ik heb geen idee.'

'Waarom maak je je zo druk over zijn avonden?' wilde Noel weten. 'Zijn hele bestaan lijkt me zo afgrijselijk dat zijn avonden er ook niet meer zoveel toe doen.'

'Nou, het moet vreselijk saai zijn. Ik bedoel, hij heeft natuurlijk geen televisie of telefoon . . .'

Noel schudde zijn hoofd, met de geërgerde uitdrukking op zijn gezicht die Nancy zich nog van vroeger herinnerde, toen hij een pienter jongetje was en Nancy de regels van een simpel kaartspel probeerde uit te leggen.

'Je bent hopeloos,' zei hij en ze zweeg beledigd. Noel wendde zich tot Danus.

'Kom je uit Schotland?'

'Mijn ouders wonen in Edinburgh.'

'Wat doet je vader?'

'Hij is advocaat.'

Nancy werd nieuwsgierig en vergat haar kleine ergernis. 'Heb jij dat nooit willen worden?'

'Toen ik op school zat, dacht ik dat wel. Maar ik ben van gedachten veranderd.'

Noel leunde achterover op zijn stoel. 'Ik stel me Schotten altijd als erg sportieve mensen voor. Jagen en vissen en zo. Doet je vader dat ook?'

'Hij vist en speelt golf.'

'Is hij ook ouderling?' Noel sprak het woord uit met een vaag Schots accent dat zijn moeder kippevel bezorgde. 'Noemen jullie dat niet zo in het koude noorden?'

Danus hapte niet.

'Ja, hij is ouderling. Hij is ook schutter.'

'Dat begrijp ik niet. Vertel eens.'

'Lid van de lijfwacht van de koningin als ze naar Holyrood komt. Dan trekt hij een ouderwets uniform aan en ziet er schitterend uit.'

'Waar bewaakt hij het lijf van de koningin mee? Met pijl en boog?'

'Ja.'

De beide mannen keken elkaar een ogenblik aan. 'Fascinerend,' zei Noel toen en hij nam nog wat aardbeientaart.

Eindelijk was het overvloedige maal voorbij. Ze dronken nog koffie en toen schoof Noel zijn stoel naar achteren. Hij gaapte voldaan en zei dat hij zijn tas ging halen voor hij bewusteloos neerviel. Nancy begon in het wilde weg de lege kop-en-schotels op te stapelen.

'Wat ga jij doen?' vroeg Penelope aan Danus. 'Terug naar je houtvuur?'

'Dat brandt prima. Waarom ruimen we niet eerst de spullen op die naar de vuilnisbelt moeten? Ik zal ze in uw auto zetten.'

Het bleef even stil. Toen zei Penelope: 'Als je kunt wachten tot ik afgewassen heb, rijd ik je wel.'

Noel verstarde midden in zijn geeuw, met zijn armen boven zijn hoofd. 'Toe nou, ma, hij heeft geen chauffeur nodig.'

'Dat heb ik wel,' zei Danus. 'Ik rijd niet.'

Noel en Nancy staarden hem ongelovig aan.

'Je rijdt niet? Bedoel je dat je niet kùnt rijden? Hoe verplaats je je dan?'

'Ik fiets.'

'Wat een vreemde knaap ben jij . . . Heb je van die hoogdravende principes over luchtverontreiniging of zo?'

'Nee.'

'Maar . . .'

Antonia mengde zich in het gesprek. Ze zei vlug: 'Ik kan rijden. Danus wijst me de weg wel.'

Ze keek Penelope aan en over de tafel heen glimlachten ze naar elkaar, als twee vrouwen die samen een geheim hebben. Penelope zei: 'Dat zou lief van je zijn. Waarom gaan jullie dan nu niet meteen? Nancy en ik ruimen de boel hier wel op. En als jullie terugkomen, gaan we allemaal met elkaar naar de boomgaard om het karwei daar af te maken.'

'Ik moet eigenlijk naar huis,' zei Nancy. 'Ik kan niet de hele middag blijven.'

'O, blijf nog even. Ik heb haast nog niet met je gesproken. Je kunt niets belangrijks te doen hebben . . .'

Ze stond op en pakte een blad. Antonia en Danus gingen ook staan, namen afscheid van Noel en verdwenen door de keuken naar buiten. Penelope begon de koffiekopjes op het blad te zetten en Noel en Nancy keken zwijgend toe, maar zodra ze de voordeur veilig dicht hoorden slaan en wisten dat de anderen hen niet meer konden horen, begonnen ze allebei meteen te praten.

'Wat een vreemde jongen.'

'Zo ernstig. Hij glimlacht nooit . . .'

'Waar hebt u die vandaan, ma?'

'Weet u iets van zijn achtergrond? Hij komt kennelijk uit een beschaafd milieu. Het lijkt erg ongeloofwaardig dat hij tuinman is.'

'En al dat gedoe over niet drinken en niet rijden. Waarom rijdt hij in godsnaam niet?'

'Ik denk,' zei Nancy op een gewichtig toontje, 'dat hij waarschijnlijk iemand doodgereden heeft toen hij dronken was, en dat zijn rijbewijs hem afgenomen is.'

Dat kwam zo onplezierig dicht in de buurt van de angstige gedachten van Penelope zelf dat ze meteen wist dat ze geen woord meer wilde horen en Danus te hulp kwam.

'Lieve help, geef die arme jongen in elk geval de tijd om buiten te komen voor je de vreselijkste dingen over hem gaat zeggen.'

'O, toe nou, ma, het is een vreemde kerel, dat weet u ook. Als het waar is wat hij zegt, komt hij uit een respectabel en waarschijnlijk ook bepaald niet arm gezin. Waarom heeft hij dan zo'n akelig baantje?'

'Ik heb geen idee.'

'Hebt u het hem gevraagd?'

'Nee, beslist niet. Wat hij met zijn leven doet, is zijn zaak.'

'Maar weet u eigenlijk iets van hem af, moeder?'

'Natuurlijk. Ik heb hem via een bedrijf dat goed bekendstaat.'

'En weten ze daar of hij eerlijk is?'

'Eerlijk? Waarom zou hij niet eerlijk zijn?'

'U bent zo naïef, moeder, u vertrouwt iedereen die er ook maar een beetje behoorlijk uitziet. Hij werkt tenslotte bij het huis en in de tuin en u bent alleen.'

'Ik ben niet alleen. Ik heb Antonia.'

'Antonia is zo te zien net zo dol op hem als u.'

'Nancy, wat geeft je het recht zulke dingen te zeggen?'

'Als ik me niet zoveel zorgen over u maakte, zou ik ze niet hoeven te zeggen.'

'En wat zou Danus dan wel kunnen doen? Antonia en mevrouw Plackett verkrachten, neem ik aan. Mij vermoorden, mijn bezittingen meenemen en naar het vasteland vertrekken. Daar zou hij veel aan hebben. Er is hier niets van waarde.'

Ze zei het in de opwinding zonder erbij na te denken en zodra de woorden eruit waren, had ze er spijt van, want Noel sloeg meteen toe.

'Niets van waarde! En die schilderijen van uw vader dan? Kan niets dat ik zeg u er dan toe brengen te begrijpen dat die u kwetsbaar maken? U hebt niets dat op een alarmsysteem lijkt, u doet nooit een deur op slot en u bent ongetwijfeld te laag verzekerd. Nancy heeft gelijk. We weten niets van die vreemde snuiter die u als tuinman hebt aangenomen. En in elk geval is het hoe dan ook waanzin niet iets te doen. Verkopen of opnieuw verzekeren of wat dan ook.'

'Ik heb zo'n idee dat jij zou willen dat ik ze verkocht.'

'Wind u nu niet op. Denk eens rustig na. Niet *De schelpenzoekers* natuurlijk, maar toch wel de panelen. Nu, terwijl zulke werken zoveel opbrengen. Zoek uit wat ze waard zijn en verkoop ze dan.'

Penelope, die al die tijd had gestaan, ging nu weer zitten. Ze zette haar elleboog op tafel en liet haar voorhoofd op haar handpalm rusten. Met haar andere hand pakte ze het botermesje en daarmee begon ze een patroon van lijnen te trekken op het donkerblauwe tafellaken.

'Wat vind jij, Nancy?' vroeg ze toen.

'Ik?'

'Ja, jij. Wat heb jij te zeggen over mijn schilderijen en mijn verzekering en mijn persoonlijke aangelegenheden in het algemeen?'

Nancy beet op haar lip, haalde diep adem en zei toen met een stem die zo hoog en duidelijk klonk alsof ze een toespraak hield voor de plattelandsvrouwen: 'Ik vind . . . ik vind dat Noel gelijk heeft. George vindt ook dat u de verzekering opnieuw moet laten bekijken. Dat zei hij tegen me toen hij gelezen had wat *De waterdraagsters* had opgebracht. Maar de premie zou natuurlijk erg hoog worden. En de verzekeringsmaatschappij zou waarschijnlijk een betere beveiliging eisen.'

'Dat klinkt net alsof je George woord voor woord citeert,' zei haar moeder. 'Of alsof je het zo ergens gelezen hebt. Heb je geen eigen ideeën?'

'Ja,' zei Nancy met haar gewone stem. 'Ik vind dat u de panelen moet verkopen.'

'En misschien een kwart miljoen opstrijken?'

Het klonk terloops. Het gesprek verliep beter dan Nancy had durven hopen en ze kreeg het warm van de opwinding.

'Waarom niet?'

'En als ik dat geld eenmaal heb, wat wordt er dan van me verwacht?'

Ze keek Noel aan. Hij haalde langzaam zijn schouders op. 'Het geld dat je tijdens je leven weggeeft,' zei hij, 'is twee maal zoveel waard als het geld dat je na je dood weggeeft.'

'Met andere woorden, je wilt het nu.'

'Ma, dat heb ik niet gezegd. Ik sprak in het algemeen. Maar als je je ogen dichtdoet met zo'n appeltje voor de dorst, kun je het eigenlijk net zo goed meteen aan de staat geven.'

'Dus vind jij dat ik het aan jou moet geven.'

'Nou, u hebt drie kinderen. U zou hun een deel kunnen geven. En ook wat zelf houden om van het leven te genieten. Dat hebt u nooit kunnen doen. U hebt het altijd veel te druk gehad. U hebt vroeger met uw ouders toch nogal wat gereisd? Dat zou u weer kunnen gaan doen. Naar Florence gaan. Naar het zuiden van Frankrijk.'

'En wat zouden jullie tweeën met al dat verrukkelijke geld doen?'

'Ik denk dat Nancy het voor haar kinderen zou gebruiken. En ik zou nieuwe mogelijkheden krijgen.'

'In welk opzicht?'

'Ik zou voor mezelf kunnen beginnen. Een beetje speculeren misschien.'

Hij was weer helemaal zijn vader. Nooit tevreden met zijn lot, jaloers op anderen, materialistisch en ambitieus en er volkomen van overtuigd dat de wereld hem heel wat schuldig was. Het had Ambrose kunnen zijn die tegen haar sprak, en daardoor verloor Penelope eindelijk haar geduld.

'Speculeren.' Het klonk smalend. 'Je lijkt wel gek. Dan kun je het hele kapitaal net zo goed meteen vergokken. Je bent ook volkomen schaamteloos en soms heb ik gewoon een vreselijke afkeer van je.' Noel deed zijn mond open om zich te verdedigen maar ze gaf hem niet de kans ertussen te komen. 'Weet je wat ik denk? Ik denk dat het je koud laat wat er met mij of mijn huis of de schilderijen van mijn vader gebeurt. Je geeft alleen iets om wat er met jou gebeurt en hoe gauw en gemakkelijk je nog meer geld kunt krijgen.' Noel deed zijn mond dicht. Hij werd bleek en er kwam een boze uitdrukking op zijn gezicht. 'Ik heb de panelen nog niet verkocht en dat doe ik misschien wel nooit, maar als ik het doe, houd ik alles zelf, omdat het van mij is, om ermee te doen wat ik wil. En het grootste geschenk dat een ouder een kind kan nalaten, is de onafhankelijkheid van die ouder. Wat jou en je kinderen betreft, Nancy, George en jij hebben zelf besloten hen naar die belachelijk dure scholen te sturen. Als jullie een beetje minder ambitieus waren geweest en wat meer moeite hadden gedaan om hun manieren te leren, was het resultaat misschien heel wat aantrekkelijker geweest.'

Nancy reageerde zo snel dat het zelfs haarzelf verbaasde. 'U hoeft geen kritiek op mijn kinderen te hebben,' zei ze.

'Het wordt anders tijd dat iemand dat eens heeft.'

'En wat geeft u het recht om iets in hun nadeel te zeggen? U hebt geen enkele belangstelling voor hen. U hebt meer belangstelling voor al die excentrieke vrienden van u en voor die vervloekte tuin. U komt ons zelfs nooit eens opzoeken om te zien hoe het met hen gaat, nooit, hoe vaak we u ook uitnodigen.'

Nu verloor Noel zijn geduld. 'Houd in godsnaam je mond, Nancy. We hebben het niet over die verdomde kinderen van je. We proberen een intelligent gesprek te voeren.'

'Maar dat heeft alles met mijn kinderen te maken. Zij zijn de volgende generatie . . .'

'De hemel sta ons bij . . .'

'. . . en zijn heel wat meer financiële steun waard dan die wilde plannen van jou om aan nog meer geld te komen. Moeder heeft gelijk. Je zou het allemaal maar vergokken . . .'

'Als jij dat zegt, is het belachelijk. Jij weet nergens iets van met je verdomde . . .'

Nancy sprong overeind. 'Zo is het wel genoeg. Ik blijf hier niet langer. Ik krijg toch alleen maar beledigingen te horen. Ik ga naar huis.'

'Ja,' zei haar moeder. 'Ik denk dat het tijd wordt dat jullie allebei vertrekken. En ik denk ook dat het maar goed is dat Olivia er niet is. Ze zou niet veel van jullie heel gelaten hebben als ze dit afschuwelijke gesprek had kunnen horen. Ik weet trouwens wel zeker dat jullie dan niet de moed hadden gehad zulke nare dingen te zeggen. En nu . . .' Ze ging staan en pakte het blad. 'Jullie hebben het allebei druk, zoals jullie me voortdurend vertellen. Het heeft geen zin de rest van de middag te verspillen met vruchteloos geruzie. Ik ga intussen afwassen.'

Terwijl ze naar de keuken liep, vuurde Noel zijn laatste boosaardige schot af. 'Ik weet zeker dat Nancy u graag zal helpen. Afwassen is haar liefste bezigheid.'

'Ik heb al gezegd dat ik niet langer blijf. Ik ga naar huis. En wat de afwas betreft, hoeft moeder niet de martelares uit te hangen. Die kan Antonia straks wel doen. Zij is toch de huishoudster?'

Penelope bleef staan. Ze draaide haar hoofd en keek Nancy aan en er lag een uitdrukking van afkeer in haar donkere ogen die Nancy het idee gaf dat ze nu echt te ver was gegaan.

Maar haar moeder gooide het blad met koffiekopjes niet naar haar toe. Ze zei alleen heel rustig: 'Nee, Nancy. Antonia is hier geen huishoudster, ze is mijn vriendin, mijn logée.'

Ze liep door naar de keuken. Even later hoorden ze de kranen lopen. In de serre werd de stilte slechts verstoord door een grote bromvlieg, die in de illusie dat het ineens zomer was geworden, besloten had dat dit het moment was om uit zijn winterschuilplaats te komen. Nancy pakte haar jasje en trok het aan. Terwijl ze de knopen dichtdeed, keek ze op. Over de tafel heen keken Noel en zij elkaar aan. Hij kwam overeind.

'Nou,' zei hij rustig. 'Dat heb je lekker verknoeid.'

'Kijk naar jezelf,' snauwde Nancy.

Hij liet haar staan en verdween naar boven om zijn spullen te halen. Nancy bleef wachten tot hij terugkwam, vastbesloten waardig te blijven, zuinig met haar gekwetste gevoelens om te gaan, niet haar gezicht te verliezen. Ze gebruikte de tijd om zich een beetje op te knappen. Ze kamde haar haar, poederde haar verhitte, vlekkerige gezicht en bracht een nieuwe laag lippenstift aan. Ze was diep geschokt en verlangde ernaar te kunnen ontsnappen maar wilde niet zomaar weggaan. Nancy was beslist niet van plan haar verontschuldigingen aan te bieden. Waarom zou ze dat moeten doen? Moeder was zo onmogelijk geweest, moeder had al die onvergeeflijke dingen gezegd.

Toen ze Noel terug hoorde komen, liet Nancy haar poederdoos in haar tas glijden. Ze liep naar de keuken. De afwasmachine stond aan en Penelope was bij de gootsteen bezig met een paar vuile steelpannen.

'Nou, dan gaan we maar,' zei Noel.

Hun moeder liet de steelpannen de steelpannen, schudde haar handen droog en draaide zich naar hen toe. Haar schort en haar rode handen deden op geen enkele manier afbreuk aan haar waardigheid en Nancy herinnerde zich dat haar zeldzame uitbarstingen nooit langer dan een paar momenten duurden. Ze bleef nooit boos en ging niet zitten mokken. Nu glimlachte ze zelfs maar het was een vreemd soort glimlach. Alsof ze medelijden met hen had, hen in zekere zin verslagen had.

'Het is leuk dat jullie geweest zijn,' zei ze en het klonk alsof ze het meende. 'En bedankt voor al je gezwoeg, Noel.'

'Graag gedaan.'

Ze pakte een handdoek en droogde haar handen af. Ze liepen achter elkaar de keuken uit en de voordeur door naar de plaats waar de beide auto's op het grind stonden te wachten. Noel gooide zijn weekendtas achter in de Jaguar, ging achter het stuur zitten en stak alleen nog even zijn hand op voor hij door het hek in de richting van Londen verdween. Hij had geen afscheid van hen genomen maar moeder en dochter zeiden daar niets over.

In plaats daarvan stapte Nancy zwijgend in haar auto. Ze maakte de veiligheidsgordel vast en trok haar varkensleren handschoenen aan. Ze voelde de donkere ogen van haar moeder op zich gericht en begon te blozen.

'Wees voorzichtig, Nancy,' zei Penelope. 'Rijd niet te hard.'

'Ik ben altijd voorzichtig.'

'Maar je bent nu zo opgewonden.'

Nancy staarde naar het stuur en begon bijna te huilen. Ze beet op haar lip. 'Natuurlijk ben ik opgewonden. Er is niets vervelenders dan familieruzies.'

'Familieruzies zijn net auto-ongelukken. Iedere familie denkt: "Ons overkomt dat niet." Maar het kan iedereen overkomen. De enige manier om ze te vermijden is zo voorzichtig mogelijk te rijden en anderen de ruimte te laten.'

'We willen u heus wel genoeg ruimte laten. We hebben het beste met u voor.'

'Nee, Nancy, dat is niet waar. Jullie willen alleen maar dat ik jullie zin doe en de schilderijen van mijn vader verkoop en het geld weggeef voor ik doodga. Maar ik verkoop de schilderijen van mijn vader pas als dat mij uitkomt. En ik ga niet dood. Nog lang niet.' Ze deed een stap achteruit. 'Ga nu maar.' Nancy veegde de dwaze tranen uit haar ogen en zette de motor aan. 'En doe George de groeten van me.'

Ze was weg. Penelope stond daar nog op het grind toen het geluid van Nancy's auto al lang was opgenomen in de rustige warmte van die verrukkelijke voorjaarsmiddag. Eindelijk draaide ze zich om om naar binnen te gaan.

Ze was alleen. Gezegende eenzaamheid. De steelpannen konden wel wachten. Ze ging de zitkamer in. Het zou een kille avond worden, dus stak ze het vuur aan. Toen liep ze naar haar bureau om het kranteknipsel met de advertentie van Boothby te zoeken waar Noel vorige week haar aandacht op gevestigd had. *Bel Roy Brookner.* Ze legde het midden op haar vloeiblad, zette haar presse-papier erop en ging terug naar de keuken. Ze haalde een klein, scherp mesje uit een la en ging toen de trap op naar haar slaapkamer. Daar stroomde nu gouden zonlicht binnen door het raam op het westen. Ze legde het mesje op haar toilettafel en deed de deuren van de grote, Victoriaanse kleerkast open die maar net onder het schuine dak paste. De kast hing vol met haar kleren. Ze haalde ze er allemaal uit en legde ze op haar bed. Het leek wel het kraampje met tweedehandskleren op een bazaar.

De kast was nu leeg zodat het achterschot te zien was. Jaren geleden was dat met donker reliëfbehang beplakt maar door het behang heen waren de panelen van het oude meubelstuk nog te zien. Penelope pakte het mesje en liet haar vingers tastend over het ongelijke oppervlak van het behang glijden. Toen ze vond wat ze zocht, stak ze het mesje onderaan in de hoek tussen achterschot en vloer. Ze trok het naar boven en sneed het behang door alsof ze een enveloppe openmaakte. Ze berekende precies hoever ze moest gaan. Zestig centimeter verticaal, negentig centimeter opzij en toen weer zestig centimeter omlaag. Het stuk behang viel naar beneden en liet het voorwerp zien dat er vijfentwintig jaar achter verborgen had gezeten. Een kartonnen map.

Die avond in Londen belde Olivia Noel op.

'Hoe is het gegaan?'

'Prima, alles is klaar.'

'Heb je iets opwindends gevonden?'

'Helemaal niets.'

'Mijn hemel.' Hij kon aan haar stem horen dat ze zich amuseerde, en in stilte verwenste hij haar. 'Al dat harde werk voor niets. Maar dat geeft niet. De volgende keer beter. Hoe was het met Antonia?'

'Uitstekend. Volgens mij is ze op slag verliefd geworden op de tuinman.'

Het was zijn bedoeling haar aan het schrikken te maken.

'O, dat is leuk,' zei Olivia. 'Wat is het voor iemand?'

'Een vreemde knaap.'

'Hoezo?'

'Nou, van goede familie en zo en hij is tuinman geworden. Bovendien neemt hij niet achter het stuur van een auto plaats en drinkt hij niet. En hij glimlacht nooit. Nancy is ervan overtuigd dat hij een duister geheim verbergt en ik ben eens een keer geneigd het met haar eens te zijn.'

'Wat vindt mama van hem?'

'O, ze mag hem graag. Behandelt hem als een neefje dat ze uit het oog verloren had.'

'Dan zou ik me maar geen zorgen maken. Mama is niet gek. Hoe was het met haar?'

'Gewoon.'

'Niet te moe?'

'Dat dacht ik niet.'

'Je hebt toch niets over de schetsen gezegd?'

'Geen woord. Als ze er ooit geweest zijn, is ze dat waarschijnlijk toch vergeten. Ze is vaak zo vaag in die dingen.' Hij aarzelde even en ging toen door: 'Nancy is vandaag wezen eten. Ze herhaalde wat George over opnieuw verzekeren had gezegd en er ontstond een lichte onenigheid.'

'O, Noel.'

'Je weet hoe Nancy is. Een stom, tactloos wijf.'

'Raakte mama een beetje opgewonden?'

'Een beetje. Ik heb de zaak gladgestreken. Maar nu is ze koppiger dan ooit.'

'Nou, dat moet ze zelf weten. In elk geval bedankt dat je Antonia meegenomen hebt.'

'Het was me een genoegen.'

Het was weer maandagochtend. Tegen de tijd dat Penelope beneden kwam, was Danus al hard aan het werk in de moestuin. Even later kwam de postbode en toen arriveerde mevrouw Plackett statig op haar fiets, met haar schort in haar tas. Ze vertelde dat er uitverkoop was bij de plaatselijke ijzerhandel en dat leek haar een goede gelegenheid voor mevrouw Keeling om een nieuwe kolenschop te kopen. Ze waren nog over dat belangrijke onderwerp bezig toen Antonia verscheen. Ze werd aan mevrouw Plackett voorgesteld en er werden vriendelijke opmerkingen uitgewisseld. Toen pakte mevrouw Plackett haar stof-zuiger en stofdoeken en verdween naar boven. 's Maandags deed ze altijd de slaapkamers. Antonia begon spek te bakken voor haar ont-bijt en Penelope ging naar de zitkamer, deed de deur achter zich dicht en ging aan haar bureau zitten om te telefoneren.

Het was tien uur. Ze draaide het nummer.

'Kunsthandel Boothby. Waarmee kan ik u van dienst zijn?'

'Ik zou graag de heer Roy Brookner willen spreken.'

'Een ogenblik.'
Penelope wachtte. Ze voelde zich zenuwachtig.
'Met Roy Brookner.' Een lage stem, beschaafd, zeer sympathiek.
'Goedemorgen, meneer Brookner. U spreekt met mevrouw Keeling, Penelope Keeling. In *The Sunday Times* van vorige week had u een advertentie over Victoriaanse schilderijen.'
'Ja?'
'Ik vraag me af of u binnenkort misschien hier in de buurt moet zijn. Ik woon in Gloucestershire.'
'U hebt iets waar u me naar wilt laten kijken?'
'Ja. Een paar werken van Lawrence Stern.'
Hij aarzelde even. 'Lawrence Stern?' herhaalde hij.
'Ja.'
'Weet u zeker dat ze van Lawrence Stern zijn?'
Ze glimlachte. 'Ja, heel zeker. Lawrence Stern was mijn vader.'
Het bleef weer even stil. Ze stelde zich voor dat hij een pen pakte.
'Kunt u me uw adres geven?' Penelope deed het. 'En uw telefoonnummer?' Ze deed ook dat. 'Ik kijk even in mijn agenda. Zou deze week te snel zijn?'
'Hoe eerder hoe beter.'
'Woensdag? Of donderdag?'
Penelope dacht vlug na. 'Donderdag zou me het beste uitkomen.'
'Hoe laat?'
'Om een uur of twee?'
'Uitstekend. Ik moet ook naar Oxford. Dat kan ik dan 's morgens doen.'
'U kunt het beste naar Pudley rijden.'
'Ik vind het wel,' verzekerde hij. 'Donderdagmiddag twee uur. En bedankt voor uw telefoontje, mevrouw Keeling.'

Terwijl ze wachtte tot hij kwam, scharrelde Penelope wat rond in haar serre. Ze gaf een cyclaam water en trok verdorde blaadjes van de geraniums. Het waaide nogal hard maar de zon scheen. Het was nog steeds warm voor de tijd van het jaar en elke dag was er meer groen te zien aan de bomen en struiken.
Penelope droeg haar keurigste kleren, zoals bij het belang van de gelegenheid paste. Ze probeerde zich een voorstelling van Roy Brookner te maken. Haar enige aanknopingspunten waren zijn naam en zijn stem door de telefoon. Misschien was hij nog wel erg jong, een intelligente student met een hoog voorhoofd en een roze vlinderdasje. Hij kon ook al wat ouder zijn, iemand met een enorme eruditie. Of was hij misschien erg zakelijk en dacht hij alleen maar aan geld?
Hij was natuurlijk niets van dat alles. Toen ze even over tweeën het

portier van een auto dicht hoorde slaan en even later de bel ging, zette ze haar gietertje neer om open te gaan doen. Hij stond met zijn rug naar de deur toe om zich heen te kijken, alsof hij van de rust van het buitenleven en de landelijke omgeving genoot. Hij draaide zich meteen om toen de deur openging. Hij was heel lang en gedistingeerd en had donker haar, een gebruind gezicht en bruine ogen, die haar beleefd opnamen van achter een bril met een hoornen montuur. Hij droeg een pak van tweed, een geruit overhemd en een das met een onopvallend streepje. Met een bolhoed en een verrekijker had hij zo naar de paardenrennen gekund.

'Mevrouw Keeling.'

'Ja. Meneer Brookner. Goedemiddag.' Ze schudden elkaar de hand.

'Ik stond juist het uitzicht te bewonderen. Wat een prachtig plekje, en zo'n bekoorlijk huis.'

'Ik ben bang dat ik u via de keuken binnen moet laten. Ik heb geen hal . . .' Ze ging hem voor en zijn aandacht werd onmiddellijk getrokken door het doorkijkje naar de zonnige serre.

'Ik zou me niet druk maken om een hal als ik zo'n mooie keuken had. En ook nog een serre.'

'Die serre heb ik laten bouwen maar aan de rest van het huis heb ik weinig veranderd.'

'Woont u hier al lang?'

'Zes jaar.'

'Woont u alleen?'

'Meestal wel. Op het ogenblik heb ik een logée maar ze is er vanmiddag niet. Ze rijdt mijn tuinman naar Oxford om de grasmachine te laten slijpen.'

Hij keek een beetje verbaasd.

'Moet u daar helemaal voor naar Oxford?'

'Nee, maar ik wilde hen uit de buurt hebben als u kwam,' vertelde Penelope hem ronduit. 'En ze gaan ook nog wat dingen voor de tuin kopen, dus het is geen verloren tijd. Wilt u misschien een kop koffie?'

'Nee, dank u.'

'Goed.' Hij stond daar ongehaast en keek alsof hij bereid was nog een hele tijd te blijven. 'Nu, in dat geval zullen we eerst maar naar boven gaan om de panelen te bekijken.'

'Zoals u wilt.'

Ze ging hem voor de smalle trap op naar de kleine overloop.

'Hier zijn ze, aan weerszijden van mijn slaapkamerdeur. Dit zijn de laatste schilderijen die mijn vader ooit gemaakt heeft. Ik weet niet of het u bekend is, maar hij had vreselijk veel last van artritis. Toen hij deze maakte, kon hij bijna geen penseel meer vasthouden. Ze zijn dan ook onvoltooid.' Ze deed een stap opzij zodat hij de schilderijen eens goed kon bekijken. Hij zei niets. Misschien vond hij ze niet mooi. Ze voelde zich ineens erg zenuwachtig en om dat te verbergen praatte ze door. 'Het was eigenlijk een beetje een grap. We hadden een huis in Porthkerris, ziet u, boven op de heuvel, en we hadden geen geld om het behoorlijk te onderhouden, dus de boel werd nogal verwaarloosd. Het behang in de hal zag er vreselijk uit, dus stelde mijn moeder voor dat papa twee panelen zou schilderen om het ergste te bedekken. En ze wilde iets in zijn oude stijl, allegorisch, mythisch, dat ze voorgoed kon houden en het hare kon noemen. En dat deed hij en dit is het resultaat. Maar hij heeft ze niet af kunnen maken. Dat vond Sophie – mijn moeder – niet erg. Ze zei dat ze ze zo zelfs nog liever had.'

Hij gaf nog steeds geen commentaar. Ze vroeg zich af of hij moed probeerde te verzamelen om haar te vertellen dat ze niets waard waren. Toen draaide hij zich ineens glimlachend naar haar toe.

'U noemt ze onvoltooid, mevrouw Keeling, maar toch zijn ze prachtig compleet. De details zijn misschien niet zo fijn uitgewerkt als bij zijn grote werken van rond de eeuwwisseling, maar op hun eigen manier zijn deze ook perfect. Wat een kleur. Kijk eens naar het blauw van die lucht.'

Ze liep over van dankbaarheid. 'Ik ben zo blij dat u ze goed vindt. Mijn kinderen hebben er amper ooit naar gekeken en er alleen spottende opmerkingen over gemaakt maar ik heb er altijd van genoten.'

'En terecht.' Hij keek haar weer aan. 'Is er nog iets dat u me wilt laten zien?'

'Ja. Beneden heb ik nog iets.'

'Kunnen we gaan kijken?'

'Natuurlijk.'

In de zitkamer viel zijn oog meteen op *De schelpenzoekers*. Op dat moment was het schilderij Penelope dierbaarder dan ooit, nog even fris en helder en koel als toen het net klaar was.

Het bleef een hele tijd stil. 'Ik wist niet dat er zo'n werk bestond,' zei hij toen.

'Het is nooit tentoongesteld.'

'Wanneer is het gemaakt?'

'In 1927. Zijn laatste grote schilderij. Het strand in Porthkerris, gezien door het raam van zijn atelier. Een van die kinderen ben ik zelf. Het heet *De schelpenzoekers*. Toen ik trouwde, heeft hij het mij cadeau gegeven. Vierenveertig jaar geleden.'

'Wat een cadeau. En wat een bezit trouwens. U denkt er zeker niet aan het te verkopen?'

'Nee. Ik verkoop het niet. Maar ik wilde het u wel laten zien.'

'Daar ben ik blij om.'

Zijn ogen gingen weer naar het schilderij. Na een tijdje begreep ze dat hij zich alleen maar bezighield tot zij weer wat zou zeggen.

'Ik ben bang dat dit alles is, meneer Brookner. Behalve een paar schetsen.'

Hij draaide zich naar haar toe. 'Schetsen?'

'Van mijn vader.'

Hij wachtte tot ze verder ging, maar toen ze bleef zwijgen vroeg hij: 'Mag ik ze zien?'

'Ik weet niet of ze iets waard zijn en zelfs niet of ze u zullen interesseren.'

'Dat kan ik niet zeggen zolang ik ze niet gezien heb.'

'Natuurlijk niet.' Ze voelde achter de bank en haalde de kartonnen map te voorschijn. 'Hier zitten ze in.' Hij nam de map van haar aan en liet zich in een stoel zakken. Hij legde de map aan zijn voeten op het kleed en maakte met lange, gevoelige vingers het strikje los.

Roy Brookner had een enorme ervaring in zijn vak en was in de loop van de jaren immuun geworden voor schokken en teleurstellingen. Hij had zelfs geleerd hoe hij de ergste nachtmerrie het hoofd moest bieden, die van het kleine, oude dametje dat waarschijnlijk voor het eerst van haar leven te weinig geld had en besloot haar kostbaarste bezit te laten taxeren en dan te verkopen. Ze bracht Boothby op de hoogte van haar voornemen en Roy Brookner maakte een afspraak, en de waarschijnlijk lange reis naar haar toe. En dan stond hij voor de hartverscheurende taak haar te vertellen dat het schilderij geen Landseer was en de Chinese vaas niet uit de Mingperiode dateerde en ze dus waardeloos waren.

Mevrouw Keeling was geen klein, oud dametje en ze was de dochter van Lawrence Stern, maar toch maakte hij de map zonder veel hoop open. Wat hij verwachtte, wist hij eigenlijk niet. Wat hij vond, was zo adembenemend dat hij zijn ogen bijna niet kon geloven.

Schetsen, had Penelope Keeling gezegd, maar ze had hem niet verteld wat voor schetsen. Het waren olieverfschetsen op linnen. Hij nam er de tijd voor om ze een voor een te bekijken. De kleuren waren niet verbleekt, de onderwerpen meteen te herkennen. Het was niet te geloven. In gedachten somde hij ze op. *De lentegeest. De naderende geliefde. De waterdraagsters. De zeegod. De terrazzotuin.*

Het was bijna te veel. Als iemand halverwege een al te uitgebreide maaltijd voelde hij zich verzadigd, niet in staat verder te gaan. Penelope Keeling stond bij de haard en wachtte op zijn oordeel. Hij keek haar aan. Een hele tijd bleef het stil. Maar de uitdrukking op zijn gezicht vertelde haar alles wat ze wilde weten. Ze glimlachte en die glimlach deed haar donkere ogen oplichten en het was alsof ze ineens weer jong was en even zag hij haar als de mooie vrouw die ze geweest moest zijn. En de gedachte kwam bij hem op dat hij waarschijnlijk verliefd op haar geworden was als hij toen van haar leeftijd was geweest.

'Waar komen deze vandaan?' vroeg hij.

'Ze hebben vijfentwintig jaar tegen het achterschot van mijn kleerkast verstopt gezeten.'

Hij fronste zijn wenkbrauwen. 'Maar waar hebt u ze vandaan?'

'Uit het atelier van mijn vader in de tuin van ons huis in Oakley Street.'

'Weet verder niemand dat ze er zijn?'

'Ik denk het niet. Maar ik heb het idee dat Noel, mijn zoon, er op de een of andere manier een vermoeden van heeft gekregen. Maar dat weet ik niet zeker.'

'Waarom denkt u dat?'

'Hij heeft de hele zolder afgezocht. En was ontzettend nijdig toen hij niets vond. Ik weet zeker dat hij iets speciaals zocht, waarschijnlijk de schetsen.'

'Het klinkt een beetje alsof hij weet wat ze waard zouden zijn.' Hij pakte er weer een op. *Amoretta's tuin.* Hoeveel zijn er in totaal?'

'Veertien.'

'Zijn ze verzekerd?'

'Nee.'

'Had u ze daarom verstopt?'

'Nee. Dat was omdat ik niet wilde dat Ambrose ze zou vinden.'

'Ambrose?'

'Mijn man.' Ze zuchtte. Haar glimlach verdween en ze leek weer wat ze was, een knappe, grijsharige vrouw van over de zestig, die moe was van het staan. Ze ging op de bank zitten. 'Ziet u, we hadden nooit geld. Dat was eigenlijk de bron van alle problemen.'

'Woonde u met uw man in Oakley Street?'

'Ja. Na de oorlog. Ik heb de hele oorlog in Cornwall doorgebracht omdat ik een kind had om voor te zorgen. En toen werd mijn moeder bij een bombardement op Londen gedood, dus bleef ik ook om voor papa te zorgen. En hij droeg Oakley Street over en . . .' Ineens begon ze te lachen. Ze schudde haar hoofd. 'U begrijpt er natuurlijk niets van.'

'U zou kunnen proberen bij het begin te beginnen.'

'Dat wordt een eindeloos verhaal.'

'Ik heb de tijd.'

'Maar het zou u zo vervelen.'

'U bent de dochter van Lawrence Stern,' zei hij. 'Als u me het hele telefoonboek voorlas, zou het me nog niet vervelen.'

'Wat bent u een aardige man. In dat geval . . .'

'In 1945 was mijn vader tachtig. Ik was vijfentwintig en getrouwd met een luitenant bij de marine en ik had een kind van vier. Ik was een poosje bij de vrouwenafdeling van de marine geweest maar was ontslagen toen ik een baby moest krijgen. Ik ging toen naar huis in Porthkerris en bleef daar de rest van de oorlog. Al die jaren zag ik Ambrose bijna nooit. Hij was meestal op zee, op de Atlantische Oceaan en de Middellandse Zee en toen in het Verre Oosten. Ik ben bang dat ik me er niet zo druk over maakte. We hadden alleen maar zo'n oorlogsromance gehad. In vredestijd was het nooit wat geworden tussen ons.

En dan was er papa. Hij was altijd erg jeugdig en energiek geweest maar na de dood van Sophie werd hij ineens oud en er was geen sprake van dat ik bij hem vandaan kon gaan. Maar toen kwam er een eind aan de oorlog en alles veranderde. Alle mannen kwamen naar huis en papa zei dat het tijd was dat ik terugging naar mijn man. Tot mijn schande moet ik zeggen dat ik dat niet wilde en toen vertelde hij me dat hij het huis in Oakley Street op mijn naam had laten zetten zodat ik altijd een veilige basis voor mijn kinderen en financiële onafhankelijkheid zou hebben. Daarna had ik geen excuus meer om te blijven. Nancy en ik vertrokken uit Porthkerris. Papa bracht ons naar het station en dat was ons laatste afscheid, want het jaar daarop overleed hij en ik heb hem niet meer gezien.

Het huis in Oakley Street was enorm groot. Zo groot dat papa en Sophie en ik altijd in het souterrain hadden gewoond en de hoogste verdiepingen hadden verhuurd. Zo konden we het huis tenminste onderhouden. Ik ging op dezelfde voet verder. Er was een echtpaar dat er al de hele oorlog woonde, Willi en Lalla Friedmann. Ze hadden een dochtertje en dat was een vriendinnetje voor Nancy. De rest van de huurders wisselde nogal. Schilders en schrijvers en jongeren die bij de televisie wilden. Mensen van mijn slag. Niet van dat van Ambrose.

Toen kwam Ambrose thuis en hij ging weg bij de marine en nam een baan aan bij het oude familiebedrijf van zijn vader, de uitgeverij Keeling en Philips. Ik was nogal verbaasd toen Ambrose me dat vertelde maar ik denk dat het eigenlijk wel het beste was. Ik heb later ontdekt dat hij moeilijkheden had gehad toen hij in het Verre Oosten zat – zijn commandant tegen zich in het harnas gejaagd of zo. Dus bij de marine had hij het vast niet ver gebracht.

Daar zaten we dus. We hadden niet veel maar we hadden meer dan de meeste jonge gezinnen. We waren jong, we waren gezond, Ambrose had een baan en we hadden een huis om in te wonen. Maar verder hadden we niets, geen gemeenschappelijke grondslag om een soort relatie op te bouwen. Ambrose was ontzettend conventioneel en nogal snobistisch ook. Hij had het er altijd over hoe belangrijk het was met de juiste mensen bevriend te raken. En ik was excentriek en nonchalant en waarschijnlijk ook onmogelijk grillig. Maar de dingen die Ambrose belangrijk vond, konden mij gestolen worden. En dan was er nog de financiële kwestie. Ambrose gaf me nooit iets. Hij dacht waarschijnlijk dat ik mijn eigen middelen had, en in zekere zin was dat ook wel zo, maar ik had altijd te weinig contant geld. In mijn familie werd ook nooit over geld gesproken. In de oorlog had ik het klaargespeeld met het geld dat ik van de marine kreeg, en papa stortte elke maand wat op mijn rekening voor het huishouden, maar omdat er toen toch geen luxe was, deed het er niet zo toe.

Maar met Ambrose in Londen lag dat allemaal heel anders. Ook mijn tweede dochter, Olivia, was er nu, dus dat was nog iemand die eten moest hebben. En het oude huis zag er vreselijk uit. Het was gelukkig niet gebombardeerd maar wel erg verwaarloosd. De leidingen moesten vernieuwd en het dak lekte. En natuurlijk moest alles geverfd. Toen ik daar tegen Ambrose over begon, zei hij dat het mijn huis en dus mijn verantwoordelijkheid was, dus verkocht ik uiteindelijk vier dierbare schilderijen van Charles Rainier die van papa waren geweest, en die leverden genoeg op voor de hoogst nodige reparaties. Het dak lekte niet meer en ik hoefde niet langer in angst te zitten dat de kinderen zichzelf onder stroom zouden zetten door hun vingers in de ouderwetse stopcontacten te stoppen.

En toen kwam tot overmaat van ramp mijn schoonmoeder, Dolly Keeling – die de hele oorlog veilig in Devon had gezeten – weer in Londen wonen. Ze nam een klein huis in Lincoln Street en begon zodra ze arriveerde, moeilijkheden te maken. Ze had me nooit gemogen. En dat kan ik haar eigenlijk niet kwalijk nemen. Ze kon het me niet vergeven dat ik Ambrose in de val had laten lopen door in verwachting te raken. Hij was haar enige kind en ze was een erg dominerende moeder. Hij was van haar. Het was vanaf dat moment net of ik voor de hond van een ander mocht zorgen. Ambrose zat eeuwig bij zijn moeder. Hij ging elke dag even bij haar langs als hij van kantoor kwam. Hij ging 's zaterdags met haar winkelen en bracht haar 's zondags naar de kerk. Het was genoeg om je ertoe te brengen van je leven niet meer naar de kerk te gaan.

Die arme man. Het is niet gemakkelijk als je naar twee kanten getrokken wordt. En hij had de bewondering en aandacht van Dolly hard nodig, want van mij kreeg hij die niet. Het was ook nooit bepaald rustig in Oakley Street. Ik had mijn vrienden graag om me heen. Lalla Friedmann en ik stonden elkaar erg na. En ik was ook gek op kinderen. Er waren altijd bendes kinderen. Niet alleen Nancy maar al haar schoolvriendinnetjes. En die vriendinnetjes hadden allemaal een moeder en die moeders liepen in en uit. We zaten altijd in de keuken koffie te drinken en te kletsen. En er was altijd wel wat te doen, jam maken of een jurk knippen of koekjes bakken voor de thee. En de vloer lag altijd vol met speelgoed.

Ambrose kon daar niet tegen. Hij zei dat het op zijn zenuwen werkte als hij in zo'n heksenketel thuiskwam. Hij vond het vervelend dat we maar zo weinig ruimte hadden, vooral omdat het hele huis van ons was. Hij wilde de huurders eruit gooien. Hij had het over een eetkamer voor diners en een salon voor cocktailparty's en een slaapkamer met een aparte kleedkamer en badkamer voor onszelf. En ik werd boos en vroeg hem waar we van moesten leven als we geen huur meer kregen. En hij keek me drie weken niet aan en bracht meer tijd dan ooit bij zijn moeder door.

Het leven werd steeds moeilijker. We hadden voortdurend ruzie over geld. Ik wist niet eens wat hij verdiende, dus dat kon ik hem niet voor de voeten gooien. Maar ik wist wel dat hij iets verdiende, dus wat deed hij daarmee? Zijn vrienden meenemen om wat te drinken? Benzine kopen voor de kleine auto die zijn moeder hem gegeven had? Kleren kopen? Hij zag er altijd keurig uit. Ik werd ontzettend nieuwsgierig. Ik begon te snuffelen. Ik vond zijn bankafschriften en zag dat hij voor meer dan duizend pond in het rood stond. Ik was zo naïef, ik besloot uiteindelijk dat hij een maîtresse moest hebben en zijn hele salaris aan nertsjassen en een flat in Mayfair uitgaf.

Ten slotte vertelde hij het me zelf. Hij moest wel. Hij had vijfhonderd pond schuld aan een bookmaker en hij moest binnen een week betalen. Ik was soep aan het koken, herinner ik me. Ik stond in de grote pan te roeren om te zorgen dat de gedroogde erwten niet aan de bodem vast bleven zitten. En ik vroeg hem sinds wanneer hij al op paarden wedde, en hij zei drie of vier jaar. En ik vroeg nog meer en toen kwam het er allemaal uit. Hij was gewoon aan gokken verslaafd. Hij speelde ook in besloten goktenten. En hij had een paar risico's genomen op de effectenbeurs en dat was niet goed gegaan. En al die tijd had ik er geen idee van gehad. Maar nu biechtte hij alles op. Hij was zelfs een beetje beschaamd en volkomen wanhopig. Hij moest het geld hebben.

Ik zei hem dat ik het niet had. Ik zei dat hij maar naar zijn moeder moest gaan, maar hij zei dat hij dat al eerder had gedaan en dat ze hem toen geholpen had, maar dat hij nu niet meer durfde. En toen vroeg hij waarom ik de schilderijen niet verkocht, de enige drie die ik nog had van het werk van mijn vader. En toen hij dat zei, werd ik bijna even bang als hij, want ik wist dat hij er heel goed toe in staat was de schilderijen mee te nemen als hij een keer alleen thuis was. *De schelpenzoekers* was niet alleen mijn dierbaarste bezit maar ook mijn troost en bemoediging. Ik kon het niet missen en dat wist hij, dus zei ik dat ik voor die vijfhonderd pond zou zorgen. Ik verkocht zowel mijn eigen verlovingsring als die van mijn moeder. En daarna werd hij weer heel opgewekt, even verwaand en zelfingenomen als altijd. Een tijdje gokte hij niet. Hij was wel geschrokken. Maar het duurde niet zo lang of hij begon weer. En alles werd weer net zo moeilijk als tevoren.

Toen werd in 1955 Noel geboren en tegelijk kwamen we tegenover de eerste van de grote schoolrekeningen te staan. Ik had nog altijd ons huis in Cornwall, Carn Cottage. Ik had het van papa geërfd en ik had het jaren vastgehouden. Ik verhuurde het aan wie het maar wilde hebben en ik zei tegen mezelf dat ik op een dag in staat zou zijn er een zomer met de kinderen door te brengen. Maar het kwam er nooit van. En toen kreeg ik een schitterend bod op het huis, te mooi om af te slaan, en ik verkocht het. Toen ik dat deed, wist ik dat Porthkerris voorgoed verdwenen was, de laatste schakel verbroken. Toen ik Oakley Street verkocht, was ik van plan naar Cornwall terug te keren. Een klein, stenen huis te kopen met een palmboom in de tuin. Maar mijn kinderen wilden het niet en ten slotte vond mijn schoonzoon Podmore's Thatch, zodat ik uiteindelijk mijn laatste jaren in Gloucestershire door zal brengen en niet aan zee.'

'Ik heb u dit allemaal verteld en ik ben nog steeds niet bij de schetsen aangekomen, hè?'
    'Die lagen in het atelier van uw vader?'
    'Ja, tussen alles wat zich daar in jaren had opgehoopt.'
    'Wanneer was dat? Wanneer hebt u ze gevonden?'

'Noel was een jaar of vier. We hadden toen meer kamers in gebruik maar de huurders vulden de rest van het huis. Toen kwam er op een dag een jongen aan de deur. Hij zat op de kunstacademie. Hij was erg lang en mager en zag er nogal sjofel uit maar hij was erg aardig. Iemand had hem verteld dat ik hem misschien zou kunnen helpen, want hij had een beurs gekregen maar kon geen onderdak vinden. Het hele huis zat vol maar ik mocht hem meteen en ik vroeg hem binnen en gaf hem wat te eten en een glas bier. En we raakten in gesprek. Tegen de tijd dat hij weg wilde gaan, mocht ik hem zo graag dat ik de gedachte niet kon verdragen dat ik hem niet zou kunnen helpen. En toen dacht ik aan het atelier. Een houten schuur in de tuin, maar stevig en waterdicht. Hij kon daar slapen en werken en ik kon hem zijn ontbijt geven en hij kon de badkamer in huis gebruiken. Ik stelde dat voor en hij hapte meteen toe. Ik ging dus de sleutel zoeken en we gingen het atelier bekijken. Het was vuil en stoffig en stond vol oude divanbedden en ladenkastjes en de spullen van mijn vader waren er ook nog, ezels en paletten en linnen, maar het lekte er niet en er was een raam op het noorden en dat vond die jongen natuurlijk prachtig.

Hij huurde het en we spraken af wanneer hij zou komen. Hij vertrok en ik ging aan de slag. Het karwei nam dagen in beslag en ik moest mijn vriend de voddenman te hulp roepen. Hij nam alle oude rommel mee. En toen vond ik achter in het atelier achter een oude kist de map met schetsen. Ik zag meteen wat het allemaal was, maar ik had geen idee van de waarde. Lawrence Stern was toen niet in de mode en een schilderij van hem bracht misschien vijf- of zeshonderd pond op. Maar die schetsen waren net een geschenk van het verleden. Ik had zo weinig van zijn werk. En ik dacht dat Ambrose meteen zou eisen dat ze verkocht werden. Dus nam ik ze mee naar binnen en naar mijn slaapkamer. Ik plakte ze tegen de achterkant van mijn kleerkast en plakte er toen behang overheen. En daar heb ik ze al die tijd bewaard. Tot afgelopen zondag. Toen wist ik ineens dat het tijd was om ze te voorschijn te halen en aan u te laten zien.'

'Nu weet u het dus.' Ze keek op haar horloge. 'Wat heb ik een tijd zitten praten. Het spijt me. Wilt u een kopje thee? Hebt u daar nog tijd voor.'

'Ja, ik heb nog wel tijd. Maar ik ben nog niet voldaan.' Vragend trok ze haar wenkbrauwen op. 'Ik hoop niet dat u me nieuwsgierig of onbescheiden vindt, maar hoe is het verder met uw huwelijk gegaan? Wat is er van Ambrose geworden?'

'Mijn man? O, hij heeft me verlaten . . .'

'U verlaten?'

'Ja.' Tot zijn verbazing verscheen er een geamuseerde glans in haar ogen. 'Voor zijn secretaresse.'

'Kort nadat ik de schetsen gevonden en verstopt had, ging de oude secretaresse van Ambrose, miss Wilson, met pensioen en kwam er een jong meisje in haar plaats. Ik denk dat ze heel knap was. Ze heette Delphine Hardacre. Miss Wilson was altijd miss Wilson genoemd maar Delphine was altijd alleen maar Delphine. Op een dag zei Ambrose dat hij voor zijn werk naar Glasgow ging. Daar zat de drukkerij die bij de uitgeverij hoorde. Hij bleef een week weg. Later ontdekte ik dat hij helemaal niet in Glasgow was geweest, maar met Delphine naar Huddersfield was gegaan om kennis te maken met haar ouders. Haar vader was schatrijk. Hij vond Ambrose wel een beetje oud voor zijn dochter maar heel presentabel en ze was kennelijk gek op hem. Kort daarna vertelde Ambrose me op een avond dat hij wegging. We waren in onze slaapkamer. Ik had mijn haar gewassen en zat het aan mijn toilettafel te drogen en Ambrose zat achter me op het bed en we konden elkaar alleen maar in de spiegel zien. Hij zei dat hij verliefd was op haar. Dat ze hem alles gaf wat ik hem nooit gegeven had. Dat hij wilde scheiden. Dan ging hij met haar trouwen en intussen ging hij weg bij Keeling en Philips, en Delphine ook, en gingen ze naar Yorkshire, waar haar vader hem een baan in zijn bedrijf had aangeboden.

Ik moet zeggen dat hij het allemaal goed geregeld had. Alles was al in kannen en kruiken en ik kon werkelijk niet veel meer zeggen. Ik wilde ook niets zeggen. Ik vond het niet erg dat hij wegging. Ik kon beter alleen zijn. Ik zou mijn kinderen houden en ik had mijn huis. Ik vond alles goed en hij stond op en ging naar beneden en ik bleef met mijn haar bezig en voelde me heel vredig.

Een paar dagen later kwam zijn moeder op bezoek, niet om haar medeleven te betuigen en gelukkig ook niet om me verwijten te maken maar alleen om over de kinderen te spreken. Ze wilde niet dat ik hen bij Ambrose en haar vandaan zou houden. En ik zei dat mijn kinderen niet mijn bezittingen waren, die ik kon geven of vasthouden, maar zelfstandige mensen. Ze moesten doen wat ze zelf wilden, op bezoek gaan bij wie ze wilden, en ik zou hen nooit tegenhouden. Dolly was erg opgelucht. Ze had nooit veel aandacht gehad voor Olivia en Noel maar ze aanbad Nancy en Nancy was dol op haar. Die twee hadden veel gemeen. Toen Nancy trouwde, regelde Dolly haar grote Londen-se bruiloft en daarom kwam Ambrose uit Huddersfield over om haar ten huwelijk te geven. Dat was de enige keer dat we elkaar nog gezien hebben na de scheiding. Hij was veranderd en zag er erg welvarend uit. Hij was dikker geworden, zijn haar was grijs en zijn gezicht was erg rood. Ik herinner me dat hij die dag om de een of andere reden een gouden horlogeketting droeg en hij zag er precies uit als iemand die zijn hele leven in het noorden had gewoond en alleen maar veel geld had verdiend.

Na de bruiloft ging hij weer naar Huddersfield en ik zag hem nooit meer terug. Een jaar of vijf later overleed hij. Hij was nog betrekkelijk jong en het was een hele schok. Die arme Dolly Keeling is het verlies van haar zoon nooit te boven gekomen. En ik vond het ook erg. Ik denk dat hij bij Delphine eindelijk het leven gevonden had dat hij altijd had gezocht. Ik heb haar geschreven maar ze heeft mijn brief nooit beantwoord. Misschien vond ze het aanmatigend van me dat ik haar schreef. Of misschien wist ze gewoon niet wat ze terug moest schrijven.'

'En nu ga ik echt thee halen.' Ze stond op en voelde even aan haar opgestoken haar. 'Vindt u het niet erg even alleen te blijven? Hebt u het warm genoeg? Zal ik het vuur aansteken?'

Hij verzekerde haar dat hij het niet erg vond, dat hij het warm genoeg had en dat een vuur niet nodig was. Ze liet hem dus alleen en ging naar de keuken. Ze zette water op. Ze voelde zich erg vredig, net als die avond dat Ambrose gezegd had dat hij voorgoed wegging. Zo moesten katholieken zich voelen als ze gebiecht hadden, dacht ze, gereinigd, bevrijd en eindelijk van hun last ontdaan. En ze was Roy Brookner dankbaar dat hij naar haar had willen luisteren. En ze was ook dankbaar dat Boothby iemand gestuurd had die niet alleen zijn vak verstond maar ook menselijk en begrijpend was.

Onder de thee met gemberkoek werden ze opnieuw zakelijk. De panelen zouden verkocht worden. Er zou een lijst van de schetsen gemaakt worden en ze gingen mee naar Londen om daar getaxeerd te worden. En *De schelpenzoekers*? Dat schilderij bleef voorlopig waar het was, boven de haard van de zitkamer in Podmore's Thatch.

'De enige moeilijkheid wat de panelen betreft, is de tijd,' zei Roy Brookner. 'Zoals u weet, heeft Boothby juist een grote veiling van Victoriaanse schilderijen gehouden. En pas over een half jaar komt er weer een. In Londen tenminste. Misschien zou onze afdeling in New York ze kunnen nemen maar dan zou ik eerst moeten nagaan wanneer ze daar hun volgende veiling hebben.'

'Een half jaar. Zo lang wil ik niet wachten. Ik wil ze nú verkopen.'

Hij glimlachte om haar ongeduld. 'Dan zouden we een rechtstreekse koper voor u kunnen zoeken. Op een veiling krijgt u misschien meer, maar als u dat risico wilt nemen . . .'

'Weet u iemand?'

'Er is een Amerikaanse verzamelaar, uit Philadelphia. Hij wilde *De waterdraagsters* kopen, maar kon niet tegen het museum van Denver op. Hij was erg teleurgesteld. Hij heeft geen schilderijen van Lawrence Stern en ze komen maar zelden op de markt.'

'Is hij nog in Londen?'

'Ik weet het niet. Ik zou dat na kunnen gaan. Ik weet waar hij logeerde.'

'U denkt dat hij de panelen zou willen hebben?'

'Daar ben ik zeker van. Maar ik weet natuurlijk niet wat hij ervoor zou willen geven.'

'Wilt u contact met hem zoeken?'

'Natuurlijk.'

'En de schetsen?'

'Zegt u het maar. Misschien kunnen we beter een paar maanden wachten voor we ze verkopen. Dan hebben we tijd om reclame te maken en er de aandacht op te vestigen.'

'Ja, dat begrijp ik. Misschien kunnen we dan inderdaad beter even wachten.'

Dat spraken ze af. Roy Brookner begon meteen een lijst van de schetsen te maken. Dat nam enige tijd in beslag. Toen hij klaar was, gaf hij haar een getekend ontvangstbewijs. Hij deed de schetsen weer in de map en strikte het bandje vast. Toen liep ze weer met hem naar boven. Op de overloop haalde hij voorzichtig de panelen van de muur. Er bleven enkel een paar spinnewebben en twee grote stukken verschoten behang achter.

Buiten werd alles achter in zijn indrukwekkende auto geladen, de schetsen in de kofferbak en de panelen, zorgvuldig in een plaid gewikkeld, op de achterbank. Toen wendde hij zich tot Penelope.

'Het is me een waar genoegen geweest, mevrouw Keeling. Hartelijk dank.'

Ze schudden elkaar de hand. 'Ik heb het een heel prettige ontmoeting gevonden, meneer Brookner. Ik hoop alleen dat ik u niet verveeld heb.'

'Ik heb me nog nooit minder verveeld. En zodra ik iets meer weet, neem ik contact met u op.'

'Graag. En tot ziens. Goede reis.'

'Tot ziens, mevrouw Keeling.'

Hij belde de volgende dag.

'Mevrouw Keeling. Met Roy Brookner.'

'Ja, meneer Brookner.'

'Die Amerikaan over wie ik het had, de heer Ardway, is niet meer in Londen. Ik heb zijn hotel opgebeld en daar zeiden ze dat hij naar Genève vertrokken is. Het is zijn bedoeling uit Zwitserland rechtstreeks naar de Verenigde Staten terug te keren. Maar ik heb zijn adres in Genève en ik zal hem vandaag nog over de panelen schrijven. Ik weet zeker dat hij dan naar Londen komt om ze te bekijken, maar het kan natuurlijk wel een week of twee duren.'

'Ik kan wel een week of twee wachten. Ik kon er alleen niet tegen een half jaar te moeten wachten.'

'Dat is niet nodig, dat verzeker ik u. En wat de schetsen betreft, ik heb ze aan meneer Boothby laten zien en hij was erg geïnteresseerd. Het belangrijkste dat in jaren op de markt gekomen is.'

'Hebt u . . .' Het leek bijna onfatsoenlijk het te vragen. 'Hebt u enig idee wat ze waard kunnen zijn?'

'Ik schat niet minder dan vijfduizend pond per stuk.'

Vijfduizend pond. Per stuk. Toen ze had opgehangen, stond ze daar in haar keuken te rekenen. Vijfduizend maal veertien was . . . Ze kwam er niet uit. Ze pakte een potlood en maakte de som op haar boodschappenlijstje. Zeventigduizend pond. Ze pakte een stoel en ging zitten. Haar benen leken haar ineens niet meer te kunnen dragen.

Eigenlijk was het niet zozeer de gedachte aan al dat geld dat haar verbaasde, maar meer haar eigen reactie erop. Haar besluit Roy Brookner te laten komen, hem de schetsen te laten zien, de panelen te verkopen zou haar leven veranderen. Zo eenvoudig lag dat maar ze moest er even aan wennen. Die twee onbelangrijke, onvoltooide schilderijen van Lawrence Stern, waar ze altijd van gehouden had maar waarvan ze nooit gedacht had dat ze veel waard waren, waren nu bij Boothby, in afwachting van een bod van een Amerikaanse miljonair. En de stapel schetsen waar ze jaren niet aan gedacht had, was plotseling zeventigduizend pond waard. Een fortuin. Het was net of ze de voetbalpool gewonnen had. Ze herinnerde zich ineens die jonge vrouw die dat was overkomen en die op de televisie champagne over haar hoofd had gegoten en geroepen had: 'Geld, geld, geld!'

Penelope had dat verbijsterd aangezien. En nu zat ze zelf min of meer in hetzelfde schuitje en ze besefte – en daar verbaasde ze zich over – dat ze het noch ontstellend, noch overweldigend vond. Ze liep in tegendeel over van de dankbaarheid van iemand die onverwachts een rijk geschenk gekregen heeft. *Het grootste geschenk dat een ouder een kind kan nalaten, is de onafhankelijkheid van die ouder.* Dat had ze tegen Noel en Nancy gezegd. En ze wist dat het waar was. Onafhankelijkheid was van onschatbare waarde en ze had nu de mogelijkheid te doen wat ze wilde.

Maar wat wilde ze? Ze had geen ervaring met buitensporigheden. Sinds haar huwelijk had ze zich altijd in moeten spannen om de eindjes aan elkaar te knopen. Ze was nooit jaloers geweest op de luxe van anderen maar had alleen tevreden geconstateerd dat ze in staat was haar kinderen groot te brengen en naar school te laten gaan en toch het hoofd boven water te houden. Pas na de verkoop van het huis in Oakley Street had ze over enig kapitaal kunnen beschikken en dat was meteen verstandig gebruikt – voor een bescheiden inkomen dat ze uitgaf aan de dingen waar ze het liefst haar geld aan besteedde. Eten, wijn, het ontvangen van vrienden. En natuurlijk cadeaus – daar was ze altijd erg royaal mee – en haar tuin niet te vergeten.

Als ze wilde, kon ze nu haar hele huis van onder tot boven op laten knappen. Alles wat ze bezat, was oud en versleten maar daar hield ze juist van. Haar ingedeukte Volvo was acht jaar oud en ze had hem tweedehands gekocht. Misschien moest ze eens verkwistend zijn en een Rolls-Royce kopen maar er was niets mis met de Volvo – tot nog toe – en het zou een soort heiligschennis lijken zakken met turf en potten met planten achter in de Rolls te zetten.

Kleren dan. Ze had echter nooit veel belangstelling voor kleren gehad. Dat kwam waarschijnlijk door de lange oorlogsjaren en de zuinigheid die ze daarna had moeten betrachten. Haar liefste jurken had ze op de bazaar van de kerk van Temple Pudley gekocht en haar marinecape hield haar al veertig winters warm. Ze kon natuurlijk een bontjas kopen maar ze had het nooit een prettig idee gevonden zich te kleden in het vel van dode dieren. En ze zou er ook wel wat dwaas uitzien als ze 's zondagsmorgens in bont gehuld door de dorpsstraat liep om haar kranten te gaan halen. Dan dachten de mensen vast dat ze gek geworden was.

Ze kon gaan reizen. Maar op haar vierenzestigste en niet al te goed gezond, dat moest ze onder ogen zien, voelde ze zich te oud om alleen op stap te gaan. De dagen van ongehaaste autotochten, de Train Bleu en de mailboten waren voorbij. En de gedachte aan buitenlandse vliegvelden en supersonische straalvliegtuigen had haar nooit erg aangetrokken.

Nee. Niets van dat al. Voorlopig deed ze niets, zei ze niets, vertelde ze niemand iets. Roy Brookner was gekomen en gegaan en niemand wist iets van zijn bezoek. Tot ze weer iets van hem hoorde, kon ze beter doen alsof er niets gebeurd was. Ze probeerde niet meer aan hem te denken maar dat bleek niet mogelijk. Elke dag wachtte ze of ze soms iets van hem zou horen. Elke keer dat de telefoon ging, haastte ze zich erheen, als een verliefd meisje dat op een telefoontje van haar vriend wacht. Maar anders dan dat meisje maakte ze zich geen zorgen toen de dagen voorbijgingen en er niets gebeurde. Morgen kwam er weer een dag. Ze had geen haast. Vroeg of laat zou hij nieuws voor haar hebben.

Intussen ging het leven door. Het was lente. Het geel van de narcissen vrolijkte de hele boomgaard op. De takken van de bomen gingen schuil achter het jonge groen. En Danus Muirfield had voor het eerst dit jaar het gras gemaaid en was nu met de borders bezig. Mevrouw Plackett kwam en ging. Ze begon aan de voorjaarsschoonmaak en waste de gordijnen van alle slaapkamers. Antonia hing ze aan de lijn. Haar energie was enorm en ze nam gewillig elke taak op zich die Penelope niet zelf kon vervullen. Ze reed naar Pudley om boodschappen te doen voor de hele week of haalde de hele provisiekast leeg om alle planken schoon te boenen. Als ze binnen niets te doen had, was ze meestal in de tuin. Ze maakte een latwerk voor de lathyrus of zette geraniums in de bloembakken op het terras. Als Danus er was, was ze nooit ver bij hem vandaan en hun stemmen dreven door de tuin terwijl ze samen aan het werk waren. Als Penelope uit een raam boven naar hen stond te kijken, was ze meer dan tevreden. Antonia leek helemaal niet meer op dat gespannen, uitgeputte meisje dat Noel had meegebracht uit Londen. Ze was niet meer zo bleek en de donkere kringen onder haar ogen waren verdwenen. Haar haar glansde, haar ogen straalden en ze had iets ondefinieerbaars dat Penelope met haar ervaren blik heel goed kon thuisbrengen.

Antonia was verliefd, vermoedde ze.

'Op een mooie ochtend in de tuin werken is volgens mij het meest opbouwende dat er is. Het is een combinatie van het beste van alles. Op Ibiza was de zon altijd zo heet en dan ging je vreselijk zweten en dan moest je een duik in het zwembad nemen.'

'We hebben hier geen zwembad,' merkte Danus op. 'Maar we zouden natuurlijk in de Windrush kunnen springen.'

'Die is ijskoud. Ik heb pas een keer met mijn voet gevoeld en het is vreselijk. Danus, blijf jij altijd tuinman?'

'Waarom vraag je dat ineens?'

'Ik weet het niet. Het kwam zomaar bij me op. Je schijnt al zoveel achter je te hebben. School en Amerika en toen de landbouwschool. Het lijkt een beetje zonde als je nooit iets anders zou doen dan de kool van andere mensen planten en hun onkruid uittrekken.'

'Maar dat zal ik ook niet altijd doen.'

'O nee? Wat ga je dan doen?'

'Sparen tot ik genoeg heb om een stuk grond te kopen. En dan ga ik groente kweken en planten verkopen.'

'Een tuincentrum?'

'Ik zou me ergens in specialiseren, rozen of fuchsia's, om een beetje anders te zijn dan al die anderen.'

'Zou dat vreselijk veel kosten? Om te beginnen, bedoel ik.'

'Ja. Grond is duur en ik zou een flink stuk nodig hebben.'

'Kan je vader je niet helpen? Alleen maar om te beginnen.'

'Ja, dat zou hij wel kunnen als ik het hem vroeg. Maar ik doe het liever op eigen kracht. Ik ben nu vierentwintig. Misschien kan ik tegen mijn dertigste voor mezelf beginnen.'

'Zes jaar lijkt eindeloos. Ik zou het nu willen.'

'Ik heb geleerd geduldig te zijn.'

'Waar? Ik bedoel waar zou je dat tuincentrum willen hebben?'

'Dat doet er niet toe. Waar er maar een nodig is. Maar ik zou het liefst in dit deel van het land blijven. Gloucestershire, Somerset.'

'Ik denk dat Gloucestershire het beste is. Het is hier zo mooi. En denk eens aan de markt. Al die rijke mensen die in Londen werken, hier zo'n schitterend huis kopen en hun tuin vol met mooie dingen willen. Je zou goud verdienen. Als ik jou was, bleef ik hier. Ik zou een huisje zoeken, en een stukje grond. Dat zou ik doen.'

'Maar jij gaat geen tuincentrum openen. Jij wordt fotomodel.'

'Alleen als ik niets anders kan bedenken.'

'Je bent een vreemd schepsel. De meeste meisjes zouden dolgraag zo'n kans krijgen.'

'Nou, ik niet.'

'Bovendien zou je niet je hele leven knollen willen planten.'

'Ik zou geen knollen verbouwen. Ik zou lekkere dingen nemen als maïs en asperge en erwten. En je hoeft niet zo sceptisch te kijken. Ik

266

kan dat best. Op Ibiza kochten we nooit groente. We kweekten alles zelf, en fruit ook. We hadden sinaasappelbomen en citroenbomen. En die citroenen waren zo lekker, ze smaakten heel anders dan die akelige uit de winkel.'

'Ik denk dat je wel citroenen zou kunnen kweken in een kas.'

'Het leuke van citroenbomen is dat ze tegelijk vrucht dragen en bloeien. Zo zien ze er altijd mooi uit. Danus, heb je nooit advocaat willen worden, zoals je vader?'

'Ja, vroeger wel. Maar toen ben ik naar Amerika gegaan en daarna was alles anders. En toen heb ik besloten met mijn handen te gaan werken in plaats van met mijn hoofd.'

'Maar je gebruikt je hoofd wel. Bij tuinieren moet je goed nadenken. Je moet een heleboel weten en alles plannen. En als je je tuincentrum hebt, moet je de boekhouding bijhouden en bestellingen doen. En dan heb je de belasting nog. Dan moet je toch je hoofd gebruiken. Was je vader teleurgesteld toen je niet langer advocaat wilde worden?'

'In het begin wel. Maar we hebben het uitgepraat en toen begreep hij me wel.'

'Zou het niet vreselijk zijn als je een vader had met wie je niet kon praten? De mijne was volmaakt. Je kon hem alles vertellen. Ik wilde dat je hem gekend had. En ik kan je zelfs mijn lieve Ca'n D'alt niet laten zien, want daar wonen nu andere mensen. Danus, is er iets bijzonders gebeurd waardoor je besloten hebt een ander beroep te kiezen? Iets in Amerika?'

'Misschien wel.'

'En heeft dat er iets mee te maken dat je geen auto bestuurt en niet drinkt?'

'Waarom vraag je dat?'

'Ik moet daar soms aan denken. Ik vroeg het me alleen maar af.'

'Vind je het erg? Zou je liever willen dat ik zo iemand als Noel Keeling was, die over de snelweg racet en naar een borrel grijpt als hij ergens geen raad mee weet?'

'Nee, ik zou niet willen dat je net als Noel was. Als je zo iemand was, zou ik je niet helpen. Dan lag ik nu in een ligstoel in een tijdschrift te bladeren.'

'Waarom houd je er dan niet over op? Hoor eens, je bent bezig een zaailing te planten, dat is wat anders dan een spijker inslaan. Je moet het voorzichtig doen, alsof je een baby in bed legt. Het plantje moet ruimte houden om te groeien. En om adem te halen.'

Ze was aan het fietsen. Ze reed freewheelend de heuvel af tussen fuchsiaheggen vol roze en paarse ballerina's. De weg lag wit en stoffig voor haar en in de verte zag ze een saffierblauwe zee. Ze had een zaterdagochtendgevoel. Ze droeg linnen schoenen. Ze kwam bij een huis en het was Carn Cottage, maar het was Carn Cottage toch weer niet, want het had een plat dak. Papa zat daar met zijn breedgerande hoed op op een vouwstoeltje voor zijn ezel. Hij had geen artritis en hij schilderde lange streken kleur op het doek. Toen ze naast hem ging staan om te kijken, keek hij niet op maar zei: 'Op een dag komen ze, om de warmte van de zon en de kleur van de wind te schilderen.' Ze keek over de rand van het dak en zag een tuin als op Ibiza, met een zwembad. Sophie zwom daarin heen en weer. Ze was naakt en haar haar was nat en glad als de huid van een zeehond. Vanaf het dak kon je het strand zien en daar was zijzelf aan het zoeken met een rode emmer vol grote schelpen. Kamschelpen en mosselschelpen en glanzende porseleinschelpen. Maar ze zocht niet naar schelpen, ze zocht iets, iemand anders. Hij was ergens in de buurt. De lucht werd donker. Moeizaam liep ze over het diepe zand tegen de wind in. De emmer werd onmogelijk zwaar, dus liet ze hem staan. Het werd nevelig en ze zag hem uit die nevel op haar afkomen. Hij was in uniform maar hij had niets op zijn hoofd. 'Ik heb je gezocht,' zei hij en hij pakte haar hand en samen kwamen ze bij een huis. Ze gingen door de deur naar binnen maar het was geen huis maar een kunstgalerij in Porthkerris. En daar was papa ook weer. Hij zat op een sjofele bank midden in de lege ruimte. Hij keek naar hen om. 'Ik wilde dat ik weer jong was,' zei hij tegen hen, 'en het allemaal kon zien gebeuren.'

Ze liep over van geluk. Ze deed haar ogen open en het geluk bleef, want de droom leek echter dan de werkelijkheid. Ze kon de glimlach op haar gezicht voelen, alsof iemand die daar had aangebracht. De droom vervaagde maar het gevoel van kalme tevredenheid bleef. Ze keek om zich heen in haar schemerige slaapkamer en zag de glans van haar koperen ledikant, de omtrekken van haar grote kleerkast, de open ramen met de gordijnen die zachtjes bewogen in de nachtlucht.

Ik wilde dat ik weer jong was en het allemaal kon zien gebeuren.

Ze was opeens klaar wakker en wist dat ze niet meer zou kunnen slapen. Ze schoof de dekens weg en stapte uit bed. Ze voelde naar haar pantoffels en pakte haar ochtendjas. Ze deed haar deur open en ging in het donker de trap af naar de keuken. Ze deed het licht aan. Alles was warm en op orde. Ze zette een steelpan met melk op. Toen pakte ze een mok. Ze deed er een lepel honing in en goot er warme melk op. Met de mok liep ze door de eetkamer naar de zitkamer. Ze deed het lampje boven *De schelpenzoekers* aan en pookte het vuur op. Toen ging ze met de mok op de bank zitten. Ze trok haar voeten op en leunde tegen de kussens. Boven haar glansde het schilderij in het halfdonker even schitterend als een gebrandschilderd raam met de zon erachter. Het was haar eigen persoonlijke mantra, die even krachtig werkte als de bezweringsformule van een hypnotiseur. Ze keek er geconcentreerd naar en wachtte op het moment dat de betovering kwam. Ze vulde haar ogen met het blauw van de zee en de lucht en voelde de zilte wind, rook zeewier en vochtig zand, hoorde de meeuwen krijsen.

Ze dacht aan de vele gelegenheden in haar leven waarbij ze hetzelfde had gedaan – zich afgesloten van de wereld en troost gezocht bij *De schelpenzoekers.* Zo had ze van tijd tot tijd gezeten in de sombere Londense jaren vlak na de oorlog, gehinderd en soms bijna verslagen door geldgebrek en te weinig liefde, door de hopeloze manier van doen van Ambrose en een angstaanjagend gevoel van eenzaamheid, dat om de een of andere reden niet verdreven werd door het gezelschap van haar kinderen. Zo had ze gezeten op de avond dat Ambrose zijn koffers had gepakt en naar Yorkshire was vertrokken, naar welvaart en het warme, jonge lichaam van Delphine Hardacre. Zo had ze ook gezeten toen Olivia, haar dierbaarste kind, voorgoed uit Oakley Street was vertrokken om op zichzelf te gaan wonen en aan haar briljante carrière te beginnen.

Je moet nooit teruggaan, hadden ze allemaal gezegd. *Alles is natuurlijk veranderd.* Maar ze wist dat ze ongelijk hadden, want de dingen waar ze het meest naar verlangde, bleven hetzelfde zolang de aarde bestond.

De schelpenzoekers. Als een oude, vertrouwde vriend vulde het schilderij haar met dankbaarheid. En zoals je je aan vrienden vastklampt, had ze er nooit aan willen denken het te laten gaan. Maar nu was dat ineens anders. Er was niet alleen een verleden maar ook een toekomst. Ze moest plannen gaan maken. Bovendien was ze vierenzestig. Ze had niet zoveel jaren meer over om vol heimwee om te zien. 'Misschien heb ik je niet meer nodig,' zei ze hardop. Het schilderij reageerde niet. 'Misschien wordt het tijd dat ik je laat gaan.'

Ze dronk haar melk op. Zette de lege mok neer, pakte de plaid die over de rug van de bank lag en trok die over zich heen. *De schelpenzoekers* zou haar gezelschap houden, over haar waken, glimlachend op haar slapende gestalte neerkijken. Ze dacht aan de droom en papa die zei: 'Op een dag komen ze, om de warmte van de zon en de kleur van de wind te schilderen.' Ze deed haar ogen dicht. Ik wilde dat ik weer jong was.

HOOFDSTUK 11

Richard

In de zomer van 1943 had Penelope Keeling net als de meeste andere mensen het gevoel dat de oorlog al een eeuwigheid duurde en ook nog een eeuwigheid door zou gaan. Het was allemaal een tredmolen van verveling – schaarste en verduistering en af en toe iets vreselijks of een moment van vastberadenheid als er Engelse oorlogsschepen werden opgeblazen, de troepen van de geallieerden door een ramp werden getroffen of Churchill voor de radio kwam vertellen hoe geweldig iedereen zijn plicht deed.

Het was net als in de laatste twee weken voor je een baby kreeg, als je zeker wist dat de baby nooit zou komen en jij er de rest van je leven als de Albert Hall uit zou zien. Of alsof je midden in een lange, bochtige spoorwegtunnel zat, waar het daglicht ver achter je lag en het sprankje lucht aan het eind van de tunnel nog niet te zien was. Het zou op een dag komen. Daar twijfelde niemand aan. Maar tot het zover was, bleef alles donker. Je strompelde alleen maar voetje voor voetje verder en hield je met de problemen van alledag bezig, hoe je de mensen te eten moest geven en hen warm kon houden, waar je schoenen voor de kinderen vandaan moest halen en hoe je kon voorkomen dat Carn Cottage aan verwaarlozing bezweek.

Ze was drieëntwintig en had soms het gevoel dat er niets was om naar uit te zien, behalve de film van de volgende week in de kleine bioscoop van Porthkerris. Doris en zij gingen daar altijd heen en misten geen enkele film. Wat er ook te zien was, ze zaten hun tijd uit om voor een paar uur aan de verveling van hun bestaan te ontsnappen. Aan het eind stonden ze op voor het 'God Save the King' en dan stommelden ze naar buiten. En dan liepen ze gearmd door de pikdonkere straten naar huis.

Het was eens wat anders, zoals Doris altijd zei.

En dat was zo. Op een dag zou er een eind komen aan die vreselijke oorlog, dacht Penelope, maar dat was nauwelijks te geloven en ze kon er zich maar moeilijk een voorstelling van maken. In staat te zijn biefstuk en sinaasappels te kopen, zonder angst naar het nieuws te kunnen luisteren, de gordijnen open te kunnen laten als het licht brandde zonder gevaar te lopen door een verdwaalde bom getroffen te worden of een stroom verwijten te horen te krijgen van kolonel Trubshot. Ze stelde zich voor dat ze weer naar Frankrijk zou gaan, naar het zuiden, de mimosa en de warme zon zou rijden. En klokken die luidden in tot zwijgen gebrachte kerktorens, niet om voor een invasie te waarschuwen maar om de overwinning te vieren.

De overwinning. De nazi's verslagen, Europa bevrijd. Krijgsgevangenen zouden terugkeren uit kampen overal in Duitsland. Militairen kwamen thuis, gezinnen werden herenigd. Dat laatste leek Penelope in haar hart niet zo prettig. Andere vrouwen baden en leefden voor de veilige terugkeer van hun man maar Penelope wist dat het haar niet veel kon schelen of ze Ambrose ooit nog zag. Dat was niet harteloos maar met het verstrijken van de maanden waren haar herinneringen aan hem verbleekt. Ze wilde wel dat er een eind aan de oorlog kwam – alleen een krankzinnige zou iets anders wensen – maar ze zag er niet naar uit helemaal opnieuw te moeten beginnen met Ambrose – haar nauwelijks gekende en bijna vergeten man – te moeten proberen iets van haar gedachteloze huwelijk te maken.

Soms, als ze in een sombere bui was, drong het tot haar bewustzijn door dat ze eigenlijk diep in haar hart een schandalige hoop koesterde. De hoop dat er iets met Ambrose zou gebeuren. Niet dat hij zou sneuvelen natuurlijk. Dat was ondenkbaar. Ze wilde niet dat er iemand doodging en zeker niet een man die zo jong en aantrekkelijk was en zo van het leven hield als hij. Maar als hij alleen maar tussen gevechten op de Middellandse Zee en nachtelijke patrouilles en achtervolgingen van Duitse onderzeeërs in, ergens in een haven een meisje tegenkwam – een verpleegster misschien, of iemand die bij de marine was – dat eindeloos veel aantrekkelijker was dan zijn vrouw, en als hij dan smoorverliefd op haar werd en zij uiteindelijk de plaats van Penelope in zou nemen en Ambrose volkomen gelukkig zou maken.

Hij zou haar natuurlijk over zijn nieuwe liefde schrijven.

Lieve Penelope,
Ik vind het vreselijk dat ik dit moet doen maar er is maar één manier om het je te vertellen. Ik heb een ander leren kennen. Wat er tussen ons is, is te sterk om ertegen te vechten. Onze liefde voor elkaar . . . enzovoort, enzovoort . . .

Elke keer als ze een van zijn zeldzame epistels ontving – meestal onpersoonlijke luchtpostbladen, één bladzij, teruggebracht tot het formaat van een kiekje – hoopte ze weer even dat dit eindelijk zo'n brief zou zijn, maar ze werd altijd weer teleurgesteld. Als ze de paar gekrabbelde regels las, waarin hij haar vertelde hoe het met vrienden ging die ze nooit ontmoet had, of een feestje op een ander naamloos schip beschreef, wist ze dat er niets veranderd was. Ze was nog steeds met hem getrouwd. Hij was nog altijd haar man. En ze legde de brief weg en later – dagen later misschien – ging ze zitten om te proberen hem te beantwoorden en dan schreef ze een brief die nog saaier was dan die van Ambrose aan haar. 'We zijn op de thee geweest bij mevrouw Penberth. Ronald is bij de zeeverkenners gegaan. Nancy kan al een huis tekenen.'

Nancy. Nancy was geen baby meer en nu ze groter werd en zich verder ontwikkelde, werd Penelope gefascineerd door het kind en kwamen er onverwacht moederlijke gevoelens in haar op. Het was net het opengaan van een bloem. Nancy was, zoals papa al voorspeld had, een Renoir, roze en goud, met lange, donkere wimpers en kleine parelwitte tandjes. En ze bleef de lieveling van Doris en haar vriendinnen. Soms kwam Doris triomfantelijk thuis met een jurkje dat een andere jonge moeder haar gegeven had. Dat werd dan gewassen en zorgvuldig gestreken en dan kreeg Nancy haar nieuwe aanwinst aan. Nancy was gek op mooie kleertjes. 'Is het geen schoonheid?' kirde Doris dan en Nancy glimlachte tevreden en streek met haar dikke vingertjes waarderend over haar nieuwe jurkje.

Op zulke momenten was ze precies Dolly Keeling, maar zelfs dat kon het plezier van Penelope niet bederven. 'Je bent een hele dame, hoor,' zei ze tegen het kind en dan tilde ze het op in haar armen en trok het dicht tegen zich aan.

Doris en Penelope waren bijna voortdurend bezig om voor kleren voor Nancy en de jongens en eten voor iedereen te zorgen. De rantsoenen waren belachelijk klein geworden. Elke week liep Penelope de steile straatjes af naar de kruidenierswinkel van Ridley. Daar stond ze ingeschreven. Ze overhandigde de bonboekjes van de hele familie en kon dan minieme hoeveelheden suiker, boter, margarine, reuzel, kaas en spek kopen. Met vlees was het nog erger, want daarvoor moest je uren in de rij staan, zonder dat je wist wat je uiteindelijk zou krijgen. En bij de groenteboer kreeg je alles zomaar met de aarde en alles er nog aan in je boodschappennet, want er was geen papier voor zakken en het werd weinig vaderlandslievend gevonden als je daarom vroeg.

Er verschenen vreemde recepten in de kranten, die op het ministerie van Landbouw bedacht waren en niet alleen zuinig maar ook voedzaam en lekker zouden zijn. Er was ook een aanplakbiljet dat de mensen aanspoorde liever aardappelen dan brood te eten. Brood was tarwe en dat moest met enorme risico's voor schepen en mensen van de andere kant van de Atlantische Oceaan gehaald worden. Wittebrood was al lang uit de bakkerswinkels verdwenen en vervangen door iets grauws dat regeringsbrood genoemd werd. Penelope deed net of ze het lekker vond maar papa merkte op dat het precies dezelfde kleur en samenstelling leek te hebben als het nieuwe toiletpapier en vroeg zich af of de grondstoffen misschien verwisseld waren.

Het was allemaal erg moeilijk en toch waren ze in Carn Cottage beter af dan de meeste mensen. Ze hadden nog altijd de eenden en kippen van Sophie en maakten dankbaar gebruik van de vele eieren die die dieren produceerden. En ze hadden ook Ernie Penberth nog.

Ernie was een man uit Porthkerris. Zijn vader was groenteboer en zijn moeder, een geduchte figuur, was een steunpilaar van de plattelandsvrouwen en ging regelmatig naar een afgescheiden kerkje. Als jongen had Ernie tuberculose gehad. Hij had twee jaar in het sanatorium in Tehidy doorgebracht. Na zijn herstel werkte hij af en toe voor Sophie. Hij deed allerlei karweitjes in huis en in de tuin. Hij was erg klein en bleek en was vanwege zijn ziekte afgekeurd voor het leger. Hij was dus niet ten oorlog getrokken maar werkte op het land bij een boer die omkwam in het werk omdat zijn eigen zoons opgeroepen waren. In de tijd die hij nog overhield, hielp Ernie echter altijd graag het huishouden van Carn Cottage en in de loop van de jaren maakte hij zich daar steeds meer onmisbaar, want hij kon werkelijk alles. Niet alleen prachtige groente kweken, maar ook hekken en grasmaaiers repareren, leidingen ontdooien en kortsluiting verhelpen. Hij kon zelfs een kip slachten als niemand van de anderen zich ertoe kon brengen een trouwe, oude kip, die hen jaren van eieren had voorzien maar nu alleen nog goed was voor de pan, de nek om te draaien.

Als het eten werkelijk schaars werd en het enige vlees dat ze voor zes personen hadden een stukje ossestaart was, kwam Ernie altijd net met een konijn of een paar makrelen of houtduiven aan de achterdeur.

Intussen deden Penelope en Doris wat ze konden om een beetje variatie in de maaltijden te brengen. In die tijd ontwikkelde Penelope de gewoonte nooit naar buiten te gaan zonder een tas, een emmer of een mand. Niets was haar te min. Een knolraap of een kool die van een kar gevallen was, werd in triomf naar Carn Cottage gebracht om daar het voornaamste ingrediënt te worden van een voedzaam vegetarisch gerecht. Ze zocht tussen de struiken naar bramen, rozebottels en vlierbessen en 's morgens op bedauwde weiden naar paddestoelen. Ze sleepten takken en sparappels en drijfhout van het strand naar huis – alles wat brandbaar was en de boiler en het vuur in de zitkamer aan kon houden. Warm water werd erg kostbaar. Ze mochten niet meer dan een centimeter of acht water in het bad laten lopen – papa schilderde een streep waar niemand boven mocht – en ze maakten zich de zuinige gewoonte eigen in de rij te staan voor hetzelfde badwater, eerst de kinderen en dan de volwassenen, zodat de laatste zich in ijltempo in moest zepen voor het water te koud werd.

Kleren waren ook een probleem. De meeste bonnen gingen op aan de kinderen en aan het vervangen van oude, versleten lakens en slopen en er bleef niets over voor de volwassenen. Doris, die dol op kleren was, vond dat vreselijk en was altijd bezig een oud kledingstuk tot een nieuw te vermaken, door een zoom uit te leggen of een blouse te knippen uit een katoenen jurk. Ze maakte ook een keer een wijde rok van een blauwe waszak.

'Er staat LINNEN op de voorkant,' zei Penelope toen Doris haar de nieuwe aanwinst liet zien.

'Misschien denken de mensen wel dat ik zo heet.'

Penelope maakte zich niet druk over haar kleren. Ze droeg alles tot het versleten was en diepte dan iets anders op uit de kasten van Sophie. 'Hoe kun je?' vroeg Doris, die het gevoel had dat de kleren van Sophie heilig waren. En misschien had ze daar wel gelijk in. Maar Penelope had het koud. Ze knoopte een wollen vest dicht dat van haar moeder was geweest, en stond zichzelf geen sentimentele overwegingen toe.

Ze liep meestal met blote benen maar in de koude oostenwind van januari nam ze haar toevlucht tot de dikke, zwarte kousen uit haar tijd bij de marine. En toen haar tot op de draad versleten mantel eindelijk niet meer te dragen was, knipte ze een gat in een oude plaid (een Schotse ruit met franje) en droeg die toen als poncho.

Papa zei dat ze zo net een Mexicaanse zigeunerin leek maar hij glimlachte erbij omdat hij van haar vindingrijkheid genoot. Hij glimlachte in die tijd niet vaak. Sinds de dood van Sophie was hij erg oud en zwak geworden. Om de een of andere reden had hij weer last gekregen van zijn oude beenwond uit de Eerste Wereldoorlog. Het koude, vochtige winterweer bezorgde hem veel pijn en hij liep nu met een stok. Hij liep gebogen en was erg mager geworden. Zijn vergroeide handen leken bijna die van een dode. Hij kon niet veel meer doen en zat meestal met een das om en een plaid over zijn benen bij het vuur in de zitkamer kranten of geliefde boeken te lezen, naar de radio te luisteren of met zijn pijnlijke, onzekere hand brieven te schrijven aan oude vrienden in andere delen van het land. Soms, als de zon scheen en de zee blauw was, zei hij dat hij wel een wandelingetje wilde maken. Dan pakte Penelope zijn dikke overjas en zijn hoed en zijn stok en dan liepen ze samen gearmd door de steile straatjes en steegjes de heuvel af naar het hart van het stadje. En dan wandelden ze langs de haven-muur en keken naar de vissersboten en de meeuwen en gingen mis-schien het café in om iets te drinken dat de eigenaar nog te voorschijn wist te toveren. En als hij niets anders had, namen ze maar een glas waterig, lauw bier. Als hij zich sterk genoeg voelde, gingen ze ook wel helemaal naar zijn oude atelier, dat nu op slot was en waar zelden iemand kwam. Of ze namen het steile straatje naar de kunstgalerij, waar hij dan tevreden naar de collectie schilderijen zat te kijken die zijn collega's en hij op de een of andere manier bij elkaar hadden gekregen. Dan leek hij verzonken in de zwijgende, eenzame herinnering van een oude man.

En toen gebeurde er iets opwindends. Het was augustus en Penelope had zich juist verzoend met de gedachte dat alles wel altijd hetzelfde zou blijven.

Het waren de jongens, Ronald en Clark, die de bal van de gissingen aan het rollen brachten. Ze kwamen boos uit school omdat ze die middag niet hadden kunnen voetballen. Ze schenen het voetbalveld van de stad op de heuvel niet langer te mogen gebruiken. Het was gevorderd, mèt twee van de beste weilanden van Willie Pendervis, er was een afzetting van prikkeldraad omheen gezet en niemand mocht er meer komen. Niemand wist eigenlijk goed wat er aan de hand was. Sommigen zeiden dat er een wapendepot kwam. Volgens anderen werd er een krijgsgevangenkamp ingericht en weer anderen dachten dat er een krachtig radiostation kwam om geheime berichten naar Roosevelt te zenden.

Kortom, Porthkerris liep over van de geruchten.

Doris kwam met het volgende verhaal over geheimzinnige oorlogsactiviteiten. Ze was met Nancy wezen wandelen en moest haar nieuws kwijt zodra ze thuiskwam.

'Dat oude hotel, dat al maanden leegstaat . . . Nou, dat is helemaal opgeknapt. Geverfd en schoongemaakt . . . En de parkeerplaats staat vol met vrachtauto's en van die Amerikaanse jeeps. En er staat een geweldige marinier bij het hek op wacht. Ja, een marinier. Ik heb zijn pet goed gezien. Stel je voor. Dat is leuk, een paar militairen in de buurt . . .'

'Mariniers? Wat doen die hier in vredesnaam?'

'Misschien gaan ze naar het vasteland. Denk je dat er een invasie zou kunnen komen?'

Penelope vond dat niet waarschijnlijk. 'Een invasie vanuit Porthkerris? O, Doris, dan verdrinken ze allemaal terwijl ze om Land's End heen proberen te komen.'

'Nou, er moet toch iets aan de hand zijn.'

En toen raakte Porthkerris ineens zijn noordelijke pier kwijt. Er kwam een afzetting met prikkeldraad over de weg langs de haven en alles wat erachter lag, werd tot bezit van de marine verklaard. De vissersboten verdwenen van de ligplaatsen aan het eind van de pier en hun plaats werd ingenomen door een stuk of tien kleine landingsvaartuigen. Dit alles werd onopvallend bewaakt door een handjevol mariniers in battle dress met een groene baret op. Hun aanwezigheid zorgde voor enige opwinding in de stad maar nog steeds kon niemand een redelijke verklaring voor het hele gedoe bedenken.

Pas halverwege de maand kregen ze eindelijk te horen wat er aan de hand was. Het was heerlijk weer en Penelope en Lawrence waren die ochtend naar buiten gegaan. Zij zat op de stoep voor de voordeur erwten te doppen voor het middagmaal en hij lag achterover in een ligstoel die op het gras stond, met zijn hoed over zijn ogen tegen het felle licht. Toen ging het tuinhek open. Ze keken allebei op en zagen generaal Watson-Grant tussen de fuchsia's door op hen afkomen.

Terwijl kolonel Trubshot de leiding had over de luchtbeschermingsdienst van Porthkerris, had de generaal het bevel over de plaatselijke burgerwacht. Lawrence had een enorme hekel aan kolonel Trubshot maar generaal Watson-Grant mocht hij graag. De generaal had het grootste deel van zijn actieve dienst in Quetta doorgebracht, in schermutselingen met de Afghanen verwikkeld. Sinds zijn pensionering had hij zich echter vooral aan vrediger bezigheden gewijd, zoals tuinieren en postzegels verzamelen. Hij droeg die dag niet zijn uniform van de burgerwacht maar een crèmekleurig linnen kostuum, dat waarschijnlijk in Delhi was gemaakt, en een oude panamahoed met een verschoten lint van zwarte zijde. Hij had een stok bij zich die hij ter begroeting ophief toen hij zag dat Penelope en Lawrence naar hem keken.

'Goedemorgen. Alweer zo'n heerlijke dag.'

Hij was klein en mager en had een borstelige snor en een getaande huid, een herinnering aan zijn jarenlange verblijf in Voor-Indië. Lawrence leek blij met zijn komst. De generaal verscheen maar zo af en toe maar zijn bezoeken waren altijd welkom. 'Ik kom niet ongelegen, hoop ik?'

'Helemaal niet. We zitten alleen maar van de zon te genieten. Neem me niet kwalijk dat ik niet opsta. Penelope, geef de generaal ook een stoel.'

Penelope, die haar keukenschort droeg en op blote voeten was, zette de bak met erwten neer en ging staan.

'Goedemorgen, generaal.'

'Zo, Penelope. Prettig je te zien, meisje. Druk met koken? Dorothy was bonen aan het snijden toen ik wegging.'

'Wilt u een kop koffie?'

De generaal aarzelde. Hij had een heel eind gelopen en was niet zo dol op koffie, hij hield meer van een borrel. Lawrence wist dat wel en keek op zijn horloge. 'Twaalf uur. Meer tijd voor iets sterkers. Wat hebben we, Penelope?'

Ze lachte. 'Niet veel, geloof ik, maar ik zal gaan kijken.' Ze ging naar binnen, waar het donker leek na het heldere licht buiten. Uit de kast in de eetkamer haalde ze een paar flesjes Guinness, glazen en een flesopener. Ze zette alles op een blad en bracht dat naar buiten. Toen ging ze een stoel voor de generaal halen. Ze zette die voor hem uit en hij ging dankbaar zitten. Zijn magere knieën staken omhoog en zijn nauwe broekspijpen schoven wat naar boven, zodat zijn knokige enkels in gele sokken te zien kwamen.

'Zo is het leven goed,' zei hij.

Penelope maakte een flesje open en schonk zijn glas vol. 'Er is helaas alleen maar Guinness. We hebben al maanden niets sterkers meer.'

'Da's je ware. Wij hebben zelf ook niets anders meer. Ridley heeft me een fles jenever beloofd als zijn nieuwe voorraad komt, maar de hemel mag weten wanneer dat zal zijn. Nou. Gezondheid!'

Hij dronk meteen zijn halve glas leeg. Penelope ging verder met haar erwten en luisterde toe terwijl de beide ouderen naar elkaars gezondheid informeerden en wat opmerkingen maakten over het weer en de oorlog. Ze wist echter wel bijna zeker dat de generaal daar niet voor gekomen was en toen er even een stilte in het gesprek viel, maakte ze meteen van de gelegenheid gebruik.

'Ik weet zeker dat u ons precies kunt vertellen wat er gaande is in Porthkerris, generaal. Dat kamp op het voetbalveld en de haven gesloten en die mariniers. Iedereen raadt er maar naar, maar niemand weet eigenlijk iets. Meestal houdt Ernie Penberth ons van alles op de hoogte maar hij heeft het druk met de oogst en we hebben hem al drie weken niet gezien.'

'Ik weet inderdaad wel wat er aan de hand is,' zei de generaal.

'Vertel het vooral niet als het een geheim is,' zei Lawrence vlug.

'Ik weet het al een paar weken maar het moest allemaal geheim blijven. Nu kan ik het echter wel vertellen. Het gaat om een oefening. Kliffen beklimmen. De mariniers geven les.'

'Aan wie?'

'Aan Amerikaanse commando's.'

'Amerikaanse commando's? Binnenkort komen hier Amerikanen?'

De generaal keek geamuseerd. 'Beter Amerikanen dan Duitsers.'

'Is het kamp voor de Amerikanen?' vroeg Penelope.

'Precies.'

'Zijn die commando's er al?'

'Nee, nog niet. Ik denk dat we het dan wel zullen merken. Die arme kerels. Ze hebben waarschijnlijk hun hele leven op de prairie of de vlakten van Kansas doorgebracht en nog nooit de zee gezien. Stel je voor dat je dan in Porthkerris gedumpt wordt en dan de kliffen van Boscarben moet beklimmen.'

'Boscarben?' Penelope schrok. 'Dat zijn de ergste kliffen die er zijn. Ze gaan loodrecht omhoog tot een paar honderd meter boven de zee.'

'Ik denk dat het daar juist om gaat,' zei de generaal. 'Maar ik kan me voorstellen dat je schrikt, Penelope. Ik word ook al duizelig bij de gedachte. Liever zij dan ik, je zou haast medelijden krijgen met die verdomde yankees.' Penelope grinnikte. De generaal woog zijn woorden nooit op een goudschaaltje en dat was een van de dingen die ze het meest in hem waardeerde.

'En die landingsschepen?' vroeg Lawrence.

'Die zijn voor het transport. Daarmee gaan ze over zee naar de kliffen. Waarschijnlijk weten ze zich al geen raad van zeeziekte voor ze het schip nog op het kiezelstrand aan de voet van de kliffen gezet hebben.'

Penelope kreeg nog meer met die arme Amerikanen te doen. 'Ze zullen zich wel afvragen waar ze terechtgekomen zijn. En wat moeten ze in hun vrije tijd beginnen? Er is niet bepaald veel te beleven in Porthkerris. Bovendien zijn alle jonge mensen weg. Er zijn alleen nog maar onbestorven weduwen en kleine kinderen en oude mensen. Zoals wij.'

'Doris zal het geweldig vinden,' merkte Lawrence op. 'Amerikaanse soldaten, die allemaal als een filmster praten, zijn eens heel wat anders.'

De generaal lachte. 'Het is altijd een probleem wat je met een stel van die jongens moet beginnen. Maar tegen de tijd dat ze een paar keer de kliffen van Boscarben op en af zijn geweest, hebben ze waarschijnlijk niet veel energie meer over voor . . .' Hij zocht naar een aanvaardbaar woord. 'Geflaneer' was het beste dat hij kon bedenken.

Nu begon Lawrence te lachen. 'Ik vind het allemaal erg opwindend.' Hij kreeg ineens een idee. 'Laten we gaan kijken, Penelope. Nu we weten wat er allemaal aan de hand is. Meteen vanmiddag.'

'O, papa. Er is natuurlijk niets te zien.'

'Er is genoeg te zien. Nieuw bloed in de buurt. We kunnen een beetje opwinding wel gebruiken, als het maar geen verdwaalde bom is. Nu, generaal, uw glas is leeg . . . neem er nog een.'

De generaal aarzelde. Penelope zei vlug: 'Er is niet meer. Dit waren de twee laatste flesjes.'

'In dat geval,' zei de generaal en hij zette het lege glas naast zijn voeten op het gras, 'wordt het tijd dat ik ga. Eens zien of Dorothy al wat te eten heeft.' Hij kwam moeizaam uit de ligstoel overeind en Lawrence en Penelope gingen ook staan. 'Het was heerlijk. Heel verfrissend.'

'Dank u voor uw bezoek. En voor wat u ons verteld hebt.'

'Ik dacht dat jullie het wel wilden weten. Het geeft weer een beetje hoop, hè? Alsof er ooit een eind aan deze rotoorlog kan komen.' Hij tikte aan zijn hoed. 'Tot ziens, Penelope.'

'Tot ziens. En de groeten aan uw vrouw.'

'Ik zal ze overbrengen.'

'Ik loop even mee naar het hek,' zei Lawrence. Penelope keek hen na en ze moest aan twee oude honden denken. Een waardige sintbernardshond en een onvermoeibaar keffertje. Toen liep ze met de erwten naar binnen om Doris te gaan zoeken en haar alles te vertellen wat generaal Watson-Grant gezegd had.

'Amerikanen.' Doris kon nauwelijks geloven dat ze zoveel geluk zouden hebben. 'Amerikanen in Porthkerris. God zij dank, eindelijk een beetje leven in de brouwerij. Amerikanen.' Ze herhaalde het magische woord. 'Nou, we hadden een heleboel mooie dingen bedacht, maar we hebben het nooit over Amerikanen gehad.'

Het bezoek van generaal Watson-Grant had Lawrence nieuwe energie gegeven. Aan tafel spraken ze over niets anders en toen Penelope na de afwas uit de keuken kwam, zat hij al op haar te wachten, gekleed om naar buiten te gaan, met een versleten, corduroy jasje aan om zijn oude botten tegen de wind te beschermen en een rode das om zijn hals. Hij droeg zijn hoed en zijn wanten en zat geduldig tegen de kast in de hal geleund met zijn handen op de hoornen knop van zijn stok.

'Papa.'

'Laten we gaan.'

Ze had wel duizend dingen te doen. Wieden en gras maaien en strijken.

'Wilt u echt gaan kijken?'

'Dat heb ik toch gezegd?'

'Nou, dan moet u nog wel even wachten tot ik een paar schoenen gevonden heb.'

'Schiet op. We hebben niet de hele dag de tijd.'

En zo was het precies, maar dat zei ze niet. Ze ging terug naar de keuken om tegen Doris te zeggen dat ze wegging en Nancy een vlugge kus te geven en rende toen de trap op om haar gymschoenen aan te trekken, haar gezicht te wassen, haar haar te borstelen en het op te binden met een oude, zijden sjaal. Ze pakte een vest, sloeg dat om haar schouders en rende de trap weer af.

Hij zat nog steeds te wachten maar toen zij verscheen, hees hij zich overeind.

'Je ziet er mooi uit, meisje.'

'O, papa, dank u wel.'

'Daar gaan we dan, de militairen inspecteren.'

Zodra ze buiten waren, was ze blij dat hij zo aangehouden had, want het was een prachtige middag. De lucht was helder en blauw en de zon scheen, maar de wind was koel en rook zilt. Ze staken de weg over en bleven even staan om omlaag te kijken. Ze keken neer op daken en schuin aflopende tuinen en bochtige straatjes die naar een klein stationnetje en toen verder omlaag naar het strand leidden. Voor de oorlog was het strand in augustus altijd overvol maar nu was het bijna geheel verlaten. De afzetting van prikkeldraad die in 1940 was aangebracht was er nog, maar door een opening in het midden waren wat mensen het strand opgegaan. Ver naar beneden zagen ze een kleine ommuurde tuin met een oude appelboom die overdekt was met roze rozen.

Ze wandelden verder. Na een bocht in de weg zagen ze het hotel dat een tijd leeg had gestaan en verwaarloosd was, maar nu was het opnieuw geverfd en het zag er opvallend keurig uit. Het hoge, ijzeren hek voor de parkeerplaats was ook geverfd en de parkeerplaats stond vol met kakikleurige vrachtwagens en jeeps. Bij het open hek stond een jonge marinier op wacht.

'Nou, dat had ik nooit gedacht,' merkte Lawrence op. 'Doris heeft eens een keer gelijk gehad.'

Ze kwamen dichter bij het hotel. Zagen de witte vlaggemast, de vlag die wapperde in de wind. Een pas geboende granieten stoep leidde naar de voordeur die glansde in de zon. Ze bleven staan om te kijken. De jonge marinier die op wacht stond, keek onbewogen terug.

'We kunnen beter doorlopen,' zei Lawrence toen. 'Anders zegt hij er nog wat van.'

Maar toen was er ineens een heleboel te zien. De deur ging open en er verschenen twee gestalten in uniform. Een majoor en een sergeant. Ze liepen vlug over het grind naar een van de jeeps. De sergeant ging achter het stuur zitten. Hij startte de motor, reed achteruit en keerde. Toen ze door het hek reden, salueerde de jonge marinier en de officier beantwoordde zijn saluut. Op de weg stopten ze even maar er was geen verkeer en de jeep draaide meteen de weg op en reed snel met nogal wat lawaai de heuvel af in de richting van het stadje.

Penelope en haar vader stonden nog steeds te kijken. Toen het geluid van de motor weggestorven was, zei Lawrence: 'Kom, laten we gaan.'

'Waarheen?'

'Naar de landingsschepen kijken natuurlijk. En dan naar de galerij. We zijn daar in geen weken geweest.'

De kunstgalerij. Dat betekende dat ze haar andere plannen voor de rest van die middag wel kon vergeten. Penelope wilde al protesteren maar toen zag ze hoe verheugd zijn donkere ogen stonden bij het vooruitzicht de schilderijen weer te zien. En ze kon zich er niet toe brengen zijn plezier te bederven.

Ze glimlachte instemmend en liet haar hand onder zijn arm glijden. 'Goed. Eerst de schepen en dan de galerij. Maar laten we er de tijd voor nemen. We hoeven niet uitgeput te raken.'

Zelfs in augustus was het altijd koel in de galerij. De dikke, granieten muren hielden de warmte van de zon buiten en de hoge ramen lieten de wind binnen. Bovendien was de vloer betegeld en was er geen enkele verwarming en die dag was er zoveel wind dat de ramen af en toe rammelden. Mevrouw Trewey zat bij de deur achter een oud speeltafeltje vol catalogi en prentbriefkaarten. Ze had een plaid om haar schouders en een klein elektrisch kacheltje schroeide haar benen.

Penelope en Lawrence waren de enige bezoekers. Ze zaten naast elkaar op de lange, leren bank die in het midden van de ruimte stond. Ze zwegen. Dat deden ze hier altijd. Lawrence wilde niet praten. Hij wilde rustig met zijn kin op zijn door zijn stok ondersteunde handen naar de bekende schilderijen zitten kijken. Dan kwamen de herinneringen bij hem op aan zijn oude vrienden, die nu bijna allemaal dood waren.

Penelope accepteerde dat. Ze zat achterover geleund, ineengedoken in haar vest, met haar lange, blote, bruine benen voor zich uitgestrekt. Ze dacht aan schoenen. Nancy had schoenen nodig, maar ze moest ook een nieuwe, dikke trui hebben voor de winter en er waren niet genoeg bonnen voor allebei. Het zouden de schoenen moeten worden. En misschien kon Penelope dan ook nog wel een oude trui uithalen en van de wol een nieuwe voor Nancy breien. Dat had ze wel eerder gedaan maar het was een vervelend werkje dat ze liever wilde vermijden. Wat zou het heerlijk zijn als ze nieuwe wol kon gaan kopen, roze of gele wol, dik en zacht, en iets moois voor Nancy kon breien.

Achter hen ging de deur open en weer dicht. Er kwam even wat koude lucht naar binnen. Nog een bezoeker. Penelope en haar vader bewogen zich niet. Voetstappen. Een man. Hij wisselde een paar woorden met mevrouw Trewey. Toen begon hij aan zijn ronde door de zaal. Na een minuut of tien bereikte hij de plaats waar Penelope hem kon zien. Met haar gedachten nog steeds bij Nancy's trui draaide ze haar hoofd een beetje zodat ze hem beter kon zien. Het kon alleen maar de majoor zijn die ze in de jeep weg hadden zien rijden. Kaki battle dress, groene baret. Hij was het beslist. Ze bleef kijken terwijl hij langzaam dichter bij hen kwam. Toen draaide hij zich ineens naar hen toe. Hij was lang en gespierd en had een onopvallend gezicht met een paar verrassend lichte, helder blauwe ogen.

Penelope voelde zich betrapt en keek vlug de andere kant op. Het bleef aan Lawrence de stilte te verbreken. Plotseling drong het tot hem door dat er nog een bezoeker was en hij keek op om te zien wie het was.

'Goedemiddag,' zei hij.

'Goedemiddag, meneer.'

Onder de rand van zijn grote, zwarte hoed knepen de ogen van Lawrence zich verbaasd samen. 'Bent u niet de man die we weg zagen rijden in die jeep?'

'Dat klopt, meneer. U stond aan de andere kant van de weg. Ik dacht al dat ik u herkende.' Zijn stem was koel.

'Waar is uw sergeant?'

'In de haven.'

'U hebt de galerij hier vlug gevonden.'

'Ik ben hier al drie dagen en dit is de eerste gelegenheid die ik heb kunnen vinden om hierheen te gaan.'

'U bedoelt dat u wist dat de galerij er was?'

'Maar natuurlijk. Dat weet toch iedereen?'

'Er zijn er veel te veel die het niet weten.' Het bleef even stil. Lawrence bekeek de vreemde eens goed. Bij zulke gelegenheden had hij een scherpe blik die veel mensen nogal verwarrend vonden. De majoor leek er echter geen last van te hebben. Hij wachtte eenvoudig en Lawrence, die zijn onverstoorbaarheid waardeerde, ontspande zich zichtbaar. 'Ik ben Lawrence Stern,' zei hij ineens.

'Dat vermoedde ik al. Ik hoopte het. Ik vind het een eer kennis met u te mogen maken.'

'En dit is mijn dochter, Penelope Keeling.'

'Hoe maakt u het?' zei hij, maar hij maakte geen aanstalten om dichterbij te komen en haar een hand te geven.

'Hallo,' zei Penelope.

'En wie bent u?'

'Lomax, meneer. Richard Lomax.'

'Nu, majoor Lomax.' Lawrence klopte op het versleten leer naast hem. 'Komt u naast me zitten. Het geeft me een onbehaaglijk gevoel dat u daar zo staat. Ik heb nooit zo van staan gehouden.'

Majoor Lomax, die er nog steeds even onaangedaan uitzag, voldeed aan dat verzoek en ging naast Lawrence zitten. Hij leunde ontspannen naar voren, zijn handen tussen zijn knieën.

'U hebt deze galerij opgericht, nietwaar?'

'Met een heleboel andere mensen. In het begin van de jaren twintig was dat. Dit is vroeger een kerkje geweest. Had jaren leeggestaan. We hebben het bijna voor niets gekregen maar toen moesten er schilderijen komen. Om te beginnen stonden we allemaal zelf een van onze werken af. Kijk.' Hij leunde naar achteren en wees met zijn stok aan. 'Stanhope Forbes. Laura Knight. Dat is wel bijzonder mooi.'

'En ongewoon. Ik associeer haar altijd met circussen.'

'Dit is in Porthcurno gemaakt.' Zijn stok ging verder. 'Lamorna Birch. Munnings. Montague Dawson. Thomas Millie Dow. Russell Flint . . .'

'Ik moet u vertellen, meneer, dat mijn vader een van uw schilderijen bezat. Helaas is na zijn dood zijn huis met het schilderij verkocht.'

'Welk was dat?'

Ze praatten door. Penelope luisterde niet langer. Ze zette ook Nancy's garderobe uit haar gedachten en begon in plaats daarvan aan eten te denken. Wat kon ze die avond op tafel zetten? Macaroni met kaas? Er was nog een korst cheddar over van het rantsoen van de vorige week en die kon ze in een saus raspen. Of bloemkool met kaassaus. Maar dat hadden ze al twee avonden achter elkaar gegeten. Dan gingen de kinderen klagen.

'. . . u hebt hier geen moderne werken?'

'Zoals u ziet. Hindert dat u?'

'Nee.'

'Maar u houdt er wel van?'

'Ik ben dol op Miró en Picasso en ik geniet van Chagall en Braque. Maar Dali vind ik vreselijk.'

Lawrence grinnikte. 'Surrealisme. Een rage. Maar na de oorlog gebeurt er iets schitterends. Mijn generatie en de generatie die daarop volgde, zijn zover mogelijk gegaan. Het vooruitzicht van de komende revolutie in de wereld van de kunst vervult me met een enorme opwinding. Alleen al om die reden zou ik graag weer jong willen zijn. Om het allemaal te kunnen meemaken. Want op een dag komen ze. Zoals wij gekomen zijn. Jonge mannen met een helder waarnemingsvermogen en veel talent. Ze komen, niet om de baai en de zee en de boten te schilderen, maar de warmte van de zon en de kleur van de wind. Iets heel nieuws. Zo stimulerend. Zo vitaal. Geweldig.' Hij zuchtte. 'En ik ben al dood als het begint. Vindt u het vreemd dat dat me spijt? Dat alles te moeten missen.'

'Ieders leven is beperkt.'

'Ja. Maar het is moeilijk niet gulzig te zijn. Het ligt in de aard van de mens altijd meer te willen.'

Het bleef weer even stil. Penelope, die aan het avondeten dacht, keek op haar horloge. Kwart voor vier. Tegen de tijd dat ze thuis waren, was het bijna vijf uur.

'Papa, we moeten gaan,' zei ze.

Hij hoorde haar nauwelijks. 'Hm?'

'Ik zei dat het tijd is dat we naar huis gaan.'

'Ja. Ja, natuurlijk.' Hij richtte zich op maar voor hij overeind kon komen, stond majoor Lomax al klaar om hem te helpen. 'Dank u. Heel vriendelijk. De oude dag is iets verschrikkelijks.' Eindelijk stond hij weer op zijn voeten. 'Artritis is nog erger. Ik schilder al jaren niet meer.'

'Wat jammer.'

Toen ze eindelijk klaar waren om weg te gaan, liep majoor Lomax met hen naar de deur. Zijn jeep stond voor de deur. Hij deed verontschuldigend. 'Ik zou u graag even thuis willen brengen maar het is tegen de regels burgers mee te nemen in militaire voertuigen.'

'We lopen graag,' verzekerde Lawrence. 'We nemen de tijd. Ik vond het prettig met u te spreken.'

'Ik hoop dat ik u nog eens zal zien.'

'Maar natuurlijk. U moet eens bij ons komen eten.' Hij dacht even na en Penelope wist precies wat er ging komen. Ze gaf hem een por met haar elleboog maar hij lette niet op haar waarschuwing en het was al te laat. 'Kom vanavond eten.'

Woedend siste ze hem toe: 'Maar papa, we hebben niets te eten vanavond. Ik heb geen idee wat ik op tafel moet zetten.'

'O.' Hij keek gekwetst, teleurgesteld, maar majoor Lomax maakte alles weer goed. 'Het is heel vriendelijk van u maar ik ben bang dat het vanavond niet lukt.'

'Een andere keer misschien.'

'Graag. Dat zou ik erg prettig vinden.'

'We zijn altijd thuis.'

'Kom, papa.'

'Tot ziens dan, majoor Lomax.' Hij hief zijn stok ten afscheid en liet zich eindelijk door Penelope meetrekken. Maar hij was nog steeds een beetje ontstemd.

'Dat was niet erg beleefd,' verweet hij haar. 'Sophie weigerde nooit een gast, ook al kon ze hem alleen maar brood met kaas aanbieden.'

'Nou, hij had toch niet kunnen komen.'

Gearmd zochten ze over de hobbelige keien hun weg naar de haven. Ze keek niet om maar had het gevoel dat majoor Lomax hen bij zijn jeep stond na te kijken tot ze bij het café om de hoek verdwenen.

Na de opwinding van die middag en de lange wandeling was de oude man erg moe. Penelope was dan ook nogal opgelucht toen ze eindelijk Carn Cottage binnengingen, waar hij meteen hijgend in een stoel neerviel. Ze hing zijn hoed weg en haalde de das van zijn hals. Ze nam een van zijn handen tussen de hare en wreef die zachtjes, alsof ze daardoor het leven terug kon brengen in zijn wasachtige, vergroeide vingers.

'Als we weer naar de galerij gaan, nemen we terug een taxi, papa.'
'We hadden de Bentley moeten nemen. Waarom hebben we de Bentley niet genomen?'
'Omdat we geen benzine kunnen krijgen.'
'Niet veel zin zonder benzine.'

Na een poosje was hij voldoende bijgekomen om naar de zitkamer te gaan, waar ze hem in de vertrouwde kussens van zijn stoel installeerde.

'Ik zal een kop thee voor u halen.'
'Doe geen moeite. Ik ga een dutje doen.'

Hij leunde achterover en deed zijn ogen dicht. Ze knielde neer en stak de haard aan. Hij deed zijn ogen open. 'Stoken in augustus?'
'Ik wil niet dat u het koud krijgt.' Ze stond op. 'Alles in orde?'
'Natuurlijk.' Hij glimlachte naar haar, een glimlach van dankbare genegenheid. 'Dank je wel dat je meegegaan bent. Het was een fijne middag.'
'Ik ben blij dat u ervan genoten hebt.'
'Ik vond het heel prettig die jongeman te ontmoeten, met hem te praten. Ik heb in tijden niet zo'n prettig gesprek gehad. We nodigen hem een keer uit, hè? Ik zou hem graag nog eens zien.'
'Ja, natuurlijk.'
'We laten Ernie een duif schieten. Daar houdt hij vast wel van . . .'

Zijn ogen vielen weer dicht. Ze liet hem alleen.

Eind augustus was de oogst binnen, hadden de Amerikanen bezit genomen van het nieuwe kamp op de heuvel en was het weer omgeslagen.

Het was een goede oogst en de boeren waren tevreden. Ze zouden ongetwijfeld een keer een schouderklopje krijgen van het ministerie van Landbouw. Wat de Amerikaanse militairen betreft, zij vielen minder op in Porthkerris dan gevreesd was. Ze liepen niet dronken rond en er waren geen vechtpartijen of verkrachtingen. Ze leken integendeel uitzonderlijk welopgevoed en welgemanierd. Het waren lange, magere jongens met kort haar die met een camouflagejasje aan en een rode baret op, op hun laarzen met rubberzolen door de straten liepen. Afgezien van wat gefluit naar de meisjes en vriendelijkheden tegen de kinderen, wier zakken algauw uitpuilden van chocola en kauwgom, maakte hun aanwezigheid heel weinig verschil voor het dagelijkse leven in het stadje. Generaal Watson-Grant had het kennelijk bij het goede eind gehad en mannen die overdag de kliffen van Boscarben moesten trotseren, konden 's avonds alleen nog maar aan een warme douche, eten en slapen denken.

Bovendien was het weer na weken zonneschijn volkomen omgeslagen. De wind was naar het noordwesten gedraaid en de ene bui volgde op de andere. In Carn Cottage was er weinig van de fraaie borders over, waaide er een tak van een oude boom en hing de keuken voortdurend vol wasgoed, omdat er nergens anders plaats was om het te drogen.

De zee was grijs en dreigend. De golven sloegen op het strand en lieten daar een heleboel drijfhout achter. Maar er spoelde nog meer aan. De droeve resten van een koopvaardijschip dat maanden of weken tevoren op de Atlantische Oceaan tot zinken was gebracht: een paar reddingsgordels, wat wrakhout en een aantal houten kratten.

De vader van Ernie Penberth, die al vroeg in de ochtend met zijn paard en groentewagen op stap ging, was de eerste die ze zag. Om elf uur die dag verscheen Ernie aan de achterdeur van Carn Cottage. Penelope was appels aan het schillen en keek op. Daar stond hij. Zijn zwarte oliejas was drijfnat en zijn doorweekte pet zat bijna op zijn neus. Maar hij lachte.

'Heb je soms trek in perziken in blik?'

'Perziken in blik? Je houdt me voor de gek.'

'Mijn vader heeft twee kisten in de winkel. Op het strand opgepikt. Perziken in blik uit Californië.'

'Wat een mazzel! Kan ik er echt een paar krijgen?'

'Hij heeft er zes voor jullie opzij gezet. Hij dacht dat de kinderen ze wel lekker zouden vinden. Hij zegt dat je ze kunt komen halen.'

'Wat een schat! Dank je wel, Ernie. Ik ga vanmiddag meteen, voor hij van gedachten verandert.'

'Dat doet hij niet.'

'Wil je blijven eten?'

'Nee, ik kan beter naar huis gaan. Maar bedankt.'

Na het eten ging Penelope op stap. Ze had laarzen aangetrokken, had zich in een oude gele oliejas gehuld en een wollen muts over haar oren getrokken. Ze had twee stevige boodschappenmanden bij zich en toen ze eenmaal aan de kracht van de wind en de regenvlagen die in haar gezicht sloegen, gewend was, begon ze van het wilde weer te genieten. Het was ongewoon stil in het stadje. De storm hield iedereen binnen maar het gevoel dat ze de hele plaats voor zichzelf had, gaf Penelope nog meer voldoening. Ze voelde zich net een onverschrokken ontdekkingsreiziger.

De winkel van Penberth stond aan de haven. Je kon er komen door een netwerk van smalle straatjes maar Penelope koos de weg langs de haven. Het was vloed en het water ging woedend tekeer. Overal vlogen krijsende zeemeeuwen. De vissersboten schommelden heen en weer aan hun anker en aan het eind van de pier zag ze ook de landingsvaartuigen aan hun kabels trekken. Het weer was kennelijk zelfs te wild voor de commando's.

Ze was nogal opgelucht toen ze eindelijk bij de groentewinkel was. Ze deed de deur open en ging naar binnen en boven haar hoofd tingelde een belletje. Er was niemand in de winkel, waar het heerlijk naar pastinaken en appels en aarde rook, maar toen ze de deur dicht-deed, ging er een gordijn opzij en verscheen Penberth.

'Ik ben het,' zei ze onnodig. Haar kleren dropen zo dat ze de hele vloer nat maakte.

'Dat dacht ik wel.' Hij had dezelfde donkere ogen en grijns als zijn zoon, maar beschikte over minder tanden. 'Komen lopen, hè? Wat een vreselijk weer is het. Maar tegen de avond klaart het wel op. Heb juist het weerbericht gehoord. Mijn boodschap gekregen, hè? Ernie heeft gezegd dat er perziken in blik zijn.'

'Waarom zou ik anders hier zijn? Nancy heeft nog nooit een perzik geproefd.'

'Kom dan maar mee naar achter. Niet iedereen hoeft ze te zien. Als iedereen weet dat ik blikken perziken heb, ben ik mijn leven niet meer zeker.' Hij hield het gordijn opzij en ze nam haar manden mee naar de kleine, overvolle ruimte achter de winkel die dienst deed als opslag-plaats en kantoor. Er brandde altijd een zwarte kachel en Penberth werkte er zijn telefoontjes af en zette er thee voor zichzelf als het rustig was in de winkel. Die dag rook het er sterk naar vis maar Penelope merkte dat amper omdat haar aandacht helemaal in beslag genomen werd door de stapels blikken. De buit van die ochtend.

'Wat een vondst! Ernie zei dat de kisten op het strand stonden. Hoe hebt u ze hier gekregen?'

'Mijn buurman gehaald. Heeft me een handje geholpen. Op de wagen naar huis gebracht. Zes is wel genoeg, hè?'

'Meer dan genoeg.'

Hij deed er drie in elke mand. 'En vis?' vroeg hij.

'Hoezo?'

Penberth verdween achter zijn tafel en kwam weer te voorschijn met de oorzaak van de vislucht. Penelope keek in de emmer en zag een heleboel makreel. 'Een van de jongens is vanochtend wezen vissen en heeft deze met me geruild voor een paar perziken. Mijn vrouw houdt niet van makreel. Misschien kunnen jullie ze gebruiken. Ze zijn vers.'

'Als ik er zes zou kunnen krijgen, zouden we ze vanavond kunnen eten.'

'Prima,' zei de groenteboer. Hij pakte een oude krant, wikkelde de vis erin en legde de onhandige pakjes op de blikken. 'Zo.' Penelope pakte de manden op. Ze waren vreselijk zwaar. Penberth fronste zijn voorhoofd. 'Gaat het zo? Niet te zwaar? Ik kan het de volgende keer ook wel meebrengen op de wagen, maar de makreel blijft niet zo lang vers.'

'Ik speel het wel klaar.'

'Nou, ik hoop dat het zal smaken . . .' Hij liep met haar mee naar de deur. 'Hoe is het met Nancy?'

'Schitterend.'

'Zeg tegen haar en Doris dat ze gauw eens langs moeten komen. Ik heb ze in geen weken gezien.'

'Ik zal het zeggen. En heel erg bedankt, meneer Penberth.'

Hij deed de deur open en het belletje begon te tingelen. 'Graag gedaan, meid.'

Beladen met perziken en vis ging Penelope weer op weg naar huis. Er waren nu wat meer mensen op straat. Penberth had gelijk gehad. De wind werd al minder en het regende niet meer zo hard. Ze keek omhoog en zag achter de donkere wolken een klein stukje blauwe lucht. Ze liep vlug door en voelde zich nogal opgewekt omdat ze zich eens een keer geen zorgen hoefde te maken over wat ze die avond moesten eten. Maar na een poosje kreeg ze pijn in haar armen van de zware manden. Ze vroeg zich af of het toch niet beter was geweest als ze Penberth de perziken had laten bezorgen. Toen hoorde ze van de kant van de pier een auto aankomen.

De weg was smal en er stonden grote plassen. Ze wilde niet te veel vuil water over zich heen krijgen en deed een stap opzij om te wachten tot de wagen voorbij was. Hij schoot langs haar heen en kwam toen een paar meter verder met gierende remmen tot stilstand. Ze zag de open jeep en de twee bekende mannen in uniform. Majoor Lomax en zijn sergeant. De jeep bleef staan waar hij stond maar majoor Lomax stapte op de weg en kwam naar haar toe.

'Dat lijkt me te zwaar voor u,' zei hij zonder enige inleiding.

Dankbaar dat ze een reden had om haar manden even kwijt te zijn, zette Penelope ze neer. Toen keek ze hem aan. 'Dat is het ook.'

'We hebben elkaar een keer eerder ontmoet.'

'Ja, dat herinner ik me.'

'Hebt u boodschappen gedaan?'

'Nee. Alleen maar een cadeau gehaald. Zes blikken perziken. Ze zijn vanochtend aangespoeld. En wat makreel.'

'Waar moet u heen?'

'Naar huis.'

'En waar is dat?'

'Boven op de heuvel.'

'Kon het niet bezorgd worden?'

'Nee.'

'Waarom niet?'

288

'Omdat ik het vanavond wil eten.'

Hij glimlachte geamuseerd. Die glimlach veranderde zijn gezicht zo dat ze hem aankeek en hem voor het eerst echt zag. 'Onopvallend' was haar oordeel geweest, die dag in de galerij, maar nu zag ze dat hij helemaal niet onopvallend was, want met zijn regelmatige trekken, zijn helder blauwe ogen en die onverwachte glimlach was hij eigenlijk bijzonder aantrekkelijk.

'Misschien kunnen wij u helpen,' zei hij.

'Hoe?'

'We kunnen u geen lift geven maar ik zie geen enkele reden waarom sergeant Burton uw perziken niet thuis zou kunnen brengen.'

'Hij zou het nooit kunnen vinden.'

'U onderschat hem.' En meteen bukte hij zich om de manden op te pakken. Een beetje boos zei hij: 'U had die niet moeten dragen. U zou er wel wat van kunnen krijgen.'

'Ik draag altijd mijn boodschappen. Je moet wel ...'

Majoor Lomax luisterde niet. Hij liep alweer naar de jeep. Penelope volgde hem. Ze sputterde nog wat tegen. 'Ik kan best zelf ...'

'Sergeant Burton.'

De sergeant zette de motor af. 'Majoor.'

'Deze moeten bezorgd worden.' Hij zette de manden stevig op de achterbank van de jeep. 'Deze jongedame zal u vertellen waar.'

De sergeant keek haar aan en wachtte beleefd. Penelope had nauwelijks enige keus. Ze deed wat haar gezegd was. '... de heuvel op en dan bij de garage van Grabney rechtsaf en dan de weg volgen tot u bovenaan bent. Daar ziet u een hoge muur en dat is Carn Cottage. U moet de jeep op de weg laten staan en door de tuin lopen.'

'Is er iemand thuis, juffrouw?'

'Ja. Mijn vader.'

'Hoe heet hij, juffrouw?'

'Meneer Stern. Als hij u niet hoort ... als er niemand opendoet, laat de manden dan maar op de stoep staan.'

'Goed, juffrouw.' Hij wachtte.

'Dat is dan geregeld,' zei majoor Lomax. 'Rijd maar door, sergeant. Ik loop verder wel.'

De sergeant salueerde, startte zijn motor en was weg. Zijn lading zag er vreemd huiselijk uit op de achterbank van een jeep. Penelope was alleen met de majoor. Ze voelde zich slecht op haar gemak, onthutst door de onverwachte loop van de gebeurtenissen. Ze maakte zich ook zorgen over haar uiterlijk, dat haar gewoonlijk weinig kon schelen. Er was echter niets aan te doen. Ze trok alleen de weinig flatteuze muts af en schudde haar haar los. De muts deed ze in de zak van haar oliejas.

'Zullen we gaan?' vroeg hij.

Haar handen waren koud, dus stopte ze die ook maar in haar zakken.

'Wilt u echt gaan lopen?' vroeg ze aarzelend.

'Anders zou ik hier niet staan.'

'Hebt u niets anders te doen?'

'Wat?'

'Plannen maken voor een oefening of een rapport schrijven.'

'Nee. De rest van de dag ben ik vrij.'

Ze begonnen te lopen. Er kwam een gedachte bij Penelope op. 'Ik hoop dat uw sergeant geen moeilijkheden krijgt,' zei ze. 'Ik weet zeker dat hij geen boodschappen voor mensen thuis mag brengen met zijn jeep.'

'Als iemand hem een uitbrander geeft, ben ik dat. En hoe weet u dat zo zeker?'

'Ik ben een paar maanden bij de marine geweest, dus ik weet alles van al die regeltjes en zo. Ik mocht geen handtas of paraplu dragen. Dat maakte het leven erg moeilijk.'

Hij leek geïnteresseerd. 'Wanneer was dat?'

'O, tijden geleden. In 1940. Ik zat in Portsmouth.'

'Waarom hebt u ontslag genomen?'

'Ik kreeg een baby. Ik trouwde en kreeg een baby.'

'O, natuurlijk.'

'Ze is nu bijna drie. Ze heet Nancy.'

'Is uw man ook bij de marine?'

'Ja. Hij zit op de Middellandse Zee, geloof ik. Ik weet het nooit zo zeker.'

'Hoe lang hebt u hem al niet meer gezien?'

'O . . .' Ze kon het zich niet herinneren en wilde dat ook niet. 'Tijden.' Terwijl ze dat zei, brak hoog in de lucht even een waterig zonnetje door de wolken. De natte straten weerkaatsten het licht en alles kreeg een gouden glans. Verbaasd keek Penelope op. 'Het klaart werkelijk op. Penberth zei het al. Hij had het weerbericht gehoord. Misschien wordt het wel een mooie avond.'

'Ja, misschien wel.'

Het zonlicht verdween even plotseling als het gekomen was en alles was weer grijs. Maar het was eindelijk opgehouden met regenen.

'Laten we niet door de stad gaan,' zei ze. 'Laten we langs de zee en het station gaan. Daar is een trap omhoog.'

'Dat lijkt me een goed idee. Ik weet hier nog niet zo goed de weg maar u woont hier zeker al lang?'

'Vroeger kwamen we hier altijd 's zomers. 's Winters woonden we in Londen. En we gingen ook vaak naar Frankrijk. Daar kwam mijn moeder vandaan. We hadden er vrienden. Maar sinds het uitbreken van de oorlog wonen we het hele jaar in Porthkerris. Ik denk dat we hier tot het eind blijven.'

'En uw man? Wil hij niet dat u in de buurt bent als hij aan wal komt?'

Penelope aarzelde even. 'Hij zit op de Middellandse Zee,' zei ze, 'dat heb ik u al verteld. En ik zou toch niet bij hem kunnen zijn want ik moet voor papa zorgen. Mijn moeder is in 1941 omgekomen bij een bombardement. Ze was voor een paar dagen in Londen. Dus moet ik bij papa blijven.'

Hij zei niet dat hij het erg vond. Hij zei alleen: 'Ik begrijp het.' En het klonk alsof dat werkelijk zo was.

'We zijn niet maar met ons drieën, hij en Nancy en ik. Doris woont ook bij ons met haar twee jongens. Het zijn evacués. Haar man is gesneuveld. Ze is nooit teruggegaan naar Londen.' Ze keek hem aan. 'Papa vond het zo prettig met u te praten, die dag in de galerij. Hij was boos omdat ik u niet te eten vroeg . . . hij zei dat ik niet erg beleefd was. Ik wilde niet onbeleefd zijn. Ik wist alleen niet wat ik die avond op tafel moest zetten.'

'Ik vond het ook prettig hem te ontmoeten. Toen ik hoorde dat ik hierheen ging, dacht ik meteen dat ik dan misschien de beroemde Lawrence Stern zou kunnen zien. Maar ik geloofde eigenlijk niet dat het echt zou gebeuren. Ik dacht dat hij te oud en te zwak zou zijn om nog naar buiten te gaan. Toen ik hem de eerste keer zag, op de weg voor het hoofdkwartier, wist ik meteen dat hij het moest zijn. En toen ik in de galerij kwam en hem zag, kon ik het nauwelijks geloven. Zo'n geweldige schilder.' Hij keek haar aan. 'Hebt u zijn talent geërfd?'

'Nee. Jammer genoeg niet. Ik zie vaak iets dat ik erg mooi vind, zo mooi dat het pijn doet, een oude boerderij of vingerhoedskruid of zo, en dan zou ik willen dat ik het op papier kon zetten en voor altijd vasthouden. Maar ik kan het niet.'

'Het is niet gemakkelijk met je eigen onvolkomenheden te leven.'

De gedachte kwam bij haar op dat hij er niet uitzag als iemand die wist wat 'onvolkomen' was. 'Schildert u ook?'

'Nee. Waarom vraagt u dat?'

'Toen u met papa praatte, klonk het zo deskundig.'

'Mijn moeder is altijd erg artistiek en creatief geweest. Zodra ik kon lopen, nam ze me mee naar alle musea van Londen, en naar concerten.'

'Dat klinkt alsof u toen voor uw leven genoeg gekregen hebt van cultuur.'

'O nee. Ze deed het heel tactvol en maakte het allemaal erg interessant. Maakte het leuk.'

'En uw vader?'

'Mijn vader was makelaar in effecten.'

Ze dacht daar even over na. Het leven van andere mensen was altijd fascinerend. 'Waar woonde u?'

'Cadogan Gardens. Maar na zijn dood heeft mijn moeder het huis verkocht omdat het te groot was. Ze woont nu op Pembroke Square. Ze is altijd in Londen gebleven, ondanks de bombardementen. Ze zou nergens anders willen wonen.'

Penelope dacht aan Dolly Keeling, die veilig in haar hotel met lady Beamish zat te bridgen en lange, liefhebbende brieven zat te schrijven aan Ambrose. Ze zuchtte, omdat ze altijd een beetje somber werd als ze aan Dolly dacht. Ze voelde zich schuldig omdat ze het idee had dat ze Dolly eigenlijk eens te logeren moest vragen, al was het alleen maar om haar kleindochter te zien. Of dat zijzelf met Nancy bij Dolly op bezoek moest gaan. Maar ze zag daar zo tegen op dat ze het altijd gauw weer uit haar hoofd zette.

De smalle weg ging omhoog de heuvel op. Ze hadden de zee achter zich gelaten en liepen nu tussen rijen witte vissershuisjes door. Er ging een deur open en er verscheen een kat, gevolgd door een vrouw met een mand met wasgoed, dat ze tegenover haar huis aan de lijn ging hangen. De zon kwam weer door en ze keek hen glimlachend aan.

'Zo is het beter, hè? Ik heb het nog nooit zo zien regenen als vanochtend. Nu wordt het weer mooi.'

De kat wreef zich tegen de enkels van Penelope aan. Ze bukte zich om het dier te aaien. Ze liepen door. Ze haalde haar handen uit haar zakken en maakte haar oliejas los. 'Bent u bij de mariniers gegaan omdat u geen effectenmakelaar wilde worden of vanwege de oorlog?'

'Vanwege de oorlog. Maar ik wilde ook geen effectenmakelaar worden. Ik heb klassieke talen en Engelse literatuur gestudeerd en daarna heb ik les gegeven.'

'Hebt u bij de mariniers leren klimmen?'

Hij glimlachte. 'Nee. Dat kon ik al lang. Ik ben in Lancashire op kostschool geweest en daar was een leraar die ons altijd meenam naar het Lake District.'

'Bent u ook in het buitenland de bergen in geweest?'

'Ja. In Zwitserland en Oostenrijk. Ik wilde ook naar Nepal maar dat had me maanden gekost en ik heb er nooit de tijd voor kunnen vinden.'

'Na de Matterhorn moeten de kliffen van Boscarben wel erg gemakkelijk lijken.'

'Nou, nee,' zei hij glimlachend, 'niet bepaald.'

Ze vervolgden hun weg, over smalle, kronkelige weggetjes die de toeristen nooit vonden, en steile trappen op waarvan je buiten adem dreigde te raken. Eindelijk kwamen ze vlak voor het oude hotel uit.

Penelope bleef even staan om weer op adem te komen. Majoor Lomax zag er volkomen onaangedaan uit. Ze zag dat de marinier die op wacht stond, naar hen keek, maar aan zijn gezicht was niet te zien wat hij dacht.

Toen ze weer een woord uit kon brengen, zei ze: 'Ik kan niet meer.'

'Geen wonder.'

'Ik ben in geen jaren over die trappen naar boven gegaan. Toen ik klein was, rende ik altijd de hele weg vanaf het strand omhoog. Het was een soort uithoudingsproef die ik zelf bedacht had.'

Ze draaide zich om en keek neer op de weg die ze gekomen waren. De zee was nu kalmer en weerkaatste het blauw van de opgeklaarde hemel. Ver beneden hen liet een man zijn hond uit op het strand. De wind was afgenomen en voerde de vochtige lucht van doorweekte tuinen mee. Het was een geur die heimwee opriep en even voelde Penelope zich gelukkiger dan ze sinds haar kinderjaren was geweest.

Ze dacht aan de laatste jaren: de verveling, de beperktheid van haar bestaan, het ontbreken van iets om naar uit te zien. Toch waren nu ineens de gordijnen opengeschoven en de ramen opengegooid naar een schitterend uitzicht dat al die tijd op haar had liggen wachten. Een uitzicht dat vol was van de prachtigste mogelijkheden.

Geluk – dat ze zich herinnerde uit de dagen voor de oorlog, voor Ambrose, voor de schokkende dood van Sophie. Het was alsof ze weer jong was. Maar ik ben nog jong. Ik ben pas drieëntwintig. Ze draaide zich om naar de man naast haar en stroomde vol met dankbaarheid, want op de een of andere manier had hij dit wonder bewerkt.

Ze zag dat hij naar haar keek en vroeg zich af hoeveel hij begreep, hoeveel hij wist. Maar zijn kalmte, zijn zwijgen verried niets.

'Ik moet naar huis,' zei ze. 'Papa zal zich afvragen wat er met me gebeurd is.'

Hij knikte. Ze zouden afscheid nemen, uit elkaar gaan. Hij zou de weg oversteken, het saluut van de man die op wacht stond beantwoorden, in het gebouw verdwijnen en zich misschien nooit meer laten zien.

'Wilt u bij ons komen eten?' vroeg ze.

Hij antwoordde niet meteen en één afschuwelijk moment dacht ze dat hij ging weigeren. Toen glimlachte hij. 'Dat is heel vriendelijk van u.'

Opluchting. 'Vanavond?'

'Weet u het zeker?'

'Volkomen zeker. Papa zou u zo graag nog eens zien. U kunt uw gesprek voortzetten.'

'Dank u. Dat zou heel prettig zijn.'

'Ongeveer half acht dan.' Het klonk vreselijk formeel. 'Ik . . . ik ben in staat u te vragen omdat we eens een keer wat te eten hebben.'

'Laat me eens raden. Makreel en perziken uit blik?'

Ineens waren ze helemaal niet formeel meer. Ze barstten in lachen uit en ze wist dat ze het geluid van dat lachen nooit zou vergeten, omdat het de eerste keer was dat ze een grapje deelden.

Doris was helemaal opgewonden van nieuwsgierigheid. 'Wat is er nou toch aan de hand? Ik was druk bezig en daar verscheen ineens die geweldige sergeant met jouw manden aan de deur. Ik heb hem nog gevraagd of hij een kop thee wilde, maar hij zei dat hij niet kon blijven. Hoe heb je die opgepikt?'

Penelope ging aan de keukentafel zitten en vertelde het hele verhaal van de onverwachte ontmoeting. Doris luisterde met grote ogen van verbazing. Toen Penelope uitverteld was, slaakte ze een kreetje van plezier. 'Volgens mij ziet het ernaar uit dat je een bewonderaar hebt . . .'

'O, Doris, ik heb hem te eten gevraagd.'

'Wanneer?'

'Vanavond.'

'Komt hij?'

'Ja.'

Doris' gezicht betrok. 'Verrek.' Ze keek wanhopig.

'Waarom verrek?'

'Ik ben er niet. Ik ga uit. Met Clark en Ronald naar Penzance, naar *The Mikado*.'

'O, Doris, ik had er zo op gerekend dat jij er zou zijn. Ik heb iemand nodig om me te helpen. Kun je dat niet uitstellen?'

'Nee, onmogelijk. Er is een bus georganiseerd en het is trouwens maar twee avonden. En de jongens zien er al weken naar uit, die arme knullen.' Er kwam een berustende uitdrukking op haar gezicht. 'Nou ja, niets aan te doen. Voor ik wegga, zal ik je een handje helpen met koken en dan Nancy naar bed brengen. Maar ik vind het wel akelig dat ik al die pret moet missen. Er is hier in jaren geen behoorlijke man geweest.'

Penelope zei niets over Ambrose. 'En Ernie dan?' vroeg ze. 'Is dat geen behoorlijke man?'

'Ja. Natuurlijk.' Maar ze maakte zich meteen van de arme Ernie af. 'Maar die telt niet mee.'

Als een paar jonge meisjes vervuld van onschuldige opwinding, gingen ze aan het werk. Ze maakten groente schoon, wreven de oude eetkamertafel op, haalden het weinig gebruikte zilver te voorschijn en

haalden de kristallen wijnglazen uit de kast. Lawrence hees zich overeind uit zijn stoel en liep voorzichtig het trapje af naar de kelder waar
hij in gelukkiger dagen zijn omvangrijke voorraad Franse wijn had
bewaard. Nu was er niet veel meer over, maar hij kwam terug met een
fles eenvoudige Algerijnse wijn en met een stoffige fles port, die hij met
uiterste zorg ging decanteren. Penelope wist dat een gast geen groter
blijk van waardering kon ontvangen.

Om vijf voor half acht lag Nancy in haar bed te slapen, waren Doris
en de jongens vertrokken en was alles klaar. Toen vluchtte Penelope
de trap op naar haar kamer om iets aan haar uiterlijk te doen. Ze trok
een schone blouse aan, wrong haar blote voeten in een paar rode
pumps, borstelde haar haar, vlocht het en stak het op. Ze had geen
poeder of lippenstift en had haar laatste parfum gebruikt. Een lange,
kritische blik in de spiegel gaf haar niet veel voldoening. Ze leek wel
een gouvernante. Ze deed een snoer rode kralen om haar hals en
hoorde op dat moment het poortje achter in de tuin open- en weer
dichtgaan. Ze liep naar het raam en zag Richard Lomax door de tuin
op het huis afkomen. Ze zag dat hij zich ook verkleed had, van battle
dress in het minder formele kaki dril. Hij had een pakje in zijn hand
waar alleen maar een fles in kon zitten.

Sinds hun afscheid had ze voortdurend uitgezien naar het moment
dat ze hem weer zou zien. Maar nu ze hem aan zag komen en wist dat
het nog maar een ogenblik kon duren voor hij aanbelde, werd ze
overvallen door paniek. Koude voeten had Sophie dat gevoel altijd
genoemd, dat het gevolg was van een impulsieve daad waar je plotseling spijt van kreeg. Stel dat de avond een mislukking werd. Wat
moest ze zonder Doris beginnen? Misschien had ze zich wel in Richard Lomax vergist. Misschien was dat onverklaarbare gevoel van
geluk alleen maar gekomen doordat de zon na dagen weer was gaan
schijnen.

Ze draaide zich af van het raam, wierp nog een laatste blik in de
spiegel, trok de rode ketting recht en liep toen de kamer uit en de trap
af. Toen ging de bel. Ze liep de hal door en deed de deur open. En hij
glimlachte naar haar en zei: 'Ik hoop dat ik niet te laat ben, of te vroeg.'

'Nee, hoor. U hebt het gevonden.'

'Het was niet zo moeilijk. Wat een prachtige tuin.'

'De storm heeft er geen goed aan gedaan.' Ze deed een stap achteruit. 'Kom binnen.'

Hij stapte over de drempel en nam zijn groene baret af. Penelope
deed de deur dicht. Hij hield het pakje in zijn hand omhoog en zei: 'Dit
is voor uw vader.'

'Wat vriendelijk van u.'

'Houdt hij van whisky?'

'Ja . . .'

De avond werd geen mislukking en ze had zich niet in hem vergist. Hij was niet zomaar iemand. Hij was heel bijzonder, want hij leek meteen op zijn plaats in Carn Cottage. Ze herinnerde zich hoe ellendig alles geweest was toen Ambrose kwam. Hoe gespannen en geïrriteerd en chagrijnig iedereen toen gedaan had. Maar deze vreemde had een oude vriend van jaren terug kunnen zijn, die nog eens kwam kijken hoe het ging. Even verwachtte ze zelfs dat de deur van de zitkamer open zou gaan en Sophie zou verschijnen, die lachte en honderduit praatte en haar armen om zijn hals sloeg en hem op beide wangen kuste. *O, jongen, wat heerlijk dat ik je nog eens zie.*

'. . . maar we hebben al maanden geen fles meer in huis gehad. Hij zal er erg blij mee zijn. Hij zit in de kamer op u te wachten . . .' Ze deed de deur voor hem open. 'Papa. Onze gast is er . . . en hij heeft iets voor u meegebracht.'

'Hoe lang blijft u hier?' vroeg Lawrence.

'Ik heb geen idee, meneer.'

'En als u het wist, zou u het me toch niet vertellen. Denkt u dat we volgend jaar zover zijn dat we Europa binnen kunnen vallen?'

Richard Lomax glimlachte maar gaf niets prijs. 'Ik hoop het.'

'Die Amerikanen . . . Ze schijnen erg op zichzelf te zijn. We hadden gedacht dat er wel keet van zou komen.'

'Ze zijn hier niet bepaald om vakantie te vieren.'

'Kunt u het nogal met hen vinden?'

'Meestal wel, ja. Ze zijn nogal wild . . . minder gedisciplineerd dan onze eigen militairen, maar ze zijn erg dapper.'

'En u hebt de leiding van de hele operatie?'

'Nee. Kolonel Mellaby is onze commandant. Ik zorg alleen maar voor de training.'

'Is het prettig werken met hen?'

Richard Lomax haalde zijn schouders op. 'Het is in elk geval anders.'

'En Porthkerris. Was u hier al eerder geweest?'

'Nee. Nog nooit. Ik bracht mijn vakantie meestal in het noorden door, in de bergen. Maar ik kende de naam van Porthkerris wel, door de kunstenaars die hier altijd kwamen. Ik had schilderijen van de haven gezien in de musea die ik met mijn moeder bezocht en de plaats heeft iets unieks, iets dat meteen herkenbaar is. Dat licht. Het helder licht dat weerkaatst wordt door de zee. Ik kon het nauwelijks geloven tot ik het zelf te zien kreeg.'

'Ja. Het heeft iets betoverends. Je raakt er nooit aan gewend, hoe lang je hier ook woont.'

'U woont hier al lang?'

'Sinds het begin van de jaren twintig. Vlak na ons huwelijk heb ik mijn vrouw hierheen meegenomen. We hadden geen huis, dus kampeerden we in mijn atelier. Als een paar zigeuners.'

'Is dat een portret van uw vrouw in de zitkamer?'

'Ja. Dat was Sophie. Ze moet een jaar of negentien geweest zijn toen dat geschilderd werd. Het is van Charles Rainier. We zaten een keer in het voorjaar in een huis in Varengeville. Het moest een vakantie worden maar hij werd zo rusteloos als hij niet werkte, dus wilde Sophie wel voor hem poseren. Hij is er nog geen dag aan bezig geweest maar het is een van de beste dingen die hij ooit gedaan heeft. Maar hij kende haar natuurlijk al haar hele leven, net als ik. Je kunt heel snel werken als je je model zo goed kent.'

Het werd schemerig in de eetkamer. De enige verlichting kwam van kaarsen en de stralen van de ondergaande zon deden het kristal en het zilver en het blad van de ronde, mahoniehouten tafel glanzen. Het donkere behang omvatte de kamer als de voering van een juwelenkistje en achter het zware, verschoten velours, dat opgehouden werd met gerafelde, zijden koorden met kwastjes, bewogen de dunne, kanten gordijnen in de luchtstroom die door het open raam kwam.

Het werd al laat. Het zou niet lang meer duren of de verduisteringsgordijnen moesten gesloten. De maaltijd was voorbij. De soep, de vis, de perziken waren op en de borden afgeruimd. Penelope had een schaal met afgewaaide appels van het buffet gehaald en midden op tafel gezet. Richard Lomax had er een gepakt, die hij nu zat te schillen. Hij had lange handen met brede vingertoppen. Penelope zag de schil in één stuk op het bord vallen. Hij sneed de appel in vier keurige partjes.

'Hebt u het atelier nog?'

'Ja, maar er komt nu niemand. Ik ga er nog maar een enkele keer kijken. Ik kan niet meer werken en de wandeling is te ver voor me.'

'Ik zou het graag eens willen zien.'

'Wanneer u maar wilt. Ik heb de sleutel.' Over de tafel heen glimlachte hij naar zijn dochter. 'Penelope neemt u wel een keer mee.'

Richard Lomax sneed de partjes nog eens door.

'Charles Rainier . . . leeft hij nog?'

'Voor zover ik weet wel. Als hij niet te veel gezegd heeft en door de Gestapo is vermoord. Dat hoop ik niet. Hij woont in het zuiden van Frankrijk. Als hij zich een beetje gedraagt, moet hij het kunnen overleven . . .'

Penelope dacht aan het huis van de Rainiers, aan het dak dat schuilging achter de bougainvillea's, de rode rotsen die afliepen naar de blauwe zee, de gele mimosa. Ze dacht aan Sophie, die op het terras stond en riep dat het tijd was om uit het water te komen omdat het eten klaar was. Ze zag alles zo duidelijk voor zich dat ze zich maar moeilijk kon realiseren dat Sophie dood was. Die avond – sinds de komst van Richard Lomax – was zij bij hen, niet dood maar levend. Zelfs op dat moment zat ze nog in de lege stoel aan het hoofd van de tafel. Het was niet gemakkelijk een goede reden te vinden voor die volhardende illusie dat alles weer net als vroeger was. Het lot was wreed geweest. Het had hun de oorlog toegeworpen en hun gezinsleven uiteengerukt. Het had Sophie en de Cliffords bij dat bombardement om laten komen. Het lot had misschien ook Penelope in de armen van Ambrose doen belanden. Maar zijzelf had goedgevonden dat hij haar de zijne maakte en Nancy verwekte, en zijzelf was uiteindelijk met hem getrouwd. Achteraf had ze er geen spijt van dat ze met hem naar bed gegaan was, want daar had zij evenveel van genoten als hij. En ze had nog minder spijt van de komst van Nancy. Ze kon zich haar leven nu zelfs niet meer voorstellen zonder haar knappe, aantrekkelijke kind. Maar ze had wel vreselijk veel spijt van dat idiote huwelijk. *Je moet niet met hem trouwen als je niet van hem houdt*, had Sophie gezegd, maar voor één keer in haar leven had Penelope niet naar de raad van haar moeder geluisterd. Ambrose was de eerste man geweest met wie ze een relatie had en ze had niemand om hem mee te vergelijken. Het bijna volmaakte huwelijk van haar ouders hielp haar ook niet erg. Ze dacht dat alle huwelijken zo waren, dus leek het een goed idee te gaan trouwen. Ambrose was eerst wel even geschrokken maar had het toen ook een goed idee gevonden. Dus hadden ze het gedaan.

Een afschuwelijke vergissing. Ze hield niet van hem. Had nooit van hem gehouden. Ze had niets met hem gemeen en verlangde er helemaal niet naar hem ooit nog te zien. Ze keek naar Richard Lomax, die zijn rustige gezicht naar Lawrence gericht hield. Haar ogen gingen naar zijn handen, vóór hem op tafel. Ze stelde zich voor dat ze zijn handen in de hare nam en ze ophief en tegen haar wang drukte.

Ze vroeg zich af of hij ook getrouwd was.

'Ik heb de man nooit ontmoet,' zei Lawrence, 'maar ik denk dat het een erg saaie kerel geweest moet zijn.' Ze hadden het nog steeds over portretschilders. 'Je had je kunnen voorstellen dat hij zich voortdurend misdroeg en weinig discreet optrad. Hij had daar zeker meer dan genoeg gelegenheid voor. Maar in feite schijnt hij nooit iets gedaan te hebben. Beerbohm heeft een spotprent van hem getekend waarop hij uit het raam kijkt naar een lange rij dames uit de hogere kringen die allemaal staan te wachten tot hij hen onsterfelijk maakt.'

'Ik houd meer van zijn schetsen dan van zijn portretten,' zei Richard Lomax.

'Ik ook. Al die uitgerekte dames en heren in jachtkleding. Drie meter lang en onmogelijk arrogant.' Hij pakte de karaf met port, schonk zijn glas vol en gaf de karaf aan zijn gast. 'Zeg eens, speelt u backgammon?'

'Jawel.'

'Zullen we een spelletje doen?'

'Dat zou ik erg leuk vinden.'

Het was bijna donker. Penelope stond op en ging de ramen sluiten. Ze trok alle gordijnen dicht, die akelige zwarte en de mooie van velours. Ze zei iets over koffie en ging naar de keuken. Ze deed ook de keukengordijnen dicht en draaide toen het licht aan, zodat de hele wanorde van steelpannen, vuile borden en bestek helder verlicht werd. Ze zette water op. Ze hoorde de mannen in de zitkamer, er werden kolen op het vuur gedaan en intussen ging hun gesprek door.

Papa was in zijn element. Als het spel een beetje prettig verliep, zou hij Richard Lomax nog wel eens vragen. Glimlachend pakte ze een schoon blad om de koffiekopjes op te zetten.

Het spel was net uit toen de klok elf sloeg. Lawrence had gewonnen. Richard Lomax gaf glimlachend toe dat hij verslagen was en stond op. 'Het wordt mijn tijd.'

'Ik had er geen idee van dat het al zo laat was. Ik heb een prettige avond gehad. We moeten dit nog eens doen.' Lawrence aarzelde even en voegde er toen aan toe: 'Als u zin hebt.'

'Heel graag, meneer. Ik ben bang dat ik niets kan afspreken, want ik ben geen baas over mijn eigen tijd, maar . . .'

'Dat geeft niet. Elke avond is goed. Kom gewoon binnenvallen. We zijn altijd thuis.' Hij begon moeite te doen om uit zijn stoel te komen maar Richard Lomax hield hem met een hand op zijn schouder tegen. 'Blijft u toch zitten . . .'

'Nou . . .' Dankbaar zonk de oude man weer in de kussens. 'Misschien moest ik dat maar doen. Penelope zal u wel uitlaten.'

Onder het spel had ze bij de haard zitten breien. Nu stak ze haar naalden in de wol en stond op. Hij draaide zich glimlachend naar haar toe. Ze liep naar de deur en hoorde hem zeggen: 'Tot ziens dan, meneer, en nogmaals bedankt . . .'

'Geen dank, geen dank.'

Ze ging hem voor door de donkere hal en deed de voordeur open. Hij kwam naast haar op de drempel staan en ze keken omhoog naar de vage glans van de maan. Er was geen wind maar er kwam een kille damp van het gras en Penelope huiverde.

'Ik heb de hele avond nauwelijks met u gesproken. Ik hoop dat u me niet erg onbeleefd hebt gevonden.'

'U kwam voor papa.'

'Niet helemaal, maar ik ben bang dat het daar wel op uitgedraaid is.'

'Volgende keer beter.'

'Dat hoop ik. Maar ik ben geen baas over mijn eigen tijd, dat zei ik al. Ik kan geen plannen of afspraken maken.'

'Dat begrijp ik.'

'Maar ik kom als ik kan.'

'Dat moet u doen.'

Hij zette zijn baret op. 'Het eten was heerlijk. Ik had nog nooit zulke lekkere makreel geproefd.' Ze lachte. 'Welterusten, Penelope.'

'Welterusten, Richard.'

Hij draaide zich om en liep weg, werd opgenomen in het duister van de tuin en was weg. Ze wachtte tot ze de tuindeur achter hem dicht hoorde gaan. Ze stond daar in haar dunne blouse en had kippevel op haar armen. Ze huiverde nog eens en ging weer naar binnen.

Het duurde twee weken voor ze hem weer zag. Om de een of andere vreemde reden vond Penelope dat niet erg. Hij had gezegd dat hij kwam als hij kon, en ze wist dat hij dat ook zou doen. Ze kon wachten. Ze dacht vaak aan hem. Overdag, als ze het druk had, was hij nooit geheel uit haar gedachten en 's nachts drong hij binnen in haar dromen, zodat ze met een tevreden glimlach op haar gezicht wakker werd en dan probeerde de droom vast te houden voor ze hem vergat.

Lawrence maakte zich meer zorgen dan zij. 'We hebben niets meer van die aardige jongen gehoord,' bromde hij af en toe. 'Ik had zo graag nog een keer backgammon met hem gespeeld.'

'O, hij komt wel, papa,' verzekerde ze hem dan, rustig omdat ze wist dat het waar was.

Het was nu september. Nazomer. Kille avonden en nachten en dagen met een hemel zonder wolken en gouden zonneschijn. De blaadjes begonnen te verkleuren en vielen langzaam op het gras. In de border voor het huis bloeiden de dahlia's en de laatste fluwelige rozen van de zomer openden zich en vulden de lucht met een geur die zo kostbaar was dat hij twee keer zo sterk leek als die van juni.

Het was zaterdag. Ze zaten aan het middageten. Clark en Ronald zeiden dat ze naar het strand gingen om met een stel vriendjes van school te gaan zwemmen. Doris, Penelope en Nancy kregen geen uitnodiging om mee te gaan. Zo gauw mogelijk renden de jongens over het tuinpad weg alsof ze geen moment te verliezen hadden, beladen met handdoeken en schoppen, een pak boterhammen met jam en een fles limonade.

Met de jongens uit de buurt werd het een heel rustige middag. Lawrence trok zich terug in de zitkamer om daar bij het open raam een dutje te gaan doen. Doris nam Nancy mee de tuin in. Na de afwas ging Penelope naar de boomgaard, waar ze al het wasgoed van die dag van de lijn haalde. Terug in de keuken vouwde ze alles op en maakte stapels van het ondergoed, de lakens en de handdoeken. De blouses en de slopen legde ze opzij, want die moesten gestreken. Later. Dat kwam later wel. Nu wilde ze naar buiten. Ze liep door de hal, waar alleen de hangklok tikte en een doezelige bij op een raam zat te zoemen. De voordeur stond open en er viel een stroom gouden licht over het versleten kleed op de grond. Aan de andere kant van het grasveld zat Doris in een oude tuinstoel met een mand met verstelwerk op haar schoot en speelde Nancy tevreden in haar zandbak. Ernie had die gemaakt. Het zand was met de wagen van zijn vader van het strand gehaald. Als het mooi weer was, kon Nancy eindeloos in die zandbak zitten spelen. Ze zat er nu zandtaartjes te bakken met een oud emmertje en een houten lepel. Penelope ging bij hen zitten. Ze ging op de grond liggen, op een oude deken die Doris daar had uitgespreid. Geamuseerd keek ze naar de geconcentreerde blik op Nancy's gezichtje.

'Je hebt niet gestreken, hè?' vroeg Doris.

'Nee. Het is te warm.'

Doris hield een gekrompen overhemd omhoog. 'Heeft het nog zin dit te verstellen?'

'Nee, maak er maar een poetslap van.'

'We hebben hier in huis meer poetslappen dan kleren. Weet je, als die akelige oorlog voorbij is, ga ik bendes kleren kopen. Nieuwe kleren. Ik ben gewoon ziek van al dat stoppen en verstellen. Moet je deze trui van Clark eens zien. Vorige week gestopt en er zit alweer een groot gat in de elleboog. Hoe doen ze dat toch?'

'Die jongens groeien.' Penelope rolde lui op haar rug. Ze maakte de knoopjes van haar blouse los en trok haar rok op tot boven haar knieën. 'Zij kunnen het ook niet helpen dat ze uit hun kleren barsten.' Ze deed haar ogen dicht voor het felle zonlicht. 'Weet je nog hoe mager en bleek ze waren toen jullie hier kwamen? Ze zijn nu nauwelijks nog te herkennen, zo bruin en gespierd zijn ze geworden, echte jongens uit Cornwall.'

'Ik ben blij dat ze niet ouder zijn.' Doris brak een draad stopwol af en deed die in haar naald. 'Ik zou niet graag willen dat ze in het leger moesten. Ik zou het niet kunnen verdragen . . .'

Ze zweeg. Penelope wachtte. 'Wat zou je niet kunnen verdragen?' vroeg ze toen.

Doris' antwoord was een geagiteerd gefluister. 'We krijgen bezoek.'

Het zonlicht verdween van haar gezicht. Er viel een schaduw over haar heen. Ze deed haar ogen open en zag de donkere omtrek van een mannengestalte aan haar voeten staan. Geschrokken richtte ze zich op terwijl ze haar blouse weer dichtknoopte.

'Sorry,' zei Richard. 'Ik wilde je niet overvallen.'

'Waar kom je vandaan?' Ze krabbelde overeind, maakte het laatste knoopje vast en streek haar haar uit haar gezicht.

'Door de tuin.'

Haar hart ging als een razende tekeer. Ze hoopte dat ze niet bloosde. 'Ik heb niets gehoord.'

'Kom ik ongelegen?'

'Helemaal niet. We doen niets.'

'Ik had de hele dag binnen gezeten en ineens kon ik er niet meer tegen. Ik dacht dat ik je hier wel zou vinden, met een beetje geluk.' Zijn ogen gingen van Penelope naar Doris, die als in trance in haar stoel zat, met het mandje nog op haar schoot en de stopnaald omhoog, als een soort symbool. 'Ik geloof niet dat wij elkaar al kennen. Richard Lomax. Jij moet Doris zijn.'

'Dat klopt.' Ze gaven elkaar een hand.

'Penelope heeft me over jou en je twee zoons verteld. Zijn die ook hier in de buurt?'

'Nee, ze zijn gaan zwemmen met hun vriendjes.'

'Verstandige knapen. Jullie waren er niet, die keer dat ik hier gegeten heb.'

'Nee. We waren naar *The Mikado*.'

'Hoe vonden de jongens dat?'

'O, geweldig. Zulke mooie muziek. En grappig ook. Ze hebben zich gek gelachen.'

'Dat is leuk.' Hij keek nu naar Nancy, die nogal verlegen naar die vreemde zat te kijken. 'Is dit je dochtertje?'

Penelope knikte. 'Ja. Dit is Nancy.'

Hij ging op zijn hurken naast haar zitten. 'Hallo.' Nancy staarde hem aan. 'Hoe oud is ze?'

'Bijna drie.'

'Wat ben je aan het doen?' vroeg Richard. 'Zandtaartjes aan het bakken? Nou, laat mij ook eens proberen.' Hij pakte het emmertje en trok de houten lepel uit Nancy's onwillige handje. Hij vulde het emmertje, drukte het zand aan en produceerde een perfecte zandtaart, die Nancy meteen kapot maakte. Hij begon te lachen en gaf haar haar speelgoed terug. 'Ze heeft precies de goede instincten,' zei hij en hij ging op het gras zitten terwijl hij zijn baret afzette en een paar knopen van zijn battle dress losmaakte.

'Je ziet er warm uit,' zei Penelope.

'Ik heb het ook warm. Deze kleding is gewoon niet geschikt voor dit weer.' Hij maakte de rest van de knopen los en trok het kledingstuk dat hem kwelde uit. Hij rolde de mouwen van zijn katoenen overhemd op en zag er ineens heel menselijk en volkomen op zijn gemak uit. Dat bracht Nancy er misschien wel toe uit de zandbak te klimmen en bij Penelope op schoot te gaan zitten, waar ze de onbekende goed kon zien en recht in zijn gezicht kon kijken.

'Ik kan nooit raden hoe oud de kinderen van andere mensen zijn,' zei hij.

'Heb je zelf ook kinderen?' vroeg Doris onschuldig.

'Niet dat ik weet.'

'Wat zeg je?'

'Ik ben niet getrouwd.'

Penelope boog haar hoofd en legde haar wang tegen Nancy's zachte haar. Richard leunde achterover op zijn ellebogen en keerde zijn gezicht omhoog naar de zon. 'Het lijkt wel hartje zomer, hè? Waar zou je met zulk weer anders willen zitten dan in een tuin. Waar is je vader?'

'Hij doet een dutje. Hij zal nu wel wakker zijn. Ik zal hem zo gaan zeggen dat je er bent. Hij wil je zo graag nog eens zien en een spelletje backgammon doen.'

Doris keek op haar horloge, borg haar naald op en zette het mandje in het gras. 'Het is bijna vier uur,' zei ze. 'Ik ga voor de thee zorgen. Jij lust zeker ook wel wat, Richard?'

'Graag.'

'Ik zeg het wel tegen je vader, Penelope. Hij drinkt graag thee in de tuin.'

Ze liet hen alleen. Ze keken haar na. Richard zei: 'Wat een aardige meid.'

'Ja.'

Penelope begon madeliefjes te plukken om er een kransje voor Nancy van te maken. 'Wat heb je al die tijd gedaan?'

'Op de kliffen gezeten. En op die vervloekte landingsvaartuigen. Nat geworden. Orders gegeven, oefeningen gepland en lange rapporten geschreven.'

Ze zwegen. Ze deed nog een madeliefje in het kransje. Na een poosje vroeg hij ineens: 'Ken je generaal Watson-Grant?'

'Ja, natuurlijk. Waarom vraag je dat?'

'Kolonel Mellaby en ik zijn gevraagd om maandag wat bij hem te komen drinken.'

Ze glimlachte. 'Papa en ik ook. Mevrouw Watson-Grant belde vanochtend op om ons uit te nodigen. De kruidenier is met een paar flessen jenever op de proppen gekomen en dat vonden ze een goed excuus om een klein feestje te geven.'

'Waar wonen ze?'

'Een eind hiervandaan, verder de heuvel op.'

'Hoe komen jullie daar?'

'De generaal stuurt zijn auto om ons te halen. Zijn oude tuinman kan rijden. Hij krijgt benzine omdat hij bij de burgerwacht is, zie je. Ik weet zeker dat het allemaal niet mag, maar het is erg aardig van hem, want anders zouden we niet kunnen gaan.'

'Ik hoopte al dat jullie ook gingen.'

'Waarom?'

'Dan ken ik tenminste iemand. En omdat ik dacht dat we daarna misschien samen konden gaan eten.'

Het kransje madeliefjes was erg lang geworden. Ze hield het als een guirlande tussen haar handen. 'Bedoel je papa ook of ik alleen?' vroeg ze.

'Jij alleen. Maar als je vader ook mee wil gaan . . .'

'Nee. Hij komt niet graag laat thuis.'

'En jij?'

'Ja, graag.'

'Waar wil je heen?'

'Ik weet het niet.'

'Je hebt Hotel Sands . . .'

'Dat is gevorderd. Er zitten allemaal herstellende gewonden.'

'En The Castle?'

The Castle. Haar gezicht betrok. Tijdens dat eerste ongelukkige bezoek van Ambrose had Penelope in haar wanhoop voorgesteld 's zaterdagsavonds in The Castle te gaan eten. De avond was evenmin een succes geworden als de rest van het weekend. De kille, formele eetzaal was half leeg, het eten saai en de andere bezoekers waren niet bepaald jong meer geweest. Af en toe speelde een weinig geïnspireerd orkestje een paar ouderwetse wijsjes, maar ze konden niet eens dansen omdat Penelope toen zo dik was dat Ambrose zijn armen niet om haar heen kon slaan.

Ze zei vlug: 'Nee, daar niet. Het is er vreselijk deprimerend. De kelners zijn zo oud dat ze alleen nog maar kunnen schuifelen en de meeste bezoekers zitten in een rolstoel.' Ze dacht even na en kwam toen met een veel gezelliger voorstel. 'We kunnen beter naar Gaston's Bistro gaan.'

'Waar is dat?'

'In de buurt van het strand. Het is er maar klein maar het eten is heel behoorlijk. Op verjaardagen en zo neemt papa Doris en mij daar soms mee naar toe.'

'Gaston's Bistro. Het klinkt erg onverwacht. Hebben ze telefoon?'

'Ja.'

'Dan bel ik op om een tafel te bespreken.'

'Doris, hij heeft me mee uit eten gevraagd.'

'Ga weg! Wanneer?'

'Maandag. Bij de Watson-Grants vandaan.'

'En heb je ja gezegd?'

'Ja. Hoezo? Vind je dat ik had moeten weigeren?'

'Weigeren? Dan had je je hoofd weleens na mogen laten kijken. Ik vind hem zo leuk. Hij doet me om de een of andere reden aan Gregory Peck denken.'

'O, Doris, hij lijkt helemaal niet op Gregory Peck.'

'Niet om te zien, maar hij heeft diezelfde rustige manier van doen. Je weet wel wat ik bedoel. Wat doe je aan?'

'Daar heb ik nog niet over nagedacht. Ik vind wel wat.'

Doris ergerde zich. 'Soms word ik gek van je. Ga toch wat nieuws kopen. Je geeft nooit een stuiver voor jezelf uit. Ga eens bij Madame Jolie kijken.'

'Ik heb geen bonnen meer. De laatste heb ik gebruikt voor een stel afschuwelijke theedoeken en een warm ochtendjasje voor Nancy.'

'Lieve help, je hebt er maar zeven nodig. We kunnen met elkaar toch wel aan zeven bonnen komen. En anders weet ik wel waar ik ze zwart kan kopen.'

'Dat is tegen de wet.'

'O, de wet kan me niet schelen. Dit is een speciale gelegenheid. Je eerste afspraakje in jaren. Je moet eens wat durven. Maandagochtend ga je naar de stad om wat moois voor jezelf te kopen.'

Ze kon zich niet herinneren wanneer ze voor het laatst in een kledingzaak was geweest, maar omdat Madame Jolie in werkelijkheid mevrouw Coles was, de vrouw van de kustwachter, en even dik en huiselijk als een gezellige oma, was er geen reden om zich geïntimideerd te voelen.

'Hemeltje, meisje, ik heb je in jaren niet hier gezien,' merkte ze op toen Penelope binnenkwam.

'Ik heb een nieuwe jurk nodig,' zei Penelope, zonder tijd te verspillen.

'Ik heb niet veel bijzonders in voorraad, liefje, maar er is een aardige rode bij die je wel zal passen. Rood is altijd jouw kleur geweest. Dit goed is rood met madeliefjes erop. Het is natuurlijk rayon, maar het voelt aan als echte zij.'

Ze pakte de jurk. In het kleine pashokje trok Penelope haar kleren uit. Ze liet de rode jurk over haar hoofd glijden. Hij voelde zacht aan en rook opwindend nieuw. Terwijl ze van achter het gordijn te voorschijn kwam, maakte ze de knoopjes vast en gespte ze de rode, leren riem dicht.

'Hij staat schitterend,' zei Madame Jolie.

Penelope liep naar de lange spiegel en bekeek zichzelf kritisch. Ze probeerde zichzelf te zien zoals Richard haar zou zien. De jurk had een vierkante hals en schoudervullingen en een rok met plooien. De brede riem maakte haar middel erg slank en toen ze zich omdraaide om de achterkant te bekijken, waaierde de rok uit terwijl ze zich bewoog. En het effect was zo vrouwelijk en charmant dat ze van haar eigen verschijning genoot. Ze had nog nooit een jurk gehad die haar zoveel zelfvertrouwen gaf. Ze werd er eigenlijk meteen een beetje verliefd op en móest hem hebben.

'Wat kost hij?'

Madame Jolie tastte naar het prijskaartje. 'Zeven pond en tien shilling. En zeven bonnen natuurlijk.'

'Ik neem hem.'

'Dat is verstandig. Stel je voor, de eerste die je aanpast. Ik dacht er meteen aan toen je binnenkwam. Had voor je gemaakt kunnen zijn. Je moet maar boffen.'

'Papa, wat vindt u van mijn nieuwe jurk?' Ze haalde hem uit de papieren zak, schudde hem uit en hield hem voor. Hij zette zijn bril af en leunde met zijn ogen half dicht achterover in de kussens van zijn stoel.

'Dat is een goede kleur voor jou. Ja, ik vind hem mooi. Maar waarom heb je ineens een nieuwe jurk gekocht?'

'Omdat we vanavond naar de Watson-Grants gaan. Weet u nog wel?'

'Ja, maar ik weet niet meer hoe we er moeten komen.'

'De generaal stuurt zijn auto om ons op te halen.'

'Wat aardig van hem.'

'En er zal wel iemand zijn die u thuisbrengt. Want ik ga daarna uit eten.'

Hij keek zijn dochter onderzoekend aan en zette toen zijn bril weer op. 'Met Richard Lomax,' zei hij toen en het was geen vraag.

'Ja.'

Hij pakte zijn krant. 'Goed.'

'Hoor eens, papa. Vindt u dat ik moet gaan?'

'Waarom niet?'

'Omdat ik getrouwd ben.'

'Maar daarom ben je nog niet zo'n burgerlijk uilskuiken.'

Ze aarzelde. 'En als er meer van komt?'

'Is dat waarschijnlijk?'

'Het zou kunnen.'

'Hm. Dan komt er maar meer van.'

'Zal ik u eens wat zeggen, papa? Ik ben werkelijk gek op u.'

'Mijn dank. En waarom?'

'Om wel duizend redenen. Maar vooral omdat we altijd met elkaar hebben kunnen praten.'

'Het zou een ramp zijn als we dat niet konden. En wat Richard Lomax betreft, je bent geen kind meer. Ik wil niet dat je verdriet krijgt, maar het is je eigen zaak. Je neemt je eigen beslissingen.'

'Ja,' zei ze. Ze zei niet: 'Dat heb ik al gedaan.'

Ze waren de laatsten die bij de Watson-Grants arriveerden. Dat kwam doordat Penelope zich nog wanhopig zat af te vragen wat ze met haar haar moest doen, toen John Tonkins, de oude tuinman van de generaal, hen kwam halen. Ze had eindelijk besloten het op te steken en trok toen op het laatste moment alle spelden er weer geërgerd uit om het los te laten hangen. Daarna had ze nog een soort jas moeten zoeken, want de nieuwe jurk was maar dun en de septemberavonden waren kil. Ze had geen jas, alleen maar haar geruite poncho, en die zag er zo vreselijk uit dat ze op zoek moest naar een oude, kasjmieren sjaal van Sophie. Met de sjaal tegen zich aan gedrukt rende ze de trap af. Ze vond haar vader in de keuken, want hij had in een opwelling besloten dat hij zijn schoenen moest gaan poetsen.

'Papa. De auto is er al. John wacht op ons.'

'Daar kan ik niets aan doen. Dit zijn mijn goede schoenen en ze zijn in geen vier maanden gepoetst.'

'Hoe weet u dat zo goed?'

'Omdat we toen voor het laatst bij de Watson-Grants zijn geweest.'

'O, papa.' Zijn vergroeide handen worstelden met het blikje schoenpoets. 'Geef maar. Ik doe het wel.'

Ze werkte het zo vlug mogelijk af. Terwijl hij zijn schoenen aantrok, waste ze haar handen. Toen knielde ze neer om de veters voor hem vast te maken. Eindelijk liepen ze in het tempo van Lawrence door de tuin naar buiten, waar John Tonkins en de oude Rover op hen wachtten.

'Het spijt me dat het zo lang geduurd heeft, John.'

'Het geeft niet, meneer Stern.' Hij hield het portier open en Lawrence werkte zich moeizaam op de voorbank. Penelope ging achterin zitten. John nam zijn plaats achter het stuur in en ze reden weg. Maar niet al te hard, want John Tonkins ging voorzichtig met de auto van zijn werkgever om en reed alsof de wagen een tijdbom was die zou kunnen ontploffen als hij harder reed dan vijftig kilometer per uur. Om zeven uur reden ze eindelijk over de oprijlaan van de generaal, langs zijn prachtige rododendrons, azalea's, camelia's en fuchsia's, tot voor de voordeur. Er stonden al drie of vier andere auto's op het grind geparkeerd. Penelope herkende de oude Morris van de Trubshots, maar niet de kakikleurige auto met het embleem van de mariniers. Er zat een jonge marinier achter het stuur te lezen. Terwijl ze uit de Rover stapte, merkte ze dat ze verstolen glimlachte.

Ze gingen naar binnen. Voor de oorlog waren ze altijd door een dienstmeisje binnengelaten maar nu was er niemand. De hal was leeg maar het geluid van stemmen voerde hen door de zitkamer naar de ruime serre van de generaal.

'O, daar zijn jullie eindelijk!' Mevrouw Watson-Grant had hen in het oog gekregen en kwam op hen af om hen te begroeten. Ze was klein en tenger en had heel kort haar en een door de onbarmhartige zon van Voor-Indië getaande huid. Ze rookte voortdurend en was verslaafd aan bridgen. Als je de geruchten moest geloven, had ze in Quetta het grootste deel van de tijd te paard doorgebracht. Ze was een keer tegenover een tijger die aanviel komen te staan en had het dier met vaste hand neergeschoten. Nu had ze alleen nog maar de leiding over het plaatselijke Rode Kruis, maar ze miste het drukke sociale verkeer van vroeger en het was typerend dat ze meteen mensen had uitgenodigd toen ze de hand had weten te leggen op een paar flessen jenever. 'Laat als altijd,' voegde ze eraan toe, want ze nam nooit een blad voor haar mond. 'Wat wilt u drinken? U kent natuurlijk iedereen hier. Behalve misschien kolonel Mellaby en majoor Lomax . . .'

Penelope keek om zich heen. Ze zag de Springburns en mevrouw Trubshot, lang en spichtig, in lila chiffon en met een enorme hoed op. Naast haar stond miss Pawson, stevig als altijd op een paar schoenen met veters en dikke rubberzolen. Ze zag kolonel Trubshot, die de onbekende kolonel Mellaby had aangeklampt en hem ongetwijfeld uitgebreid vertelde wat hij van de oorlogvoering dacht. De kolonel van de mariniers was een heel stuk groter dan kolonel Trubshot, een knappe, kalende man met een borstelige snor, en hij moest een beetje bukken om te verstaan wat er gezegd werd. Er lag een uitdrukking van beleefde maar verveelde aandacht op zijn gezicht en Penelope vermoedde dat de beweringen van kolonel Trubshot hem niet bepaald boeiden. Ze zag Richard aan de andere kant van de kamer staan, met zijn rug naar de tuin. Miss Preedy stond vlak bij hem. Ze droeg een geborduurde Hongaarse blouse en een rok van weefstof. Hij zei iets tegen haar en ze begon te giechelen. Hij keek op, zag Penelope en gaf haar een onopvallend knipoogje.

'Penelope.' Generaal Watson-Grant stond naast haar. 'Heb je al wat te drinken? Gelukkig dat je er bent. Ik was al bang dat je niet kwam.'

'Ja, we zijn laat. We hebben die arme John Tonkins een hele tijd laten wachten.'

'Dat geeft niet. Ik maakte me alleen een beetje bezorgd over die mariniers. Die arme kerels; iedereen hier is veel te oud en te excentriek voor hen. Ik had wel opwekkender gezelschap voor hen gezocht maar ik kon niemand bedenken. Alleen jou maar.'

'Daar zou ik me niet druk over maken. Ze zien er heel tevreden uit.'

'Ik zal jullie aan elkaar voorstellen.'

'We kennen majoor Lomax al.'

'O ja? Hoe hebben jullie hem leren kennen?'

'Papa is een keer met hem aan de praat geraakt in de kunstgalerij.'

'Het lijken aardige knapen.' De generaal keek met het oog van de gastheer rond. 'Ik ga Mellaby redden. Hij heeft tien minuten aan één stuk door naar Trubshot moeten luisteren en daar heeft iedereen genoeg aan.'

Hij verdween even plotseling als hij naast haar was opgedoken en Penelope wendde zich tot miss Pawson. Richard gaf haar voorlopig geen aandacht maar dat deed er niet toe, want nu kon ze nog wat langer naar zijn gezelschap uitzien. Het was net of ze een rituele dans uitvoerden. Ze deden de ronde en glimlachten en luisterden naar anderen, maar kwamen nooit dicht bij elkaar. Ten slotte stond Penelope bij de open deur naar de tuin. Ze draaide zich om om haar lege glas neer te zetten maar werd afgeleid door de tuin van de generaal. Over het gras lag een goudachtig licht en er dansten hele wolken muggen in de donkere schaduw van de bomen. Ze hoorde de houtduiven koeren en rook de geuren van een warme septemberavond.

'Hallo.' Hij stond naast haar.

'Hallo.'

Hij nam haar het lege glas uit de hand. 'Wil je nog wat drinken?'

Ze schudde haar hoofd. 'Nee.'

Hij vond ruimte op een tafeltje met een palm in een pot en zette het glas neer. 'Ik heb een hele tijd in de zenuwen gezeten dat je niet zou komen.'

'We komen altijd overal nogal laat.'

Hij keek om zich heen. 'Ik ben verrukt van de sfeer hier. Het is net of we in Poona zijn, met al die Indische souvenirs.'

'Ik had je moeten waarschuwen.'

'Waarom? Het is verrukkelijk.'

'Ik vind een serre zo enig. Als ik op een dag zelf een behoorlijk huis heb, laat ik er een bouwen. Even groot en ruim en zonnig als deze.'

'En vul je die dan ook met tijgerhuiden en koperen gongs?'

Ze glimlachte. 'Papa zegt dat er alleen nog maar een bediende met een waaier aan ontbreekt.'

'Of misschien een horde derwisjen, die uit het struikgewas komt en dood en verderf brengt. Denk je dat onze gastheer die tijger geschoten heeft?'

'Eerder mevrouw Watson-Grant. In de zitkamer hangen foto's van haar met een tropenhelm op, met de jachtbuit aan haar voeten.'

'Heb je al met kolonel Mellaby gesproken?'

'Nee, nog niet. Hij is zo gezocht, ik kon niet in zijn buurt komen.'

'Kom dan, dan zal ik je voorstellen. Dan zegt hij waarschijnlijk dat het tijd voor ons wordt om weg te gaan. Hij neemt ons mee in de auto tot het hoofdkwartier en dan moeten we verder lopen. Vind je dat erg?'

'Helemaal niet.'

'En je vader?'

'John Tonkins brengt hem wel thuis.'

Hij legde zijn hand onder haar elleboog. 'Kom dan . . .'

Het ging precies zoals hij gezegd had. Kolonel Mellaby bleef even met Penelope praten en keek toen op zijn horloge en zei dat het tijd werd om te gaan. Ze namen afscheid. Penelope kreeg de verzekering dat Lawrence naar Carn Cottage gebracht zou worden en gaf hem een kus. De generaal liep met hen mee naar de deur en Penelope pakte haar sjaal van de stoel waar ze die had neergelegd. Buiten borg de chauffeur vlug zijn lectuur weg. Hij sprong uit de auto en hield het portier open. De kolonel nam de plaats naast de chauffeur en Penelope en Richard gingen achterin zitten. Deze chauffeur was heel wat minder voorzichtig dan John Tonkins en in minder dan geen tijd waren ze bij het hoofdkwartier.

'Jullie gaan ergens eten? Neem de auto en de chauffeur dan maar mee.'

'Nee, dank u, we gaan wel lopen. Het is een mooie avond.'

'Dat is zo. Nou, veel plezier dan.' Hij gaf hun een vaderlijk knikje, stuurde zijn chauffeur weg en verdween in het gebouw.

'Zullen we gaan?' vroeg Richard.

Het was inderdaad een mooie avond. De zee was rustig en glansde als de binnenkant van een schelp. De zon was ondergegaan maar het avondrood was nog niet verdwenen. Ze liepen over lege trottoirs en langs winkels met gesloten luiken naar de stad.

Er waren weinig mensen op straat. Hier en daar hingen een paar Amerikaanse commando's rond. Een enkele had een giechelend meisje van een jaar of zestien aan zijn arm. Anderen stonden in de rij te wachten tot de bioscoop openging, of liepen op hun laarzen met zachte zolen door de straten, op zoek naar een café. Als ze Richard zagen naderen, verdwenen die groepjes op een geheimzinnige manier uit het gezicht.

'Ik heb met hen te doen,' zei Penelope.

'Ze hebben alles wat ze nodig hebben.'

'Het zou leuk zijn als zij ook eens uitgenodigd konden worden.'

'Ik denk niet dat ze veel gemeen zouden hebben met de gasten van generaal Watson-Grant.'

'Hij maakte zich zorgen dat iedereen te oud of te excentriek voor jullie zou zijn.'

'Zei hij dat? Dan had hij het toch mis. Ik vond iedereen fascinerend.'

Dat leek een beetje overdreven. 'Ik mag de Springburns wel. En de Watson-Grants ook natuurlijk.'

'En miss Pawson en miss Preedy?'

'O, die zijn lesbisch.'

'Dat dacht ik al. En de Trubshots?'

'De Trubshots zijn een kruis dat we met elkaar dragen. Zij is niet zo erg maar hij is een verschrikking. Hij heeft de leiding over de luchtbescherming en hij geeft altijd mensen aan bij wie hij een streepje licht gezien heeft. En dan krijgen ze een boete.'

'Dat lijkt me inderdaad niet de beste manier om vrienden te krijgen en mensen te beïnvloeden, maar ik neem aan dat hij alleen maar doet wat hij moet doen.'

'Jij spreekt veel vriendelijker over hem dan papa en ik. En we begrijpen ook nooit waarom zo'n klein mannetje met zo'n grote vrouw getrouwd is. Hij komt nauwelijks tot haar middel.'

Richard dacht even na. Toen zei hij: 'Mijn vader had een vriend die erg klein was en precies hetzelfde gedaan had. En toen mijn vader hem vroeg waarom hij niet iemand van zijn eigen lengte gezocht had, antwoordde hij dat iedereen hen dan altijd als dat grappige, kleine echtpaar had gezien. Misschien heeft kolonel Trubshot het ook zo bekeken.'

'Ja, misschien wel. Daar had ik nog nooit aan gedacht.'

Ze bracht hem langs de kortste weg naar de weg langs het strand.

'Ik heb deze weg vaak genoeg van zee af gezien, maar ik ben er nog nooit geweest.'

'Ik vind het hier altijd erg leuk. We zijn er nu bijna. Het is dat huisje met het uithangbord en de bloembakken.'

'Wie is Gaston?'

'Een echte Fransman, uit Bretagne. Hij kwam hier vroeger altijd vissen. Hij is met een meisje uit Cornwall getrouwd en is toen bij een akelig ongeluk op zee een been kwijtgeraakt. Toen kon hij niet meer gaan vissen, dus hebben zijn vrouw en hij dit restaurantje geopend. Ze zitten er nu al bijna vijf jaar.' Ze hoopte dat hij niet vond dat het er allemaal een beetje al te eenvoudig uitzag. 'Het is natuurlijk niet zo deftig, dat heb ik al gezegd.'

Hij glimlachte en stak zijn hand uit om de deur open te doen. 'Ik houd helemaal niet van deftige restaurants.'

Boven hun hoofd tingelde een belletje. Ze kwamen in een betegelde gang en waren meteen door heerlijke geuren omgeven. Er klonk zachte muziek. Door een open doorgang gingen ze het kleine eetzaaltje binnen. Er lagen rode, katoenen kleedjes op de tafeltjes. Er stonden kaarsen en een vaas met verse bloemen op ieder tafeltje en het vuur brandde.

Twee van de tafeltjes waren al bezet. Een bleke, jonge kapitein-vlieger en zijn vriendin – of misschien zijn vrouw – en een ouder echtpaar dat waarschijnlijk eens een keer bij Gaston terechtgekomen was omdat het The Castle nu wel gezien had. Het beste tafeltje, voor het raam, was echter nog vrij.

Toen ze aarzelden, kwam Grace, de vrouw van Gaston, door de klapdeur achter in het vertrek.

'Goedenavond. U bent zeker majoor Lomax? U hebt een tafel besproken. Ik heb u bij het raam gezet. Ik dacht dat u het uitzicht wel zou waarderen en . . .' Over zijn schouder ontwaarde ze Penelope. Er kwam een verbaasde glimlach op haar sproetige, door de zon gebruinde gezicht. 'Hallo. Wat doe jij hier? Ik wist niet dat je zou komen.'

'Nee, dat zal wel niet. Hoe gaat het, Grace?'

'Prima. Druk als altijd natuurlijk, maar daar praten we niet over. Is je vader er ook?'

'Nee, vanavond niet.'

'O, nou, het is ook leuk om voor de verandering eens zonder hem uit te gaan.' Haar ogen gingen met enige belangstelling naar Richard. 'Nou, waar wil je zitten? Met je gezicht naar het raam? Je moet er nu nog van profiteren want zo meteen moeten we verduisteren. Eerst iets drinken? Dan haal ik de kaart en kunt u bestellen.'

'Wat kunnen we drinken?'

'Niet veel . . .' Ze trok haar neus op. 'Er is sherry, maar die komt uit Zuid-Afrika en smaakt naar rozijnen.' Ze boog zich over Richard heen en deed of ze het bestek recht legde. 'Wilt u wijn?' fluisterde ze in zijn oor. 'We bewaren altijd een paar flessen voor meneer Stern. Ik weet zeker dat hij het niet erg vindt als u er een neemt.'

'Dat zou geweldig zijn.'

'Maar maak er niet te veel heisa over. Er zijn hier nog meer mensen. Gaston zal de wijn overgieten in een karaf, dan zien ze het etiket niet.' Ze gaf hun een enorme knipoog, pakte een kaart en verdween.

Toen ze weg was, keek Richard verbaasd op. 'Wat een behandeling. Gaat dat altijd zo?'

'Meestal wel. Gaston en papa mogen elkaar vreselijk graag. Hij komt nooit uit de keuken maar als papa er is en de andere klanten weg zijn, verschijnt hij met een fles cognac en dan zitten papa en hij nog uren te kletsen. Die muziek is overigens een idee van Grace. Ze zegt dat die de mensen ervan weerhoudt naar de gesprekken van anderen te luisteren. Ik weet precies wat ze bedoelt. In de eetzaal van The Castle hoor je alleen maar gefluister en gekras van vorken en messen over borden. Muziek is veel fijner. Dan heb je het gevoel dat je in een film speelt.'

'Trekt dat je aan?'

'Het schept een illusie.'

'Ga je graag naar de bioscoop?'

'Ik ben er gek op. Doris en ik gaan er 's winters soms twee keer in de week heen. Er is verder niet veel te beleven in Porthkerris tegenwoordig.'

'Was dat vóór de oorlog dan anders?'

'O, natuurlijk, alles was toen anders. En wij waren hier toen 's winters nooit, dan zaten we altijd in Londen. We hadden een huis in Oakley Street. Dat hebben we trouwens nog, maar we gaan er niet meer heen.' Ze zuchtte. 'Dat vind ik nu een van de ergste dingen van de oorlog, dat ik altijd hier moet zitten. Het valt niet mee Porthkerris uit te komen met maar één bus per dag en geen benzine voor de auto. Ik denk dat dat de prijs is die je moet betalen als je als kind altijd gereisd hebt. Papa en Sophie bleven vroeger nooit lang in dezelfde plaats. Soms pakten we ineens onze koffers om naar Frankrijk of Italië te gaan. Dat maakte het leven enorm opwindend.'

'Was je enig kind?'

'Ja. En erg verwend.'

'Dat geloof ik niet.'

'Toch is het zo. Ik ging altijd met volwassenen om en werd behandeld alsof ik zelf ook al volwassen was. Mijn beste vrienden waren de vrienden van mijn ouders. Maar dat klinkt niet zo vreemd als je bedenkt hoe jong mijn moeder nog was. Ze was eigenlijk meer een soort zuster voor me.'

'En ze was mooi.'

'Je denkt aan haar portret. Ja, ze zag er goed uit. Maar ze was ook nog erg warm en geestig en hartelijk. Het ene moment was ze geërgerd en het volgende lachte ze alweer. En ze kon maken dat we ons overal thuis voelden. Ze had een soort zekerheid. Ik kan niemand bedenken die niet van haar hield. Ik denk nog elke dag aan haar. Soms lijkt ze erg dood. En andere keren kan ik niet geloven dat ze niet ergens in huis is en ineens een deur open zal doen om te voorschijn te komen. We waren vreselijk op onszelf – zelfzuchtig, denk ik. We hadden nooit andere mensen nodig. En toch zat ons huis altijd vol met mensen, vaak vage kennissen die nergens anders heen konden. Maar ook

313

vrienden. En familie. Tante Ethel en de Cliffords kwamen elke zomer.'

'Tante Ethel?'

'De zuster van papa. Ze is heel bijzonder, knettergek eigenlijk. Maar ze is al tijden niet in Carn Cottage geweest. Doris en Nancy hebben haar kamer en bovendien is ze uit Londen weggegaan en woont ze nu ergens in het wilde Wales met een paar warhoofdige vrienden die geiten fokken en op een handgetouw weven. Je kunt erom lachen maar het is waar. Ze heeft altijd de meest excentrieke vrienden.'

'En de Cliffords?' vroeg hij omdat hij nog meer wilde horen.

'Dat is niet zo grappig. De Cliffords komen niet meer omdat ze dood zijn. Ze zijn bij hetzelfde bombardement omgekomen als Sophie . . .'

'Sorry. Dat wist ik niet.'

'Natuurlijk niet. Het waren de beste vrienden van papa. Ze woonden bij ons in, in Oakley Street. Toen het gebeurde, toen hij dat telefoontje kreeg, is hij veranderd. Erg oud geworden. Heel plotseling. Voor mijn ogen.'

'Het is een fantastische man.'

'Hij is erg sterk.'

'Is hij eenzaam?'

'Ja. Maar dat zijn de meeste oude mensen.'

'Het is een geluk voor hem dat hij jou heeft.'

'Ik zou hem nooit alleen kunnen laten, Richard.'

Ze werden onderbroken door de komst van Grace. 'Zo, hier is de karaf.' Ze gaf hun weer een veelzeggend knipoogje. 'En nu moet ik helaas gaan verduisteren.' Ze trok de gordijnen goed dicht, zodat er geen streepje licht naar buiten door kon dringen. 'En wat zal het zijn?'

'We hebben nog niet op de kaart gekeken. Wat kunt u ons aanraden?'

'Ik zou de mosselensoep nemen en dan de vispastei. Het vlees is vreselijk van de week. Akelig taai en vol met been.'

'Goed, dan nemen we vis.'

'En lekkere, verse broccoli en sperziebonen? Prima.'

Ze draaide zich om en haalde op weg naar de keuken lege glazen van andere tafeltjes. Richard schonk de wijn in. Hij hief zijn glas. 'Op je gezondheid.'

'Santé.'

De wijn was licht en koel en fris. Hij smaakte naar Frankrijk en andere zomers, een andere tijd. Penelope zette haar glas neer. 'Papa zou dit een goede wijn vinden.'

'Vertel nog eens verder.'

'Over tante Ethel en haar geiten?'

'Nee, over jou.'

'Dat is zo vervelend.'

'Dat vind ik niet. Vertel me hoe je het bij de marine vond.'

'Dat is het laatste waar ik over wil praten.'

'Vond je het er niet leuk?'

'Ik vond het vreselijk.'

'Waarom had je je dan aangemeld?'

'O, dat was een idiote opwelling. We waren in Londen en toen gebeurde er iets . . .'

Hij wachtte. 'Wat gebeurde er?'

Ze keek hem aan. 'Je zult me heel onnozel vinden,' zei ze.

'Dat denk ik niet.'

'Het is een lang verhaal.'

'We hebben de tijd.'

En dus haalde ze eens diep adem en begon toen te vertellen. Ze begon bij Peter en Elizabeth Clifford en ging toen over op die avond dat Sophie en zij koffie bij hen waren gaan drinken en toen voor het eerst de Friedmanns ontmoet hadden. 'De Friedmanns waren nog jong. Het waren vluchtelingen uit München. Joden.' Over de tafel heen keek Richard haar aan. Zijn gezicht stond rustig. Hij luisterde. Het drong tot haar door dat ze dingen zei die ze nooit aan Ambrose had kunnen vertellen. 'En Willi Friedmann begon te praten over wat er in Duitsland met de joden gebeurde. Wat mensen als de Cliffords al jaren aan de wereld hadden proberen te vertellen maar niemand wilde naar hen luisteren. En voor mij maakte dat de oorlog iets persoonlijks. Iets afschuwelijks, iets ontzettends, maar iets persoonlijks. Dus meldde ik me de volgende dag aan bij de vrouwen-afdeling van de marine. Einde van het verhaal. Droevig, hè?'

'Helemaal niet.'

'Maar ik had er bijna meteen spijt van. Ik had heimwee en ik kreeg geen vrienden en ik vond het vreselijk tussen allemaal vreemden te moeten leven.'

Richard leek haar te begrijpen. 'Je bent niet de enige die dat zo aanvoelt. Waar stuurden ze je heen?'

'Naar Whale, naar dat opleidingsinstituut van de marine.'

'Heb je daar je man leren kennen?'

'Ja.' Ze hield haar ogen neergeslagen, pakte haar vork en begon daarmee onregelmatige patronen te tekenen op het geblokte ta-felkleedje. 'Hij was tweede luitenant en kreeg er zijn opleiding.'

'Hoe heet hij?'

'Ambrose Keeling. Waarom vraag je dat?'

'Ik dacht dat ik hem misschien wel eens ontmoet had, maar dat is niet zo.'

'Dat lijkt me ook niet waarschijnlijk,' zei ze kalm. 'Hij is veel jonger dan jij. O, fijn ...' Haar stem klonk opgelucht. 'Daar hebben we Grace met de soep. Ik heb zo'n vreselijke honger.' Richard moest denken dat ze opgelucht was omdat de soep kwam en niet omdat ze nu een goede reden had om niet meer over Ambrose te praten.

Het was elf uur toen ze eindelijk naar huis gingen. Door de onverlichte straatjes zochten ze hun weg de heuvel op. Het was veel kouder geworden en Penelope trok de sjaal van Sophie dicht om zich heen. Toen ze hoger kwamen, voelde ze de krachtige, frisse wind van de Atlantische Oceaan.

Eindelijk waren ze bij de garage van Grabney. Penelope bleef even staan om haar haar uit haar gezicht te strijken en de sjaal steviger om haar schouders te trekken.

'Sorry,' zei hij.

'Waarvoor?'

'Voor die wandeling. Ik had een taxi moeten nemen.'

'Ik ben niet moe. Ik ben eraan gewend. Ik doe dit twee of drie keer per dag.'

Hij nam haar arm en vlocht zijn vingers door de hare. Ze liepen weer door. 'De volgende tien dagen heb ik het nogal druk,' zei hij, 'maar als de gelegenheid zich voordoet, kom ik misschien een keer bij jullie langs. Voor een spelletje backgammon.'

'Wanneer je maar wilt,' zei ze. 'Je komt maar. Papa zou dat erg prettig vinden. En er is altijd wel wat te eten, al is het alleen maar soep en brood.'

'Dat is aardig van je.'

'Helemaal niet. Jij bent aardig. Ik heb in geen jaren zo'n fijne avond gehad. Ik was vergeten hoe dat was, als iemand je mee uit eten neemt.'

'En na vier jaar was ik vergeten hoe het was ergens anders te eten dan in een mess, met een heleboel andere mannen die alleen maar over hun werk kunnen praten. Dus misschien hebben we elkaar wel een dienst bewezen.'

Ze waren bij de muur, bij de deur naar de tuin. Ze bleef staan en draaide zich naar hem toe.

'Kom je nog even binnen voor een kop koffie of zo?'

'Nee. Ik ga terug. Ik moet morgen weer vroeg beginnen.'

'Je kunt komen wanneer je maar wilt, Richard, dat zei ik al.'

'Ja,' zei hij. Hij legde zijn handen op haar schouders en boog zich voorover om haar een kus op haar wang te geven. 'Welterusten.'

Ze liep door de tuin en ging het slapende huis binnen. In haar slaapkamer bleef ze voor de lange spiegel staan. Ze keek naar het meisje met de donkere ogen dat daarin te zien was. Ze maakte de sjaal los en liet die voor haar voeten op de grond vallen. Langzaam begon ze de knoopjes van de rode jurk met de madeliefjes los te maken maar toen liet ze de knoopjes de knoopjes en ze leunde naar voren om haar gezicht te bekijken. Voorzichtig ging ze met haar vingers over de wang die hij gekust had. Ze merkte dat ze bloosde. Ze lachte om zichzelf en kleedde zich toen verder uit. Ze deed het licht uit, trok de gordijnen open en stapte in bed. Ze keek met open ogen in het donker achter het raam, hoorde het ruisen van de zee, voelde haar hart kloppen. In gedachten herhaalde ze elk woord dat hij in de loop van die avond gezegd had.

Richard Lomax hield woord. Hij kwam af en toe ineens aan en iedereen in Carn Cottage ging dat heel gewoon vinden. Lawrence, die tegen het begin van weer een lange winter in huis opzag, vrolijkte op zodra hij Richards stem hoorde. Doris had al besloten dat ze hem geweldig vond; en dat hij altijd bereid was met haar zoons te voetballen of hen met hun fiets te helpen, maakte haar enthousiasme er niet minder op. Ronald en Clark, die eerst een beetje verlegen waren geweest, noemden hem al gauw bij zijn voornaam en vroegen hem van alles en nog wat over zijn oorlogservaringen. Hoeveel gevechten hij had meegemaakt en of hij ooit met een parachute was neergelaten en hoeveel Duitsers hij had doodgeslagen. Ernie mocht hem graag omdat hij erg gewoon deed, bereid was zijn handen vuil te maken en ongevraagd een hele stapel houtblokken zaagde. Zelfs Nancy ontdooide ten slotte en vond het op een avond, toen Doris uit was en Penelope in de keuken bezig was, goed dat Richard haar naar boven bracht en in bad deed.

Voor Penelope was het een bijzondere tijd. Het was net of ze wakker werd nadat ze heel lang half slapend door het leven was gegaan. Ze werd gevoelig voor allerlei dingen in haar omgeving die ze tevoren amper had opgemerkt. Populaire liedjes kregen een heel speciale betekenis. En soms bleef ze zomaar staan kijken naar de laatste blaadjes die van de bomen vielen. Andere keren werd ze ineens erg energiek. Ze deed karweitjes die ze maanden had uitgesteld, poetste zilver, werkte hard in de tuin en nam in het weekend de kinderen mee voor lange wandelingen. En als er dagen voorbijgingen zonder dat Richard verscheen, maakte ze zich niet eens zorgen. Ze wist dat hij vroeg of laat weer zou komen en weer even vertrouwd zou lijken als altijd. En als hij kwam, was dat net een prachtig geschenk.

Toen ze haar eigen kalme aanvaarding van de situatie probeerde te ontleden, ontdekte ze dat er niets voorbijgaands was aan haar verhouding met Richard of aan dat nieuwe ontwaken van haar. Alles leek deel uit te maken van een plan dat al op de dag van haar geboorte was opgesteld. Wat er met haar gebeurde, moest gebeuren en bleef gebeuren. Het had geen herkenbaar begin en het leek onmogelijk dat er ooit een eind aan zou komen.

'... midden in de zomer was er altijd een open dag. Alle schilders ruimden hun atelier op – en dat was soms ook wel nodig – en zetten hun werk te kijk en dan ging het publiek van het ene atelier naar het andere om te kijken en soms te kopen. Natuurlijk waren sommige bezoekers alleen maar nieuwsgierig – het was net of ze in de huizen van anderen rond konden snuffelen – maar er kwamen ook een heleboel mensen die echt iets wilden kopen. Sommige ateliers zagen er altijd nogal vuil en kaal uit maar Sophie ging dat van papa grondig schoonmaken en dan zette ze er bloemen neer en ze gaf de bezoekers biscuitjes en wijn. Ze zei dat dat goed was voor de verkoop ...'

Het was nu eind oktober, een zondag, vroeg in de middag. Richard had al meer dan eens gezegd dat hij zo graag het atelier van Lawrence Stern een keer zou willen zien, maar om de een of andere reden was het daar nog nooit van gekomen. Die dag was hij echter eens een keer vrij en Penelope had impulsief haar andere plannen opgegeven om met hem naar het atelier te gaan. Nu waren ze onderweg, lopend natuurlijk weer, en de grote, oude sleutel hing zwaar in de zak van haar vest.

Het weer was nogal koel. De westenwind blies vlagen zonneschijn en schaduw over de zee. Er vormden zich lage wolken, die zich weer verspreidden en glimpjes van een blauwe lucht lieten zien. De weg langs de haven was bijna geheel verlaten, de weinige toeristen van die zomer waren allang weer vertrokken. Alle winkels waren dicht en de bewoners van Porthkerris, merendeels methodisten die de zondag in ere hielden, bleven binnen en deden een dutje na de zondagse maaltijd of waren misschien ongezien in hun tuin bezig.

'Zijn er nog schilderijen van je vader in het atelier?'

'Hemeltje, nee. Nou, misschien iets dat niet af is. Toen hij werkte, was hij dankbaar dat hij alles kon verkopen wat hij maakte. Soms was de verf amper droog. We moesten ervan leven, zie je. Alles, behalve *De schelpenzoekers*. Dat is zelfs nooit tentoongesteld. Om de een of andere reden was dat een erg persoonlijk schilderij. Hij wilde er nooit aan denken het te verkopen.' Ze hadden de weg langs de haven verlaten en zochten nu hun weg omhoog door het verwarrende netwerk van straatjes erachter. 'Op de dag dat de oorlog verklaard werd, liep ik hier om papa te halen en mee naar huis te nemen voor het middageten. Toen de kerkklok elf sloeg, vlogen alle meeuwen die op de toren zaten, omhoog de lucht in.' Ze sloegen de laatste hoek om en het strand lag voor hen. De kracht van de wind overviel hen en ze aarzelden even en hielden hun adem in voor ze over het kronkelige paadje verder liepen naar het atelier.

Penelope stak de sleutel in het slot en de zware deur zwaaide open. Ze ging als eerste naar binnen en werd meteen overvallen door schaamte, want ze was hier in geen maanden geweest en de ruimte zag er op het eerste gezicht erg rommelig en verwaarloosd uit. De lucht deed koud en toch bedompt aan en alles rook naar terpentijn, houtrook, teer en vocht. Het koude, heldere licht uit het noorden, dat door de hoge ramen naar binnen stroomde, liet alles onbarmhartig duidelijk zien.

Achter haar deed Richard de deur dicht. Ze zei ronduit: 'Het ziet er vreselijk uit. En het is hier vochtig.' Ze liep naar het raam en deed het met enige moeite open. Als een stroom ijskoud water drong de wind naar binnen. Ze zag het verlaten strand en de schuimende golven.

Hij kwam naast haar staan. '*De schelpenzoekers*,' zei hij met enige voldoening.

'Natuurlijk. Dat is vanuit dit raam geschilderd.' Ze draaide zich weer om naar het atelier. 'Sophie zou er wat van krijgen als ze papa's atelier zo kon zien.'

De vloer, en eigenlijk elk horizontaal vlak, was bedekt met een laagje zand. Een tafel was bijna geheel bedekt met een stapel tijdschriften met ezelsoren, een asbak die niet geleegd was, een vergeten badhanddoek. Het fluwelen gordijn over de stoel voor het model was verschoten en stoffig en er lag een berg as voor de oude potkachel. Er stonden twee divans in een hoek, met gestreepte dekens en een heleboel kussens erop, maar de kussens waren uitgezakt en een ondernemende muis had een gat in een ervan gebeten en een spoor van vulsel achtergelaten.

Penelope wist nauwelijks waar ze moest beginnen, maar ze begon toch een poging te doen de situatie te verbeteren. Ze vond een oude papieren zak en deed het gehavende kussen en de inhoud van de asbak daarin. Later zou ze alles wel in een vuilniszak gooien. Ze haalde de andere kussens van de divans, gooide ze op de grond en nam de dekens mee naar het open raam om ze eens flink uit te schudden in de frisse lucht. Muizekeutels en vlokjes kapok werden door de wind meegevoerd. Toen de dekens en de opgeschudde kussens weer op de divans lagen, zag alles er meteen een stuk beter uit.

Intussen nam Richard alles in zich op. De rommel scheen hem niet te hinderen maar hij werd gefascineerd door de resten van een heel mensenleven die hier te zien waren. Schelpen en stenen en stukken drijfhout, verzameld en bewaard om hun vorm en kleur, op de muur geprikte foto's, een gipsmodel van een hand, een aarden vaas vol veren van zeevogels en gedroogd gras. Ezels en linnen en schetsboeken, opgedroogde tubes verf, de oude paletten en potten met penselen, gekleurd door het vermiljoen en de oker en het kobalt en de gebrande siënna die hij zo graag gebruikte.

'Hoe lang werkt je vader al niet meer?'

'O, al jaren.'

'En toch is alles hier nog.'

'Hij wilde nooit iets weggooien en ik heb het hart niet om het te doen.'

Voor de potkachel bleef hij staan.

'Waarom steken we de kachel niet aan? Zou het dan niet droger worden?'

'Misschien wel. Maar ik heb geen lucifers.'

'Ik wel.' Hij hurkte neer om de deurtjes van de kachel open te doen. 'En hier is een krant en aanmaakhout en ook wat drijfhout.'

'En als er een vogelnestje in de schoorsteen zit?'

'Dat merken we gauw genoeg.' Hij kwam overeind, zette zijn groene baret af, gooide die opzij en maakte de knopen van zijn jasje los. Hij rolde zijn mouwen op en ging aan het werk.

Penelope had een bezem gevonden en begon het zand van de tafels en de grond weg te vegen. Ze pakte een stuk karton, veegde het zand daarop en gooide het het raam uit. Het strand was niet langer verlaten. In de verte waren uit het niets een paar nietige figuurtjes verschenen. Een man en een vrouw met een hond. De man gooide een stok weg en de hond rende de branding in om die terug te halen. Penelope huiverde. De lucht was koud. Ze deed het raam half dicht en zette het vast. Toen nestelde ze zich op de divan, zoals ze als kind na een lange, zonnige dag van zwemmen en spelen tegen Sophie aan was gekropen om voorgelezen te worden of een verhaaltje te horen te krijgen.

Nu keek ze naar Richard, met hetzelfde veilige, vredige gevoel. Op de een of andere manier had hij de kachel aan weten te krijgen. Hij deed voorzichtig een beetje hout op het vuur. Ze glimlachte, want ze vond hem net een schooljongen die een vuurtje stookt. Hij keek op en zag haar glimlach.

'Ben je padvinder geweest?' vroeg ze.

'Ja. Ik heb zelfs geleerd hoe je knopen moet leggen en hoe je van twee stokken en een regenjas een brancard kunt maken.'

Hij deed de deurtjes van de kachel dicht en ging staan. Zijn handen veegde hij aan zijn broek af.

'Dat is gelukt.'

'Als we een beetje thee en melk hadden, konden we water koken en thee zetten.'

'Je kunt net zo goed zeggen dat we als we spek hadden, eieren met spek konden eten als we eieren hadden.' Hij trok een krukje bij en ging tegenover haar zitten. Er zat een veeg roet op zijn rechterwang maar ze zei er niets van. 'Deden jullie dat vroeger? Hier thee zetten?'

'Ja, na het surfen. Dat heb je net nodig als je koud en huiverig bent. En we hadden altijd beschuitjes om in de thee te dopen. Sommige jaren, als het in de winter erg gestormd had, kwam het zand tot het raam, maar andere jaren was het zoals nu en moesten we over een touwladder omlaag naar het strand.' Ze ging verzitten en nestelde zich nog gemakkelijker in de kussens. 'Vroeger was alles zo fijn. Het lijkt wel of ik al oud ben, hè? Ik heb het voortdurend over vroeger. Je zult het wel erg vervelend vinden.'

'Ik vind het helemaal niet vervelend. Maar soms krijg ik de indruk dat je leven geëindigd is op de dag dat de oorlog uitbrak. En dat is verkeerd, want je bent nog erg jong.'

'Ik ben vierentwintig. Net geworden.'

Hij glimlachte. 'Wanneer ben je jarig geweest?'

'Vorige maand. Jij was er niet.'

'September.' Hij dacht daar even over na en knikte toen tevreden. 'Ja. Dat is goed. Dat klopt.'

'Hoe bedoel je?'

'Lees je Louis MacNeice weleens?'

'Ik heb nog nooit van hem gehoord.'

'Een Ierse dichter. Hij is erg goed. Hij heeft een gedicht over september geschreven. Een liefdesgedicht.'

Een liefdesgedicht. Ze moest ineens aan Ambrose denken, aan die avond dat ze naar het theater geweest waren, maar de herinnering was dof en kleurloos geworden. Ze zuchtte.

'Penelope.'

'Hm?'

'Waarom praat je nooit over je man?'

Ze keek op en vroeg zich één afschuwelijk moment af of ze misschien hardop had gedacht.

'Wil je dat ik over hem praat?'

'Niet speciaal. Maar het zou natuurlijk zijn. Ik ken je nu al – hoe lang? – bijna twee maanden en al die tijd heb je nooit vrijwillig over hem gesproken of zijn naam genoemd. Met je vader gaat het precies hetzelfde. Elke keer als we bij het onderwerp in de buurt komen, begint hij over wat anders.'

'Dat is gemakkelijk te verklaren. Ambrose verveelt hem. Ambrose verveelde Sophie ook. Ze hadden niets gemeen. Ze hadden elkaar helemaal niets te zeggen.'

'En jij?'

Ze wist dat ze eerlijk moest zijn, niet alleen tegenover Richard maar

321

ook tegenover zichzelf. 'Ik praat niet over hem omdat het iets is waar ik niet zo trots op ben. Het geeft niet zo'n gunstig beeld van me.'

'Wat dat ook mag betekenen, je denkt toch niet dat ik daarom minder van je zou denken?'

'O, Richard, ik heb geen idee wat je zou denken.'

'Probeer het dan.'

Ze haalde haar schouders op. 'Ik ben met hem getrouwd.'

'Hield je van hem?'

Weer probeerde ze zo eerlijk mogelijk te zijn. 'Ik weet het niet. Maar hij zag er goed uit en was vriendelijk en hij was de eerste echte vriend die ik op Whale maakte. Ik had nog nooit . . .' Ze aarzelde en zocht naar het goede woord maar wat kon ze anders zeggen dan vriend. 'Ik had nog nooit een vriend gehad, geen enkele relatie met een man van mijn eigen leeftijd. Hij was prettig gezelschap en hij mocht me graag en het was nieuw en anders.'

'Was dat alles?' Hij leek er niet veel van te begrijpen en dat was geen wonder na die verwarde uitleg.

'Nee. Er was nog een reden. Ik was in verwachting van Nancy.' Ze bracht een opgewekte glimlach op haar gezicht. 'Vind je het erg schokkend?'

'In godsnaam! Natuurlijk vind ik het niet schokkend.'

'Maar je kijkt geschokt.'

'Alleen omdat je echt met de man getrouwd bent.'

'Ik had het niet hoeven doen.' Het was belangrijk hem dat duidelijk te maken. Anders stelde hij zich misschien Lawrence met een geweer en Sophie in tranen vol verwijt voor. 'Papa en Sophie zijn nooit zo geweest. Ze zijn altijd erg onconventioneel geweest. Ik was met verlof thuis toen ik hun vertelde dat de baby moest komen. Onder normale omstandigheden was ik misschien gewoon daar gebleven en had ik Nancy gekregen zonder dat Ambrose er iets van wist. Maar ik was nog bij de marine. Mijn verlof ging voorbij en ik moest terug naar Portsmouth en toen zag ik Ambrose natuurlijk weer. En ik moest hem vertellen dat de baby kwam. Dat was niet meer dan eerlijk. Ik zei dat hij niet met me hoefde te trouwen . . . maar . . .' Ze aarzelde omdat ze zich eigenlijk niet precies kon herinneren wat er gebeurd was. '. . . toen hij eenmaal aan de gedachte gewend was, scheen hij te vinden dat we wel moesten trouwen. En dat vond ik nogal roerend want ik had dat echt niet verwacht. Toen we eenmaal ons besluit genomen hadden, was er geen tijd te verliezen omdat Ambrose klaar was met zijn opleiding en kort daarna naar zee gestuurd zou worden. Dus was het gauw gebeurd. Op het bureau van de burgerlijke stand van Chelsea op een mooie ochtend in mei.'

'Kenden je ouders hem al?'

'Nee. En ze konden niet bij het huwelijk zijn ook omdat papa bronchitis had. Dus zagen ze hem pas maanden later, toen hij verlof had en een weekend naar Carn Cottage kwam. En zodra hij het huis binnenging, wist ik dat het allemaal verkeerd was. Het was een akelige, verschrikkelijke vergissing. Hij hoorde niet bij ons. Hij hoorde niet bij mij. En ik was afschuwelijk tegen hem. Het was tegen het eind van mijn zwangerschap en ik was voortdurend geïrriteerd. Ik probeerde niet eens alles een beetje prettig voor hem te maken. Dat is een van de dingen waar ik me over schaam. En ik schaam me ook omdat ik altijd gedacht had dat ik zo verstandig en intelligent was, en toen nam ik de meest dwaze beslissing die een vrouw maar kan nemen.'

'Je bedoelt dat je ging trouwen.'

'Ja. Geef het maar toe, Richard, jij zou nooit zo iets stoms gedaan hebben.'

'Daar moet je niet te zeker van zijn. Ik ben er een keer of drie dicht in de buurt gekomen maar op het laatste moment was ik altijd zo verstandig om me terug te trekken.'

'Je bedoelt dat je wist dat je niet echt van haar hield?'

'Gedeeltelijk. En verder wist ik al een hele tijd dat er een oorlog zou komen. Ik ben nu tweeëndertig. Ik was tweeëntwintig toen Hitler en de nazi's op het tapijt verschenen. Op de universiteit had ik een goede vriend, Claus von Reindorp. Een briljante jongen. Hij was geen jood maar kwam uit een oude Duitse familie. We hebben veel gepraat over wat er in zijn vaderland aan de hand was. Ik ben een keer 's zomers naar Oostenrijk geweest om te gaan klimmen en toen heb ik de sfeer zelf kunnen proeven. Die vrienden van jou, de Cliffords, waren niet de enigen die begrepen dat er een vreselijke tijd zou komen.'

'Wat is er met je vriend gebeurd?'

'Ik weet het niet. Hij is naar Duitsland teruggegaan. Hij heeft me nog een poosje geschreven en toen hielden de brieven op. Hij is eenvoudig uit mijn leven verdwenen. Ik kan alleen maar hopen dat hij nu veilig dood is.'

'Ik haat deze oorlog,' zei ze. 'Ik wil dat er een eind aan komt, dat het doden en de bombardementen en de strijd ophouden. En toch zie ik ook tegen het eind ervan op. Papa wordt oud. Hij kan niet lang meer te leven hebben en zonder hem om voor te zorgen en zonder oorlog moet ik wel teruggaan naar mijn man. Ik zie mezelf al met Nancy in zo'n afschuwelijk villaatje in Alverstoke of Keyham zitten.'

De woorden waren eruit. Het bleef even stil. Ze vreesde afkeuring en had meer dan wat ook geruststelling nodig. Ongerust keek ze hem aan. 'Haat je me omdat ik zo egoïstisch ben?'

'Nee.' Hij leunde naar voren en legde zijn hand op de hare, die met de palm naar boven op de gestreepte deken lag. 'Juist het tegenovergestelde.' Haar hand was ijskoud maar zijn aanraking was warm. Ze sloot haar vingers om zijn pols omdat ze zijn warmte nodig had en wilde dat die zich verspreidde en ieder deel van haar wezen bereikte. Met een instinctief gebaar bracht ze zijn hand naar haar wang. Op precies hetzelfde moment zeiden ze allebei: 'Ik houd van je.'

Ze keek op en haar ogen ontmoetten de zijne. Het was gezegd. Het was gebeurd. Het kon nooit meer ongedaan gemaakt worden.

'O, Richard.'

'Ik houd van je,' zei hij nog eens. 'Ik geloof dat ik verliefd op je geworden ben zodra ik je zag, zoals je daar met je vader aan de overkant van de weg stond. Je leek net een zigeunerin met je wilde haren in de wind.'

'Ik wist niet . . . ik wist echt niet . . .'

'En vanaf het allereerste begin wist ik dat je getrouwd was en dat maakte toch geen verschil. Ik kon je niet uit mijn hoofd zetten. En achteraf geloof ik ook niet dat ik dat geprobeerd heb. En toen je me te eten vroeg, zei ik tegen mezelf dat je dat voor je vader deed. Dus ik kwam en ik kwam nog eens . . . om hem te zien natuurlijk maar evengoed omdat ik wist dat jij dan altijd in de buurt was. Omringd door kinderen en erg druk, maar je was er wel. Dat was het enige dat er iets toe deed.'

'Dat was voor mij ook het enige dat er iets toe deed. Ik probeerde niet het uit te rafelen. Ik wist alleen dat alles van kleur veranderde als jij binnenkwam. Het was net of ik je altijd gekend had. Of het beste van alles, in het verleden en de toekomst, allemaal ineens gebeurde. Maar ik durfde het geen liefde te noemen.'

Hij zat nu naast haar, niet langer een meter bij haar vandaan maar naast haar, met zijn armen om haar heen. Hij hield haar zo dicht tegen zich aan dat ze zijn hart hoorde kloppen. Haar gezicht lag tegen zijn schouder en zijn vingers vlochten zich in haar haar. 'O, lieveling, schat.' Ze hief haar gezicht naar hem op en ze kusten elkaar als gelieven die jaren gescheiden zijn geweest. En het was alsof je thuiskwam en een deur dicht hoorde gaan en wist dat je veilig was, met de hele wereld buitengesloten en niets en niemand om je te scheiden van de enige ter wereld bij wie je wilde zijn.

Ze lag op haar rug met haar donkere haar over de oude, versleten kussens.

'O, Richard . . .' Ze fluisterde maar ze was niet tot meer in staat. 'Ik heb nooit geweten, ik heb nooit kunnen vermoeden dat ik dit zou kunnen voelen . . . dat ik zo zou kunnen zijn.'

Hij glimlachte. 'Het kan nog beter worden.'

Ze keek hem aan en wist wat hij zei en wist dat ze niets meer verlangde. Ze begon te lachen en zijn mond kwam neer op haar open, lachende mond en woorden, hoe zoet ook, waren ineens niet meer nodig en niet langer genoeg.

Het oude atelier had meer liefde meegemaakt. De potkachel, die nu heerlijk warm was, en de wind die binnenstroomde door de half geopende ramen, hadden het allemaal eerder gezien. De divans waarop vroeger Lawrence en Sophie hun vreugde hadden gedeeld, ontvingen deze nieuwe liefde als vriendelijke bondgenoten. En later was er de diepe vrede na de hartstocht. Ze lagen rustig in elkaars armen en keken naar de wolken die langs de hemel dreven en luisterden naar het geluid van de golven die op het strand sloegen.

'Wat zal er gebeuren?' vroeg ze.
'Hoe bedoel je?'
'Wat zullen we doen?'
'Van elkaar blijven houden.'
'Ik wil niet terug. Naar de dingen zoals ze hiervoor waren.'
'Dat kunnen we nooit.'
'Maar we moeten. We kunnen niet aan de werkelijkheid ontsnappen. En toch wil ik dat het morgen wordt en morgen en morgen en dat ik weet dat ik op al die morgens ieder uur dat ik wakker ben met jou door kan brengen.'
'Dat wil ik ook.' Zijn stem klonk triest. 'Maar dat kan niet.'
'Ik haat deze oorlog.'
'Misschien moeten we dankbaar zijn. Dat de oorlog ons bij elkaar heeft gebracht.'
'O, nee. We waren elkaar toch wel tegengekomen. Op de een of andere manier. Waar dan ook. Dat stond in de sterren geschreven. Op de dag van mijn geboorte heeft de een of andere hemelse ambtenaar een stempel op jou gezet met mijn naam erop, in enorme hoofdletters. Deze man is gereserveerd voor Penelope Stern.'
'Alleen was ik toen nog geen man. Ik was nog maar een schooljongen die met de Latijnse grammatica worstelde.'
'Dat maakt geen verschil. We horen toch bij elkaar. Jij bent er altijd al geweest.'
'Ja. Ik ben er altijd al geweest.' Hij kuste haar en hief toen met tegenzin zijn pols op om op zijn horloge te kijken. 'Het is bijna vijf uur . . .'
'Ik haat de oorlog en ik haat alle klokken ook.'
'Helaas kunnen we hier niet voorgoed blijven, liefste.'
'Wanneer zie ik je weer?'
'Voorlopig niet. Ik moet weg.'
'Hoe lang?'

'Drie weken. Ik mag het je eigenlijk niet vertellen, dus mondje dicht.'

Ze schrok. 'Maar waar ga je heen?'

'Dat kan ik niet zeggen . . .'

'Wat ga je doen? Is het gevaarlijk?'

Hij lachte. 'Nee, sukkeltje, natuurlijk is het niet gevaarlijk. Een oefening . . . een onderdeel van mijn werk. En nu geen vragen meer.'

'Ik ben bang dat er iets met je gebeurt.'

'Er gebeurt niets met me.'

'Wanneer kom je terug?'

'Half november.'

'Nancy is eind november jarig. Ze wordt drie.'

'Dan ben ik wel terug.'

Ze keek hem peinzend aan. 'Drie weken,' zuchtte ze. 'Het lijkt een eeuwigheid.

Afwezigheid is de wind die de kleine kaars uitblaast, maar het smeulende vuur oprakelt.

Toch zou ik er wel buiten kunnen.'

'Helpt het eraan te denken hoeveel ik van je houd?'

'Ja. Een beetje.'

Het werd winter. Een koude oostenwind teisterde het land. De woeste zee kreeg de kleur van lood. Huizen, straten en zelfs de hemel leken verbleekt door de kou. In Carn Cottage werd 's morgens eerst de haard aangestoken en het vuur werd de hele dag aangehouden met kleine porties kolen en alles wat maar branden wilde. De dagen werden kort en de avonden lang. Met theetijd moesten de gordijnen al dicht. Penelope nam weer haar toevlucht tot haar poncho en haar dikke, zwarte kousen en als ze Nancy mee uit wandelen nam, pakte ze haar goed in.

Lawrence hield zijn altijd kille handen bij het vuur en werd rusteloos en humeurig. Hij verveelde zich.

'Waar is Richard Lomax gebleven? Hij is al minstens drie weken niet geweest.'

'Drie weken en vier dagen, papa.' Ze was ze gaan tellen.

'Hij is nog nooit zo lang weggebleven.'

'Hij komt wel terug voor zijn backgammon.'

'Wat voert hij uit?'

'Ik heb geen idee.'

Er ging nog een week voorbij zonder dat hij verscheen. Ondanks zichzelf begon Penelope zich zorgen te maken. Misschien kwam hij wel nooit meer terug. Misschien had de een of andere admiraal of generaal op Whitehall besloten dat Richard voor andere dingen bestemd was en hem overgeplaatst naar het noorden van Schotland, zodat zij hem nooit meer zou zien. Hij had niet geschreven maar misschien mocht hij dat niet. Of misschien – en dat was bijna ondenkbaar – was hij in Noorwegen of Nederland gedropt als verkenner voor de geallieerden. Haar overspannen verbeelding weigerde verder over die mogelijkheid na te denken.

Nancy's verjaardag stond voor de deur en dat was goed, want dat gaf Penelope iets anders om aan te denken. Doris en zij wilden een feestje geven. Er werden tien kleine vriendinnetjes op de thee genodigd. Er werden kostbare bonnen aan biscuitjes met chocolade uitgegeven en Penelope bakte met opgespaarde beetjes boter en margarine een taart.

Nancy was nu oud genoeg om naar haar speciale dag uit te zien en voor het eerst in haar korte leventje begreep ze waar het om ging. Het ging om cadeautjes. Na het ontbijt zat ze voor de haard in de zitkamer op de grond haar pakjes open te maken. Haar moeder en haar grootvader keken een beetje geamuseerd toe maar Doris was een en al aanbidding. Nancy werd niet teleurgesteld. Van Penelope kreeg ze een nieuwe pop en van Doris poppekleertjes, vol liefde in elkaar geflanst uit stukjes stof en restjes breiwol. Verder was er een stevige, houten kruiwagen van Ernie Penberth en een legpuzzel van Ronald en Clark. Lawrence, die altijd uitzag naar tekenen van geërfd talent, had een doos met kleurpotloden voor zijn kleinkind gekocht maar Nancy's allermooiste cadeau kwam van haar grootmoeder, Dolly Keeling. Een grote doos, lagen vloeipapier en eindelijk een nieuwe jurk. Een feestjurk. Lagen wit organdie, afgezet met kant en gesmokt met roze zij. Nergens had Nancy blijder mee kunnen zijn.

Ze schopte haar andere cadeaus opzij en kondigde aan: 'Ik wil hem nú aan.' Ze begon meteen aan haar kleren te trekken.

'Nee, het is een feestjurk. Je mag hem vanmiddag aan, als de kindertjes komen. Kijk, hier is je pop, trek haar haar nieuwe kleertjes maar aan. Kijk eens wat een mooie jurk Doris voor haar gemaakt heeft. En nog een onderjurk ook, met kant . . .'

Later in de ochtend zei Penelope tegen haar vader: 'U zult vanmiddag ergens anders moeten gaan zitten, papa. We hebben de ruimte hier in de zitkamer nodig om spelletjes te doen.' Ze schoof de tafel aan de kant.

'En waar moet ik dan blijven? In de schuur soms?'

'Nee. Doris heeft de haard in de studeerkamer aangestoken. Daar kunt u rustig zitten. Nancy wil geen mannen op haar feest. Zelfs

Ronald en Clark moeten uit de buurt blijven. Ze gaan bij mevrouw Penberth op de thee.'

'En krijg ik zelfs niets van de taart?'

'Ja, natuurlijk wel. We mogen niet toestaan dat Nancy al te lastig wordt.'

De kleine gasten arriveerden om vier uur, naar binnen geduwd door hun moeder of grootmoeder, en daarna lag de vermoeiende verantwoording anderhalf uur lang bij Doris en Penelope. Het feestje volgde het gebruikelijke patroon. Ze hadden allemaal een klein cadeautje voor Nancy bij zich en al die pakjes moesten opengemaakt. Eén kind begon te huilen en zei dat ze naar huis wilde, en een ander kind, een bazig wicht met een hoofd vol krullen, vroeg of er een goochelaar kwam. Penelope hielp haar meteen uit de droom.

Er werden spelletjes gedaan. 'Zakdoekje leggen, niemand zeggen,' zongen ze allemaal in koor terwijl ze in een kring door de kamer liepen. Eén klein meisje plaste misschien van de opwinding in haar broek en werd mee naar boven genomen om een droge te lenen. Toen dat was afgewerkt, keek Penelope uitgeput op de klok. Ze kon nauwelijks geloven dat het pas half vijf was. Nog een uur voor de moeders en oma's weer verschenen om hun kleine lievelingen mee te nemen.

Het bazige kind met de krullen werd om de een of andere reden boos op Nancy en gaf haar een klap in haar gezicht. Nancy sloeg prompt terug. Penelope maakte sussende geluidjes en haalde hen tactvol bij elkaar vandaan. Toen verscheen Doris in de deuropening. Ze zei dat de thee klaar was en Penelope had haar wel om de hals kunnen vallen.

De spelletjes waren vergeten en iedereen drong de eetkamer binnen, waar Lawrence al aan het hoofd van de tafel zat. Even werden de kinderen stil, onder de indruk van die oude man die daar als een aartsvader zat, of anders van het eten dat ze zouden krijgen. Ze staarden naar het witte tafellaken, de vrolijke mokken en borden en de rietjes voor de limonade. Het feestmaal omvatte boterhammen met jam, geglaceerde kaakjes en vruchtenkoekjes, en natuurlijk de taart. Ze namen hun plaats aan tafel in en even was het heel stil. Je hoorde alleen maar kauwen. Er kwamen natuurlijk kleine ongelukjes: boterhammen die op de grond vielen en een mok met limonade die over de tafel ging, maar dat hoorde er nu eenmaal bij. Eindelijk stak Penelope de drie kaarsjes op de taart aan. Doris deed het licht uit. De donkere kamer werd een toneel, een magische ruimte. De vlammetjes weerkaatsten in de ogen van de kinderen.

Nancy, op de ereplaats naast haar grootvader, ging op haar stoel staan en hij hielp haar de taart aan te snijden. 'Lang zal ze leven,' zongen de kinderen en toen ging de deur open en kwam Richard binnen.

'Ik kon het niet geloven. Ik dacht dat ik me maar wat verbeeldde, toen jij binnenkwam. Ik kon niet geloven dat het waar was.' Hij leek magerder, ouder, grauw van vermoeidheid. Hij moest zich nodig scheren en zijn battle dress was vuil en gekreukt. 'Waar ben je geweest?'

'In een vreselijke uithoek.'

'Wanneer ben je teruggekomen?'

'Ongeveer een uur geleden.'

'Je ziet er uitgeput uit.'

'Ik bèn ook uitgeput,' gaf hij toe. 'Maar ik had gezegd dat ik er zou zijn als Nancy jarig was.'

'Je lijkt wel niet wijs. Wat doet dat er nu toe? Je zou in bed moeten liggen.'

Ze waren alleen. Nancy's kleine bezoekstertjes waren vertrokken, ieder met een ballon en een lolly. Doris had Nancy mee naar boven genomen om haar in bad te doen. Lawrence had een glas whisky aangeboden en was op zoek naar een fles. Het was nog een rommel in de zitkamer, geen enkel meubelstuk stond op zijn plaats, maar daar letten ze niet op. Richard zat in een armstoel en Penelope aan zijn voeten op de grond.

'De oefening duurde langer, was gecompliceerder dan we gedacht hadden,' zei hij. 'Ik kon je zelfs geen brief schrijven.'

'Dat dacht ik wel.'

Het bleef stil. Bij het warme vuur werden zijn oogleden zwaar. Hij moest tegen de slaap vechten. Hij wreef over zijn ogen en ging met zijn hand over zijn stoppelige kin. 'Ik zie er natuurlijk vreselijk uit. Ik heb me niet geschoren en ik heb in geen drie nachten geslapen. Ik ben gewoon aan het eind van mijn krachten. Dat is wel naar want ik had je mee uit willen nemen, zodat ik je de rest van de avond en hopelijk ook van de nacht voor mezelf had. Maar ik denk niet dat ik het klaarspeel. Ik zou onder de soep al in slaap vallen. Vind je het erg? Kun je wachten?'

'Natuurlijk. Ik vind niets meer erg nu je veilig terug bent. Ik stelde me vreselijke dingen voor, dat je erg dapper was en gedood of gevangengenomen werd.'

'Je slaat me te hoog aan.'

'Toen je weg was, leek het wel of het voorgoed was, maar nu je er weer bent en ik naar je kan kijken en je aan kan raken, is het net of je helemaal niet weg bent geweest. En ik ben niet de enige die het erg vond dat je weg was. Papa zat ook maar naar zijn backgammon te hunkeren.'

'Ik kom wel een avond om een spelletje met hem te doen.' Hij boog zich naar voren en nam haar gezicht tussen zijn handen. 'Je bent even verrukkelijk mooi als ik me herinnerde,' zei hij. Er kwamen geamuseerde rimpeltjes om zijn vermoeide ogen. 'Misschien nog wel mooier.'

'Wat is er zo leuk?'

'Jij. Was je die weinig flatteuze, papieren muts op je hoofd vergeten?'

Hij bleef nog maar even, lang genoeg om de whisky op te drinken die Lawrence hem bracht. Daarna werd de uitputting hem te veel. Hij slikte een geeuw in, ging staan, verontschuldigde zich omdat hij zo vervelend was en nam afscheid. Penelope liet hem uit. In het donker achter de open deur kusten ze elkaar. Toen vertrok hij, op weg naar een warme douche, zijn bed en slaap.

Penelope deed de deur dicht. Ze bleef even staan om tot zichzelf te komen en ging toen de eetkamer in. Ze pakte een blad en begon af te ruimen.

Ze stond in de keuken af te wassen toen Doris bij haar kwam.

'Nancy slaapt al. Ze wilde naar bed in haar nieuwe jurk.' Ze zuchtte. 'Ik ben doodmoe. Ik dacht dat er nooit een eind aan dat feestje kwam.' Ze pakte een theedoek en begon af te drogen. 'Is Richard al weg?'

'Ja.'

'Ik dacht dat hij je vanavond wel mee uit eten zou nemen.'

'Nee. Hij was zoveel slaap achter.'

Doris droogde een stapel borden af. 'Toch was het leuk dat hij nog even kwam. Had je hem verwacht?'

'Nee.'

'Dat dacht ik al.'

'Waarom zeg je dat?'

'Ik zag je precies. Je werd zo wit als een doek. En je ogen stonden zo vreemd. Alsof je flauw ging vallen.'

'Ik was alleen maar verbaasd.'

'O, toe nou, Penelope. Ik ben ook niet gek. De bliksem slaat in als jullie bij elkaar zijn. Ik zag het aan de manier waarop hij naar je keek. Hij is stapel op je. En als ik jou eens bekijk sinds je hem kent, is het wederzijds.'

Penelope waste een mok met een konijn erop af. 'Ik wist niet dat het zo duidelijk te zien was.'

'Nou, dat hoef je niet zo zielig te zeggen. Niets om je voor te schamen als je eens een keer uit de band springt met een knappe kerel als Richard Lomax.'

'Dat is het niet alleen maar. Ik houd van hem.'

'Ga weg.'

'En ik weet niet precies wat ik ga doen . . .'

'Is het zo serieus?'

Penelope draaide haar hoofd en keek Doris aan. Ze waren elkaar in

de loop van de jaren erg na gekomen. Ze hadden alles gedeeld, verant-
woordelijkheden, zorgen, teleurstellingen, geheimen, grapjes en plezier, en hadden een verhouding opgebouwd die meer was dan vriendschap. Voor zover iemand dat kon, had Doris – die wereldse, praktische en eindeloos lieve Doris – de pijnlijke leegte opgevuld die door
de dood van Sophie was ontstaan. En dus was het niet moeilijk haar
in vertrouwen te nemen.

'Ja.'

Het bleef even stil. 'Ga je met hem naar bed?' vroeg Doris. Het
klonk geweldig terloops.

'Ja.'

'Hoe heb je dat in vredesnaam klaargespeeld?'

'O, Doris, dat was echt niet zo moeilijk.'

'Nee . . . Ik bedoel . . . nou ja, waar?'

'In het atelier.'

'Verrek,' zei Doris.

'Ben je geschokt?'

'Hoezo? Ik heb er niets mee te maken.'

'Ik ben getrouwd.'

'Ja, je bent getrouwd, jammer genoeg.'

'Mag je Ambrose niet?'

'Dat weet je wel. Ik heb het nooit gezegd maar een duidelijke vraag
verdient een duidelijk antwoord. Ik vind hem als man en vader geen
knip voor zijn neus waard. Hij komt je bijna nooit opzoeken en zeg
niet dat hij geen verlof krijgt. Hij schrijft bijna nooit. En hij stuurt
Nancy niet eens een verjaardagscadeautje. Eerlijk, Penelope, hij is je
niet waard. Waarom je ooit met de man getrouwd bent, is me een
raadsel.'

'Ik moest Nancy krijgen,' zei Penelope mat.

'Ik heb nog nooit zo iets belachelijks gehoord.'

'En ik had nooit gedacht dat jij dat zou zeggen.'

'Wat denk je dat ik ben? Een soort heilige?'

'Vind je het dan niet verkeerd wat ik doe?'

'Nee. Richard Lomax is een echte heer en hij steekt met kop en
schouders boven een sukkel als Ambrose Keeling uit. En waarom zou
je niet een beetje plezier mogen hebben? Je bent pas vierentwintig en
God mag weten dat het leven de laatste jaren saai genoeg voor je is
geweest. Ik ben alleen maar verbaasd dat er niet eerder zo iets is
gebeurd. Maar voor Richard kwam, zaten we natuurlijk een beetje
krap in het plaatselijke talent.'

Ondanks zichzelf, ondanks alles, begon Penelope te lachen. 'Doris,
ik weet niet wat ik zonder jou moest beginnen.'

'Een heleboel dingen waarschijnlijk. In elk geval weet ik nu hoe de zaken staan. En ik vind het geweldig.'

'Maar hoe zal het aflopen?'

'Er is een oorlog aan de gang. We weten niet hoe wat dan ook af zal lopen. We moeten enkel van ieder plezierig momentje genieten. Als hij van jou houdt en jij houdt van hem, dan moeten jullie gewoon doorgaan. Ik sta vierkant achter jullie en ik zal doen wat ik kan om jullie te helpen. En laten we nu in godsnaam deze boel opruimen voor de jongens thuiskomen en het tijd is om te gaan koken.'

Het was december. Voor ze het wisten, stond Kerstmis voor de deur. Het viel niet mee in de schaars voorziene winkels van Porthkerris iets geschikts voor iedereen te vinden, maar op de een of andere manier werden er toch cadeautjes gekocht en ingepakt en verstopt, net als andere jaren. Doris maakte een oorlogskerstpudding naar een recept van het ministerie van Landbouw en Ernie beloofde de een of andere vogel de nek om te draaien, in plaats van een kalkoen. Generaal Watson-Grant stuurde een sparretje uit zijn tuin en Penelope haalde de doos met kerstboomversierselen te voorschijn – de ballen en engeltjes uit haar eigen kinderjaren, de vergulde sparappels en papieren sterren en de slierten engelenhaar.

Richard had verlof maar ging naar Londen om een paar dagen bij zijn moeder door te brengen. Voor hij wegging, kwam hij echter zijn cadeautjes voor hen allemaal brengen. Ze zaten in bruin papier met rood lint eromheen en met vrolijke plaatjes met hulst en roodborstjes erop. Penelope was diep geroerd. Ze stelde zich hem voor terwijl hij inkopen deed en later misschien wel op zijn bed in zijn kale kamertje in het hoofdkwartier van de mariniers alles moeizaam zat in te pakken. Ze probeerde zich voor te stellen dat Ambrose zo iets persoonlijks en tijdrovends deed, maar dat lukte haar niet.

Ze had voor Richard een rode das van lamswol gekocht. Die had niet alleen geld maar ook kostbare bonnen gekost en waarschijnlijk zou hij het een hopeloos onpraktisch cadeau vinden, want bij zijn uniform kon hij hem niet dragen en hij was nooit in burger. Maar Penelope had er geen weerstand aan kunnen bieden. Ze deed de das in vloeipapier, zocht er een doos voor en gaf Richard het pakje mee toen hij zijn cadeautjes onder hun boom had opgestapeld.

Hij draaide het in zijn handen om. 'Waarom maak ik het nu niet open?'

Ze was ontzet. 'O, nee, dat mag je niet doen. Je moet het tot de ochtend van eerste kerstdag bewaren.'

'Goed dan. Als jij dat zegt.'

Ze wilde geen afscheid nemen. Maar ze zei glimlachend: 'Veel plezier.'

Hij kuste haar. 'Jij ook, liefste.' Het was alsof ze uiteen werd gescheurd. 'Prettige kerstdagen.'

De ochtend van eerste kerstdag begon vroeg en alles ging even rumoerig als altijd. Ze zaten alle zes bij elkaar in de slaapkamer van Lawrence, de volwassenen dronken thee en de kinderen waren op zijn grote bed bezig hun kous open te maken. Er werd op trompetten geblazen en er werden appels gegeten en Lawrence zette een valse neus met een Hitler-snor op en iedereen lachte zich wild. Toen kwam het ontbijt en daarna gingen ze allemaal de zitkamer in. Ze vlogen op de onder de boom opgestapelde cadeaus af. De opwinding bereikte een hoogtepunt. Al gauw lag de vloer bezaaid met papier. Ze praatten allemaal door elkaar heen. 'O, bedankt, mam, dit is precies wat ik wilde hebben. Kijk eens, Clark, een toeter voor op mijn fiets.'

Penelope had Richards pakje apart gelegd en bewaarde het voor het laatst. De anderen hadden niet zoveel zelfbeheersing. Doris trok het papier van het hare en haalde een buitensporig grote, zijden sjaal in alle kleuren van de regenboog te voorschijn.

'Ik heb nog nooit zo iets gehad,' riep ze uit. Ze vouwde de sjaal in een driehoek, gooide die over haar hoofd en maakte hem onder haar kin met een knoop vast. 'Hoe zie ik er nu uit?'

Ronald wist het wel. 'Als prinses Elizabeth op haar pony.'

'O, geweldig.'

Voor Lawrence was er een fles whisky, voor de jongens nogal gevaarlijk aandoende katapulten, voor Nancy een poppeserviesje van wit porselein met kleine bloemetjes erop en een gouden randje.

'Wat heb jij van hem, Penelope?'

'Ik heb het nog niet opengemaakt.'

'Doe dat dan nu.'

Ze deed het terwijl iedereen naar haar keek. Ze maakte het lint los en vouwde het bruine papier open. Er zat een witte doos met een zwart randje in, Chanel nr. 5. Ze haalde het deksel van de doos en zag de vierkante fles in het geplooide satijn, de kristallen stop, de kostbare gouden vloeistof.

Doris' mond viel open. 'Ik heb nog nooit zo'n grote fles gezien. Buiten een winkel dan. En Chanel nr. 5. Wat zul jij nu lekker ruiken.'

Aan de binnenkant van het deksel zat een blauwe enveloppe, die Penelope gauw in de zak van haar vest liet glijden. Later, toen de anderen bezig waren het papier op te ruimen, ging ze naar boven naar haar kamer. Daar maakte ze de brief open.

Mijn lieve meisje,
   Een gelukkig kerstfeest! Dit komt van de overkant van de Atlanti-
sche Oceaan. Een goede vriend van me is in New York geweest, waar
zijn schip opgeknapt moest worden, en hij bracht het mee terug naar
Engeland. De geur van Chanel nr. 5 roept voor mij alles op wat
aantrekkelijk en sexy en vrolijk en zorgeloos is. Lunchen bij Berkeley,
Londen in mei als de seringen bloeien, lachen en vrijen en jij. Jij bent
nooit uit mijn gedachten. Je bent nooit uit mijn hart.

Richard

Het was dezelfde droom. Ze noemde die Richards land. Altijd dezelfde. Het beboste terrein, het huis met het platte dak, een huis als in het
Middellandse-Zeegebied. Het zwembad, waarin Sophie aan het
zwemmen was, en papa aan zijn ezel, zijn gezicht in de schaduw van
zijn breedgerande hoed. En dan het verlaten strand en de wetenschap
dat ze niet naar schelpen zocht maar naar een mens. Hij kwam en ze
zag hem al van verre naderen en liep over van vreugde. Maar voor ze
bij hem was, werd hij overspoeld door de nevel die van de zee bin-
nendreef.
   'Richard.'
   Ze werd wakker en stak haar hand naar hem uit. Maar de droom
vervaagde en hij was weg. Ze voelde enkel de koude lakens aan de
andere kant van het bed. Alles was rustig en stil. Wat hinderde haar
dan, wat was er dat ze zich bijna kon herinneren? Ze deed haar ogen
open. Het duister was al haast verdwenen en door het open raam zag
ze de bleke hemel van de vroege ochtend. In de schemering kon ze
haar eigen vertrouwde kamer onderscheiden, met haar koperen ledikant, haar toilettafel met de spiegel die de hemel weerkaatste. Ze zag
het lage stoeltje, de koffer open op de grond ernaast, al half gepakt . . .
   Dat was het. De koffer. Vandaag. Ik ga vandaag uit. Met vakantie,
voor zeven dagen, met Richard.
   Ze lag nog even aan hem te denken en herinnerde zich toen die
raadselachtige droom. Altijd hetzelfde. Nostalgische beelden van
verloren geluk en dan dat zoeken. En ten slotte die onzekerheid en dat
gevoel dat ze hem verloren had. Maar misschien was die droom toch
niet zo raadselachtig, want hij was voor het eerst in haar slaap binnengedrongen na Richards terugkeer uit Londen begin januari en had
zich de volgende maanden af en toe herhaald.
   Dat was ook een moeilijke tijd geweest, want zijn werk nam hem zo
in beslag dat ze hem bijna nooit zag. De oefeningen hadden zich
kennelijk uitgebreid. Er kwamen ook steeds meer militairen en hun
voertuigen verstopten steeds vaker de smalle straatjes van het stadje.
   De militaire bedrijvigheid nam duidelijk toe. Er cirkelden helikop-

ters boven de zee en na nieuwjaar verscheen er ineens een afdeling sappeurs, die naar het verlaten gebied achter de kliffen van Boscarben trok en daar een schietterrein inrichtte. Dat zag er erg onheilspellend uit, met veel prikkeldraad, rode waarschuwingsvlaggetjes en grote borden van het ministerie van Oorlog die de burgerbevolking met dood en verderf dreigden als ze niet uit de buurt bleef. Als de wind in de goede hoek zat, was het schieten duidelijk in Porthkerris te horen. Vooral 's nachts was dat bijzonder verontrustend, want als je ineens wakker schrok, wist je nooit precies wat er aan de hand was.

Af en toe verscheen Richard, steeds onaangekondigd. Ze was altijd dolblij als ze zijn stap in de hal en zijn stem hoorde. Hij kwam meestal 's avonds na het eten en dan dronk hij koffie met papa en haar en speelde later tot in de kleine uurtjes backgammon. Eén keer had hij haar op het laatste moment opgebeld om haar te vragen of ze mee naar Gaston wilde en daar hadden ze toen gegeten en ze hadden een fles van Gastons uitstekende wijn gedronken en eindelijk weer eens uitgebreid met elkaar gepraat.

'Vertel eens over Kerstmis, Richard. Hoe heb je het gehad?'
'Rustig.'
'Wat heb je gedaan?'
'Naar concerten geweest. En naar de kerstnachtdienst in Westminster Abbey. Gepraat.'
'Alleen maar je moeder en jij?'
'Er zijn nog een paar vrienden geweest. Maar de meeste tijd waren we samen.'

Het klonk gezellig. Ze was nieuwsgierig. 'Waar hebben jullie over gepraat?'
'Over van alles. Over jou.'
'Heb je haar over mij verteld?'
'Ja.'
'Wat allemaal?'
Over de tafel heen pakte hij haar hand. 'Dat ik de enige in de hele wereld gevonden heb met wie ik de rest van mijn leven door wil brengen.'
'Heb je haar verteld dat ik getrouwd ben en een kind heb?'
'Ja.'
'Hoe reageerde ze daarop?'
'Ze was verbaasd. Maar ze begreep het wel.'
'Ze is vast erg lief.'
Hij glimlachte. 'Ik mag haar wel.'

Toen was ineens de lange winter voorbij, voor ze zich realiseerden wat er aan de hand was. In Cornwall komt het voorjaar vroeg. De zon voelt er al aardig warm aan als het in de rest van het land nog winter is. Dat jaar was dat ook zo. Te midden van de oorlogsvoorbereidingen, het schieten en de rondcirkelende helikopters verschenen de eerste trekvogels. Ondanks de grote koppen in de kranten en de geruchten over de komende invasie kwamen de eerste zachte dagen. De bomen liepen uit en de sleutelbloemen bloeiden.

Op zo'n mooie dag was Richard vrij en konden ze eindelijk weer een keer naar het atelier. Ze staken de kachel aan en gingen weer hun eigen geheime wereld binnen, waarin ze elkaars behoeften bevredigden en deden samensmelten.

Later wilde ze weten: 'Wanneer zullen we hier weer komen?'

'Ik wilde dat ik het wist.'

'Ik ben gulzig. Ik wil altijd meer. Ik wil altijd kunnen uitzien naar morgen.'

Ze zaten bij het raam. Buiten lag alles in de zon. Het zand was verblindend wit, de diepblauwe zee schitterde hel. Meeuwen lieten zich krijsend meedrijven op de wind en vlak onder hen waren twee kleine jongetjes in een poeltje naar garnalen aan het zoeken.

'Op het ogenblik is dat niet zo eenvoudig.'

'Je bedoelt de oorlog?'

'Die hoort nu eenmaal bij het leven, net als geboorte en dood.'

Ze zuchtte. 'Ik doe mijn best om niet egoïstisch te zijn. Ik dwing mezelf aan die miljoenen vrouwen in de wereld te denken die er alles voor over zouden hebben om in mijn schoenen te staan, veilig en warm en met genoeg te eten en mijn familie bij me. Maar het lukt niet. Het blijft me hinderen dat ik niet de hele tijd bij jou kan zijn. En dat je hier bent, maakt het op de een of andere manier erger. Je bent niet in Gibraltar aan het bewaken, je vecht niet in de jungle van Burma en je zit niet op een torpedojager op de Atlantische Oceaan. Je bent hier. En toch houdt de oorlog ons bij elkaar vandaan. En met alles wat er broeit en al dat eindeloze gepraat over een invasie heb ik het afschuwelijke gevoel dat de tijd door onze vingers glipt. En we kunnen alleen maar een paar gestolen uurtjes vasthouden.'

'Aan het eind van de maand heb ik een week verlof,' zei hij. 'Ga je dan mee ergens heen?'

Terwijl ze sprak, had ze voortdurend naar de twee jongetjes en hun garnalennetten gekeken. Een van hen had wat gevonden, diep in het groene wier. Hij ging op zijn hurken zitten om het te bekijken, zodat de achterkant van zijn broek nat werd. Een week verlof. Een week. Ze draaide haar hoofd en keek Richard aan, ervan overtuigd dat ze hem verkeerd verstaan had of dat hij haar alleen maar een beetje plaagde.

Hij zag aan haar gezicht wat ze dacht en glimlachte. 'Ik meen het echt,' verzekerde hij haar.

'Een hele week?'

'Ja.'

'Waarom heb je me dat niet eerder verteld?'

'Ik heb het bewaard. Het beste voor het laatst.'

Een week. Bij alles en iedereen vandaan. Alleen zij tweeën. 'Waar gaan we dan heen?' vroeg ze voorzichtig.

'Waar je maar heen wilt. We zouden naar Londen kunnen gaan en de ronde doen langs theaters en nachtclubs.'

Ze overwoog dat. Londen. Ze dacht aan Oakley Street. Maar Londen was Ambrose en Oakley Street herinnerde aan Sophie en aan Peter en Elizabeth Clifford. 'Ik wil niet naar Londen,' zei ze. 'Weet je niets anders?'

'Jawel. Een oud huis dat Tresillick heet, ergens aan de zuidkust. Het is niet zo groot en ook niet bijzonder mooi maar het heeft een tuin die afloopt tot het water en het is helemaal begroeid met een enorme paarse wisteria.'

'Je kent dat huis?'

'Ja. Ik ben er een zomer geweest toen ik nog studeerde.'

'Wie woont daar?'

'Een vriendin van mijn moeder. Helena Bradbury. Ze is getrouwd met een zekere Harry Bradbury, die gezagvoerder is bij de marine. Na Kerstmis heeft mijn moeder haar geschreven en een paar dagen geleden kreeg ik een brief van haar waarin ze ons uitnodigde.'

'Ons?'

'Jou en mij.'

'Weet ze dan van mijn bestaan?'

'Kennelijk wel.'

'Maar moeten we bij haar dan niet in aparte slaapkamers slapen en afschuwelijk discreet doen?'

Richard begon te lachen. 'Jij ziet ook altijd spoken.'

'Ik zie geen spoken. Ik ben alleen maar praktisch.'

'Ik denk niet dat er moeilijkheden zullen komen. Helena is erg ruimdenkend. Ze is in Kenia opgevoed en om de een of andere reden zijn vrouwen die daar zijn opgevoed nooit al te conventioneel.'

'Heb je haar uitnodiging aangenomen?'

'Nog niet. Ik wilde er eerst met jou over praten. We moeten ook aan je vader denken.'

'Hoezo?'

'Zal hij er geen bezwaar tegen hebben als we samen weggaan?'

'Richard, je moet hem beter kennen.'

'Heb je hem van ons verteld?'

'Nee. Niet met zoveel woorden.' Ze glimlachte. 'Maar hij weet het wel.'

'En Doris?'

'Doris heb ik het wel verteld. Ze vindt het allemaal schitterend. Ze vindt jou zo geweldig, net Gregory Peck.'

'In dat geval is er niets dat ons tegen kan houden. Dus . . .' Hij ging staan. 'Kom. We hebben zaken af te werken.'

Er stond een telefooncel op de hoek bij de winkel van mevrouw Thomas en ze wrongen zich er samen in en deden de deur dicht en Richard belde Tresillick. Penelope stond zo dicht bij hem dat ze de telefoon aan het andere eind hoorde rinkelen.

'Hallo.' De harde vrouwenstem was voor Penelope duidelijk te verstaan en Richard werd er bijna doof van. 'Met Helena Bradbury.'

'Helena. Met Richard Lomax.'

'Richard, duvel! Waarom heb ik niet eerder wat van je gehoord?'

'Het spijt me maar ik heb werkelijk geen gelegenheid gehad . . .'

'Heb je mijn brief gekregen?'

'Ja. Ik . . .'

'Komen jullie?'

'Als we mogen.'

'Geweldig! Wanneer?'

'Nou, ik heb eind maart een week verlof. Zou dat schikken?'

'Eind maart? O, verrek. Dan ben ik niet thuis. Ik ga een poosje naar Chatham om de baas gezelschap te houden. Kan het niet een andere keer? Nee, natuurlijk niet. Dwaze vraag. Nou, het doet er niet toe. Kom toch maar. Jullie kunnen over het huis beschikken. Er woont hier in de buurt een mevrouw Brick en die heeft een sleutel. Ik zal zorgen dat er wat eten in voorraad is. Doe maar net of je thuis bent . . .'

'Maar dat is al te vriendelijk . . .'

'Zeur niet. Als je wat terug wilt doen, kun je het gras voor me maaien. Om je dood te ergeren dat ik er dan zelf niet ben. Maar een andere keer beter. Schrijf me even om me te laten weten wanneer mevrouw Brick jullie kan verwachten. Ik heb nu geen tijd meer. Prettig je gesproken te hebben. Tot ziens.'

Ze was weg. Richard hing de zoemende hoorn langzaam weer aan de haak.

'Weinig woorden maar des te meer daden,' zei hij en hij sloeg zijn armen om Penelope heen en kuste haar. Terwijl ze daar in die benauwde telefooncel stond, geloofde ze eindelijk dat het allemaal echt ging gebeuren. Ze gingen samen weg, niet met verlof, dat afschuwelijke woord dat militairen altijd gebruikten, maar met vakantie.

'Niets kan het toch tegenhouden, hè? Er kan niets meer verkeerd gaan?'

'Nee.'

'Hoe komen we daar?'

'Dat moeten we nog bekijken. Misschien met een trein naar Truro. En een taxi.'

'Maar zou het niet leuker zijn om met een auto te gaan.' Ze kreeg een schitterend idee. 'We nemen de Bentley. Papa leent ons de Bentley wel.'

'Vergeet je niet iets?'

'Wat dan?'

'Het kleine probleempje van de benzine.'

Daar had ze inderdaad niet aan gedacht. Maar ze zei: 'Ik ga wel eens met Grabney praten.'

'En wat doet hij dan?'

'Hij zorgt dat we benzine krijgen. Op de een of andere manier. Op de zwarte markt zo nodig.'

'Waarom zou hij dat doen?'

'Omdat hij een vriend van me is en ik hem al mijn hele leven ken. Je hebt er toch geen bezwaar tegen me naar Tresillick te rijden in een geleende Bentley met benzine van de zwarte markt?'

'Nee. Als ik maar een schriftelijke verklaring heb die ervoor zorgt dat we niet in de gevangenis eindigen.'

Ze glimlachte. Ze zag alles al precies voor zich. Zag hoe ze met Richard aan het stuur en hun bagage op de achterbank opgestapeld over de weggetjes tussen hoge heggen reden. Ze zei: 'Weet je wel dat het tegen die tijd echt lente is?'

Het was een verborgen huis, moeilijk te vinden, verscholen in een afgelegen, ontoegankelijke uithoek van het land waar in geen eeuwen iets was veranderd. Vanaf de weg was het onzichtbaar door alle bomen in de buurt. Als je het eindelijk ontdekt had, bleek het een huis dat daar al honderden jaren vierkant stond, omringd door bijgebouwen, stallen en beschermende muren, alle overdekt met bloeiende klimplanten, klimop, mos en varens.

Aan de voorkant van het huis daalde de tuin, half wild en half aangelegd, geleidelijk af naar de oever van een kronkelig, door bomen omzoomd kreekje. Aan de rand van het water was het wilde gras geel van de narcissen en er was een gammele, houten steiger waar een kleine boot lag afgemeerd.

De wisteria waarmee het huis begroeid was, bloeide nog niet maar overal zag je bloesem en naast het terras stond een kleine wilde kerseboom. Als de wind die aanraakte, vielen de bloemblaadjes als sneeuwvlokken op de grond.

Zoals beloofd, was mevrouw Brick aanwezig om hen te begroeten. Ze kwam door de voordeur naar buiten toen de oude Bentley stopte.

Mevrouw Brick had wilde, witte haren en een glazen oog, stevige kousen en een schort dat om haar middel sloot.

'Bent u majoor en mevrouw Lomax?'

Penelope kon even geen woord uitbrengen maar Richard bleef onbewogen. 'Ja, dat klopt.' Hij stapte uit de auto. 'En u moet mevrouw Brick zijn.' Hij liep naar haar toe en stak zijn hand uit.

Nu leek mevrouw Brick even de kluts kwijt. Ze veegde haar rode hand aan haar schort af voor ze die in de zijne legde.

'Dat klopt.' Het was moeilijk precies te bepalen in welke richting ze keek. 'Ik ben gebleven om u binnen te laten. Mevrouw Bradbury had dat gezegd. Morgen kom ik hier niet. Hebt u uw bagage?'

Ze volgden haar naar binnen en kwamen in een betegelde hal met een stenen trap die naar de bovenverdieping draaide. De treden van die trap waren door het jarenlange gebruik afgesleten en er hing een wat vochtige, bedompte lucht die vaag aan antiekzaakjes deed denken.

'Ik zal u alles even laten zien. Eetkamer en zitkamer . . . met stoflakens. Mevrouw Bradbury heeft ze sinds het begin van de oorlog niet meer gebruikt. Ze gebruikt de bibliotheek hier. U moet het vuur aanhouden om warm te blijven. En als de zon schijnt, kunt u de deuren opendoen en op het terras gaan zitten. Als u nu meekomt, zal ik u de keuken laten zien . . .' Ze liepen gehoorzaam achter haar aan. 'U moet het fornuis schudden en elke avond vullen, anders hebt u geen warm water . . .' Ze liet zien wat ze bedoelde en trok een koperen knop een paar keer heen en weer, wat een onheilspellend gerommel in de ingewanden van het oude fornuis veroorzaakte. 'Er is koude ham en ik heb voor melk en eieren en brood gezorgd. Dat had mevrouw Bradbury gezegd.'

'Dat is erg vriendelijk van u.'

Maar ze had geen tijd voor beleefdheden. 'Dan gaan we nu naar boven.' Ze pakten hun koffers en tassen en volgden haar. 'Badkamer en w.c. hier.' Het bad stond op pootjes en de kranen waren van koper en de stortbak van het toilet had een ketting met een handvat waar TREK op stond. 'Het is een ellendige oude w.c. Als hij het de eerste keer niet doet, moet u even wachten en het dan nog eens proberen.'

'Goed dat u ons waarschuwt.'

Er was echter geen tijd om verder op de eigenaardigheden van het sanitair in te gaan want ze liep alweer voor hen uit naar een andere deur boven aan de trap. Toen ze die opendeed, lag de overloop meteen in de zon. 'Zo. U krijgt de beste logeerkamer, met uitzicht. Ik hoop dat het bed goed is. Ik heb er een kruik in gelegd om het vocht te verdrijven. En kijk uit met het balkon. Het hout is verrot. U zou er wel eens door

kunnen zakken. Dat is het dan.' Ze had haar plicht gedaan. 'Dan ga ik nu maar.'
Penelope slaagde er voor de eerste keer in ook iets te zeggen. 'Zien we u nog, mevrouw Brick?'
'O, ik kom zo af en toe eens kijken. Een oogje op u houden. Heeft mevrouw Bradbury gezegd.'
En daarmee verdween ze.
Penelope kon Richard niet aankijken. Ze hield haar hand tegen haar mond geklemd en slaagde er op de een of andere manier in haar vrolijkheid te bedwingen tot ze de voordeur dicht hoorde slaan en wist dat mevrouw Brick haar niet meer kon horen. Daarna deed het er niet meer toe. Ze liet zich achterover op het enorme bed vallen en veegde eindelijk de tranen van het lachen van haar wangen. Richard kwam naast haar zitten.
'We zullen moeten besluiten wat haar goede oog is,' zei hij, 'anders kunnen er wel eens onoverwinnelijke moeilijkheden ontstaan.'
'Het is een ellendige oude w.c.' Ze schaterde het uit.
'Hoe voelt het om mevrouw Lomax te zijn?'
'Ongelofelijk.'
'Ik denk dat mevrouw Bradbury dat gezegd heeft.'
'Ik begrijp nu wat je bedoelde met dames die in Kenia zijn opgegroeid.'
'Zul je je hier gelukkig voelen?'
'Ik denk dat ik dat wel klaarspeel.'
'Hoe kan ik helpen om je gelukkig te maken?'
Ze begon weer te lachen. Hij strekte zich naast haar uit en nam haar zacht en zonder haast in zijn armen. Door het open raam kwamen allerlei geluiden. Het gekrijs van meeuwen in de verte. Dichterbij het zachte gekoer van een houtduif. De wind bewoog de takken van de witte kerseboom. Langzaam kwam de vloed op, zodat de kreek vol water kwam te staan.

Later gingen ze uitpakken. Richard verkleedde zich in een oude corduroy broek, een witte polotrui en afgedragen suède schoenen. Penelope hing zijn uniform helemaal achter in de kast en ze schopte de koffers uit het gezicht, onder het bed. 'Het voelt net als het begin van de grote vakantie,' zei Richard. 'Laten we op onderzoek uitgaan.'
Ze bekeken eerst het huis. Ze deden deuren open, ontdekten onverwachte trappen en gangen en begrepen hoe alles in elkaar zat. In de bibliotheek beneden zetten ze de deuren open. Toen bekeken ze de titels van een paar boeken. Ze vonden een oude grammofoon en een stapel verrukkelijke platen. Delius, Brahms, Charles Trenet, Ella Fitzgerald.

'We kunnen muzikale avonden hebben.'

Richard bukte zich om wat hout op het smeulende vuur te doen en ontdekte toen hij zich weer oprichtte, een aan hemzelf geadresseerde enveloppe, die tegen de klok op de schoorsteenmantel stond. Er zat een briefje van hun niet aanwezige gastvrouw in.

Richard. De grasmaaier staat in de garage, naast blik benzine. De sleutel van de wijnkelder hangt boven de kelderdeur. Help jezelf aan de inhoud. Veel plezier.

Helena Bradbury

Ze gingen naar buiten, via de keuken en de opeenvolging van betegelde provisiekamers en bijkeukens erachter. Toen ze de laatste deur opendeden, kwamen ze op een stalerf vol waslijnen. De oude stallen werden nu als garage, schuur en houtopslagplaats gebruikt. Ze vonden de grasmaaier, en ook een paar roeispanen en een opgerold zeil.

'Natuurlijk voor de boot,' merkte Richard tevreden op. 'We kunnen gaan zeilen.'

Verderop kwamen ze bij een heel oude, houten deur in een met korstmos bedekte, granieten muur. Richard zette zijn schouder ertegen en duwde hem open en ze kwamen in wat vroeger de moestuin was geweest. Alles was door onkruid van jaren overwoekerd en aan de vroegere glorie van de tuin herinnerde enkel nog een enorme rabarberplant en een paar oeroude appelbomen, knoestig als oude mannen maar toch in bloei. De geur daarvan vervulde de warme lucht.

Het was triest zo'n wildernis te zien. 'Wat zonde,' zuchtte Penelope. 'Toen ik hier voor de oorlog logeerde, was hier een keurige moestuin. Maar daar hadden ze toen ook twee mensen voor in dienst. Je kunt zo iets onmogelijk alleen onderhouden.'

Ze gingen een tweede deur door en vonden een pad dat naar de kreek leidde. Penelope plukte een bos narcissen en ze gingen op de steiger zitten en keken hoe het water steeg. Toen ze honger kregen, gingen ze terug naar het huis. Ze aten brood met ham en een paar gerimpelde appels die ze in de provisiekamer vonden. Laat in de middag, toen het water op zijn hoogst was, trokken ze oliejassen aan, pakten de roeispanen en het zeil en gingen naar de boot. In de beschutting van de kreek kwamen ze maar langzaam vooruit maar toen ze eenmaal open water bereikten, dreef de wind hen voort.

Het was een verborgen huis en ook een huis dat leek te sluimeren in het verleden. Het leven was hier altijd alleen maar rustig geweest, dat was duidelijk. En als een oude klok of misschien een heel oude man had het huis alle besef van tijd verloren. De invloed daarvan liet zich voelen. Tegen het eind van de eerste dag lieten Richard en Penelope zich, slaperig en suf door de zachte lucht van de zuidkust, overrompelen door de doezelige betovering van Tresillick en daarna was tijd niet belangrijk meer. Ze zagen geen kranten, zetten nooit de radio aan en namen de telefoon niet aan, omdat ze wisten dat er toch niet voor hèn werd gebeld.

De dagen en nachten vloeiden geleidelijk in elkaar over, niet onderbroken door de noodzaak van geregelde maaltijden of dringende afspraken of de tirannie van de klok. Hun enige contact met de buitenwereld was mevrouw Brick, die, zoals ze gezegd had, af en toe kwam. Ze wisten nooit wanneer ze weer op zou duiken. Soms kwamen ze haar om drie uur in de middag tegen terwijl ze aan het poetsen en boenen was. Op een ochtend kwam ze heel vroeg, terwijl ze nog in bed lagen, hun kamer binnen met thee, maar voor ze zover bij hun positieven waren dat ze haar konden bedanken, was ze na de gordijnen open getrokken en een opmerking over het weer gemaakt te hebben, alweer verdwenen.

Het had erg pijnlijk kunnen zijn, zoals Richard zei.

Als een vriendelijke kabouter zorgde ze ook dat ze wat te eten hadden. Als ze de keuken ingingen om een maaltijd bij elkaar te zoeken, vonden ze in de provisiekamer een schaal met eendeëieren, een geplukte kip, een kluit boerenboter of een versgebakken brood. Er werden aardappelen geschild en wortels geschrapt en ze liet een keer een paar vleespasteitjes voor hen achter die zo groot waren dat zelfs Richard er te veel aan had.

'We hebben haar niet eens bonnen gegeven,' zei Penelope verbaasd. Ze leefde nu al zo lang met bonkaarten dat deze overvloed haar als een regelrecht wonder voorkwam. 'Waar haalt ze in vredesnaam al dat eten vandaan?'

Ze zouden het nooit ontdekken.

Het weer was onbestendig in het begin van dat voorjaar. Als het regende, wat het overvloedig deed, trokken ze een regenjas aan voor een lange wandeling of bleven ze thuis bij het vuur om te lezen of een spelletje piket te doen. Op andere dagen leek het wel zomer. Dan zaten ze de hele dag buiten. Ze picknickten op het gras of lagen lui achterover in een paar oude ligstoelen. Op een ochtend hadden ze een energieke bui en namen ze de Bentley om naar het dorp te rijden, waar ze de zeilboten bekeken en toen op een terrasje gingen zitten.

Het was een zachte, zonnige dag, maar af en toe verdween de zon achter de wolken. Penelope leunde achterover op haar stoel. Ze keek naar een vissersboot met bruine zeilen die op weg was naar zee.

'Richard, denk jij ooit aan weelde?' vroeg ze hem.

'Ik verlang er niet naar, als je dat bedoelt.'

'Weelde is volgens mij de volkomen bevrediging van al je zinnen tegelijk. Zoals nu. Ik heb het warm en als ik dat wil, kan ik mijn hand uitsteken en jou aanraken. Ik ruik de zee en er is hier iemand uien aan het fruiten. Heerlijk. Ik proef koel bier en ik kan de meeuwen horen, en het kabbelende water en de motor van die vissersboot.'

'En wat zie je?'

Ze draaide zich naar hem toe en zag zijn verwaaide haar en zijn oude trui en zijn jasje van tweed. 'Ik zie jou.' Hij glimlachte. 'Nu is het jouw beurt. Vertel me wat jouw weelde is.'

Het bleef even stil terwijl hij nadacht. Eindelijk zei hij: 'Ik denk misschien tegenstellingen. Bergen en de bittere kou van de sneeuw onder een blauwe lucht en een felle zon. Of liggen braden op een hete rots en weten dat je elk moment in de koele, diepe zee kunt duiken.'

'En op een regenachtige dag door en door koud thuiskomen en dan in een erg warm bad gaan liggen?'

'Dat is een goed voorbeeld. Of naar de autorennen gaan en dan onderweg naar huis stoppen bij een enorme, ongelofelijk mooie kathedraal en naar binnen gaan en alleen maar luisteren naar de stilte.'

'Wat is het afschuwelijk om naar bontjassen en Rolls-Royces en grote, vulgaire smaragden te verlangen. Want ik weet zeker dat al die dingen minder waard lijken als je ze eenmaal hebt. En dan wil je ze niet meer en je weet niet wat je ermee moet doen.'

'Zou het een verkeerd soort weelde zijn als we hier gingen eten?'

'Nee, dat zou verrukkelijk zijn. Ik vroeg me al af of je het nooit voor zou stellen. Dan krijgen we die lekkere uien. Daar zit ik al de hele tijd naar te verlangen.'

Maar hun avonden waren misschien het beste van alles. Met de gordijnen dicht zaten ze bij het vuur naar muziek te luisteren. Ze werkten de platencollectie van Helena Bradbury af en stonden om beurten op om de plaat te verwisselen en aan de slinger van de oude grammofoon te draaien. Ze namen een bad en verkleedden zich en dineerden dan aan een laag tafeltje bij de haard. Ze aten wat mevrouw Brick voor hen had achtergelaten en dronken de wijn die Richard volgens zijn instructies uit de kelder gehaald had. De wind blies tegen de ramen maar dat onderstreepte alleen maar hun eigen afzondering, hun ongestoorde, knusse eenzaamheid.

Op een avond zaten ze nog laat naar muziek te luisteren, Richard op de bank en Penelope op een stapel kussens op de grond, met haar hoofd tegen zijn benen. Zijn hand lag op haar schouder.

'Penelope.'

'Ja.'

'We moeten praten.'

Ze glimlachte. 'We doen niet anders.'

'Over de toekomst.'

'Welke toekomst?'

'Onze toekomst.'

'O, Richard . . .'

'Nee. Je hoeft niet zo bezorgd te kijken. Je moet alleen maar luisteren. Omdat het belangrijk is. Zie je, op een dag wil ik met je trouwen. Ik kan me geen toekomst zonder jou meer voorstellen en dat betekent volgens mij dat we moeten trouwen.'

'Ik heb al een man.'

'Dat weet ik, liefje. Dat weet ik maar al te goed, maar toch moet ik je vragen. Wil je met me trouwen?'

Ze pakte zijn hand en legde die tegen haar wang. 'We moeten de goden niet verzoeken,' zei ze.

'Je houdt niet van Ambrose.'

'Ik wil er niet over praten. Ik wil niet over Ambrose praten. Hij hoort hier niet thuis. Ik wil zijn naam zelfs niet hardop uitspreken.'

'Ik houd meer van je dan woorden kunnen zeggen.'

'Zo is het met mij ook, Richard. Ik houd van je. Dat weet je. En ik kan me niets volmaakters voorstellen dan jouw vrouw te worden en te weten dat niets ons ooit meer kan scheiden. Maar niet nu. Laten we er niet nu over spreken.'

Hij bleef een hele tijd zwijgen. Toen zuchtte hij. 'Goed,' zei hij. Hij boog zich over haar heen en kuste haar. 'Laten we naar bed gaan.'

De laatste dag was het mooi weer. Richard deed zijn plicht en betaalde zijn huur door de grasmachine uit de garage te halen en het gras te maaien. Dat nam een heleboel tijd in beslag en Penelope hielp mee door het gras naar de mesthoop achter de stal te brengen en de randen bij te knippen. Ze waren pas om vier uur 's middags klaar maar toen lag de tuin er ook prachtig bij. Toen ze de grasmaaier weer hadden opgeborgen, maakte Richard bekend dat hij versmachtte van de dorst en thee ging zetten. Penelope ging op het gras aan de voorkant van het huis op hem zitten wachten.

Het pas gemaaide gras rook heerlijk. Ze leunde op haar ellebogen achterover en keek naar een paar meeuwen op de steiger. Haar handen gingen over het gras alsof ze een kat aaide. Haar vingers vonden een paardebloem die de grasmaaier had laten staan. Ze trok eraan maar de wortel gaf niet mee en brak af, zodat ze met enkel de plant en de halve wortel in haar hand bleef zitten. Ze keek ernaar en rook de bittere lucht van de plant en de vochtige lucht van de aarde die eraan was blijven zitten.

Voetstappen op het terras. 'Richard?' Daar was hij met hun thee. Hij liet zich naast haar zakken. 'Ik heb een nieuwe weelde ontdekt,' zei ze.

'En wat is dat dan?'

'Helemaal in je eentje op een pas gemaaid grasveld zitten, zonder degene van wie je houdt. Je bent alleen, maar je weet dat dat niet lang zal duren omdat hij maar voor even weg is en zo meteen terugkomt.' Ze glimlachte. 'Ik denk dat dat de beste is tot nog toe.'

Hun laatste dag. De volgende dag zouden ze vroeg in de ochtend vertrekken om terug te keren naar Porthkerris. Ze weigerde eraan te denken. Hun laatste avond. Ze zaten als gewoonlijk dicht bij het vuur, Richard op de bank en Penelope op de grond naast hem. Ze luisterden niet naar muziek. In plaats daarvan las hij haar voor, gedichten van MacNeice, niet alleen dat liefdesgedicht waar hij het die dag in het atelier over had gehad, maar ook andere. Het was al heel laat toen hij zweeg.

Penelope zuchtte. Het boek gleed uit Richards hand op de grond. Hij zei: 'Ik ga weg.'

Het vuur was uitgegaan. Ze draaide haar hoofd en keek Richard aan. Zijn gezicht stond triest.

'Waarom kijk je zo?'

'Omdat ik het gevoel heb dat ik jou verraad.'

'Waar ga je heen?'

'Ik weet het niet. Ik kan het niet zeggen.'

'Wanneer?'

'Zodra we weer in Porthkerris zijn.'

Ze schrok. 'Morgen.'

'Of de dag daarop.'

'Kom je terug?'

'Voorlopig niet.'

'Hebben ze je ander werk gegeven?'

'Ja.'

'Wie neemt jouw plaats in?'

'Niemand. We gaan allemaal weg. Porthkerris krijgt zijn pier terug en de jongens van Doris kunnen weer voetballen.'

'Het is dus allemaal voorbij.'

'Dit gedeelte wel, ja.'

'Wat gebeurt er dan?'

'Dat moeten we afwachten.'

'Hoe lang weet je dit al?'

'Een week of twee, drie.'

'Waarom heb je het me niet eerder verteld?'

'Om twee redenen. In de eerste plaats is het nog geheime informatie maar dat duurt nu niet lang meer. Bovendien wilde ik de korte tijd die we samen hadden, niet bederven.'

Ze liep over van liefde voor hem. 'Niets had die tijd kunnen bederven.' Ze zei de woorden en besefte dat ze waar waren. 'Je had het niet voor je moeten houden. Je moet nooit iets voor mij verborgen houden.'

'Jou achterlaten is het moeilijkste dat ik ooit heb hoeven doen.'

Ze dacht aan zijn vertrek en de leegte daarna. Probeerde zich het leven zonder hem voor te stellen maar slaagde daar niet in. Maar één ding was zeker. 'Het afscheid is het ergste.'

'Laten we dan geen afscheid nemen.'

'Ik wil niet dat het voorbij is.'

'Het is niet voorbij, liefste.' Hij glimlachte. 'Het is nog niet eens begonnen.'

'Is hij weg?'

Ze bleef breien. 'Ja, papa.'

'Hij heeft niet eens afscheid genomen.'

'Maar hij is wel op bezoek geweest. Hij heeft u een fles whisky gegeven. Hij wilde geen afscheid nemen.'

'Heeft hij wel afscheid van jou genomen?'

'Nee. Hij is gewoon weggelopen, de tuin door. Zo hadden we het afgesproken.'

'Wanneer komt hij terug?'

Ze was aan het eind van haar toer, draaide het werk en begon aan een nieuwe. 'Ik weet het niet.'

'Doe je maar alsof?'

'Nee.'

Hij zweeg. Zuchtte. 'Ik zal hem missen.' Zijn wijze, donkere ogen bleven op zijn dochter rusten. 'Maar niet zo erg als jij waarschijnlijk.'

'Ik houd van hem, papa. We houden van elkaar.'

'Dat weet ik. Dat weet ik al maanden.'

'We hebben met elkaar geslapen.'

'Dat weet ik ook. Ik heb je op zien bloeien. Je haar is gaan glanzen. Ik heb ernaar verlangd een penseel te kunnen pakken om die glans voor altijd vast te leggen. En . . .' Hij werd prozaïsch. '. . . je gaat niet een week met een man weg om over het weer te praten.' Ze glimlachte naar hem maar zei niets. 'Wat zal er van jullie worden?'

'Ik weet het niet.'

'En Ambrose?'

Ze haalde haar schouders op. 'Dat weet ik ook niet.'

'Je hebt wel problemen.'

'Voorzichtig uitgedrukt.'

'Ik heb met je te doen. Ik heb met jullie te doen. Jullie hadden een beter lot verdiend dan elkaar midden in een oorlog te leren kennen.'

'U . . . u mag hem wel, hè, papa?'

'Ik heb nog nooit een man zo graag gemogen. Ik zou hem graag als zoon hebben. Ik beschouw hem als een zoon.'

Penelope, die nooit huilde, voelde de tranen achter haar ogen prikken. Maar dit was niet het goede moment om sentimenteel te worden. 'U bent een schurk,' zei ze tegen haar vader. 'Dat heb ik al vaak gezegd.' De tranen trokken zich gelukkig terug. 'U zou dit niet goed mogen vinden. U zou uw zweep moeten pakken en tegen Richard Lomax zeggen dat hij het niet moest wagen hier ooit nog binnen te komen.'

Er kwam een geamuseerde glans in zijn ogen. 'Je beledigt me,' zei hij.

Richard was vertrokken en de algemene uittocht begon. Half april begrepen de inwoners van Porthkerris dat het opleidingsprogramma van de mariniers, hun eigen stukje betrokkenheid bij de oorlog, afgewerkt was. De commando's vertrokken even rustig en onopvallend als ze gekomen waren en de smalle straten van het stadje waren vreemd rustig zonder de drukte van de militaire voertuigen. De landingsvaartuigen verdwenen op een nacht in het donker uit de haven en de afzetting werd van de pier verwijderd. Van het verlaten schietterrein klonken geen schoten meer.

Alleen kolonel Mellaby en zijn staf zaten nog steeds in het vroegere hotel. Hun aanwezigheid was een herinnering en maakte al het gebeurde geloofwaardig.

Richard was weg. Penelope leerde zonder hem te leven. Ze moest wel. Je kon niet zeggen: 'Ik kan het niet verdragen.' Want als je het niet kon verdragen, moest je de wereld stilzetten en eruit verdwijnen en dat leek niet uitvoerbaar. Om de leegte te vullen en haar geest en handen bezig te houden deed ze wat vrouwen in moeilijke tijden al eeuwen doen: ze ging helemaal op in het huiselijke leven. Lichamelijke inspanning bleek een afgezaagde maar troostende therapie. Ze maakte het hele huis schoon, waste dekens, spitte de tuin. Dat weerhield haar er niet van naar Richard te verlangen maar het bezorgde haar uiteindelijk wel een blinkend schoon huis en twee rijen jonge koolplantjes.

Ze bracht ook veel tijd met de kinderen door. Hun wereld was eenvoudiger, hun conversatie simpel en ongecompliceerd en hun gezelschap troostte haar. Nancy was op haar derde al een hele persoonlijkheid: ontwapenend maar vasthoudend. Haar beweringen waren een onuitputtelijke bron van verbazing en plezier. Maar Clark en Ronald werden ouder en maakten af en toe een verrassend volwassen indruk. Ze gaf hun haar volle aandacht, hielp hen met hun schelpenverzameling, luisterde naar hun problemen en beantwoordde hun vragen. Voor het eerst zag ze hen niet enkel als een paar lawaaierige jongetjes die altijd honger hadden, maar als gelijken. Als mensen met een eigen aard en een eigen mening. De volgende generatie.

Op een zaterdag nam ze de drie kinderen mee naar het strand. Toen ze thuiskwam, trof ze generaal Watson-Grant aan, die op het punt stond om weg te gaan. Hij was bij Lawrence op bezoek geweest. Ze hadden gezellig zitten praten. Doris had hun thee gegeven. Hij ging nu weer naar huis.

Penelope liep met hem mee door de tuin. Hij bleef staan om de funkia's te bewonderen. 'Prachtige dingen,' merkte hij op terwijl hij er met zijn stok naar wees. 'Goed om de grond mee te bedekken.'

'Ik ben er ook gek op. Ze zijn zo exotisch.' Ze liepen door. 'Ik kan nog niet geloven dat het zomer wordt. Vandaag zagen de kinderen op het strand die oude man met een gezicht als een knolraap. Hij was bezig alle rommel van het zand te harken. En er staan al tenten en de ijssalon is open. Ik denk dat de eerste bezoekers nu wel gauw komen. Als zwaluwen.'

'Heb je nog nieuws van je man?'

'Van Ambrose? Hij maakt het goed geloof ik. Ik heb de laatste tijd niets van hem gehoord.'

'Weet je waar hij is?'

'De Middellandse Zee.'

'Dan zal hij de grote voorstelling moeten missen.'

Penelope fronste haar voorhoofd. 'Wat zegt u?'

'Dan zal hij de grote voorstelling moeten missen. De invasie.'

'Ja,' zei ze zwakjes.

'Hij boft niet, hoor. Ik zal je eens iets vertellen, Penelope. Ik zou er mijn rechterarm voor willen geven om weer jong te zijn en mee te kunnen doen. Het heeft een hele tijd geduurd voor we zover waren. Te lang. Maar nu is het hele land klaar om aan te vallen.'

'Ja. Ik weet het. De oorlog is ineens weer erg belangrijk geworden. Als je hier in Porthkerris over straat loopt, kun je de nieuwsberichten volgen, van huis tot huis. En de mensen kopen kranten en lezen ze meteen op de stoep voor de winkel. Het is weer net als in de tijd van Duinkerken of van de Slag om Engeland of van El Alamein.'

Ze waren bij de deur naar de straat. Ze bleven weer staan, de generaal leunend op zijn stok.

'Ik vond het fijn eens met je vader te praten. Ben zomaar ineens gekomen. Ik had er zin in eens gezellig te kletsen.'

'Hij voelt zich nogal eenzaam de laatste tijd.' Ze glimlachte. 'Hij mist Richard Lomax en zijn backgammon.'

'Ja. Dat heeft hij me verteld.' Hij keek haar vriendelijk aan. Ze vroeg zich af wat Lawrence allemaal tegen zijn oude vriend had gezegd. 'Eerlijk gezegd wist ik niet dat Lomax weg was. Hebben jullie nog wat van hem gehoord?'

'Ja.'

'Wat doet hij nu?'

'Dat zei hij eigenlijk niet.'

'Dat is te begrijpen ook. Alles is geheim tegenwoordig.'

'Ik weet zelfs niet waar hij is. Het adres dat hij gaf, bestaat enkel uit losse letters en cijfers. En het is net of er nog geen telefoon bestaat.'

'Nou, je zult ongetwijfeld gauw weer van hem horen.' Hij deed de deur open. 'Nu moet ik gaan. Tot ziens, meid. Zorg goed voor je vader.'

'Bedankt voor uw bezoek.'

'Graag gedaan.' Hij nam ineens zijn hoed af en boog zich naar voren om haar een zoen op haar wang te geven. Ze was sprakeloos, want hij had nog nooit zo iets gedaan. Ze keek hem na. Hij stapte met zijn wandelstok flink voort.

Het hele land wachtte af. Het wachten was het ergste. Het wachten op de oorlog. Het wachten op nieuws, het wachten op de dood. Ze huiverde en deed de deur dicht. Langzaam liep ze door de tuin terug naar het huis.

Richards brief kwam twee dagen later. Penelope was het eerst beneden en zag hem op de mat liggen. Ze zag het zwarte schrift en de dikke enveloppe. Ze nam hem mee naar de zitkamer, nestelde zich in papa's stoel en maakte hem open. Er zaten vier velletjes dun, geel papier in.

Ergens in Engeland

20 mei 1944

Mijn liefste Penelope,

De laatste weken ben ik er wel tien keer voor gaan zitten om je te schrijven. Steeds kwam ik niet verder dan de eerste vier regels en dan kwam er weer een telefoontje of er klopte iemand op de deur of ik werd dringend weggeroepen.

Maar eindelijk is er in dit akelige oord een ogenblik gekomen dat ik er betrekkelijk zeker van kan zijn dat ik een uur met rust gelaten zal worden. Je brieven zijn allemaal veilig aangekomen en ik geniet er voortdurend van. Ik neem ze als een verliefde schooljongen overal mee naar toe en lees ze steeds maar weer opnieuw. Als ik niet bij je kan zijn dan kan ik toch in elk geval naar je stem luisteren.

Ik heb je zoveel te zeggen. Eerlijk gezegd is het moeilijk te weten waar ik moet beginnen, me te herinneren waar we over hebben gesproken en wanneer we stil gebleven zijn. Deze brief gaat over wat we niet gezegd hebben.

Je wilde nooit over Ambrose spreken en zolang we in Tresillick waren, in onze eigen wereld, leek dat ook niet veel zin te hebben. Maar de laatste tijd moet ik steeds aan hem denken en het is duidelijk dat hij het enige struikelblok is, de enige hindernis tussen ons en ons geluk. Dat klinkt afschuwelijk egoïstisch, maar je kunt niet een andere man zijn vrouw afnemen en toch een heilige blijven. En dus denk ik onwillekeurig vooruit. En ik zie een confrontatie en advocaten en rechtbanken en uiteindelijk een scheiding.

Er is altijd de mogelijkheid dat Ambrose zich als een heer zal gedragen en de schuld op zich zal nemen. Eerlijk gezegd zie ik geen enkele reden waarom hij dat zou doen. Ik ben dan ook bereid voor de rechtbank te verschijnen als degene die overspel gepleegd heeft met de echtgenote van de eiser. Als dat gebeurt, moet hij toegang hebben tot Nancy, maar die moeilijkheid lossen we dàn wel op.

Het is alleen maar belangrijk dat we bij elkaar kunnen zijn en uiteindelijk – hopelijk na niet al te veel tijd – trouwen. De oorlog is op een dag voorbij. Dan word ik gedemobiliseerd en dan keer ik met dank en een kleine premie terug in het gewone leven. Kun je het vooruitzicht onder ogen zien de vrouw van een leraar te worden? Want dat is het enige dat ik wil. Waar we heen gaan, waar we gaan wonen en hoe het zal zijn, kan ik niet zeggen, maar als ik enige keus heb, zou ik graag teruggaan naar het noorden, om in de buurt van de meren en de bergen te zijn.

Ik weet dat het allemaal erg ver weg lijkt. Er ligt een moeilijke weg voor ons, vol hindernissen die we een voor een moeten overwinnen. Maar een lange reis begint met de eerste stap en het kan geen kwaad eerst eens goed over een expeditie na te denken.

Nu ik dit doorlees, valt het me op dat dit de brief lijkt van iemand die denkt dat hij het eeuwige leven heeft. Om de een of andere reden ben ik niet bang dat ik de oorlog niet zal overleven. De dood, de laatste vijand, lijkt nog te ver weg. En ik kan mezelf er niet toe brengen te geloven dat het lot ons wel bij elkaar gebracht heeft maar ons niet bij elkaar wil laten.

Ik denk aan jullie allemaal in Carn Cottage en stel me voor wat jullie doen. Ik wilde dat ik bij jullie was en met jullie mee kon lachen en een handje kon helpen in wat ik als mijn tweede thuis ben gaan

*beschouwen. Het was allemaal erg fijn. En fijne dingen die je mee-
maakt, gaan in dit leven nooit echt verloren. Ze blijven een deel van
jezelf. Dus gaat een deel van jou altijd met me mee. En een deel van
mij is voor altijd van jou. Veel liefs, mijn schat,*

Richard

Op dinsdag 6 juni vielen de geallieerden Normandië binnen. Het
tweede front was een feit en het laatste gedeelte van de strijd was
begonnen. Het wachten was voorbij.

De elfde juni was een zondag.

Doris had in een opwelling van godsdienstijver haar jongens mee
naar de kerk genomen en Nancy naar de zondagsschool gebracht
zodat Penelope voor het eten moest zorgen. De slager had een keer een
stukje lamsvlees kunnen leveren en dat stond nu in de oven. Het rook
heerlijk. De worteltjes stonden op en de kool was gesneden. Als toetje
kregen ze custardpudding met rabarber.

Het was bijna twaalf uur. Ze dacht aan muntsaus. Met haar schort
nog voor liep ze de achterdeur uit naar de boomgaard. Het waaide
flink. Doris had de was aan de lijn gehangen en de lakens en handdoeken klapperden als slecht gehesen zeilen. De eenden en de kippen
in hun ren zagen Penelope aankomen en maakten een enorm kabaal
omdat ze dachten dat ze gevoerd werden.

Ze plukte wat munt en liep weer terug naar het huis. Op dat moment
hoorde ze de deur naar de tuin open en weer dichtgaan. De kerk-
gangers konden het nog niet zijn en dus ging ze kijken wie het was.

De bezoeker haastte zich niet. Een lange man, in uniform. Een
groene baret. Heel even dacht ze dat het Richard was maar ze zag
meteen dat ze zich vergiste. Kolonel Mellaby was aan het eind van het
pad en bleef staan. Hij keek op en zag dat ze naar hem keek.

Alles was plotseling heel stil. Zelfs de wind hield zich rustig. Er was
geen vogel die zong. Het groene gazon lag als een slagveld tussen hen.
Ze stond roerloos te wachten tot hij zich weer bewoog.

Toen liep ze naar hem toe. Hij leek veranderd. Ze had zich niet
gerealiseerd dat hij zo bleek en mager was.

Zij was de eerste die iets zei: 'Kolonel Mellaby.'

'Meisje . . .' Hij leek net generaal Watson-Grant als hij erg aardig
wilde zijn en ze wist meteen wat hij haar kwam vertellen.

'Is het Richard?' vroeg ze.

'Ja. Ik vind het zo erg.'

'Wat is er gebeurd?'

'Het is slecht nieuws.'

'Vertel het me.'

'Richard is . . . gesneuveld. Hij is dood.'

Ze wachtte tot ze iets voelde. Voelde niets. Alleen het takje munt in haar hand, een lok haar over haar wang. Ze streek haar haar naar achteren. Haar zwijgen lag als een onoverbrugbare kloof tussen hen. Ze begreep dat en ze had met hem te doen maar ze kon het niet helpen.

Ten slotte vervolgde hij met een enorme, zichtbare inspanning: 'Ik heb het vanochtend gehoord. Voor hij wegging, heeft hij me gevraagd . . . Hij zei dat ik het je meteen moest laten weten als er iets met hem gebeurde.'

Eindelijk had ze haar stem terug. 'Het is goed dat u gekomen bent.' Het klonk helemaal niet als haar eigen stem. 'Wanneer is het gebeurd?'

'Op D-day. Hij was meegegaan met de mannen die hij hier had opgeleid. De Amerikaanse commando's.'

'Hij had niet hoeven gaan?'

'Nee. Maar hij wilde met hen mee. En zij waren daar trots op.'

'Wat is er gebeurd?'

'Ze zijn geland op een plaats die Pointe de Hué heet. Er waren moeilijkheden met de uitrusting. Maar ze beklommen de rotsen en namen het Duitse geschut op de top in beslag. Ze bereikten hun doel.'

Ze dacht aan de jonge Amerikanen die de winter in Porthkerris hadden doorgebracht, met een oceaan tussen hen en hun eigen huis, hun eigen familie.'

'Waren er veel slachtoffers?'

'Ja. Zeker de helft is gesneuveld.'

En Richard ook. 'Hij dacht niet dat hij zou sneuvelen,' zei ze. 'Hij zei dat de dood, de laatste vijand, nog ver weg leek. Het is goed dat hij dat dacht, hè?'

'Ja.' Hij beet op zijn lip. 'Weet je, meisje, je hoeft niet zo dapper te zijn. Als je wilt huilen, moet je dat niet tegenhouden. Ik ben getrouwd en heb zelf kinderen. Ik begrijp het wel.'

'Ik ben ook getrouwd en heb een kind.'

'Dat weet ik.'

Hij haalde een foto uit zijn borstzak. 'Die heb ik van een van mijn sergeanten gekregen. Hij heeft hem genomen toen ze allemaal in Boscarben waren. Hij dacht . . . ik dacht . . . dat je hem wel zou willen hebben.'

Hij gaf haar de foto. Ze zag Richard, die zich omdraaide alsof hij toevallig over zijn schouder keek. Hij was in uniform maar had geen baret op en er hing een touw over zijn schouder. Op de achtergrond was de zee.

'Dat is erg vriendelijk van u,' zei ze. 'Dank u wel. Ik had geen enkele foto van hem.'

Het bleef stil. Ze stonden zwijgend tegenover elkaar en wisten niets meer te zeggen.

'Red je het verder?' vroeg hij haar eindelijk.

'Ja, natuurlijk.'

'Dan ga ik maar. Tenzij er iets is dat ik voor je kan doen.'

Ze dacht even na. 'Ja. Ja, er is iets. Mijn vader is binnen. In de zitkamer. U kunt hem gemakkelijk vinden. Wilt u het hem ook gaan vertellen van Richard?'

'Wil je echt dat ik dat doe?'

'Iemand moet het doen. En ik weet niet of ik er wel de kracht voor heb.'

'Goed dan.'

'Ik kom zo meteen. Ik geef u even de tijd om het te vertellen en dan kom ik ook.'

Hij ging. Hij was niet alleen vriendelijk maar ook moedig. Penelope bleef staan waar ze stond, met haar takje munt in de ene en de foto van Richard in de andere hand. Ze dacht aan die vreselijke ochtend toen ze gehoord had dat Sophie dood was. En ze verlangde naar de tranen die ze toen vergoten had. Nu kon ze niet huilen. Ze leek wel verdoofd en zo koud als ijs.

Ze keek naar Richards gezicht. Nooit meer. Niets over. Ze zag zijn glimlach. Herinnerde zich zijn stem die haar voorlas.

Ze herinnerde zich ineens een paar woorden van een gedicht van MacNeice. *Later komt de zon.* Dat moet ik tegen papa zeggen, dacht ze. En dat leek een redelijke manier om aan het restje leven dat nog voor haar lag te beginnen.

HOOFDSTUK 12

Doris

Podmore's Thatch. Het gezang van een vogel drong door de stilte van de grauwe ochtendschemering heen. Het vuur was uitgegaan maar het lampje boven *De schelpenzoekers* brandde nog, zoals het de hele nacht had gedaan. Penelope had niet geslapen maar nu bewoog ze zich, als iemand die wakker wordt uit een diepe, ongestoorde droom. Onder de dikke, wollen deken strekte ze haar benen uit. Ze spreidde haar armen en wreef haar ogen uit. Ze keek om zich heen en zag in het zachte licht haar eigen zitkamer met de geruststelling van haar eigen dingen, bloemen, planten, bureau, schilderijen. Het raam naar de tuin stond open. Ze zag de onderste takken van de kastanjeboom, met de bladeren nog in knop. Ze had niet geslapen maar toch was ze niet moe. Ze was integendeel vervuld van een soort kalme tevredenheid, een rust die haar misschien wel bevangen had doordat ze zichzelf eens een keer had toegestaan zich alles te herinneren.

Nu was ze aan het eind. Het stuk was uit. Ze moest sterk aan het theater denken. Het voetlicht werd getemperd en in het verdwijnende licht draaiden de spelers zich om, om het toneel te verlaten. Doris en Ernie, zo jong als ze nooit meer zouden worden. En de oude Penberths en de Trubshots en de Watson-Grants. En papa. Allemaal dood. Al lang dood. Het laatste van allen verdween Richard. Ze herinnerde zich hem met een glimlach op zijn gezicht en realiseerde zich dat de tijd, die grote heelmeester, eindelijk zijn werk had voltooid en dat het gezicht van haar geliefde na al die jaren geen verdriet en bitterheid meer opriep. Ze voelde zich eerder dankbaar. Want hoe onvoorstelbaar leeg zou het verleden zijn als ze zich hem niet kon herinneren. Het is beter liefgehad en verloren te hebben, zei ze tegen zichzelf, dan nooit te hebben liefgehad. En ze wist dat dat waar was.

De klok op de schoorsteen sloeg zes. De nacht was voorbij. Een nieuwe dag was begonnen. Wat was er met de dagen gebeurd? Er waren twee weken omgevlogen sinds het bezoek van Roy Brookner, toen hij de panelen en de schetsen meegenomen had. En nog steeds had ze niets van hem gehoord.

Ze had ook niets van Noel of Nancy gehoord. Na die akelige ruzie waren ze eenvoudig verdwenen en hadden geen contact meer met hun moeder gezocht. Daar maakte ze zich heel wat minder druk om dan haar kinderen zich misschien voorstelden. Ze zouden ongetwijfeld weer een keer wat van zich laten horen en dan zouden ze zich niet verontschuldigen maar doen alsof er niets gebeurd was. Tot die tijd had ze te veel aan haar hoofd om zich gekwetst te voelen. Ze had daar ook de energie niet voor. Er waren betere dingen om aan te denken en er was veel te veel te doen. Ze had het als altijd druk met het huis en de tuin. In april veranderde alles voortdurend. Een grijze lucht, een stortbui en dan weer zonneschijn. De forsythia's vlamden heldergeel op en de boomgaard werd een tapijt van narcissen en viooltjes en sleutelbloemen.

Donderdag. Danus kwam die ochtend. En misschien belde Roy Brookner eindelijk op. Ze was er ineens van overtuigd dat hij dat die dag zou doen.

Het was nu niet meer één enkele vogel die zong maar een heel koor. Ze kon nu onmogelijk nog gaan slapen. Ze stond op van de bank, deed het licht uit en ging naar boven om een heel warm bad te nemen.

Haar voorgevoel kwam uit en ze werd die dag opgebeld. Het was onder het middageten.

Het was een sombere, bewolkte dag geworden met af en toe wat regen, geen dag om buiten te gaan picknicken of in de serre te eten. Dus zaten ze, zij en Antonia en Danus, aan de keukentafel. Ze aten spaghetti. Vanwege het weer had Danus die ochtend de garage opgeruimd. Toen ze op haar bureau naar een telefoonnummer zocht, was Penelope afgeleid door de rommel. Ze was gaan zitten om achterstallige rekeningen te betalen, oude brieven nog eens te lezen en reclame weg te gooien die ze niet eens uit de enveloppe had gehaald. Antonia had voor het eten gezorgd.

'Je bent niet alleen een uitstekende tuinjongen maar ook een eersteklas-kok,' zei Danus tegen haar terwijl hij Parmezaanse kaas over zijn spaghetti raspte.

De telefoon ging.

'Zal ik hem aannemen?' vroeg Antonia.

'Nee.' Penelope legde haar vork neer en ging staan. 'Het is waarschijnlijk toch voor mij.' Ze nam de telefoon niet in de keuken aan maar liep door naar de zitkamer en ze deed de deuren achter zich dicht.

'Hallo.'

'Mevrouw Keeling?'

'Ja.'

'Met Roy Brookner.'

'Ja, meneer Brookner.'

'Het spijt me dat het zo lang geduurd heeft voor ik contact met u opnam. De heer Ardway was op bezoek bij vrienden in Gstaad en is pas een paar dagen geleden teruggekomen in Genève, waar mijn brief op hem lag te wachten. Hij is vanochtend op Heathrow aangekomen en hij zit nu hier in mijn kamer. Ik heb hem de panelen laten zien en hem gezegd dat u bereid bent ze onderhands te verkopen en hij is erg blij met die mogelijkheid. Hij heeft vijftigduizend per stuk geboden. Dat is dus honderdduizend voor de twee. In ponden natuurlijk, niet in dollars. Vindt u dat aanvaardbaar of wilt u er liever nog even over nadenken? Hij wil graag morgen terugkeren naar New York maar is bereid dat zo nodig uit te stellen, als u denkt dat u meer tijd nodig hebt om tot overeenstemming te komen. Persoonlijk vind ik het een heel behoorlijk bod maar als . . . Mevrouw Keeling? Bent u daar nog?'

'Ja, ik ben er nog.'

'Neemt u me niet kwalijk. Ik dacht dat de verbinding misschien verbroken was.'

'Nee. Ik ben er nog.'

'Hebt u enig commentaar?'

'Nee.'

'Vindt u het genoemde bedrag aanvaardbaar?'

'Ja. Zonder meer.'

'Dus ik moet de verkoop maar verder afhandelen?'

'Ja. Graag.'

'Meneer Ardway is er erg blij mee, dat hoef ik u nauwelijks te vertellen.'

'Dat is fijn.'

'U hoort nog van mij. En de betaling volgt natuurlijk zodra de verkoop een feit is.'

'Goed, meneer Brookner.'

'Het is misschien niet het meest geschikte moment om daarover te beginnen maar u zult natuurlijk een flink bedrag aan belasting moeten betalen. Realiseert u zich dat?'

'Ja, natuurlijk.'

'Hebt u een boekhouder of iemand die uw zaken regelt?'

'Ik heb de heer Enderby van Enderby, Looseby en Thring op de Gray's Inn Road. Hij heeft alles geregeld toen ik Oakley Street verkocht en dit huis hier kocht.'

'In dat geval moest u misschien contact met hem opnemen en hem laten weten wat er gaande is.'

'Ja. Ja, dat zal ik doen . . .'

Het bleef even stil. Ze vroeg zich af of het gesprek beëindigd was.

'Mevrouw Keeling?'

'Ja, meneer Brookner?'

'Voelt u zich wel goed?'

'Hoezo?'

'U klinkt een beetje ... mat.'

'Dat is omdat ik het moeilijk vind anders te klinken.'

'U bent wel gelukkig met de overeenkomst?'

'Ja, natuurlijk.'

'Dan neem ik nu afscheid van u, mevrouw Keeling ...'

'Nee, meneer Brookner, wacht u nog even. Er is nog iets.'

'Ja.'

'Het gaat over *De schelpenzoekers.*'

'Ja?'

Ze zei hem wat ze wilde dat hij deed.

Ze legde de hoorn heel langzaam neer. Ze zat aan haar pas opgeruim-
de bureau en bleef daar nog even zitten. Het was heel stil. In de keuken
hoorde ze praten. Antonia en Danus, die nooit met elkaar uitgepraat
leken. Ze ging terug naar de keuken en daar zaten ze nog aan tafel. Ze
hadden hun spaghetti op en gingen nu over op fruit en kaas en koffie.
Haar eigen bord was verdwenen.

'Ik heb uw eten in de oven gezet om het warm te houden,' zei
Antonia en ze stond op om het weer te pakken, maar Penelope hield
haar tegen.

'Nee. Doe geen moeite. Ik hoef niets meer.'

'Een kop koffie dan?'

'Nee. Zelfs dat niet.' Ze ging op haar stoel zitten, met haar armen
over elkaar op de tafel. Ze glimlachte onwillekeurig, omdat ze van hen
hield en hun iets aan ging bieden dat ze als het kostbaarste geschenk
van de wereld beschouwde. Een geschenk dat ze ook haar drie kinderen had aangeboden en dat ze één voor één hadden geweigerd.

'Ik heb een voorstel te doen,' zei ze. 'Willen jullie met me mee naar
Cornwall? Dan kunnen we de paasdagen daar doorbrengen. Met
elkaar. Alleen wij drieën.'

Podmore's Thatch,
Temple Pudley,
Gloucestershire.

17 april 1984

Lieve Olivia,

*Ik schrijf je om je een aantal dingen te vertellen die gebeurd zijn en die
gaan gebeuren.*

*Dat weekend toen Noel Antonia gebracht heeft en we de zolder
hebben leeggehaald en Nancy 's zondags is wezen eten, hebben we*

een vreselijke ruzie gehad. Ik weet zeker dat ze je daar niets over verteld hebben. Het ging natuurlijk over geld. Ze vonden dat ik de schilderijen van mijn vader moest verkopen nu ze zoveel waard zijn. Ze zeiden dat alleen in mijn belang, beweerden ze, maar ik ken hen veel te goed. Ze hebben het geld zelf nodig.

Toen ze eindelijk weg waren, had ik tijd om over alles na te denken. De volgende ochtend heb ik toen meneer Brookner van Boothby gebeld. Hij is komen kijken en heeft de panelen meegenomen. Hij heeft ze onderhands voor me verkocht, aan een Amerikaan die me er honderdduizend pond voor geeft.

Ik kan dit buitenkansje natuurlijk op een heleboel manieren besteden maar voorlopig ga ik doen wat ik al een hele tijd wil. Ik ga terug naar Cornwall. Daar jij en Noel en Nancy geen tijd of geen zin hadden om mee te gaan, heb ik Antonia en Danus gevraagd. Danus deed eerst een beetje aarzelend. Ik denk dat hij het gevoel had dat ik medelijden met hem had en eens erg aardig wilde zijn. Hij is erg trots. Maar uiteindelijk heb ik hem doen inzien dat hij aardig was voor ons, dat we een sterke man nodig hadden om met de bagage en kelners en zo om te gaan. Hij heeft beloofd dat hij aan zijn baas zou vragen of hij een week vrij kon krijgen. Dat is gelukt en we vertrekken morgenochtend. Antonia en ik rijden om de beurt. We gaan niet bij Doris logeren, want haar huisje is te klein om drie logés onder te brengen. Ik heb dus kamers besproken in Hotel Sands en daar brengen we de paasdagen door.

Vroeger was dat een heel gezellig hotel. In mijn kinderjaren brachten hele Londense gezinnen daar de zomervakantie door. Ze kwamen elk jaar terug en brachten hun kinderen en hun chauffeur en hun kindermeisje en hun honden mee. In de oorlog was het in een ziekenhuis omgezet en toen zat het vol met arme gewonde jongens.

Maar toen ik tegen Danus zei waar we heen gingen, keek hij een beetje verbaasd. Hotel Sands is tegenwoordig blijkbaar erg chic en ik denk dat hij zo lief was zich bezorgd te maken over de kosten. Maar het doet er natuurlijk niet toe wat het kost. Dit is de eerste keer in mijn leven dat ik dat werkelijk zo opschrijf. Het geeft me een heel speciaal gevoel, alsof ik ineens heel iemand anders geworden ben. Ik heb daar helemaal geen bezwaar tegen en voel me zo opgewonden als een kind.

Gisteren zijn Antonia en ik in Cheltenham wezen winkelen. Die nieuwe Penelope had de touwtjes in handen genomen en je had je zuinige moeder niet meer gekend, maar ik denk dat het wel naar je zin was geweest. We waren compleet gek. We hebben jurken voor Antonia gekocht, en een prachtige blouse van crème satijn en een spijkerbroek en shirtjes en een gele oliejas en vier paar schoenen. Toen is ze naar de kapper gegaan om haar pony bij te laten knippen en toen heb ik in mijn eentje nog allerlei fijne, onnodige dingen voor mijn vakantie gekocht. Linnen schoenen, talkpoeder, een enorme fles parfum. Film-rolletjes en gezichtscrème en een trui van kasjmier in de kleur van viooltjes. Ik heb ook een thermosfles gekocht, en een plaid (voor als we gaan picknicken) en een stapel pockets om me te amuseren. Ik heb ook een boek over Engelse vogels gekocht, en nog een vol met kaarten.

Na al die uitspattingen ben ik nog naar de bank geweest en toen heb ik mezelf op een kopje koffie getrakteerd. Daarna ben ik Antonia gaan halen. Ze zag er heel ongewoon uit en erg mooi. Ze had niet alleen haar haar laten doen maar ook haar wimpers laten verven. Ze ziet er nu heel anders uit. Eerst deed ze er een beetje verlegen over maar nu is ze er wel aan gewend, alleen staat ze elk ogenblik bewonderend naar zichzelf te kijken in de spiegel. Ik heb me in tijden niet zo gelukkig gevoeld.

Mevrouw Plackett komt morgen. Ze maakt schoon en sluit het huis af als we weg zijn. We komen de vijfentwintigste terug. Volgende week woensdag dus.

Ik moet je nog iets vertellen. De schelpenzoekers is weg. Ik heb het als een herinnering aan mijn vader aan de kunstgalerij in Porthkerris gegeven, die hij heeft helpen oprichten. Het is vreemd maar ik heb het niet meer nodig en ik vind het een prettig idee dat anderen het plezier kunnen delen dat het mij altijd gegeven heeft. Meneer Brookner heeft het transport voor me geregeld. De lege plek boven de haard valt erg op maar ik zal er wel een keer iets anders hangen. Intussen zie ik ernaar uit het terug te zien in Porthkerris.

Ik heb Noel en Nancy niet geschreven. Ze horen het allemaal vroeg of laat wel en zullen zich dan wel vreselijk ergeren maar daar kan ik niets aan doen. Ik heb hun altijd al het mogelijke gegeven en ze willen altijd meer. Misschien houden ze nu op met me lastig te vallen en richten ze zich op hun eigen leven.

Maar ik denk dat jij het zult begrijpen.

Als altijd veel liefs,
Mama

Nancy was een beetje ontevreden over zichzelf. Ze had geen contact meer met haar moeder gezocht sinds die mislukte zondag van die vreselijke ruzie over de schilderijen, toen Penelope zo tegen Noel en haar tekeer was gegaan.

Niet dat Nancy zich schuldig voelde. Ze was integendeel diep gekwetst. Moeder was met beschuldigingen gekomen die nooit meer ingetrokken konden worden en Nancy had de dagen voorbij laten gaan zonder iets van zich te laten horen, omdat ze verwachtte dat Penelope de eerste stap zou doen. Opbellen en dan misschien geen excuus aanbieden maar in elk geval een praatje maken, naar de kinderen informeren, misschien een afspraak maken voor een volgende ontmoeting. Om Nancy te laten zien dat alles vergeven was en de lucht gezuiverd.

Er gebeurde echter niets. Er kwam geen telefoontje. Eerst volhardde Nancy koppig in haar beledigde houding. Ze haatte het gevoel dat ze uit de gratie was. Ze had per slot van rekening niets verkeerds gedaan. Alleen haar mening gezegd, zich zorgen gemaakt om hun aller welzijn.

Maar na een tijdje werd ze ongerust. Het was niets voor moeder om te blijven mokken. Was ze misschien ziek? Ze had zich erg opgewonden en dat kon niet goed zijn voor een niet meer zo jonge vrouw die een hartaanval had gehad. Had dat gevolgen gehad? Ze wilde er niet aan denken, zette de gedachte uit haar hoofd. Natuurlijk niet. Dan had Antonia het haar beslist wel laten weten. Ze was nog wel erg jong en waarschijnlijk onverantwoordelijk, maar zo onverantwoordelijk kon zelfs zij niet zijn.

Nancy moest er steeds maar aan denken. Ze was al een keer naar de telefoon gegaan om het nummer van Podmore's Thatch te draaien maar had de hoorn toen weer neergelegd omdat ze niet kon bedenken wat ze moest zeggen. En toen kreeg ze een idee. Het was bijna Pasen. Ze zou moeder en Antonia te eten vragen. Dat betekende geen gezichtsverlies en bij het lamsvlees en de nieuwe aardappelen zouden ze zich allemaal verzoenen.

Ze was aan het stof afnemen in de eetkamer toen dat schitterende plan bij haar opkwam. Ze legde de stofdoek neer en liep meteen naar de keuken om te bellen. Ze draaide het nummer en wachtte met een glimlach op haar gezicht, klaar om die glimlach in haar stem door te laten klinken. Ze hoorde de telefoon overgaan. Er werd niet opgenomen. Haar glimlach verdween. Ze wachtte een hele tijd. Eindelijk legde ze de hoorn teleurgesteld weer neer.

Ze belde later die dag nog een paar keer. Ze belde de storingsdienst en vroeg of het nummer gecontroleerd kon worden. 'De telefoon gaat gewoon over,' meldde de man later.

'Dat weet ik wel. Ik heb het nummer de hele dag al gedraaid. Er moet iets aan de hand zijn.'

'Weet u zeker dat die persoon thuis is?'

'Natuurlijk is ze thuis. Het is mijn moeder. Ze is altijd thuis.'

'Ik zal de zaak nagaan en u terugbellen.'

'Dank u.'

Ze wachtte. Hij belde terug. Er was niets met de lijn aan de hand. Moeder scheen er gewoon niet te zijn.

Nancy was nu niet zozeer ongerust als geërgerd. Ze belde Olivia op.
'Olivia.'
'Hallo.'
'Met Nancy.'
'Ja. Dat dacht ik al.'
'Olivia, ik heb geprobeerd moeder te pakken te krijgen en er wordt niet opgenomen. Heb je enig idee wat er aan de hand kan zijn?'
'Natuurlijk wordt er niet opgenomen. Ze is naar Cornwall.'
'Naar Cornwall?'
'Ja. Voor de paasdagen. Ze is met de auto, met Antonia en Danus.'
'Met Antonia en Danus?'
'Je hoeft niet zo geschokt te doen.' Olivia's stem klonk geamuseerd. 'Waarom zou ze niet? Ze wil er al maanden heen en niemand van ons wil mee, dus heeft ze hen meegenomen om haar gezelschap te houden.'
'Maar ze kunnen toch niet allemaal bij Doris Penberth logeren? Die heeft niet genoeg ruimte.'
'O nee, niet bij Doris. Ze zitten in een hotel. Hotel Sands.'
'Hotel Sands?'
'O, Nancy, houd nu eens op met alles te herhalen wat ik zeg.'
'Maar dat is zo chic. Een van de beste hotels van het land. Vreselijk duur natuurlijk.'
'Maar heb je dat dan niet gehoord? Moeder zwemt in het geld. Ze heeft de panelen voor honderdduizend pond aan een Amerikaanse miljonair verkocht.'
Nancy voelde zich misselijk en duizelig tegelijk. Ze voelde dat ze bleek werd. Haar benen konden haar bijna niet meer dragen. Ze trok een stoel naar zich toe.
'Honderdduizend pond. Het is niet mogelijk. Dat kunnen ze niet waard zijn. Niets is honderdduizend pond waard.'
'Niets is iets waard behalve als iemand het wil hebben. En dan heb je de zeldzaamheidswaarde. Dat heb ik je toen allemaal proberen uit te leggen, die keer bij *L'Escargot*. Er komen niet veel Lawrence Sterns op de markt en die Amerikaan wil die panelen waarschijnlijk liever hebben dan wat ter wereld ook. En het kan hem niet schelen wat hij ervoor moet betalen. Gelukkig voor mama. Ik vind het geweldig voor haar.'
Maar Nancy kon het nog niet verwerken. Honderdduizend pond. 'Wanneer is dat allemaal gebeurd?' wist ze eindelijk uit te brengen.
'O, dat weet ik niet. Nog niet zo lang geleden.'
'Hoe weet je dat eigenlijk allemaal?'
'Ze heeft me een lange brief geschreven om me alles te vertellen. Ook over die ruzie die ze met Noel en jou gehad heeft. Jullie zijn een

vervelend stel, hoor. Ik heb je nog zo gezegd dat je haar met rust moest laten. Maar jullie blijven net zo lang zeuren tot ze het geen moment meer kan verdragen. Ik denk dat ze daarom besloten heeft de panelen te verkopen. Waarschijnlijk heeft ze begrepen dat dat de enige manier was om een eind te maken aan dat gedram van jullie.'

'Dat is gemeen.'

'O, Nancy, probeer toch niet me wat wijs te maken en probeer ook niet jezelf wat wijs te maken.'

'Ze hebben enorm veel invloed op haar.'

'Wie?'

'Danus en Antonia. Je had dat meisje nooit naar moeder toe moeten sturen. En ik vertrouw die Danus niet verder dan ik hem zie.'

'Noel ook al niet.'

'Maak jij je daar niet ongerust over?'

'Helemaal niet. Ik heb erg veel vertrouwen in mama's oordeel.'

'En al dat geld dat ze aan hen weggooit? Nu op dit moment. Logeert in Hotel Sands. Met haar tuinman.'

'Waarom zou ze dat geld niet uitgeven? Het is van haar. En waarom zou ze het niet uitgeven voor zichzelf en voor twee jonge mensen waar ze toevallig dol op is? Ze heeft ons allemaal gevraagd mee te gaan en wij wilden niet. Wij hebben onze kans gehad. Wij hebben niemand iets kwalijk te nemen dan onszelf.'

'Tegen mij had ze het niet over een duur hotel. Toen ging het over de logeerkamer van Doris Penberth.'

'Heeft dat je ervan weerhouden mee te gaan? De gedachte dat je bij Doris moest zitten? Was je wel gegaan als ze je met Hotel Sands had proberen te lokken zoals je een ezel lokt met een wortel?'

'Je hebt het recht niet dat te zeggen.'

'Dat heb ik wel. Ik ben je zuster, God beware me. En er is nog iets dat je moet weten. Mama is naar Porthkerris omdat ze daar al jaren naar verlangt, maar ook om naar *De schelpenzoekers* te gaan kijken. Ze heeft het aan de kunstgalerij daar geschonken, ter herinnering aan haar vader, en ze wil het daar zien hangen.'

'Geschonken?' Even dacht Nancy dat ze het verkeerd verstaan had, of in elk geval verkeerd begrepen. 'Je bedoelt dat ze het weggegeven heeft?'

'Precies.'

'Maar het is waarschijnlijk duizenden waard. Honderdduizenden.'

De schelpenzoekers. Weg. Nancy vond het zo onrechtvaardig tegenover haar en haar gezin dat ze woedend werd. 'Ze heeft ons altijd verteld dat ze er niet buiten kon,' zei ze bitter. 'Dat het een deel van haar leven was.'

'Dat was ook zo. Dat is het jaren geweest. Maar ik denk dat ze nu het gevoel heeft dat ze het kan missen. Ze wil het delen. Ze wil dat andere mensen er ook van kunnen genieten.'

Olivia stond aan moeders kant, dat was wel duidelijk.

'En wij? Haar familie? Haar kleinkinderen. Noel. Weet Noel hiervan?'

'Ik heb geen idee. Ik denk het eigenlijk niet. Ik heb niets meer van hem gehoord sinds hij Antonia naar Podmore's Thatch heeft gebracht.'

'Ik zal het hem vertellen.' Het was een dreigement.

'Doe dat,' zei Olivia en ze maakte een eind aan het gesprek.

Nancy smeet de hoorn op het toestel. Wat een rotmeid was Olivia! Met trillende handen pakte ze de hoorn weer op om Noel te bellen. Ze kon zich niet herinneren dat ze ooit zo ontdaan was geweest.

'Noel Keeling.'

'Met Nancy.' Ze had het belangrijke gevoel dat ze een familieraad ging houden.

'Hoi.' Het klonk niet al te enthousiast.

'Ik heb net Olivia gesproken. Ik had geprobeerd moeder te bellen maar ik kreeg steeds geen gehoor, dus heb ik Olivia gebeld om te zien of zij wist wat er aan de hand was. En ze wist het, want moeder had haar een brief geschreven. Olivia heeft ze geschreven maar ze heeft niet de moeite genomen jou of mij iets te laten weten.'

'Ik weet niet waar je het over hebt.'

'Moeder is naar Cornwall en ze heeft Danus en Antonia meegenomen.'

'Lieve help.'

'En ze logeren in Hotel Sands.'

Dat trok zijn aandacht.

'Hotel Sands? Ik dacht dat ze bij Doris ging logeren. En hoe kan ze Hotel Sands betalen? Dat is een van de duurste hotels van het land.'

'Dat kan ik je precies vertellen. Moeder heeft de panelen verkocht. Voor honderdduizend pond. Zonder er met iemand van ons over te spreken. Honderdduizend pond, Noel. En het lijkt wel of ze vast van plan is het over de balk te smijten. En dat is nog niet alles. Ze heeft *De schelpenzoekers* weggegeven. Aan de kunstgalerij in Porthkerris geschonken, tel uit je winst. Gewoon uit handen gegeven en de hemel mag weten wat het waard is. Het lijkt wel of ze niet goed wijs is. Ik geloof nooit dat ze weet wat ze doet. Ik heb tegen Olivia gezegd wat ik denk. Dat die twee jonge mensen, Antonia en Danus, haar in hun macht hebben. Dat komt voor, weet je. Je leest zulke dingen wel eens in de krant. Het is misdadig. We moeten iets doen om er een eind aan te maken. Noel. Noel? Ben je er nog?'

'Ja.'

'Wat vind jij?'
'Gelul,' zei Noel en hij verbrak de verbinding.

> *Hotel Sands,*
> *Porthkerris,*
> *Cornwall.*

> *Donderdag 19 april*

Lieve Olivia,

Nou, we zitten dus allemaal hier, een hele dag al. Ik kan je niet zeggen hoe mooi het allemaal is. Het is net zomer en overal zie je bloemen. En palmbomen en kleine straatjes met kinderhoofdjes en de zee is schitterend blauw. Groenachtiger dan de Middellandse Zee en dan heel donkerblauw bij de horizon. Het is net Ibiza maar dan beter, want alles is groen en welig en 's avonds als de zon onder is, is alles een beetje vochtig en ruik je de bladeren.

De tocht hierheen was enig. Ik heb het grootste stuk gereden en toen je moeder een eindje, maar Danus niet, want hij rijdt niet. Toen we eenmaal op de grote weg waren, ging het ontzettend vlug en je moeder kon maar niet geloven hoe hard we opschoten. Toen we bij Devon kwamen, hebben we de oude weg via Dartmoor genomen. We hebben ergens op een grote rots zitten picknicken. We hadden een geweldig uitzicht en er waren wilde pony's die blij waren met de korstjes van ons brood.

Het hotel is niet van deze wereld. Ik had nog nooit in een hotel gelogeerd en je moeder ook niet geloof ik, dus het is allemaal nieuw. Ze vertelde ons steeds maar hoe gezellig het er zou zijn, maar toen we aankwamen, zagen we meteen dat het hier een luxeuze bedoening was. Allemaal dure auto's op de parkeerplaats en een bediende in uniform voor onze bagage. Danus vindt dat onze koffers precies bij elkaar passen omdat ze allemaal even gehavend en versleten zijn.

Je moeder doet echter net of alles heel gewoon is. Met alles bedoel ik enorm dikke tapijten, een zwembad, allemaal een eigen badkamer, televisie bij ons bed, grote schalen vers fruit en overal bloemen. We krijgen elke dag schone lakens en handdoeken. Onze kamers zijn allemaal op dezelfde gang en we hebben aangrenzende balkons, met uitzicht op de tuin en de zee. Af en toe gaan we het balkon op om met elkaar te praten. Net als in dat stuk van Noel Coward.

Als je in de eetzaal zit, is het net of je in een heel chic restaurant in Londen bent. Ik weet zeker dat ik oesters, kreeft, verse aardbeien en biefstuk heel gewoon ga vinden. Het is geweldig dat we Danus bij ons hebben, want hij besteedt er veel zorg aan wat we bij dat heerlijke eten moeten drinken. Hij schijnt heel wat van wijn te weten maar hij drinkt zelf nooit. Ik weet niet waarom niet, zoals ik ook niet weet waarom hij niet autorijdt.

Er is zoveel te doen. Vanochtend zijn we naar de stad geweest. We zijn naar Carn Cottage wezen kijken, waar je moeder vroeger gewoond heeft. Maar het was nogal triest want het was in een hotel veranderd, zoals zoveel huizen hier, en de stenen muur was afgebroken en het grootste deel van de tuin had plaats gemaakt voor een parkeerplaats. Maar we hebben in de rest van de tuin gezeten en de eigenares van het hotel heeft ons koffie gebracht. En je moeder heeft ons precies verteld hoe het vroeger was en hoe haar moeder alle oude rozen en de wisteria had geplant en toen vertelde ze ons ook hoe ze bij een bombardement in Londen was omgekomen. Ik wist dat helemaal niet. Toen ze het ons vertelde, wilde ik huilen, maar ik deed het niet maar ik heb alleen mijn armen om haar heen geslagen omdat de tranen in haar ogen stonden en ik niets anders wist te bedenken.

Na Carn Cottage zijn we naar de kunstgalerij in het centrum van het stadje geweest, om De schelpenzoekers *te bekijken. De galerij is niet groot maar wel erg aantrekkelijk, met witte muren en een groot raam op het noorden. Ze hebben* De schelpenzoekers *op de belangrijkste plaats gehangen en het hoort er helemaal thuis, in het koele, heldere licht van Porthkerris waar het gemaakt is. De dame van de kunstgalerij was niet zo jong meer maar ik geloof niet dat ze je moeder herkende, maar ze wist wel wie ze was en maakte een heleboel drukte. Er schijnen trouwens niet veel mensen meer in leven te zijn die ze vroeger gekend heeft. Behalve Doris natuurlijk. Ze gaat morgenmiddag bij Doris op bezoek om thee bij haar te drinken. Ze ziet er erg naar uit en lijkt opgewonden over het vooruitzicht. En zaterdag nemen we de weg naar Land's End om op de kliffen van Penjizal te gaan picknicken. Het hotel geeft complete maaltijden mee in kartonnen dozen, met echte vorken en messen, maar je moeder vindt dat niet echt picknicken, dus stoppen we onderweg om van alles te kopen, vers brood en boter en pâté en tomaten en vers fruit en een fles wijn. Als het zo warm blijft, kunnen Danus en ik wel gaan zwemmen.*

En dan gaan Danus en ik maandag naar Manaccan aan de zuidkust, waar een zekere Everard Ashley een kwekerij heeft. Danus kent hem van de landbouwschool en hij wil de kwekerij gaan bekijken en hoopt misschien wat tips te krijgen. Want hij wil zelf later ook een kwekerij beginnen, maar dat valt niet mee want je hebt er een heleboel geld voor nodig en dat heeft hij niet. Nou ja, het kan nooit kwaad eens bij die Ashley te gaan kijken. Dan zien we meteen nog een stuk van deze verrukkelijke streek.

Uit dit hele verhaal kun je opmaken dat ik me erg gelukkig voel. Ik had dat nooit voor mogelijk gehouden, zo kort na Cosmo's dood. Ik

hoop dat het niet verkeerd is. Ik denk van niet, want het voelt alleen
maar goed.
  Bedankt voor alles. Omdat je zo eindeloos vriendelijk en geduldig
bent geweest en voor me geregeld hebt dat ik in Podmore's Thatch
mocht logeren. Want als je dat niet gedaan had, was ik nu niet hier,
in dit heerlijke hotel met de twee mensen die ik het liefste mag van de
hele wereld. Op jou na natuurlijk.

Liefs,
Antonia

Haar kinderen, Nancy, Olivia en Noel, hadden, moest Penelope toegeven, helaas gelijk gehad. Porthkerris was helemaal veranderd. Carn
Cottage was niet het enige huis waarvan de tuin verdwenen was en dat
een bordje HOTEL boven de deur had gekregen, en gestreepte parasols
op het pas aangelegde terras. Op de weg langs de haven, waar vroeger
kunstenaars gewoond en gewerkt hadden, vond je nu allerlei goedkope restaurants en souvenirwinkels en disco's. Uit de haven zelf
waren de meeste vissersschepen verdwenen. Er waren er nog maar een
paar over en de plaats van de andere was ingenomen door plezier-
boten die tegen enorme prijzen dagtochten aanboden om naar de
zeehonden te gaan kijken en op makreel te vissen.
  En toch was het, verbazend genoeg, niet zo erg veranderd. Nu in het
voorjaar was het nog niet zo druk in het stadje, want de eerste toe-
ristenstroom zou pas na Pinksteren arriveren. Er was tijd om rond te
hangen en ruimte om stil te blijven staan om rond te kijken. En niets
kon ooit dat prachtige blauw van het water veranderen, of de welving
van het land, of het verwarrende netwerk van straatjes en huizen met
leien daken van de heuvel af tot de rand van het water. De meeuwen
krijsten nog net als vroeger en de lucht rook nog altijd naar zilte wind
en liguster en de smalle straatjes van de oude stad waren nog even
verwarrend als toen.
  Penelope was lopend op weg naar Doris. Het was prettig alleen te
zijn. Het gezelschap van Danus en Antonia was heerlijk maar toch
vond ze het fijn eens even aan haar eigen gedachten te zijn overgelaten. In het zonlicht van de warme middag zocht ze haar weg door
de geurige tuin van het hotel naar de weg boven het strand. Langs de
terrassen van Victoriaanse huizen daalde ze af naar het stadje.
  Ze zocht een bloemenwinkel. De enige die ze zich herinnerde, was
nu een kledingzaak, vol met het akelige soort kleren dat toeristen
kopen omdat ze nu eenmaal geld uit willen geven. Hardroze zon-
netopjes, enorme T-shirts met afbeeldingen van popsterren en spij-
kerbroeken die zo nauw waren dat je al pijn kreeg als je er alleen maar
naar keek. Ze vond ten slotte een bloemenwinkel in een hoekje ach-

teraf waar vroeger een oude schoenmaker met een leren voorschoot voor een grijpstuiver nieuwe zolen onder hun schoenen had geslagen. Ze ging naar binnen en kocht een enorm boeket voor Doris. Geen anemonen of narcissen maar minder gewone bloemen. Anjers en irissen en tulpen en fresia's, een armvol, in zachtblauw vloeipapier gewikkeld. Een eindje verder in de straat kocht ze een fles dure whisky voor Ernie. Beladen met die aankopen liep ze verder, tot in het hart van het oude stadje, waar de straatjes zo smal waren dat er geen ruimte was voor een trottoir en de witte huisjes aan weerszijden dicht tegen elkaar stonden.

Daar stond het huis van de Penberths. Ernie had er met zijn vader en moeder gewoond en in de oorlog waren Doris en Penelope en Nancy daar vaak op bezoek geweest bij de oude mevrouw Penberth, die hun saffraankoekjes gaf en sterke thee schonk uit een roze theepot.

Nu achteraf begreep Penelope niet dat het zo lang geduurd had voor ze gezien had dat Ernie op zijn verlegen, zwijgzame manier Doris het hof maakte. En toch was dat misschien niet zo vreemd. Hij was een man van weinig woorden en zijn aanwezigheid in Carn Cottage, waar hij weinig zei en voor tien man werkte, werd vanzelf iets dat ze allemaal heel gewoon gingen vinden. 'O, Ernie doet het wel,' zeiden ze als er een akelig karweitje moest worden opgeknapt, zoals een kip slachten of de goot schoonmaken. En hij dééd het ook. Niemand had hem ooit als een begeerlijke man beschouwd. Hij was gewoon maar iemand van de familie die geen eisen stelde, nooit klaagde en altijd in een goed humeur was.

Pas in het najaar van 1944 kwam de kogel eindelijk door de kerk. Penelope ging op een ochtend de keuken van Carn Cottage binnen en trof daar Doris en Ernie aan, die samen thee zaten te drinken. Ze zaten aan de keukentafel en midden op die tafel stond een blauw-witte kan vol dahlia's.

Ze bleef staan. 'Ernie, ik wist niet dat je er was . . .'

Hij deed verlegen. 'Ben even binnen komen lopen.' Hij schoof zijn kop-en-schotel van zich af en stond op.

Ze keek naar de bloemen. Dahlia's brachten zoveel werk mee dat zij ze niet meer in de tuin zetten. 'Waar komen die vandaan?'

Ernie duwde zijn pet naar achteren en krabde zich op het hoofd. 'Uit het tuintje van mijn vader. Ik heb er wat voor . . . voor jullie meegebracht.'

'Ik heb nog nooit zulke schitterende gezien. Ze zijn enorm.'

'Ja.' Ernie zette zijn pet weer goed en liep naar de deur. 'Ik heb nog wat hout te hakken.'

'Bedankt voor de bloemen,' zei Doris.

Hij draaide zich om en knikte. 'De thee was lekker,' zei hij.

Hij ging naar buiten. Even later hoorden ze hem hakken.

Penelope ging aan de tafel zitten. Ze keek naar de bloemen. Ze keek Doris aan, maar die ontweek haar blik. 'Ik heb zo'n idee dat ik stoorde,' zei Penelope.

'Hoezo?'

'Ik weet het niet. Dat moet jij me maar vertellen.'

'Er is niets te vertellen.'

'Hij heeft die bloemen niet voor òns meegebracht, hè? Ze waren voor jou.'

Doris wierp het hoofd in de nek. 'En wat dan nog?'

Toen begreep Penelope het ineens. 'Doris, volgens mij heeft Ernie een oogje op je.'

Doris stond meteen op scherp. 'Ernie Penberth? Maak het nou een beetje.'

Maar Penelope liet zich geen zand in de ogen strooien. 'Heeft hij nooit iets tegen je gezegd?'

'Hij zegt nooit veel, hè?'

'Maar je mag hem wel?'

'Ik heb geen reden om hem niet te mogen.'

Ze deed zo nonchalant dat het niet erg overtuigend klonk. Er was beslist iets aan de hand. 'Hij wil wel wat met je.'

'Ernie?' Doris sprong overeind en pakte met veel gerinkel de kop-en-schotels op. 'Hij zou niet weten hoe hij dat moest doen.' Ze zette de vuile boel met een klap op het aanrecht en draaide de kraan open. 'Bovendien ziet hij er maar vreemd uit,' voegde ze eraan toe, over het geluid van het stromend water heen.

'Je zou nooit een betere . . .'

'En ik ben niet van plan mijn dagen te beëindigen met een man die kleiner is dan ik.'

'Alleen maar omdat hij geen tweede Gary Cooper is, hoef je je neus nog niet voor hem op te halen. En volgens mij ziet hij er goed uit. Ik mag dat zwarte haar en die donkere ogen wel.'

Doris draaide de kraan dicht en keerde zich naar haar toe. Ze leunde tegen de gootsteen met haar armen over elkaar geslagen. 'Maar hij zègt nooit wat, hè?'

'Als jij aan één stuk door aan het woord bent, krijgt hij niet veel kans. Daden zeggen trouwens meer dan woorden. Kijk eens naar die bloemen.' Ze herinnerde zich ineens van alles. 'En hij doet altijd een heleboel dingen voor je. Hij maakt de waslijn voor je en brengt lekkere dingen mee uit de zaak van zijn vader.'

'En wat zou dat?' Doris keek argwanend. 'Probeer je soms me aan Ernie Penberth te koppelen? Wil je me kwijt of zo?'

'Ik denk alleen maar aan jouw toekomstige geluk,' zei Penelope op een schijnheilig toontje.

'Ja, ja. Nou, dan vergis je je toch. De dag dat we hoorden dat Sophie dood was, heb ik mezelf beloofd dat ik hier zou blijven tot die vervloekte oorlog voorbij was. En toen Richard wegging ... Nou, toen wist ik het helemaal zeker. Ik weet niet wat jij gaat doen, terug naar Ambrose of niet, maar de oorlog is nu gauw afgelopen en dan moet je een besluit nemen. En dan ben ik in de buurt om je te helpen, wat je ook besluit. En als je teruggaat naar je man, wie moet er dan voor je vader zorgen? Dat zal ik je nu meteen vertellen. Ik. Laten we dus alsjeblieft niet meer over Ernie Penberth praten.'

Ze hield woord. Ze wilde niet met Ernie trouwen omdat ze papa niet in de steek wilde laten. Pas na de dood van de oude man voelde ze zich eindelijk vrij om aan haarzelf en haar zoons en haar eigen toekomst te denken. Binnen twee maanden werd ze toen mevrouw Ernie Penberth en verliet ze Carn Cottage voorgoed. De oude Penberth was kort daarvoor overleden en zijn vrouw ging bij haar zuster wonen, zodat Doris en Ernie het huis voor zichzelf hadden. Ernie nam de groentezaak van de familie over en hij was altijd erg goed voor de zoons van Doris, maar Doris en hij kregen samen geen kinderen.

En nu ... Penelope bleef staan en keek om zich heen om te zien waar ze precies was. Ze had haar bestemming bijna bereikt. Het strand was dichtbij. Ze voelde de wind en rook de zilte lucht. Ze sloeg nog een hoek om en liep een steil straatje af. Toen stond ze voor het witte huisje. De was hing buiten en er stonden potten en bakken vol narcissen en krokussen en hyacinten. De voordeur was blauw en ze bukte zich om onder het wasgoed door te lopen en bracht toen haar hand omhoog om op de deur te kloppen. Maar voor ze dat kon doen, ging de deur al open. En daar stond Doris.

Doris. Nog even zwierig gekleed, knap en levendig, niet dikker en niet dunner geworden. Haar haar was zilverwit en ze droeg het kort en gekruld. Ze had natuurlijk de nodige rimpels gekregen maar haar glimlach was niet veranderd, en haar stem ook niet.

'Ik zat al te wachten. Ik zag je aankomen.' Ze had die dag pas uit Hackney gearriveerd kunnen zijn. 'Waarom ben je zo lang weggebleven? Ik heb veertig jaar op je gewacht.' Doris. Met lippenstift en oorbellen en een vuurrood vest over een witte blouse met strookjes. 'O, blijf daar in godsnaam niet op de drempel staan. Kom toch binnen.'

Penelope stapte het kleine keukentje binnen. Ze deponeerde de bloemen en de zak met de fles whisky op de keukentafel en Doris deed de deur achter haar dicht. Ze draaide zich om. Ze keken elkaar aan en glimlachten nogal dwaas. Ze konden geen woord uitbrengen. En toen vielen ze elkaar in de armen en hielden elkaar stevig vast, als een paar schoolmeisjes die weer bij elkaar zijn.

Zonder iets te zeggen lieten ze elkaar ook weer los. Doris was de eerste die wat zei. 'Penelope, ik kan het niet geloven. Ik dacht dat ik je misschien niet zou herkennen. Maar je bent nog even lang en knap als vroeger. Ik was zo bang dat je veranderd zou zijn, maar dat is niet zo.'

'Natuurlijk ben ik wel veranderd. Ik heb grijs haar gekregen en ben oud geworden.'

'Als jij oud bent, sta ik met één been in het graf. Bijna zeventig ben ik. Dat vertelt Ernie me tenminste altijd als ik me een beetje te druk maak.'

'Waar is Ernie eigenlijk?'

'Hij dacht dat we eerst een poosje samen wilden zijn. Hij is naar zijn volkstuin. Die houdt hem in leven sinds hij de groentezaak heeft opgedoekt. Zonder wortels en rapen is hij geen half mens, zeg ik altijd.' Ze lachte nog even luidruchtig als vroeger.

'Ik heb bloemen voor je meegebracht,' zei Penelope.

'O, ze zijn prachtig. Dat had je niet moeten doen. Ik zal ze in een vaas zetten. Ga jij vast in de kamer zitten en maak het jezelf gemakkelijk. Het water staat op. Ik dacht dat je wel een kopje thee zou lusten.'

Penelope ging de kamer in en het was net of ze terugkeerde in het verleden. Alles was nog even vol en gezellig als in de tijd van de oude mevrouw Penberth. Haar schatten waren er nog. Het glanzende porselein in de kast met de glazen deuren, de honden aan weerszijden van de haard, de bultige banken en stoelen met de met kant afgezette antimakassars. Maar er waren ook dingen veranderd. Het grote televisietoestel zag er nog erg nieuw uit, evenals de kleurige, sitsen gordijnen. Op de schoorsteen, waar vroeger een grote foto had gehangen van de broer van de oude mevrouw Penberth, die in de Eerste Wereldoorlog was gesneuveld, hing nu het portret van Sophie van Charles Rainier, dat Penelope na de begrafenis van Lawrence Stern aan Doris had gegeven.

'Dat kun je niet aan mij geven,' had Doris gezegd.

'Waarom niet?'

'Het schilderij van je moeder.'

'Ik wil dat jij het hebt.'

'Maar waarom ik?'

'Omdat jij evenveel van Sophie gehouden hebt als wij. En je hebt ook van papa gehouden en je hebt in mijn plaats voor hem gezorgd. Geen dochter had meer kunnen doen.'

'Het is veel te veel.'

'Het is niet genoeg! Maar het is alles wat ik je te geven heb.'

Ze stond nu midden in de kamer naar het portret te kijken en dacht dat het na veertig jaar nog even aantrekkelijk en charmant en vrolijk was. Sophie op haar vijfentwintigste, met haar schuinstaande ogen en haar betoverende glimlach en haar jongensachtige korte haar. Ze had een rode sjaal met zijden franje over haar gebruinde schouders.

'Fijn dat je het weer ziet?' vroeg Doris.

Penelope draaide zich om toen ze binnenkwam met de vaas met bloemen, die ze zorgvuldig midden op de tafel zette.

'Ja. Ik was vergeten hoe charmant het was.'

'Ik wed dat je wilde dat je het nooit had weggegeven.'

'Nee, hoor. Het is alleen leuk het nog eens te zien.'

'Geeft de kamer iets voornaams, hè? Iedereen bewondert het altijd zo. Er is me zelfs een keer een fortuin voor geboden, maar ik wilde het niet verkopen. Ik wilde dat schilderij voor geen goud kwijt. Kom, laten we gaan zitten en het ons gemakkelijk maken en eens lekker kletsen voor Ernie terugkomt. Ik wilde dat je hier bij mij logeerde. Ik heb je dat vaak genoeg gevraagd. Logeer je echt in Hotel Sands? Bij al die miljonairs? Wat is er gebeurd? Heb je de voetbalpool gewonnen of zo?'

Penelope legde haar uit wat er aan de hand was. Ze vertelde haar dat Lawrence Stern weer in de mode was gekomen en hoe ze contact opgenomen had met Roy Brookner en een bod op de panelen had gekregen.

Doris wist niet wat ze hoorde. 'Honderdduizend voor die twee kleine schilderijen! Ik heb nog nooit zo iets gehoord. Maar ik ben blij voor je, Penelope.'

'En ik heb *De schelpenzoekers* aan de galerij hier in Porthkerris gegeven.'

'Dat weet ik. Ik heb er alles over in de krant gelezen en Ernie en ik zijn wezen kijken. Het was vreemd dat schilderij daar te zien hangen. Het bracht zoveel herinneringen boven. Maar zul je het niet missen?'

'Een beetje wel waarschijnlijk. Maar het leven gaat door. We worden allemaal ouder. Het wordt tijd om ons huis op orde te brengen.'

'Daar heb je gelijk in. En over het leven dat doorgaat gesproken . . . Wat vind je van Porthkerris? Ik wed dat je het niet meer herkende. We weten nooit wat de mensen nu weer gaan doen, hoewel er de eerste jaren na de oorlog al genoeg gesloopt is. De oude bioscoop is nu een supermarkt, dat zul je wel gezien hebben. En het atelier van je vader is afgebroken en er staan nu vakantiehuisjes op die plaats. En we hebben hier een paar jaar hippy's gehad. Dat was een vieze boel, dat kan ik je wel vertellen. Ze sliepen op het strand en pisten waar ze maar wilden. Het was smerig.'

Penelope begon te lachen. 'En Carn Cottage is een hotel geworden.'

'Vond je het niet om te huilen? Die mooie tuin van je moeder. Ik had je moeten schrijven om je te waarschuwen hoe de zaken stonden.'

'Ik ben blij dat je dat niet gedaan hebt. Het doet er trouwens niet toe. Om de een of andere reden doet het er niet meer toe.'

'Dat zal wel niet als je in dat luxueuze hotel zit. Weet je nog dat het een ziekenhuis was? Toen was je er alleen met twee gebroken benen heen gegaan.'

'Doris, ik logeer niet alleen in Hotel Sands en niet bij jou omdat ik me zo rijk voel. Maar ik heb ook een paar jonge vrienden bij me en ik wist dat jij geen plaats had voor ons allemaal.'

'Wat zijn dat voor vrienden?'

'Een meisje dat Antonia heet. Haar vader is pas overleden en ze woont op het ogenblik bij mij. En de jongen heet Danus. Hij helpt me in Gloucestershire in de tuin. Je zult hen straks wel zien. Ze vinden het te veel voor een oude dame om terug de heuvel op te lopen, dus ze komen me met de auto halen.'

'Dat is leuk. Maar ik wilde dat je Nancy had meegebracht. Ik zou haar zo graag nog eens zien. En waarom ben je hier niet eerder gekomen? We kunnen onmogelijk in een paar uur veertig jaar opvullen.'

Ze kwamen toch een heel eind. Bijna zonder adem te halen stelden ze en beantwoordden ze vragen. Ze vertelden hoe het met hun kinderen en kleinkinderen ging.

'Clark is met een meisje uit Bristol getrouwd. Ze hebben twee kinderen. Kijk, ze staan hier op de schoorsteen. Dat is Sandra en dat is Kevin. Zij is zo'n vrolijk ding. En dit zijn de kinderen van Ronald. Hij woont in Plymouth. Zijn schoonvader heeft een meubelfabriek en hij heeft Ron in de zaak gehaald. Ze komen hier 's zomers altijd met vakantie. Maar dan huren ze kamers want wij hebben niet genoeg ruimte. En vertel me nu eens alles over Nancy. Wat was dat toch een schat.'

En toen was het de beurt aan Penelope, maar natuurlijk was ze niet vergeten foto's mee te brengen. Ze vertelde Doris over Melanie en Rupert en slaagde er met enige moeite in hen een aantrekkelijke indruk te laten maken.

'Wonen ze dicht bij je? Zie je hen vaak?'

'Een kilometer of dertig.'

'O, dat is te ver, hè? Maar je vindt het wel prettig buiten te wonen? Het bevalt je daar beter dan in Londen? Ik schrok me wild toen je me schreef dat Ambrose je had laten zitten. Wat een manier van doen. Maar het was altijd al een waardeloze knul. Zag er goed uit natuurlijk maar dan had je het ook gehad. Evengoed een waardeloze streek, zomaar te verdwijnen! Mannen denken altijd alleen maar aan zichzelf. Dat zeg ik ook tegen Ernie als hij zijn vuile sokken in de badkamer op de grond laat liggen.'

En toen, toen ze hun man en kinderen hadden afgewerkt, begonnen ze aan hun herinneringen, herinneringen aan die lange oorlogsjaren die ze samen hadden doorgemaakt en waarin ze niet alleen de zorgen en de angsten en de eindeloze verveling hadden gedeeld maar ook de vreemde, belachelijke gebeurtenissen die achteraf alleen maar ontzettend grappig waren.

Kolonel Trubshot die in het donker verdwaald was en over de muur van de haven in zee was gevallen. Miss Preedy die een lezing over het Rode Kruis hield voor een stel ongeïnteresseerde dames en verward raakte in haar eigen zwachtels. En dan generaal Watson-Grant die de burgerwacht aan het drillen was, waarbij de oude Willie Chirgwin een bajonet in zijn grote teen kreeg, zodat hij naar het ziekenhuis gebracht moest worden.

'En de bioscoop,' zei Doris, terwijl ze de tranen van het lachen van haar wangen veegde. 'Weet je nog dat we altijd naar de bioscoop gingen? Minstens twee keer per week. Weet je nog die film met Charles Boyer? Iedereen zat te huilen. Ik werkte wel drie zakdoeken af en ik liep buiten nog te janken.'

'Dat was fijn, hè? Maar ik denk dat er verder niet veel te beleven viel.'

'Carmen Miranda was het beste. Ik ging altijd naar films met Carmen Miranda.' Doris sprong overeind en legde haar hand op haar heup, met haar vingers gespreid.

De deur sloeg dicht en Ernie kwam binnen. Doris vond die onderbreking nog grappiger dan haar eigen voorstelling en liet zich schaterend op de bank vallen.

Ernie keek verward van de een naar de ander. 'Wat is er met jullie?' vroeg hij. Penelope begreep dat zijn vrouw niet in staat was antwoord te geven en stond op om hem te begroeten.

'O, Ernie . . .' Ze veegde haar ogen af en onderdrukte haar hopeloze gegiechel. 'Het spijt me. Wat doen we dwaas. We halen herinneringen op en we moeten voortdurend lachen. Vergeef het ons alsjeblieft.' Ernie leek kleiner dan ooit, en ook ouder, en zijn zwarte haar was helemaal wit geworden. Hij droeg een oude zeemanstrui en hij had zijn werklaarzen uitgetrokken en zijn pantoffels aangedaan. Zijn hand voelde ruw aan, net als vroeger, en ze was zo blij dat ze hem zag dat ze hem wel wilde omhelzen, maar ze deed het niet omdat ze wist dat hij er alleen maar verlegen van zou worden. 'Hoe gaat het? Wat geweldig dat ik je nog eens zie.'

'Ik vind het ook fijn jou nog eens te zien.' Ze drukten elkaar plechtig de hand. Zijn ogen gingen naar zijn vrouw, die haar neus zat te snuiten en min of meer haar zelfbeheersing terug had. 'Ik hoorde zo'n lawaai. Ik dacht dat er heel wat aan de hand was. Hebben jullie al thee gehad?'

'Nee, nog niet. We hebben nog geen tijd gehad. We hebben te veel gepraat.'

'De ketel staat bijna droog. Ik heb hem bijgevuld.'

'O, God, het spijt me. Ik had er helemaal niet meer aan gedacht.' Doris kwam overeind. 'Ik ga nu thee zetten. Penelope heeft een fles whisky voor je meegebracht, Ernie.'

'Geweldig. Dank je wel.' Hij schoof de boord van zijn mouw opzij en keek op zijn grote werkmanshorloge. 'Half zes.' Hij keek met een zeldzaam snaakse blik in zijn ogen op. 'Waarom slaan we de thee niet over en beginnen meteen aan de whisky?'

'Ernie Penberth! Ouwe zuiplap! Wat een idee.'

'Ik vind het een heel goed idee,' viel Penelope hem bij. 'We hebben elkaar tenslotte in geen veertig jaar gezien. Als we nu niets te vieren hebben, wanneer dan wel?'

Zo veranderde de ontmoeting in een soort feestje. De whisky maakte zelfs de tong van Ernie los en ze waren misschien wel de hele avond zo blijven zitten drinken als Danus en Antonia niet gekomen waren. Penelope had alle besef van tijd verloren en de bel verraste haar net zo goed als Ernie en Doris.

'Wie kan dat nu zijn?' vroeg Doris, geërgerd om de onderbreking.

Penelope keek op haar horloge. 'Lieve help, het is zes uur. Ik had geen idee dat het al zo laat was. Het zullen Danus en Antonia zijn, om me te halen . . .'

'De tijd vliegt als je het gezellig hebt,' zei Doris en ze hees zich uit haar stoel om open te gaan doen. Ze hoorden haar zeggen: 'Kom binnen, ze is helemaal klaar om mee te gaan. Een beetje tipsy, zoals wij allemaal, maar dat hindert niet.' En Penelope dronk haastig haar glas leeg en zette het op de tafel, zodat ze niet zouden denken dat ze te vroeg waren. Toen kwamen ze de kleine kamer binnen en Ernie ging staan en iedereen werd voorgesteld. Ernie verdween naar de keuken en kwam met nog een paar glazen terug.

Danus krabde zich eens op zijn hoofd en keek geamuseerd om zich heen. 'Ik dacht dat u hier thee ging drinken.'

'O, thee.' Doris' stem deed de gedachte aan zo iets tams meteen af. 'We zijn de thee vergeten. We zaten zo te praten en te lachen dat we er helemaal niet meer aan gedacht hadden.'

'Wat een leuke kamer,' zei Antonia. 'Dit is precies het soort huis waar ik gek op ben. En al die bloemen buiten.'

'Die potten en bakken noem ik mijn tuin. Het is fijn om een echte tuin te hebben maar een mens kan niet alles hebben, zeg ik altijd.'

Antonia's ogen gingen naar het portret van Sophie. 'Wie is dat meisje op het schilderij?'

'Dat? Nou, dat is de ma van Penelope. Zie je de gelijkenis niet?'

'Ze is mooi!'

'O, ze was erg aantrekkelijk. Ze kwam uit Frankrijk, hè, Penelope? Haar manier van praten klonk altijd zo sexy, net Maurice Chevalier. En je had haar eens moeten horen als ze boos was. Net een visvrouw was ze dan.'

'Ze ziet er zo jong uit.'

'O ja, ze was ook nog jong. Jaren jonger dan haar man. Jullie waren net zusters, hè, Penelope?'

Ernie schraapte luidruchtig zijn keel om de aandacht te vragen. 'Wil je wat drinken?' vroeg hij aan Danus.

Danus grijnsde en schudde zijn hoofd. 'Het is heel vriendelijk van u en ik hoop dat u me niet onaardig vindt, maar ik drink nooit.'

Ernie keek stomverbaasd. 'Je bent toch niet ziek?'

'Nee. Niet ziek. Ik kan er gewoon niet goed tegen.'

Ernie was duidelijk geschokt. Hij wendde zich zonder veel hoop tot Antonia. 'Jij wilt zeker ook niet?'

Ze glimlachte. 'Nee. Dank u. Ik moet straks rijden. En met al die scherpe bochten hier. Ik kan het maar beter niet doen.'

Ernie schudde bedroefd zijn hoofd en draaide de fles weer dicht. Het feest was voorbij. Het was tijd om te gaan. Penelope stond op, streek haar rok glad en voelde aan haar haarspelden.

'Jullie gaan toch nog niet weg?' Doris wilde niet dat het allemaal al voorbij was.

'We moeten gaan, Doris, hoewel ik graag nog zou blijven. Maar ik ben hier nu lang genoeg geweest.'

'Waar staat de auto?' vroeg Ernie aan Danus.

'Een eind om de hoek,' zei Danus. 'We konden dichterbij geen plekje vinden waar je mag parkeren.'

'Vreselijk, hè, met al die verboden? Ik kan beter meelopen en jullie helpen met keren. Er is daar niet veel ruimte en jullie willen natuurlijk niet in botsing komen met een granieten muur.'

Danus accepteerde zijn aanbod dankbaar. Ernie zette zijn pet op en trok zijn laarzen weer aan. Danus en Antonia namen afscheid van Doris en ze zei: 'Leuk dat ik kennis met jullie heb gemaakt.' Toen gingen ze met hun drieën weg om de Volvo te gaan halen. Doris en Penelope waren weer alleen. Maar nu waren ze om de een of andere reden niet zo vrolijk meer. Het bleef stil tussen hen, alsof ze al zoveel hadden gepraat dat ze ineens niets meer te zeggen hadden. Penelope voelde dat Doris naar haar keek en draaide haar hoofd om die vaste blik te beantwoorden.

'Waar heb je die gevonden?' vroeg Doris.

'Danus?' Ze liet haar stem luchtig klinken. 'Dat heb ik je verteld. Hij werkt voor me. Hij doet mijn tuin.'

'Een tuinman van stand.'

'Ja.'

'Hij lijkt op Richard.'

'Ja.' Zijn naam was uitgesproken. 'Weet je wel dat hij de enige is over wie we de hele middag geen woord gezegd hebben? We hebben iedereen genoemd, maar hem niet.'

'Dat leek niet veel zin te hebben. Ik noemde zijn naam nu alleen maar omdat die jongen zo op hem lijkt.'

'Dat weet ik. Het viel mij ook meteen op toen ik hem voor het eerst zag. Ik . . . ik heb er wel even aan moeten wennen.'

'Heeft hij iets met Richard te maken?'

'Nee. Dat lijkt me niet. Hij komt uit Schotland. Die gelijkenis is gewoon toevallig.'

'Ben je daarom zo op hem gesteld?'

'O, Doris. Dat klinkt net of ik zo'n zielige oude dame met een gigolo ben.'

'Maar je bent wel gek op hem?'

'Ik mag hem graag. Om zijn uiterlijk en om hemzelf. Hij is erg aardig. Prettig gezelschap. Hij maakt me aan het lachen.'

'Je hebt hem niet mee naar Porthkerris gebracht om . . .' Doris keek haar vriendin bezorgd aan. '. . . om te proberen oude herinneringen weer tot leven te roepen, hè?'

'Nee. Ik heb eerst mijn kinderen gevraagd. Ik heb het ze om de beurt gevraagd, maar ze konden of wilden niet. Zelfs Nancy niet. Ik had je dat niet willen vertellen maar nu doe ik het toch. Dus zijn Danus en Antonia in hun plaats gekomen.'

Doris zei daar niets op. Even zwegen ze, ieder verdiept in haar eigen gedachten. Toen zei Doris: 'Ik weet niet. Dat Richard op die manier aan zijn eind moest komen . . . dat was wreed. Ik heb het altijd moeilijk gevonden God te vergeven dat hij die man heeft laten sneuvelen. Als er iemand was die had moeten blijven leven . . . Ik herinner me nog goed die dag dat we het hoorden. Het was een van de ergste dingen die er in de oorlog gebeurd zijn. En ik heb altijd het idee gehad dat hij bij zijn dood een deel van jou heeft meegenomen en geen deel van zichzelf heeft achtergelaten.'

'Hij heeft wel een deel van zichzelf achtergelaten.'

'Maar niet iets dat je kon aanraken of voelen of vasthouden. Je had beter een baby van hem kunnen hebben. Dan had je een goed excuus gehad om nooit terug te gaan naar Ambrose. Dan had je met Nancy en de baby een nieuw leven kunnen beginnen.'

'Ik heb daar vaak aan gedacht. Ik heb nooit iets gedaan om te zorgen dat ik geen baby kreeg, toen met Richard. Het is gewoon niet gebeurd. Maar Olivia is altijd mijn troost geweest. Zij was het eerste kind dat ik na de oorlog kreeg en ze was van Ambrose, maar om de een of andere reden is ze altijd bijzonder geweest. Niet anders maar wel bijzonder.' Ze deed haar best om haar woorden zorgvuldig te kiezen en gaf tegenover Doris iets toe dat ze nauwelijks tegenover zichzelf had toegegeven, en zeker niet tegenover iemand anders. 'Het was net alsof er een lichamelijk deel van Richard in me was achtergebleven. En toen Olivia geboren werd, ging er via mij een atoom, een deeltje, een cel van Richard in haar over.'

'Maar ze was niet van hem?'

Penelope schudde glimlachend haar hoofd. 'Nee.'

'Maar je had het gevoel van wel.'

'Ja.'

'Dat kan ik begrijpen.'

'Dat wist ik wel. Daarom heb ik het je verteld. En je begrijpt me ook als ik zeg dat ik blij ben dat het atelier van papa er niet meer is. Ik weet nu dat ik sterk genoeg ben om bijna alles aan te kunnen, maar ik denk niet dat ik ooit sterk genoeg had kunnen zijn om daar nog eens heen te gaan.'

'Nee. Dat begrijp ik ook.'

'Er is nog iets. Toen ik terug was in Londen, heb ik contact gezocht met zijn moeder.'

'Dat vroeg ik me al af.'

'Het duurde een hele tijd voor ik de moed op kon brengen, maar uiteindelijk heb ik haar opgebeld. We hebben met elkaar geluncht. Het was een bezoeking voor ons allebei. Ze was heel aardig en charmant maar we hadden niets om over te praten behalve Richard en ten slotte begreep ik dat dat te veel voor haar was. Toen heb ik haar met rust gelaten. Ik heb haar nooit meer gezien. Als ik met Richard getrouwd was geweest, had ik haar kunnen troosten. Nu maakte ik het voor haar waarschijnlijk allemaal nog tragischer.'

Doris zei niets. Van buiten kwam het geluid van de Volvo, die voorzichtig zijn weg zocht door de steile, smalle straat. Penelope bukte zich om haar handtas te pakken. 'Daar is de auto. Ik moet gaan.'

Ze liepen samen door de keuken naar buiten. Ze sloegen hun armen om elkaar heen en gaven elkaar een innige kus. Doris had tranen in haar ogen. 'Tot ziens, lieve Doris. En bedankt voor alles.'

Doris veegde die dwaze tranen haastig weg. 'Je moet gauw nog eens komen,' zei ze. 'Je moet niet weer veertig jaar wachten want dan liggen we allemaal onder de groene zoden.'

'Volgend jaar. Ik kom volgend jaar terug, alleen, en dan kom ik bij Ernie en jou logeren.'

'Dat wordt feest.'

De wagen verscheen en stopte aan de kant van de weg. Ernie stapte uit en hield gedienstig het portier open om Penelope in te laten stappen.

'Penelope.'

Ze draaide zich nog eens om. 'Ja?'

'Als hij Richard is, wie moet Antonia dan zijn?'

Doris was niet op haar achterhoofd gevallen. Penelope glimlachte. 'Ikzelf?'

'Toen ik hier voor het eerst kwam, was ik zeven. Het was een hele gebeurtenis, want papa had een auto gekocht. We hadden er nog nooit een gehad en dit was de eerste tocht die we maakten. Er zouden er nog heel wat volgen maar ik herinner me altijd die ene omdat ik maar niet kon begrijpen dat papa echt wist hoe hij de motor moest starten en hoe hij moest rijden.'

Ze zaten met hun drieën op de kliffen van Penjizal hoog boven de blauwe oceaan in het gras. Een groot rotsblok van met mos begroeid graniet beschutte hen tegen de wind. Overal om hen heen bloeiden de wilde sleutelbloemen. De lucht was helemaal blauw en ze hoorden het geraas van de aanrollende golven en de kreten van de rondcirkelende zeevogels. Het was midden op de dag en het leek wel zomer. Het was zo warm dat ze de nieuwe plaid hadden uitgespreid om op te liggen en een koel plekje in de schaduw hadden gezocht voor de mand met eten.

'Wat voor auto was het?' Danus lag achterover en steunde op zijn elleboog. Hij had zijn trui uitgetrokken en de mouwen van zijn overhemd opgerold. Zijn gespierde onderarmen waren bruin van de zon en hij keek haar geamuseerd en belangstellend aan.

'Een Bentley,' zei ze. 'Hij was nogal oud maar papa kon zich geen nieuwe auto veroorloven en de Bentley werd zijn grote trots.'

'Wat geweldig. Zo'n auto zou nu een fortuin waard zijn. Wat is ermee gebeurd?'

'Ik heb hem na het overlijden van mijn vader aan Grabney gegeven. Ik wist niet wat ik er anders mee moest doen. En hij was altijd zo vriendelijk geweest. Hij had de auto de hele oorlog voor ons in zijn garage gehouden en er nooit een penny voor gerekend. En een andere keer – toen het erg belangrijk voor me was – had hij op de zwarte markt benzine voor me op de kop getikt. Daar had ik hem nooit genoeg voor kunnen bedanken.'

'Waarom hebt u de auto zelf niet gehouden?'

'Ik kon het me niet veroorloven er in Londen een auto op na te houden en ik had eigenlijk geen auto nodig. Ik ging overal lopend heen, achter een kinderwagen met een baby en boodschappen. Ambrose was woedend toen hij hoorde dat ik de Bentley weggegeven had. Het was het eerste waar hij naar vroeg toen ik terugkwam van de begrafenis van papa. Toen ik vertelde wat ik gedaan had, bleef hij wel een week boos.'

Danus kon dat wel begrijpen. 'Ik weet niet of ik hem dat wel kwalijk kan nemen.'

'Nee. Die arme man. Het moet een vreselijke teleurstelling voor hem zijn geweest.'

Penelope ging zitten om over de rand van de klif naar de zee te kijken. Het was al eb maar het zou nog even duren voor Danus en Antonia in de grote poel zouden kunnen zwemmen.

Ze leunde weer achterover en verlegde haar benen. Ze droeg haar oude rok van denim, een katoenen blouse, haar nieuwe linnen schoenen en een gedeukte tuinhoed. De zon scheen zo fel dat ze blij was met de schaduw van die hoed. Antonia naast haar rolde zich op haar buik en liet haar wang op haar armen rusten. 'Vertel eens verder. Bent u hier vaak geweest?'

'Nee. Het was een heel eind rijden en dan nog een eind lopen van de boerderij waar we de auto lieten staan. En in die tijd was hier nog geen pad. Deze plaats was toen niet zo gemakkelijk te bereiken. En dan moesten we er altijd voor zorgen dat het eb was, zodat Sophie en ik konden zwemmen.'

'Ging uw vader nooit zwemmen?'

'Nee. Hij zei dat hij te oud was. Hij zat altijd hier met zijn breedgerande hoed op achter zijn ezel te schilderen of te tekenen. Hij had dan natuurlijk eerst een fles wijn opengemaakt en een sigaar opgestoken.'

'En 's winters? Bent u hier wel eens 's winters geweest?'

'Nee, nooit. Dan waren we in Londen. Of in Parijs of Florence. Porthkerris en Carn Cottage hoorden bij de zomer.'

'Wat geweldig.'

'Niet geweldiger dan dat goddelijke huis van jouw vader op Ibiza.'

'Misschien niet. Alles is betrekkelijk, hè?' Antonia rolde op haar zij. 'En jij, Danus? Waar ging jij 's zomers heen?'

'Ik hoopte dat niemand me dat zou vragen.'

'O, vooruit. Vertel op.'

'Naar North Berwick. Mijn ouders huurden daar elke zomer een huis. Ze speelden zelf golf terwijl mijn broertje en mijn zusje en ik op het koude strand zaten met onze kinderjuffrouw en in de gierende wind zandkastelen bouwden.'

Penelope fronste haar voorhoofd. 'Je broertje? Ik wist niet dat je een broer had. Ik dacht dat je alleen maar een zuster had.'
'Ja, ik heb een broer gehad, Ian. Hij was de oudste van ons drieën. Hij is overleden toen hij veertien was. Hij had hersenvliesontsteking.'
'O, jongen, wat erg.'
'Ja. Ja, dat was het wel. Mijn vader en moeder hebben het nooit echt kunnen verwerken. Hij was erg intelligent en aantrekkelijk om te zien en hij was ontzettend goed in sport – gewoon een zoon waar alle ouders van dromen. Voor mij was hij een soort god omdat hij alles kon. Toen hij oud genoeg was, speelde hij ook golf. En mijn zusje later ook. Maar ik was altijd hopeloos en het kon me zelfs niet veel schelen. Ik ging op mijn eentje op de fiets weg om naar vogels te kijken. Dat vond ik veel interessanter.'
'North Berwick lijkt niet zo'n leuke plaats,' merkte Antonia op. 'Ging je nooit ergens anders heen?'
Danus lachte. 'Ja, natuurlijk wel. Ik had op school een goede vriend die Roddy McCrae heette. Zijn ouders hadden een huisje in het noorden van Sutherland, in de buurt van Tongue. Roddy's vader heeft me leren vissen. Toen ik aan North Berwick ontgroeid was, bracht ik mijn vakantie meestal bij hen door.'
Het bleef stil. Penelope realiseerde zich dat dit misschien pas de tweede keer was dat ze Danus iets over zichzelf hoorde vertellen. Ze had met hem te doen. Het moest een vreselijke ervaring voor hem geweest zijn toen zijn broer overleed. Misschien was het nog erger dat hij het gevoel had dat hij nooit in de schaduw van die broer kon staan. Ze wachtte en hoopte dat hij nog meer zou vertellen. Maar dat deed hij niet. Hij rekte zich alleen eens goed uit en ging staan. 'De poel wacht op ons,' zei hij tegen Antonia. 'Zullen we gaan zwemmen?'

Ze waren weg. Penelope wachtte tot ze terug zouden komen en dacht intussen aan haar vader. Ze herinnerde zich hem met zijn breedgeran-de hoed en zijn ezel en zijn wijn en zijn tevreden, geconcentreerde eenzaamheid. Een van de teleurstellingen van haar leven was dat ze zijn talent niet geërfd had. Ze kon niet schilderen, ze kon niet eens tekenen, maar zijn invloed was zo enorm sterk geweest dat ze alles met zijn kunstenaarsoog kon bekijken.
Ze keek naar de zee en probeerde te besluiten of papa die had willen schilderen. Het groenig-blauwe water met in de verte een kleine vis-sersboot. De golven en de zon. En dat licht, dat heldere licht dat de schilders naar Cornwall had geroepen en de creatieve hartstocht van de Franse impressionisten had gewekt.
Een volmaakte compositie. Er waren alleen nog een paar mensen nodig om het geheel te verlevendigen. En die verschenen. Ver beneden

zich zag ze Antonia en Danus lopen, op weg naar de poel. Danus droeg de handdoeken. Toen ze bij de poel kwamen, liet hij ze vallen. Hij dook het water in en Antonia volgde hem. Ze hoorde hun stemmen, hun gelach. Andere stemmen, andere werelden. *Fijne dingen gaan nooit verloren.* Richards stem. *Hij lijkt op Richard.*

Ze had nooit met Richard gezwommen, want het was oorlog geweest en hun liefde had maar een winter geduurd, maar nu ze naar Danus en Antonia keek, voelde ze weer de schok van het koude water. Ze herinnerde zich de opwinding zo duidelijk alsof haar eigen lichaam nog jong was, onaangetast door ziekte of ouderdom. En ze herinnerde zich ook andere genietingen. De zoete aanraking van handen, armen, lippen, lichamen. De rust na de hartstocht, het genot van slaperige kussen en gelach zonder reden als je wakker werd . . .

Lang geleden, toen ze nog erg klein was, had papa haar het fascinerende plezier van een passer en een scherp potlood geleerd. Ze had zichzelf geleerd patronen te tekenen, bloemen en blaadjes en gebogen lijnen, maar ze had nergens zo van genoten als van een cirkel op een wit blad papier. Dat was zo mooi, zo precies. Het potlood bewoog en eindigde ten slotte weer waar het begonnen was.

Een ring was het symbool van oneindigheid, van eeuwigheid. Als haar eigen leven die zorgvuldig getrokken potloodlijn was, kwamen de einden dicht bij elkaar. Dat wist ze ineens. De cirkel is bijna gesloten, zei ze tegen zichzelf, en ze vroeg zich af wat er met al die jaren gebeurd was. Dat was een vraag die haar af en toe verontrustte en haar het gevoel gaf dat ze zoveel tijd verspild had. Maar nu leek die vraag er niet meer toe te doen, en het antwoord dus ook niet, wat dat ook mocht zijn.

'Olivia.'
  'Mama! Wat een verrassing.'
  'Ik dacht ineens dat ik je niet eens prettige paasdagen had gewenst. Het spijt me maar misschien is het nog niet te laat. Ik wist niet of ik je wel thuis zou treffen. Ik dacht dat je misschien weg was.'
  'Ik ben vanavond juist teruggekomen. Ik ben naar Wight geweest.'
  'Bij wie heb je gelogeerd?'
  'Bij de Blakisons. Herinnert u zich Charlotte nog? Ze verzorgde de culinaire rubriek voor *Venus* en toen is ze weggegaan om huismoeder te worden.'
  'Was het leuk?'
  'Verrukkelijk. Dat is het altijd bij hen. Een heel gezelschap. En alles lijkt vanzelf te gaan.'
  'Was je met die aardige Amerikaan?'

'Die aardige Amerikaan? O, u bedoelt Hank. Nee, die is terug naar huis.'

'Ik vond hem toch zo aardig.'

'Ja, ik ook. Hij laat het me weten als hij weer in Londen is. Maar vertel me eens alles over uzelf, mama. Hoe staan de zaken?'

'We hebben een geweldige tijd. Het is hier zo luxueus.'

'Dat mocht u wel eens hebben, na al die jaren. Ik heb een lange brief van Antonia gehad. Ze leek erg gelukkig.'

'Danus en zij zijn de hele dag weg. Ze zijn met de auto naar de zuidkust om een kwekerij te bekijken. Misschien zijn ze nu trouwens wel terug.'

'Gedraagt Danus zich nogal?'

'Hij is een enorm succes.'

'Mag u hem nog zo graag?'

'Ja, hoor. Maar hij is wel vreselijk gereserveerd. Misschien is dat Schots.'

'Heeft hij u al verteld waarom hij niet drinkt of rijdt?'

'Nee.'

'Hij is waarschijnlijk een bekeerde alcoholist.'

'Dat zijn dan zijn zaken.'

'En bent u al bij Doris geweest?'

'Natuurlijk. Ze ziet er geweldig uit en ze is nog net zo vrolijk als altijd. En zaterdag zijn we de hele dag naar de kliffen geweest. En gisterochtend hadden we allemaal een vrome bui en zijn we naar de kerk gegaan.'

'Goede dienst?'

'Geweldig. De kerk van Porthkerris is erg mooi en liep natuurlijk over van de bloemen en de banken zaten vol met mensen met rare hoeden op en er werd erg goed gezongen. Er was een bisschop op bezoek die de preek hield, nogal langdradig moet ik zeggen, maar de muziek maakte alles weer goed. En aan het eind hebben we "Voor alle heiligen" gezongen en toen we naar huis gingen, hebben Antonia en ik besloten dat dat een van onze favoriete gezangen is.'

Olivia lachte. 'O, mama. En dat uit uw mond! Ik wist niet eens dat u een favoriet gezang had.'

'Lieve meid, ik ben niet helemaal een heiden. Ik ben alleen nogal sceptisch, daar kan ik niets aan doen. En Pasen is altijd extra moeilijk, met de opstanding en de belofte van het eeuwige leven. Dat kan ik nooit helemaal geloven. En ik zou het heerlijk vinden Sophie en papa terug te kunnen zien, maar tientallen andere mensen kan ik heel goed missen. En stel je de drukte eens voor. Net een enorme, vervelende cocktailparty, waar je voortdurend op zoek bent naar de leuke mensen die je echt wilt zien.'

'En *De schelpenzoekers*? Hebt u dat gezien?'
'Het ziet er geweldig uit. Het is daar helemaal op zijn plaats. Alsof het er altijd gehangen had.'
'U hebt er geen spijt van dat u het weggegeven hebt?'
'Nee, hoor.'
'En wat doet u op het ogenblik?'
'Ik ben in bad geweest en lig op mijn bed te lezen. En nu bel ik jou op. Straks ga ik Noel en Nancy bellen en dan ga ik me kleden voor het diner. Iedereen hier is altijd zo chic en er zit een man op een vleugel te spelen.'
'En wat trekt u aan?'
'Mijn kaftan. Die is wel bijna versleten maar als je je ogen half dichtdoet, zie je de gaatjes niet.'
'U zult er fantastisch uitzien. Wanneer gaat u weer naar huis?'
'Woensdag. Woensdagavond zijn we terug in Podmore's Thatch.'
'Dan bel ik u daar.'
'Doe dat, meid. Het allerbeste.'
'Dag, mama.'
Ze draaide het nummer van Noel en wachtte even maar er werd niet opgenomen. Ze legde de hoorn neer. Hij was waarschijnlijk nog ergens buiten, op een van die lange weekends van hem. Ze pakte het toestel weer op en belde Nancy.
'De oude pastorie.'
'George.'
'Ja.'
'Met je schoonmoeder. Prettige paasdagen!'
'Dank u,' zei George maar hij wenste haar niet hetzelfde.
'Is Nancy er ook?'
'Ja. Wilt u haar spreken?'
(Waarom zou ik anders bellen, idioot?) 'Als het kan.'
'Een moment, dan ga ik haar roepen.'
Ze wachtte. Het was plezierig daar warm en ontspannen tegen de kussens te liggen maar het duurde zo lang tot Nancy kwam, dat ze ongeduldig werd. Wat was ze in vredesnaam aan het doen? Ze pakte haar boek weer op en had werkelijk een paar alinea's gelezen toen Nancy eindelijk verscheen. 'Hallo.'
Ze legde het boek neer. 'Nancy? Waar zat je? Achter in de tuin?'
'Nee.'
'Heb je fijne paasdagen gehad?'
'Ja, dank u.'
'Wat heb je gedaan?'
'Niets bijzonders.'
'Heb je bezoek?'

'Nee.'

Haar stem klonk koel. Dit was de meest onaangename, de meest beledigde Nancy. Wat kon er aan de hand zijn? 'Nancy, wat is er mis?'

'Waarom zou er iets mis zijn?'

'Ik heb geen idee maar het is kennelijk wel zo.' Stilte. 'Nancy, je kunt het me beter maar zeggen.'

'Ik voel me alleen maar . . . een beetje gekwetst en ontdaan. Dat is alles.'

'Hoezo?'

'Hoezo? Dat vraagt u me terwijl u het heel goed weet.'

'Ik zou het je niet vragen als ik het wist.'

'Zou u in mijn plaats niet gekwetst zijn? Weken hoor ik niets van u. Niets. En als ik dan opbel om te vragen of Antonia en u met Pasen bij ons willen komen, ontdek ik dat u weg bent. Naar Cornwall, met haar en die tuinman, en allemaal zonder een woord tegen George of mij.'

Dus dat was het. 'Eerlijk gezegd, Nancy, dacht ik niet dat het je zou interesseren.'

'Daar gaat het niet om. Het is geen kwestie van interesse maar van bezorgdheid. Zomaar verdwijnen, zonder iemand iets te zeggen. Er zou van alles kunnen gebeuren en dan zouden we niet weten waar u was.'

'Olivia wist het.'

'O, Olivia. Ja, zij wist het natuurlijk wel. En ze vond het heerlijk, hoor, om me alles te vertellen. Ik vind het wel vreemd dat u het nodig vindt haar te vertellen wat u van plan bent, en mij niet.' Ze was nu helemaal op dreef. 'Alles wat er gebeurt, schijn ik via een ander te moeten horen, via Olivia. Alles wat u doet. Alles wat u besluit. Een tuinman nemen. Antonia bij u laten wonen, terwijl ik een heleboel tijd en geld heb gebruikt om advertenties in de krant te zetten voor een huishoudster. En dan verkoopt u de panelen en geeft u *De schelpen-zoekers* weg. Zonder er met George of mij over te spreken. Het is niet te begrijpen. Ik ben per slot van rekening uw oudste kind. En u zou in elk geval wel eens rekening kunnen houden met mijn gevoelens. En dan verdwijnt u naar Cornwall, met Antonia en de tuinman op sleep-touw. Een paar vreemden. En toen ik voorstelde Melanie en Rupert mee te laten gaan, wilde u daar niets van weten. Uw eigen kleinkinderen! Maar u neemt een paar vreemden mee. Over wie we geen van allen iets weten. Ze maken misbruik van uw goedheid, moeder. Dat is toch duidelijk? Ik kan me niet voorstellen dat u zo blind bent. Het is allemaal zo kwetsend, zo onnadenkend.'

'Nancy . . .'

'Als u ook zo met die arme pappie bent omgegaan, is het geen wonder dat hij weggegaan is. Het geeft je het gevoel dat je volkomen ongewenst bent. Oma Keeling zei altijd dat u de ongevoeligste vrouw was die ze ooit gekend had. We proberen altijd u te helpen, George en ik, maar u maakt het ons niet gemakkelijk. U gaat zonder een woord te zeggen weg ... U geeft daar al dat geld voor uit ... We weten allemaal wat Hotel Sands kost ... En u geeft *De schelpenzoekers* weg ... terwijl u weet wat we allemaal nodig hebben ... Zo kwetsend ...'

Nancy scheen eindelijk niet meer te weten wat ze nog meer moest zeggen. Voor het eerst kon Penelope er een woord tussen krijgen.

'Ben je klaar?' vroeg ze beleefd. Nancy gaf geen antwoord. 'Mag ik nu iets zeggen?'

'Als u dat wilt.'

'Ik heb je opgebeld om jullie allemaal prettige paasdagen te wensen. Niet om ruzie te maken. Maar als je beslist ruzie wilt hebben, wil ik je dat plezier wel doen. Toen ik de panelen verkocht, deed ik alleen maar wat Noel en jij me al maanden willen laten doen. Ik heb er honderdduizend pond voor gekregen, zoals Olivia je waarschijnlijk wel verteld heeft, en toen heb ik voor het eerst van mijn leven besloten eens wat voor mezelf uit te geven. Je weet dat ik van plan was naar Porthkerris te gaan, want ik heb je gevraagd mee te gaan. En ik heb het Noel en Olivia ook gevraagd. Jullie hadden allemaal een excuus. Jullie wilden geen van allen.'

'Moeder, ik heb u gezegd waarom ...'

'Je had een excuus,' zei Penelope weer. 'Ik was niet van plan alleen te gaan. Ik wilde opgewekt gezelschap om mijn vreugde te delen. Dus zijn Antonia en Danus meegegaan. Ik ben nog niet zo seniel dat ik mijn eigen vrienden niet meer kan kiezen. En wat *De schelpenzoekers* betreft, dat schilderij was van mij. Vergeet dat nooit. Papa had het me als huwelijkscadeau gegeven en nu het in de kunstgalerij in Porthkerris hangt, heb ik het gevoel dat ik het hem heb teruggegeven. Hem en de duizenden gewone mensen die er nu naar kunnen kijken en misschien iets van de troost en het plezier zullen voelen die het mij altijd gegeven heeft.'

'U kunt geen idee van de waarde hebben.'

'Ik heb daar heel wat meer idee van dan jij ooit gehad hebt. Je hebt *De schelpenzoekers* je hele leven kunnen zien en je hebt er nauwelijks ooit naar gekeken.'

'Dat bedoelde ik niet.'

'Nee, dat weet ik wel.'

'Het is ...' Nancy zocht naar woorden. 'Het is net of u ons met opzet wilt kwetsen ... alsof u een hekel aan ons hebt ...'

'O, Nancy.'

'En waarom vertelt u altijd alles aan Olivia en niet aan mij?'

'Misschien omdat jij het zo moeilijk lijkt te vinden ooit iets te begrijpen van wat ik doe.'

'Hoe kan ik het begrijpen als u zo vreemd doet en me nooit in vertrouwen neemt, me als een idioot behandelt. Het is altijd Olivia geweest. U hebt altijd van Olivia gehouden. Toen we klein waren, vond u Olivia altijd zo intelligent en grappig. U hebt nooit geprobeerd mij te begrijpen. Als oma Keeling er niet was geweest . . .'

Ze was nu zover dat ze alle oude grieven nog eens wilde gaan spuien. Ze had zo met zichzelf te doen. Penelope voelde zich ineens zo uitgeput dat ze begreep dat ze niets meer kon verdragen. Ze had al te veel gehad en ze kon nu echt niet ook nog eens naar de puberproblemen van een vrouw van drieënveertig luisteren.

'Nancy,' zei ze, 'ik vind dat we dit gesprek maar moeten beëindigen.'

'. . . Ik weet niet wat ik zonder oma Keeling had moeten beginnen. Dat zij er was, heeft het leven nog draaglijk voor me gemaakt . . .'

'Tot ziens, Nancy.'

'. . . omdat u nooit tijd voor me had . . . me nooit iets heb gegeven . . .' Rustig legde Penelope de hoorn neer. De boze, hoge stem was gelukkig niet meer te horen. Haar hart ging tekeer, zoals altijd als ze zich opwond. Ze pakte haar medicijnen, nam twee pilletjes in en deed haar ogen dicht. Ze voelde zich helemaal uitgeput en wilde daar even aan toegeven. Maar ze wilde zich niet zo over Nancy opwinden. Ze wilde niet huilen.

Na een poosje, toen haar hart weer wat rustiger klopte, stapte ze uit bed. Ze had een dunne ochtendjas aan en haar lange haar hing los. Ze liep naar de toilettafel en ging zitten terwijl ze zonder veel voldoening naar haar eigen spiegelbeeld keek. Toen pakte ze haar haarborstel. Ze begon met lange, langzame, kalmerende streken haar haar te borstelen.

Het is altijd Olivia geweest. U hebt altijd van Olivia gehouden.

Dat was waar. Vanaf het moment dat ze geboren was en Penelope haar voor het eerst gezien had, een kleine, donkere baby met een neus die te groot was voor dat kleine gezichtje, had ze die onbeschrijfelijke band gevoeld. Vanwege Richard was Olivia bijzonder. Maar dat was alles. Ze had nooit meer van haar gehouden dan van Nancy en Noel. Ze had van al haar kinderen gehouden. Van ieder van hen het meeste, maar om verschillende redenen. Liefde vermenigvuldigde zich voortdurend, had ze ontdekt. Met de komst van ieder kind bleef er altijd genoeg over voor allemaal. En Nancy, de oudste, had meer dan haar deel van liefde en aandacht gekregen. Ze dacht aan de kleine Nancy, die op haar korte, dikke beentjes zo stevig rondstapte door de tuin van Carn Cottage. De kippen nazat, achter de kruiwagen liep die Ernie voor haar gemaakt had, vertroeteld en verwend door Doris, voortdurend omringd door liefhebbende armen en glimlachende gezichten. Wat was er met dat kleine meisje gebeurd? Was het werkelijk mogelijk dat Nancy zich helemaal niets van die tijd herinnerde?

Het was triest maar het leek zo te zijn.

U hebt me nooit iets gegeven.

Dat was niet waar. Ze wist dat het niet waar was. Ze had Nancy gegeven wat ze al haar kinderen gegeven had. Een veilig huis, belangstelling, ruimte om hun vriendjes en vriendinnetjes te ontvangen, een stevige voordeur om hen tegen de buitenwereld te beschermen. Ze dacht aan het grote souterrain in Oakley Street, waar het naar knoflook en kruiden rook en waar het altijd warm was door het grote fornuis en de open haard. Ze herinnerde zich hoe ze daar op donkere wintermiddagen na schooltijd allemaal zaten te kwetteren. Ze hadden altijd honger. Ze lieten hun schooltas vallen, trokken hun jas uit en gingen zitten om grote hoeveelheden worstjes, pasta, viskoekjes, geroosterd brood met boter, rozijnencake en chocola naar binnen te werken. Ze herinnerde zich die geweldige ruimte rond Kerstmis, als je de boom kon ruiken en de kerstkaarten overal aan rode linten hingen. Ze dacht aan de zomers, als de deuren naar de tuin open stonden. Ze dacht aan de kinderen die in die tuin in de schaduw van de bomen hadden gespeeld. Nancy was een van die kinderen geweest.

Dat alles had ze Nancy gegeven, maar ze had Nancy niet kunnen geven wat ze wilde hebben (Nancy zei nooit dat ze iets wilde hebben, ze zei dat ze het nodig had), want er was nooit genoeg geld voor alles waar het meisje naar verlangde. Feestjurken, poppewagens, een pony, kostschool, een bal op haar achttiende en een Londens seizoen. Een groot, chic huwelijksfeest was het hoogste waar ze naar streefde, maar ze had die hartewens alleen bereikt door de tussenkomst van Dolly Keeling, die het hele buitensporige gedoe had geregeld (en betaald).

Eindelijk legde ze haar borstel neer. Ze was nog steeds woedend op Nancy, maar ze was toch wat gekalmeerd door de eenvoudige bezigheid. Ze voelde zich beter, sterker, zichzelf meester, in staat beslissingen te nemen. Ze stak haar haar op en stak er haar schildpadden spelden in.

Toen Antonia een half uur later bij haar kwam kijken, lag ze weer in bed. Ze zat rechtop tegen de kussens met haar boek op schoot.

Een klopje op de deur en Antonia's stem: 'Bent u daar?'

'Ja. Kom binnen.' De deur ging open en Antonia's hoofd verscheen om de hoek ervan. 'Ik kom even . . .' Ze kwam de kamer binnen en deed de deur achter zich dicht. 'Ligt u in bed?' Ze keek erg bezorgd. 'Wat is er aan de hand? Bent u ziek?'

Penelope deed het boek dicht. 'Nee, niet ziek. Alleen een beetje moe. Ik heb niet zo'n zin om naar beneden te gaan voor het diner. Het spijt me. Zaten jullie op me te wachten?'

'Nog niet zo lang.' Antonia ging op de rand van het bed zitten. 'We zaten in de bar, maar toen u niet kwam, stuurde Danus me naar boven om te zien wat er aan de hand was.'

Antonia was al voor de avond gekleed, zag ze. Ze had een strakke, zwarte rok aan en de crème blouse die ze samen in Cheltenham hadden gekocht. Haar koperkleurige haar hing glanzend en schoon op haar schouders en haar frisse gezichtje was niet opgemaakt. Alleen had ze natuurlijk die verbazend lange, zwarte wimpers.

'Wilt u niets eten? Zal ik een blad voor u boven laten brengen?'

'Misschien. Later. Maar daar kan ik zelf wel voor bellen.'

'Ik denk,' zei Antonia beschuldigend, 'dat u te veel hebt gedaan, te ver hebt gelopen zonder Danus en mij om op u te letten.'

'Dat heb ik helemaal niet gedaan. Ik ben alleen maar boos.'

'Hoe komt dat?'

'Ik heb Nancy opgebeld om haar prettige paasdagen te wensen en ik heb een stroom van verwijten naar mijn hoofd gekregen.'

'Wat afschuwelijk van haar. Waar ging dat in vredesnaam allemaal over?'

'O, over van alles. Ze schijnt te denken dat ik seniel ben. Dat ik haar als kind verwaarloosd heb en dat ik op mijn oude dag geld verkwist. Dat ik stiekem en onverantwoordelijk ben en mijn vrienden niet kan kiezen. Ze loopt er waarschijnlijk al een tijdje mee rond maar dat ik Danus en jou meegenomen heb naar Porthkerris is de druppel die de emmer heeft doen overlopen. Ik kreeg alles over me heen.'

'Hoe kòn ze u zo overstuur maken,' zei Antonia verontwaardigd.

'Ik heb me niet overstuur laten maken. Ik ben boos geworden. Dat is veel gezonder. En alles heeft ook zijn grappige kant. Ik hing op en stelde me voor hoe ze terugstormde naar George terwijl de tranen over haar wangen liepen om hem eens te vergasten op alle gebreken van die lamlendige moeder van haar. En George die achter *The Times* wegdook en niets zei. Er is nooit met hem te praten. Ik begrijp werkelijk niet waarom Nancy ooit met hem getrouwd is. Geen wonder dat hun kinderen zo akelig onaantrekkelijk zijn. Rupert met zijn onbeschofte manier van doen en Melanie met die onheilspellende blik van haar, die altijd op haar vlechten loopt te kauwen.'

'Ik vind u niet erg vriendelijk.'

'Nee, dat ben ik ook niet. Ik ben kwaadaardig. Maar ik ben blij dat het gebeurd is, want het heeft me geholpen mijn besluit te nemen. Ik ga je wat geven.' Haar grote leren handtas stond op het nachtkastje. Ze pakte hem en rommelde in het binnenste ervan tot haar vingers vonden wat ze zochten. Ze haalde er een versleten leren juwelendoosje uit. 'Hier,' zei ze tegen Antonia, 'die zijn voor jou.'

'Voor mij?'

'Ja. Ik wil dat jij ze krijgt. Doe maar open.'

Bijna met tegenzin deed Antonia het doosje open. Penelope keek naar haar gezicht. Ze zag hoe haar ogen groot werden van verbazing en haar mond openviel.

'Maar . . . die zijn niet voor mij.'

'Ze zijn wel voor jou. Ik geef ze aan je. Ik wil dat jij ze krijgt. De oorbellen van tante Ethel. Ze heeft ze bij haar dood aan mij nagelaten en ik had ze bij me toen ik bij jullie kwam logeren op Ibiza. Ik heb ze gedragen op dat feest van Cosmo en Olivia. Weet je nog wel?'

'Natuurlijk weet ik dat nog. En u kunt ze niet aan mij geven. Ik weet zeker dat ze veel te kostbaar zijn.'

'Niet kostbaarder dan onze vriendschap. Niet kostbaarder dan het plezier dat je me geeft.'

'Maar ze moeten duizenden waard zijn.'

'Vierduizend denk ik. Ik heb het me nooit kunnen veroorloven ze te verzekeren, dus moest ik ze in de kluis van de bank laten liggen. Ik heb ze die dag in Cheltenham opgehaald. En ik denk dat jij de verzekering ook niet kunt betalen, dus ze moeten waarschijnlijk terug naar de bank. Die arme dingen. Ze hebben ook niet zo'n leuk leven, hè? Maar je kunt ze nu vanavond dragen. Je hebt gaatjes in je oren, dus ze blijven zitten. Laat me eens zien hoe ze staan.'

Maar Antonia aarzelde nog steeds. 'Maar als ze zoveel waard zijn, moet u ze dan niet voor Olivia of Nancy bewaren? Of voor uw klein- dochter. Misschien zou Melanie ze moeten krijgen.'

'Ik weet zeker dat Olivia wil dat jij ze krijgt. Ze zullen haar aan Ibiza en Cosmo herinneren en daarom zal ze net als ik vinden dat jij ze moet hebben. En Nancy is zo akelig begerig en materialistisch geworden dat ze niets verdient. En wat Melanie betreft, ik betwijfel of ze de schoonheid ervan ooit zal leren waarderen. En doe ze nu in.'

Antonia keek nog steeds aarzelend maar deed toch wat haar gezegd werd. Ze streek haar haar naar achteren.

'Hoe staan ze?'

'Schitterend. Precies wat je nodig had bij die leuke kleren. Ga maar eens in de spiegel kijken.'

Antonia liep naar de toilettafel. Penelope keek naar haar beeld in de spiegel en besloot dat ze nog nooit een meisje gezien had dat er zo geweldig uitzag.

'Ze passen precies bij je. Je moet lang zijn om zulke opvallende sieraden te dragen. En als je ooit in geldnood zit, kun je ze altijd verpatsen of naar de lommerd brengen. Zo heb je altijd een aardig appeltje voor de dorst.'

Maar Antonia bleef zwijgen, nog altijd onder de indruk van het grote geschenk. Ze wendde zich van de spiegel af en ging weer op de rand van het bed zitten. Ze schudde haar hoofd en zei: 'Ik ben helemaal verbijsterd. Ik weet niet waarom u me zo'n cadeau geeft.'

'Op een dag zul je dat waarschijnlijk wel begrijpen, als je net zo oud bent als ik nu.'

'We spreken wat af. Ik draag ze vanavond en als u morgenochtend spijt hebt, geef ik ze terug.'

'Ik heb morgenochtend geen spijt. Nu ik je ze heb zien dragen, weet ik helemaal zeker dat ze van jou moeten zijn. En laten we er nu niet meer over praten. Vertel me liever hoe jullie dag geweest is. Danus vindt het niet erg. Hij kan nog wel tien minuten wachten. En ik wil alles horen. Vind je de zuidkust niet prachtig? Zo anders dan hier, allemaal bos en water. Ik ben er in de oorlog een keer een week geweest. In een huis met een tuin die afliep naar een kreek. Daar groeiden wilde narcissen en er zaten meeuwen op de steiger. Ik vraag me soms af wat er met dat oude huis gebeurd is en wie daar nu woont.' Maar dat deed allemaal niet ter zake. 'Nou. Waar zijn jullie heen geweest? En wie hebben jullie gezien? En was het leuk?'

'Ja, het was enig. Een prachtige tocht. En interessant ook. We hebben die grote kwekerij gezien, met kassen en loodsen en een winkel waar de mensen planten en gieters en zo kunnen komen kopen. Ze telen tomaten en vroege aardappelen en allerlei uitheemse groenten.'

'Van wie is die kwekerij?'

'Van mensen die Ashley heten. Danus kent Everard Ashley van de landbouwschool.'

Ze zweeg, alsof er verder niets meer te vertellen was. Penelope keek haar aan maar Antonia hield haar ogen neergeslagen en haar handen speelden met het lege juwelendoosje. Penelope begon zich een beetje onbehaaglijk te voelen. Er was iets aan de hand. 'Waar hebben jullie gegeten?' vroeg ze voorzichtig.

'Bij de Ashleys in de keuken van hun huis.'

Dus geen intieme lunch in een gezellig restaurantje.

'Is die Everard getrouwd?'

'Nee. Hij woont bij zijn ouders. De kwekerij is van zijn vader. Ze doen alles samen.'

'En Danus wil ook zo iets beginnen?'

'Dat zegt hij.'

'Heb je er met hem over gesproken?'

'Ja. Tot op zekere hoogte.'

'Antonia. Wat is er mis?'

'Ik weet het niet.'

'Hebben jullie ruzie gehad?'

'Nee.'

'Maar er is wel wat gebeurd.'

'Er is niets gebeurd. Dat is er mis. Ik kom zover en dan kom ik niet verder. Ik denk dat ik hem ken. Ik denk dat we elkaar na zijn gekomen en dan doet hij weer zo gereserveerd. Het is net of er een deur voor je gezicht wordt dichtgegooid.'

'Je bent dol op hem, hè?'

'O, ja.' Er gleed een traan over haar wang.

'Je bent verliefd op hem denk ik.'

Het bleef lang stil. Toen knikte Antonia.

'Maar je denkt dat hij niet verliefd op jou is.'

De tranen volgden elkaar nu snel op. Antonia veegde ze weg. 'Ik weet het niet. Hij kan niet verliefd op me zijn. We hebben elkaar de laatste weken zoveel gezien. Dan moest hij het nu toch wel weten?'

'Het is mijn schuld,' zei Penelope. Ze pakte een paar papieren zakdoekjes van het nachtkastje en gaf ze aan Antonia. Antonia snoot haar neus. Toen vroeg ze: 'Waarom zou het uw schuld zijn?'

'Omdat ik alleen aan mezelf heb gedacht. Ik wilde gezelschap, egoïstische oude vrouw dat ik ben. En dus heb ik Danus en jou gevraagd met me mee te gaan hierheen. Misschien probeerde ik ook een beetje te koppelen. Dat moet je nooit doen. Ik dacht dat ik zo slim was. Maar misschien was het allemaal alleen maar een afschuwelijke vergissing.'

Antonia keek wanhopig. 'Wat is er toch met hem?'

'Hij is gereserveerd.'

'Het is meer dan dat.'

'Trots misschien.'

'Te trots voor liefde?'

'Dat niet precies. Maar ik denk dat hij geen geld heeft. Hij weet wat hij wil maar heeft niet het geld om het te doen. Voor zo iets heb je tegenwoordig een heel kapitaal nodig. En dus heeft hij geen vooruitzichten. Misschien vindt hij dat hij zich in zijn positie niet mag binden.'

'Een relatie zou toch niet meteen een huwelijk hoeven te betekenen?'

'Bij een man als Danus waarschijnlijk wel.'

'Ja, misschien wel. Maar we zouden toch samen wat kunnen bedenken?'

'Heb je dat tegen hem gezegd?'

'Ik kan het niet. Ik heb het geprobeerd maar ik kan het niet.'

'Dan denk ik dat je het nog eens moet proberen. Ter wille van jullie beiden. Vertel hem wat je voelt. Leg je kaarten op tafel. Jullie zijn in elk geval goede vrienden. Je kunt toch wel eerlijk tegen hem zijn?'

'U bedoelt dat ik hem moet zeggen dat ik van hem houd en dat ik de rest van mijn leven met hem door wil brengen en dat het me niet kan schelen of hij een penny op de bank heeft en het me zelfs koud laat of hij al of niet met me wil trouwen?'

'Zo klinkt het een beetje onbehouwen, dat geef ik toe. Maar dat bedoel ik wel. Ik geloof wel dat ik dat bedoel.'

'En als hij zegt dat ik naar de pomp kan lopen?'

'Dan voel je je gekwetst maar dan weet je in elk geval hoe de zaken staan. En om de een of andere reden denk ik niet dat hij dat zal zeggen. Ik denk dat hij eerlijk tegen je zal zijn en dat je zult zien dat er een heel speciale verklaring voor zijn houding is, die niets met zijn verhouding met jou te maken heeft.'

'Hoe kan dat nou?'

'Ik weet het niet. Ik wilde dat ik het wist. Ik zou graag willen weten waarom hij niet drinkt of autorijdt. Het zijn mijn zaken niet maar ik zou het graag willen weten. Hij houdt iets achter, daar ben ik zeker van. Maar voor zover ik hem ken, kan ik niet geloven dat het iets is waar hij zich voor hoeft te schamen.'

'Het zou me eigenlijk niet eens kunnen schelen als dat wel zo was.' Antonia huilde niet meer. Ze snoot haar neus nog eens en zei: 'Het spijt me. Ik wilde niet zo gaan zitten janken.'

'Soms is dat toch beter.'

'Het is alleen maar dat hij de eerste man is tot wie ik me ooit echt aangetrokken heb gevoeld. Als er reeksen anderen waren geweest, kon ik er waarschijnlijk beter tegen. Maar ik kan het niet helpen dat ik het zo voel en ik geloof niet dat ik het zou kunnen verdragen hem te verliezen. Toen ik hem de eerste keer zag, wist ik al dat hij bijzonder was, dat hij erg belangrijk voor me zou worden. En in Podmore's Thatch leek alles ook in orde. Het was allemaal heel gemakkelijk en natuurlijk en we konden met elkaar praten en samen werken en dingen planten en alles ging heel ongedwongen. Maar hier is het anders. Er is zo'n onwerkelijke situatie ontstaan dat ik er helemaal geen greep meer op heb . . .'

'O, liefje, dat is mijn schuld. Het spijt me. Ik dacht dat het romantisch voor je zou zijn. Nu moet je niet weer gaan huilen. Je wordt er maar lelijk van en dat bederft de hele avond . . .'

'Ik wilde dat ik niet was zoals ik ben,' gooide Antonia eruit. 'Ik wilde dat ik Olivia was. Olivia zou nooit in zo'n warboel terechtkomen.'

'Je bent Olivia niet. Je bent jezelf. Je bent mooi en je bent jong. Je hebt alles nog voor je. Je moet nooit wensen dat je iemand anders was, zelfs niet Olivia.'

'Ze is zo sterk. Zo wijs.'

'En dat word jij ook. Je wast je gezicht en kamt je haar en gaat naar beneden en zegt tegen Danus dat ik een rustige avond alleen wil hebben en dan ga je met hem dineren. En dan vertel je hem onder het eten alles wat je mij verteld hebt. Je bent geen kind meer. En hij ook niet. De toestand kan niet zo blijven en ik wil niet hebben dat je jezelf beroerd maakt. Danus is erg vriendelijk. Wat er ook gebeurt, wat hij ook zegt, hij zal je nooit moedwillig kwetsen.'

'Nee. Dat weet ik wel.' Ze gaven elkaar een zoen. Antonia stond op van het bed en liep naar de badkamer om haar gezicht te wassen. Daarna haalde ze voor de spiegel van de toilettafel de kam van Penelope door haar haar.

'De oorbellen zullen je geluk brengen,' zei Penelope. 'En je vertrouwen geven. En ga nu gauw naar beneden. Danus vraagt zich natuurlijk al af wat er van ons geworden is. En precies zeggen wat je denkt en niet bang zijn. Je moet nooit bang zijn om eerlijk te zijn.'

'Ik zal het proberen.'

'Welterusten, liefje.'

'Welterusten.'

HOOFDSTUK 13

Danus

Toen Penelope wakker werd, was de ochtendhemel weer even helder als de dagen ervoor. Ze hoorde prettige geluiden die ze herkende – de zee die ergens ver beneden haar tegen het strand spoelde, krijsende meeuwen en een lijster vlak onder haar raam die veel drukte maakte over het een of ander, een auto die stopte, een fluitende man.

Het was tien over acht. Ze had twaalf uur geslapen, precies de klok rond. Ze voelde zich verkwikt en vol energie en ze had een enorme honger. Het was dinsdag. De laatste dag van de vakantie. Die gedachte maakte haar een beetje triest. De volgende ochtend moesten ze hun biezen pakken en aan de lange tocht terug naar Gloucestershire beginnen. Er waren nog een paar dingen die ze beslist wilde doen. Ze maakte in gedachten een lijstje en liet voor één keer haar eigen verlangens voorgaan. Danus en Antonia en het dilemma waar ze voor stonden, moesten maar even wachten. Later zou ze wel over hun problemen nadenken. Later zou ze met hen praten. Nu had ze haar tijd zelf hard nodig.

Ze stond op, nam een bad, deed haar haar, trok haar kleren aan. Toen ging ze aan de schrijftafel in haar kamer zitten. Ze schreef op het dikke, gegaufreerde papier van het hotel een brief aan Olivia. Het werd niet zo'n lange brief, alleen maar een paar woordjes om Olivia te laten weten dat ze de oorbellen van tante Ethel aan Antonia had gegeven. Om de een of andere reden was het belangrijk dat Olivia dat wist. Ze deed het briefje in een enveloppe, zette het adres erop en plakte er een postzegel op. Toen pakte ze haar tas en haar sleutels en ging naar beneden.

De hal was verlaten. De deuren naar buiten stonden open en je rook de frisse ochtendlucht. Alleen de portier zat al op zijn plaats en een vrouw in een blauw jasschort was aan het stofzuigen. Ze zei goedemorgen tegen hen, deed haar brief in de bus en ging de lege eetzaal binnen om haar ontbijt te bestellen. Sinaasappelsap, twee gekookte eieren, geroosterd brood en marmelade, zwarte koffie. Tegen de tijd dat ze alles op had, waren er nog een paar gasten binnengekomen. Ze maakten plannen voor de komende dag. Penelope hoorde het aan en was blij dat zij met niemand anders rekening hoefde te houden. Danus en Antonia lieten zich nog niet zien en daar was ze schandelijk dankbaar voor.

Ze liep de eetzaal uit. Het was nu bijna half tien. In de hal bleef ze even bij de portier staan.

'Ik ga naar de kunstgalerij. Weet u ook hoe laat die opengaat?'

'Een uur of tien denk ik, mevrouw Keeling. Gaat u met de auto?'

'Nee, ik ga lopen. Het is zo'n mooie ochtend. Maar als ik u opbel als ik klaar ben, kunt u misschien wel voor een taxi terug zorgen.'

'Natuurlijk.'

'Dank u.' Ze ging naar buiten en genoot bewust van de zonneschijn en de frisse wind. Ze voelde zich even vrij als ze zich als kind op zaterdagmorgen had gevoeld. Ze liep langzaam, vol aandacht voor geuren en geluiden, en bleef af en toe even staan om naar een tuin of naar de baai te kijken. Toen ze eindelijk in de buurt van de galerij kwam, stond de deur dan ook al open. Maar zo vroeg in de ochtend en zo vroeg in het jaar was er begrijpelijk genoeg nog niemand, behalve de jongen die bij de ingang zat. Hij was erg bleek en had lang haar. Hij droeg een versleten spijkerbroek en een enorme, gespikkelde trui. Hij gaapte alsof hij de hele nacht niet geslapen had maar toen Penelope verscheen, slikte hij de rest van zijn geeuw in. Hij ging rechtop zitten en bood haar een catalogus te koop aan.

'Nee, ik heb geen catalogus nodig, dank u. Straks wil ik misschien wel een paar kaarten hebben.'

Vermoeid zakte hij weer achterover op zijn stoel. Ze vroeg zich af wie hem in dienst genomen had en besloot toen dat hij het werk waarschijnlijk voor niets deed.

De schelpenzoekers wachtte al op haar in het midden van de lange muur zonder ramen. Ze ging op de oude, leren bank zitten waar ze jaren geleden altijd naast papa zat.

Hij had gelijk gekregen. Ze waren gekomen, die jonge schilders, zoals hij gezegd had. *De schelpenzoekers* werd aan alle kanten omringd door abstracte en naïeve werken die overliepen van kleur en licht en leven. De minder belangrijke schilderijen die vroeger de ruimte hadden gevuld, waren verdwenen. Nu herkende ze de werken van andere schilders, de nieuwe kunstenaars die gekomen waren om hun plaats in te nemen. Ben Nicholson, Peter Lanyon, Brian Winter, Patrick Heron. Maar ze stelden *De schelpenzoekers* niet in de schaduw. Ze accentueerden eerder de blauwe en grijze tinten van papa's favoriete schilderij. Het was net of je in een kamer binnenkwam met zowel mooie oude als hypermoderne meubelen, die heel goed samengingen omdat ieder meubelstuk apart het werk van een vakman was.

Ze ging tevreden zitten om haar ogen de kost te geven.

Toen er nog een bezoeker binnenkwam, merkte ze dat nauwelijks.

Een gemompeld gesprek. Toen langzame voetstappen. En ineens was het weer net als toen, op die augustusdag in de oorlog, en ze was weer drieëntwintig jaar en ze had gaten in haar linnen schoenen en papa zat naast haar. En Richard kwam binnen, in de galerij en in hun leven. En papa zei: 'Ze komen . . . om de warmte van de zon en de kleur van de wind te schilderen.' En zo was het allemaal begonnen.

De voetstappen kwamen dichterbij. Hij was er en wachtte tot ze aandacht voor hem had. Ze keek om. Ze dacht aan Richard en zag Danus. Ze keek hem verward aan, verdwaald in de tijd.

'Ik stoor,' zei hij.

Zijn bekende stem brak de griezelige betovering. Ze kwam tot zichzelf, schudde het verleden af en glimlachte.

'Natuurlijk niet. Ik zat te dromen.'

'Zal ik u alleen laten?'

'Nee, nee.' Hij was alleen. Hij had een marineblauwe trui aan. Zijn ogen, die haar aankeken, leken vreemd helder en erg blauw. 'Ik ben afscheid van *De schelpenzoekers* aan het nemen.' Ze schoof een beetje opzij en klopte op het versleten leer naast haar. 'Kom me gezelschap houden.'

Hij ging zitten, half naar haar toe gekeerd, zijn ene arm over de rugleuning van de bank, zijn lange benen over elkaar.

'Voelt u zich weer wat beter?'

Ze kon zich niet herinneren dat ze ziek geweest was. 'Beter?'

'Gisteravond. Antonia zei dat u zich niet goed voelde.'

'O, dat.' Ze haalde haar schouders op. 'Ik was alleen maar een beetje moe. Vanochtend ben ik volkomen in orde. Hoe wist je waar je me kon vinden?'

'De portier zei dat u hierheen was.'

'Waar is Antonia?'

'Aan het pakken.'

'Aan het pakken? Nu al? Maar we gaan morgenochtend pas weg.'

'Ze is voor mij aan het pakken. Dat wilde ik u komen vertellen. Dat en een heleboel andere dingen. Ik moet vandaag weg. Ik neem de trein naar Londen en dan ga ik vanavond met de nachttrein terug naar Edinburgh. Ik moet naar huis.'

Ze kon maar één reden bedenken voor zo'n plotselinge reis. 'Je familie. Er is iets gebeurd. Is er iemand ziek?'

'Nee.'

'Maar wat is er dan?' Haar gedachten vlogen terug naar de vorige avond en Antonia. Antonia die in tranen op haar bed zat. *Je moet eerlijk zijn*, had ze tegen Antonia gezegd, er met al de arrogantie van haar levenservaring van verzekerd dat dat de beste raad was die ze kon geven. Maar het zag er nu naar uit dat ze alleen maar iets kapot had gemaakt. Het plan was mislukt. Antonia's dapperheid had de lucht niet gezuiverd. Misschien hadden ze zelfs wel ruzie gekregen en nu hadden Danus en zij besloten dat ze elkaar niet meer moesten zien.

Een andere verklaring kon er niet zijn. Ze was bijna in tranen. 'Het is mijn schuld,' zei ze. 'Het is allemaal mijn schuld.'

'Er is geen sprake van schuld. Wat er gebeurd is, heeft niets met u te maken.'

'Maar ik heb tegen Antonia gezegd . . .'

Hij viel haar in de rede. 'En u had gelijk. En als zij gisteravond niets gezegd had, had ik het gedaan. Want gisteren, de dag dat we samen waren, is een soort katalysator geweest. Alles is veranderd. Alles is ineens heel eenvoudig en heel duidelijk geworden.'

'Ze houdt van je, Danus. Dat heb je toch wel begrepen?'

'Daarom moet ik juist weggaan.'

'Betekent ze zo weinig voor je?'

'Nee. Integendeel. Ik houd niet alleen van haar. Ze is een deel van mezelf geworden. Als we afscheid nemen, zal het net zijn of ik me van mijn eigen wortels losscheur. Maar het moet.'

'Ik begrijp er niets van.'

'Dat kan ik u niet kwalijk nemen.'

'Wat is er gisteren eigenlijk gebeurd?'

'Ik denk dat we allebei ineens volwassen zijn geworden. Of misschien is dat wat er tussen ons is, volwassen geworden. Tot gisteren was alles wat we samen deden onbelangrijk en onschuldig. Dat gedoe in de tuin van Podmore's Thatch en die zwempartij in Penjizal. Niets belangrijks. Niets ernstigs. Dat kwam waarschijnlijk door mij. Ik was niet op een serieuze relatie uit. Dat was het laatste dat ik wilde. En toen gingen we gisteren naar Manaccan. Ik had het al eerder tegen Antonia over mijn dromen gehad. Ik had haar verteld dat ik een eigen bedrijf wilde hebben en we hadden het allemaal besproken, maar heel terloops en luchtig. Ik had me nooit gerealiseerd hoeveel die gesprekken voor haar betekend hadden. Toen begon Everard Ashley ons rond te leiden en toen gebeurde er iets vreemds. We werden een paar. Het was alsof we alles wat we gingen doen, samen gingen doen. En Antonia was even enthousiast en geïnteresseerd als ik en ze liep over van de vragen en de ideeën en de plannen en ineens, daar midden in een kas vol tomaten, wist ik dat zij een deel van mijn toekomst was. Een deel van mezelf nu, want ik kan me het leven niet zonder haar voorstellen. Wat ik ook doe, ik wil het samen met haar doen. En wat er ook met me gebeurt, ik wil dat het met ons samen gebeurt.'

'En waarom zou dat niet kunnen?'

'Om twee redenen. De eerste is zuiver praktisch. Ik heb Antonia niets te bieden. Ik ben vierentwintig en ik heb geen geld, geen huis, geen inkomsten behalve mijn loon en dat is het loon van een tuinman. Een kwekerij, een eigen bedrijf, is eenvoudig een luchtkasteel. Everard Ashley werkt in het bedrijf van zijn vader maar ik zou zelf moeten beginnen en ik heb geen kapitaal.'

'Er zijn banken die geld lenen. Of misschien kun je overheidssteun krijgen.' Ze dacht aan zijn ouders. Uit het weinige dat Danus had losgelaten, had ze de indruk gekregen dat de familie misschien niet schatrijk was maar toch ook niet bepaald arm. 'Kunnen je ouders je niet helpen?'

'Niet genoeg denk ik.'

'Heb je het gevraagd?'

'Nee.'

'Heb je je plannen met hen besproken?'

'Nog niet.'

Ze ergerde zich aan zijn moedeloze houding. Hij stelde haar teleur en ze verloor haar geduld. 'Het spijt me maar ik begrijp niet goed waar je al die drukte over maakt. Antonia en jij hebben elkaar gevonden, jullie houden van elkaar en jullie willen de rest van jullie leven samen doorbrengen. Jullie moeten het geluk grijpen, het vasthouden en het nooit meer loslaten. Dat is gewoon je morele plicht. Zo'n kans komt nooit terug. Wat doet het er toe als jullie het niet al te breed hebben? Antonia kan een baan zoeken. Dat doen de meeste jonge vrouwen. Andere jonge paartjes houden het hoofd ook boven water, eenvoudig omdat ze zien wat het belangrijkste is.' Hij zei daar niets op en ze fronste haar voorhoofd. 'Volgens mij is het je trots. Die stomme, koppige, Schotse trots. En als dat zo is, ben je wel erg egoïstisch. Hoe kun je weggaan en haar achterlaten en ongelukkig maken? Wat is er mis met je, Danus, dat je liefde de rug toe kunt keren?'

'Ik heb gezegd dat er twee redenen waren. En ik heb er pas een genoemd.'

'En wat is de andere reden?'

'Ik heb epilepsie,' zei hij.

Ze bleef verstard zitten en wist geen woord uit te brengen. Ze keek hem recht aan en hij sloeg zijn ogen niet neer. Ze wilde haar armen om hem heen slaan, hem vasthouden, hem troosten, maar ze deed niets. Gedachten kwamen en gingen. Het antwoord op al die niet gestelde vragen. Dit is Danus.

Ze haalde diep adem. 'Heb je dat ook aan Antonia verteld?' vroeg ze.

'Ja.'

'Wil je me er meer over vertellen?'

'Daarom ben ik hier. Antonia heeft me gestuurd. Ze zei dat u het moest weten. Voor ik wegga, moet ik mijn redenen geven.'

Ze legde haar hand op zijn knie.
'Ik luister.'

'Ik denk dat het allemaal met mijn vader en moeder begonnen is. En met Ian. Ik heb u geloof ik al verteld dat mijn vader advocaat is. En zijn vader en grootvader waren ook advocaat geweest. De vader van mijn moeder was rechter. Ian moest in de voetsporen van mijn vader treden. Hij zou ook een goede advocaat geworden zijn, want alles ging hem altijd goed af. Maar Ian overleed op zijn veertiende. En toen moest ik natuurlijk zijn plaats innemen. Ik had er nog nooit over nagedacht wat ik wilde gaan doen. Ik wist alleen maar dat ik dat moest gaan doen. Ik was gewoon geprogrammeerd, net als een computer. Nou, ik maakte mijn school af en hoewel ik minder intelligent was dan Ian, speelde ik het klaar tot de universiteit van Edinburgh toegelaten te worden. Maar ik was nog erg jong, dus ging ik eerst een paar jaar reizen om wat van de wereld te zien. Ik ging naar Amerika. Ik trok van kust tot kust, had af en toe een poosje een baantje en kwam ten slotte in Arkansas terecht, op de veefokkerij van een zekere Jack Rogers. Hij had enorm veel land en ik was een van de arbeiders en woonde met drie andere jongens in een soort barak.

De ranch was vreselijk afgelegen. Het dichtstbijzijnde stadje heette Sleeping Creek en dat lag zestig kilometer verder en daar was ook niet veel te beleven. Ik reed er soms heen als Sally Rogers boodschappen moest doen of om spullen voor Jack op te halen. Dan was je een hele dag weg en je hobbelde met de vrachtwagen over een smerige weg en uiteindelijk zat alles onder het stof.

Toen ik daar bijna weg zou gaan, werd ik op een dag ziek. Ik voelde me vreselijk ellendig, ik moest overgeven en had het ontzettend koud en toen kreeg ik hoge koorts. Ik was zo ziek dat ik niet eens meer weet dat ik van de barak naar de boerderij ben gebracht, maar daar was ik toen ik weer tot mezelf kwam en Sally Rogers verpleegde me. Ze deed het goed en na een week of zo was ik weer beter en kon ik weer op mijn benen staan. We besloten dat het een virus was geweest en toen ik weer een paar stappen kon doen zonder om te vallen ging ik weer aan het werk.

En toen viel ik kort daarna een keer flauw, zonder enige waarschuwing ... zomaar ineens. Ik viel plat op mijn rug, als een boom die geveld wordt, en bleef wel een half uur buiten bewustzijn. Er leek geen oorzaak voor te zijn maar een week later gebeurde het weer en toen voelde ik me zo afschuwelijk ziek dat Sally me met de vrachtwagen naar de dokter in Sleeping Creek bracht. Hij luisterde naar mijn klachten en deed wat onderzoek. Een week later ging ik weer naar hem toe en toen kreeg ik te horen dat ik epilepsie had. Hij gaf me medicijnen om vier keer per dag in te nemen. Hij zei dat ik me daarmee wel weer goed zou voelen en dat hij verder niets voor me kon doen.'

Hij zweeg. Penelope had het gevoel dat hij enig commentaar van haar verwachtte maar ze kon niets bedenken dat niet al te afgezaagd klonk. Het bleef een hele tijd stil en toen ging Danus moeizaam verder.

'Ik was nog nooit in mijn leven ziek geweest. Ik had nooit iets ergers dan mazelen gehad. Ik vroeg de dokter hoe het kwam. En hij stelde me een paar vragen en schreef het uiteindelijk toe aan een klap op mijn hoofd die ik op school een keer gehad had toen ik aan het voetballen was. Ik had er een hersenschudding aan overgehouden maar niets ergers. Tot dan toe. Ik had epilepsie. Ik was bijna eenentwintig en ik had epilepsie.'

'Heb je het aan die aardige mensen waar je werkte verteld?'

'Nee. En ik heb de dokter laten beloven dat hij er niet over zou praten. Ik wilde niet dat iemand het wist. Als ik het op mijn eentje niet kon verwerken, kon ik het helemaal niet verwerken. Ten slotte ging ik weer naar huis. Ik nam het vliegtuig naar Londen en de nachttrein terug naar Edinburgh. Ik had toen al besloten dat ik niet naar de universiteit zou gaan. Ik had tijd gehad om na te denken en de waarheid ontdekt. Dat ik nooit de plaats van Ian in kon nemen. En ik was bang dat ik zou falen en mijn vader teleur zou stellen. Ik had die laatste maanden ook nog wat anders ontdekt. Dat ik buiten moest zijn. Ik moest met mijn handen werken. Ik wilde niet dat iemand meer van me verwachtte dan ik op kon brengen. Ik heb dat tegen mijn ouders gezegd en dat was een van de ergste dingen die ik ooit heb moeten doen. Eerst geloofden ze me niet. En toen waren ze gekwetst en vreselijk teleurgesteld. Ik kon het hun niet kwalijk nemen. Ik vernielde alle plannen die ze ooit hadden gemaakt. Eindelijk berustten ze erin en namen ze het voor lief. Maar na al dat gedoe kon ik mezelf er niet toe brengen hun ook nog te vertellen dat ik epilepsie had.'

'Je hebt het hun helemaal niet verteld? Hoe kòn je?'

'Mijn broer is aan hersenvliesontsteking overleden. Ik had het idee dat ze al genoeg hadden moeten verwerken. En wat had het voor zin hun nog meer zorgen en verdriet te geven. En ik voelde me goed. Ik nam mijn medicijnen in en raakte niet meer buiten bewustzijn. Zo op het oog was ik volkomen normaal. Ik moest alleen maar een nieuwe dokter zoeken, iemand die verder niets van me wist. Hij gaf me een recept voor mijn medicijnen en ik ging voor drie jaar naar de landbouwschool in Worcestershire. Daar ging het ook goed. Ik deed alles wat de andere studenten ook deden. Ik werd dronken, bestuurde een auto, voetbalde. Maar toch had ik epilepsie. Ik wist dat het allemaal weer zou beginnen als ik mijn medicijnen niet meer innam. Ik deed of ik er niet aan dacht maar je kunt niet tegenhouden wat er door je hoofd

gaat. Het was er altijd. Als een zware last die je nooit af kunt leggen.'
'Als je alleen maar eens met iemand over je probleem gepraat had, was de last misschien niet zo zwaar geweest.'
'Dat heb ik ten slotte ook gedaan. Ik moest wel. Na mijn opleiding wist ik die baan bij Autogarden te krijgen. Ik zag een advertentie in de krant en solliciteerde en werd aangenomen. Ik werkte tot Kerstmis en ging toen voor een paar weken naar huis. Daar kreeg ik griep. Ik lag vijf dagen in bed en mijn medicijnen raakten op. Ik kon zelf geen nieuwe voorraad gaan halen en dus moest ik mijn moeder vragen dat voor me te doen en toen moest ik het natuurlijk allemaal vertellen.'
'Ze weet het dus. Goddank. Ze had natuurlijk je nek wel om willen draaien omdat je zo stiekem had gedaan.'
'Het was vreemd maar het was net of ze opgelucht was. Ze had al begrepen dat er wat aan de hand was en had zich in stilte de ergste dingen voorgesteld. Dat is de moeilijkheid met mijn familie. We praten nooit ergens over. Dat komt omdat we Schotten zijn en alles voor ons houden omdat we niet moeilijk willen doen. Zo zijn we grootgebracht. Ik was nooit erg vertrouwelijk met mijn moeder geweest maar die dag hebben we toen ze terugkwam van de apotheek uren zitten praten. Ze praatte zelfs over Ian, wat ze nog nooit had gedaan. En we haalden herinneringen op en lachten een heleboel. En toen zei ik tegen haar dat ik altijd wel beseft had dat ik tweede keus was en nooit de plaats van Ian in kon nemen. Toen werd ze weer net zo bruusk en kortaf als altijd en ze zei me dat ik niet zo idioot moest doen en dat ik mezelf was en dat ze me niet anders wenste. Ze wilde alleen maar dat ik weer gezond werd. En dat betekende een nieuw onderzoek en een tweede mening. Zodra ik weer op mijn benen kon staan na die griep zat ik in de spreekkamer van een vooraanstaande neurochirurg. Hij stelde me een heleboel vragen en deed weer allerlei onderzoek, onder andere een E.E.G., een soort hersenonderzoek. Aan het eind van de dag kreeg ik echter te horen dat een precieze diagnose onmogelijk was zolang ik medicijnen gebruikte. Ik moest ze dus drie maanden niet innemen en dan terugkomen. Als ik voorzichtig was, zou er niets gebeuren, maar ik mocht beslist geen alcohol gebruiken of een auto besturen.'
'En wanneer zijn die drie maanden om?'
'Nu. Twee weken geleden eigenlijk al.'
'Maar dat is dwaasheid. Je moet geen tijd meer verspillen.'
'Dat zei Antonia ook.'
Antonia. Penelope was Antonia bijna vergeten. 'Danus, wat is er gisteravond gebeurd?'
'Dat weet u voor het grootste deel al. We zaten in de bar op u te wachten en toen u niet kwam, is Antonia naar boven gegaan om te

kijken waar u bleef. En toen ik alleen was, heb ik precies besloten wat ik tegen haar zou zeggen. En ik stelde me voor dat het vreselijk moeilijk zou worden en ik zat naar de goede woorden te zoeken en belachelijk formele zinnen te bedenken. Maar toen ze terugkwam, met die oorbellen in die u haar gegeven had, en er zo ongelofelijk volwassen en mooi uitzag, vlogen al die zorgvuldig voorbereide woorden het raam uit en zei ik alleen maar wat mijn hart me ingaf. En op hetzelfde moment begon zij ook te praten en we barstten in lachen uit omdat we begrepen dat we allebei hetzelfde wilden zeggen.'

'O, jongen.'

'Ik was bang geweest dat ik haar zou kwetsen of verdriet zou doen. Ze had altijd zo jong en kwetsbaar geleken. Maar ze was geweldig. Heel praktisch. En net als u vond ze het afschuwelijk dat ik een paar weken voorbij had laten gaan zonder terug te gaan naar die dokter.'

'Maar je hebt nu een afspraak gemaakt?'

'Ja. Ik heb vanochtend om negen uur gebeld. Ik moet donderdag weer naar de neurochirurg voor een nieuw E.E.G. En dan krijg ik bijna meteen de uitslag.'

'Dan moet je ons opbellen en het ons laten weten.'

'Natuurlijk.'

'Als je drie maanden geen medicijnen gebruikt hebt en geen enkele keer buiten bewustzijn geraakt bent, ziet de zaak er hoopvol uit.'

'Ik wil daar niet aan denken. Ik durf niet te hopen.'

'Maar je komt wel terug?'

Voor het eerst leek Danus onzeker. Hij aarzelde. 'Ik weet het niet. Misschien moet ik wel behandeld worden. Dat kan maanden duren. En misschien moet ik in Edinburgh blijven.'

'En Antonia? Hoe moet het verder met Antonia?'

'Ik weet het niet. Ik weet ook niet wat er met mij gaat gebeuren. Op het ogenblik zie ik niet hoe ik haar ooit het leven kan geven dat ze verdient. Ze is pas achttien. Ze kan nog alles met haar leven doen, iedereen krijgen. Ze hoeft alleen maar Olivia op te bellen en dan staat ze over een paar maanden op de voorpagina van alle modebladen van het land. Ik kan niet toestaan dat ze zich aan mij bindt tot ik een toekomst voor ons beiden kan zien. Er is echt geen andere mogelijkheid.'

Penelope zuchtte. Maar ondanks zichzelf respecteerde ze zijn standpunt. 'Als jullie elkaar een tijdje niet kunnen zien, kan Antonia misschien het beste weer naar Londen gaan, naar Olivia. Ze kan niet bij mij rond blijven hangen. Dan gaat ze dood van verveling. Ze kan beter gaan werken. Dan krijgt ze nieuwe vrienden. Nieuwe interesses . . .'

'Kunt u haar wel missen?'

403

'O, natuurlijk wel.' Ze glimlachte. 'Arme Danus, ik heb met je te doen. Ziekte is altijd afschuwelijk. Ik ben ook ziek. Ik heb een hartaanval gehad maar ik wilde het niet toegeven. Ik ben op eigen houtje weggegaan uit het ziekenhuis en ik heb tegen mijn kinderen gezegd dat de artsen daar niet goed wijs waren. Ik hield maar vol dat er niets met me aan de hand was. Maar er is natuurlijk wel iets mis. Als ik me opwind, gaat mijn hart als een razende tekeer en moet ik een pilletje nemen. Het kan het elk moment helemaal begeven en dan is het met me gedaan. Maar tot het zover is, voel ik me werkelijk veel gelukkiger als ik doe of er niets gebeurd is. En Antonia en jij moeten niet denken dat ik niet alleen kan blijven. Ik heb die beste mevrouw Plackett nog. Maar natuurlijk zal ik jullie wel erg missen. We hebben een fijne tijd gehad. En de afgelopen week had ik geen beter gezelschap kunnen hebben. Bedankt dat je mee hebt willen gaan naar deze bijzondere plaats.'

Hij schudde verbijsterd zijn hoofd. 'Ik zal nooit begrijpen waarom u altijd zo ontzettend aardig voor me bent.'

'Dat is gemakkelijk uit te leggen. Ik mocht je meteen om de manier waarop je er uitziet. Je lijkt griezelig veel op een man die ik in de oorlog gekend heb. Doris Penberth zei daar ook iets over, die avond dat Antonia en jij me kwamen halen. Doris en Ernie en ik zijn de enige mensen die zich hem nog herinneren. Hij heette Richard Lomax en is op D-day in Normandië gesneuveld. Het klinkt erg afgezaagd als je iemand de liefde van je leven noemt, maar dat was hij wel voor mij. Toen hij doodging, is er ook iets in mij gestorven. Er is nooit iemand anders geweest.'

'En uw man dan?'

Penelope zuchtte en haalde haar schouders op. 'Ik ben bang dat ons huwelijk nooit erg bevredigend is geweest. Als Richard de oorlog overleefd had, was ik bij Ambrose weggegaan en met Nancy bij Richard gaan wonen. Toen hij dood was, ben ik teruggegaan naar Ambrose. Dat leek het enige dat ik kon doen. En ik voelde me een beetje schuldig tegenover hem. Ik was erg jong en egoïstisch toen we trouwden en we moesten bijna meteen afscheid van elkaar nemen. Ons huwelijk had nooit een kans gehad. Ik had het idee dat ik Ambrose in elk geval die kans moest geven. Hij was tenslotte de vader van Nancy. En ik wilde nog een paar kinderen. Ik wist ook dat ik nooit meer echt van iemand zou kunnen houden. Er kon nooit een tweede Richard komen. En het leek het verstandigste er maar het beste van te maken. Ik moet toegeven dat Ambrose en ik er geen groot succes van hebben gemaakt, maar ik had Nancy en toen kwam Olivia en toen Noel. Kleine kinderen nemen je erg in beslag maar ze kunnen ook een grote troost zijn.'

'Hebt u uw kinderen ooit iets over die andere man verteld?'

'Nee, nooit. Ik heb zijn naam nooit genoemd. Veertig jaar lang heb ik nooit over hem gesproken. Tot vorige week bij Doris. Zij had het over Richard alsof hij net de kamer uit was gegaan. Dat was heel fijn. Het was niet verdrietig meer. Ik heb zo lang verdriet gehad. En ik ben zo eenzaam geweest dat niets en niemand daar iets aan kon veranderen. Maar in de loop van de jaren heb ik me met het gebeurde verzoend. Ik heb geleerd mijn eigen leven te leiden, in de tuin te werken en mijn kinderen te zien opgroeien, naar schilderijen te kijken en naar muziek te luisteren. De mooie dingen van het leven. Die houden je op de been.'

'U zult *De schelpenzoekers* wel missen.'

Zijn begrip ontroerde haar.

'Nee, Danus. Niet meer. Het schilderij is weg zoals Richard weg is. Ik zal zijn naam waarschijnlijk nooit meer uitspreken. En jij houdt wat ik je verteld heb natuurlijk altijd voor je.'

'Dat beloof ik u.'

'Goed. En zullen we nu eens naar het hotel gaan? Antonia denkt nog dat we voorgoed verdwenen zijn.' Danus stond op en stak zijn hand uit om haar overeind te helpen. Haar voeten deden pijn, merkte ze. 'Ik ben te moe om terug te lopen. We vragen die langharige jongen een taxi voor ons te bellen. En ik laat *De schelpenzoekers* en alle herinneringen aan het verleden hier achter. Hier, waar alles begonnen is en waar ze hun dagen behoren te beëindigen.'

HOOFDSTUK 14

Penelope

De portier van Hotel Sands in zijn mooie, donkergroene uniform wenste hun een goede reis. Antonia zat achter het stuur. De oude Volvo reed de weg op. Penelope keek niet om.

Het was een goede dag om afscheid te nemen. Het mooie weer leek voorlopig voorbij. Het was mistig. Vlak voor ze bij de snelweg waren, trok de mist heel even op, zodat ze nog een blik op het water konden werpen. Het was eb. Ze zagen de zeevogels en de witte schuimkoppen van de oceaan. Toen draaiden ze de nieuwe weg op en was het uitzicht verdwenen.

Het afscheid was voorbij. Penelope ging eens gemakkelijk zitten voor de lange tocht. Ze dacht aan Podmore's Thatch en merkte dat ze naar huis verlangde. Tevreden stelde ze zich vast voor hoe ze haar eigen huis binnen zou gaan, in de tuin ging kijken, uitpakte, ramen openzette, haar post las . . .

'Hoe gaat het?' vroeg Antonia naast haar.

'Dacht je dat ik zou gaan huilen?'

'Nee. Maar het is altijd naar als je afscheid moet nemen. U hebt er zo lang mee gewacht om hier terug te komen. En nu gaan we weer weg.'

'Ik heb het geluk dat er twee plaatsen zijn die mijn hart hebben. Ik ben dus altijd tevreden.'

'Volgend jaar moet u weer gaan. Dan moet u bij Doris en Ernie gaan logeren. Dat geeft u iets om naar uit te zien. Cosmo zei altijd dat het leven niet de moeite waard was als je niets had om naar uit te zien.'

'En daar had die goede man gelijk in.' Ze dacht even na. 'Ik ben bang dat jouw toekomst er voorlopig een beetje somber en eenzaam uitziet.'

'Alleen voorlopig.'

'Je kunt beter realistisch zijn, Antonia. Als je je op het ergste nieuws van Danus voorbereidt, kan het alleen maar meevallen.'

'Dat weet ik. En ik heb geen illusies wat hem betreft. Ik begrijp heel goed dat het lang kan duren en dat vind ik vreselijk voor hem. Maar ik ben egoïstisch genoeg om te denken dat alles zoveel gemakkelijker is nu ik weet dat hij ziek is. We houden echt van elkaar en de rest doet er niet toe. Onze liefde is het belangrijkste en daar houd ik me aan vast.'

'Je bent erg flink. Flink en verstandig. Niet dat ik iets anders van je verwacht had. Ik ben werkelijk trots op je.'

'Ik ben eigenlijk helemaal niet zo flink. Maar het gaat altijd beter als je wat kunt dóen. Toen we maandag terugreden uit Manaccan en we niets zeiden en ik wist dat er iets mis was maar niet wat het was . . . dat was het ergste. Ik had het gevoel dat hij genoeg van me had, dat hij wilde dat ik niet was meegegaan, dat hij liever alleen zijn vriend had opgezocht. Dat was echt afschuwelijk. Is het niet het afschuwelijkste wat er bestaat als je elkaar verkeerd begrijpt? Ik zal wel zorgen dat dat me nooit meer overkomt. En ik weet dat het met Danus en mij nooit meer zal gebeuren.'

'Dat was evengoed zijn schuld als de jouwe. Maar ik denk dat hij die pijnlijke terughoudendheid nu eenmaal van zijn ouders heeft geërfd en dat hij ook op die manier is opgevoed.'

'Hij zei dat hij dat nu juist zo leuk van ú vond. Dat u altijd overal over wilde praten. En wat nog belangrijker is, dat u zo goed kon luisteren. Hij zei dat hij als kind nooit echt met zijn ouders had gepraat en nooit het gevoel had gehad dat ze elkaar echt na stonden. Wat triest, hè? Ze waren waarschijnlijk gek op hem maar zijn nooit zover gekomen hem dat te vertellen.'

'Antonia, heb je er al over nagedacht wat je gaat doen als Danus in Edinburgh moet blijven en behandeld moet worden of zelfs voor een tijdje naar het ziekenhuis moet?'

'Ja. Als ik mag, wil ik graag nog een week of twee bij u blijven. Tegen die tijd weten we wel hoe de zaken staan. En als het een langdurige kwestie wordt, bel ik Olivia op en zeg dat ik haar aanbod aanneem. Niet dat ik graag fotomodel wil worden. Het lijkt me akelig werk maar als ik op die manier behoorlijk wat geld kan verdienen, kan ik wat sparen. Als Danus dan weer beter is, hebben we in elk geval wat om mee te beginnen. Op die manier heeft mijn werk een doel. Ik hoef niet het gevoel te hebben dat ik mijn tijd zit te verspillen.'

Ze waren nu al een eind van de kust en daar was het niet mistig meer. De zon scheen over akkers en boerderijen.

Penelope zuchtte. 'Het is zo vreemd,' zei ze.

'Wat?'

'Eerst was het mijn leven. En toen dat van Olivia. En toen kwam Cosmo. En toen jij. En nu praten we over jouw toekomst. Die opeenvolging is zo vreemd.'

'Ja.' Antonia aarzelde even en ging toen door. 'Over één ding hoeft u zich geen zorgen te maken. Er is niet al te veel mis met Danus. Hij is niet impotent of zo, bedoel ik.'

Het duurde even voor de betekenis van die opmerking doordrong. Penelope draaide haar hoofd en keek Antonia aan. Antonia keek naar de weg recht voor haar maar een zachte blos verwarmde haar wangen.

Penelope keek weer uit het raampje. Ze glimlachte stilletjes. 'Daar ben ik erg blij om,' zei ze.

De kerkklok van Temple Pudley sloeg vijf toen ze door het hek van Podmore's Thatch reden en voor het huis stopten. De voordeur stond open en er kwam rook uit de schoorsteen. Mevrouw Plackett zat op hen te wachten. Er stond water op en ze had koekjes gebakken. Geen thuiskomst had prettiger kunnen zijn.

Mevrouw Plackett was nogal druk. Ze wist niet of ze nu eerst hun nieuws wilde horen of het hare spuien.

'Nou, u bent wel bruin geworden! Het weer was daar zeker net zo mooi als hier. Mijn man heeft moeten sproeien, zo droog is de grond. En bedankt voor de kaart, Antonia. Was dat het hotel? Leek wel een paleis. Er is van alles vernield op het kerkhof. De vazen zijn gebroken en er zijn walgelijke dingen op de grafstenen gekalkt. Ik heb een paar dingen voor u gehaald, brood en boter en melk en een paar karbonaadjes. Hebt u een goede reis gehad?'

Ze konden haar eindelijk vertellen dat ze inderdaad een goede reis hadden gehad, dat het rustig geweest was op de weg en dat ze versmachtten van de dorst.

Pas toen drong het tot mevrouw Plackett door dat er drie mensen naar Cornwall vertrokken waren en dat er nu maar twee terug kwamen.

'Waar is Danus? Hebt u hem bij Sawcombe afgezet?'

'Nee, hij is niet meegereden. Hij is naar Schotland. Hij heeft gisteren de trein genomen.'

'Naar Schotland? Zomaar ineens?'

'Ja. Maar we hebben vijf heerlijke dagen met elkaar gehad.'

'En daar gaat het maar om. Hebt u uw oude vriendin nog gezien?'

'Doris Penberth? Ja, natuurlijk. En na afloop waren we allemaal schor van het praten, mevrouw Plackett, dat kan ik u wel vertellen.' Mevrouw Plackett was thee aan het zetten. Penelope ging aan tafel zitten en nam vast een koekje. 'Wat leuk dat u hier bent om ons te begroeten.'

'Nou, ik zei tegen Linda dat ik maar eens moest gaan kijken. Het huis luchten. Bloemen plukken. Ik weet dat u het huis niet leuk vindt zonder bloemen. Ik heb trouwens nog een nieuwtje. Darren van Linda kan ineens lopen. Stak gisteren helemaal de keuken over.' Ze schonk thee in. 'Maandag is hij jarig. Ik heb gezegd dat ik Linda dan kom helpen, als u het niet erg vindt dat ik dan dinsdag kom. En ik heb de ramen gezeemd en uw post ligt op uw bureau ...' Ze trok een stoel naar achteren en ging zitten met haar dikke, vaardige armen voor zich op tafel. 'Er lag een hele berg op de mat.'

Eindelijk vertrok ze op haar statige fiets om haar man thee te gaan geven. Terwijl ze zaten te praten, had Antonia de auto uitgeladen en hun koffers naar boven gebracht. Ze was waarschijnlijk gaan uitpakken want ze was niet teruggekomen. Zodra mevrouw Plackett weg was, deed Penelope waar ze al naar zat te verlangen zolang ze binnen was. Eerst de serre. Ze vulde een gieter en gaf alle potplanten water. Toen pakte ze een tuinschaar en ging naar buiten. Het gras moest nodig gemaaid, de irissen waren uit en de ene kant van de border was één grote massa rode en gele tulpen. De eerste van de vroege rododendrons bloeide en ze plukte een bloem en verbaasde zich over de zachtroze volmaaktheid ervan. Ze liep verder naar de boomgaard, waar de bomen in bloei stonden, en door het hek naar de oever van de rivier. De Windrush stroomde rustig voorbij onder de overhangende wilgetakken. Een wilde eend zwom met de stroom mee, gevolgd door zes donzige eendjes. Penelope was verrukt. Ze liep naar het houten bruggetje en wandelde toen langzaam weer terug naar het huis. Toen ze het gazon overstak, riep Antonia haar uit het raam van haar slaapkamer.

Penelope bleef staan en keek omhoog. Antonia's hoofd en schouders waren omlijst door kamperfoelie. 'Het is zes uur geweest. Mag ik Danus even bellen? Ik heb het beloofd, om hem te laten weten dat we veilig terug zijn.'

'Ga je gang, kind. Neem de telefoon in mijn slaapkamer maar. En doe hem de groeten.'

'Ja.'

In de keuken zette Penelope de rododendrontak in een kan met water. Ze bracht die naar de zitkamer, die door de amateuristische maar liefhebbende handen van mevrouw Plackett al rijkelijk van bloemen was voorzien. Ze zette de kan op haar bureau, pakte haar post en ging in haar gemakkelijke stoel zitten. De saaie bleekgele enveloppen waar wel rekeningen in zouden zitten, liet ze op de grond vallen. De andere keek ze vlug door. Een dikke witte enveloppe zag er veelbelovend uit. Ze herkende het ragfijne handschrift van Rose Pilkington. Met haar duim ritste ze de enveloppe open. Toen hoorde ze een auto stoppen.

Ze kwam niet overeind. Een vreemde zou bellen en een vriend kwam zo wel binnen. Dat laatste deed de bezoeker. Ze hoorde voetstappen in de keuken en de hal. De deur van de zitkamer ging open en haar zoon Noel kwam de kamer in.

Ze was stomverbaasd. 'Noel!'

'Hallo.' Hij droeg een broek van lichtbruine keperstof en een hemelsblauwe trui. Hij was erg bruin en zag er verbazend knap uit. De brief van Rose Pilkington was vergeten.

'Waar kom jij vandaan?'

'Uit Wales.' Hij deed de deur achter zich dicht. Ze hief haar gezicht op omdat ze een van zijn vluchtige kussen verwachtte, maar hij boog zich niet over haar heen. Hij ging voor de haard staan met zijn schouders tegen de schoorsteenmantel en zijn handen in zijn zakken. Achter zijn hoofd leek de muur waar *De schelpenzoekers* gehangen had, erg kaal en leeg. 'Ik heb daar de paasdagen doorgebracht. Nu ben ik weer op weg naar Londen. Ik vond dat ik maar eens even langs moest komen.'

'De paasdagen? Maar het is nu woensdag.'

'Ik kon nog wat langer blijven.'

'Wat prettig voor je. Was het leuk?'

'Bijzonder. Dank u. En hoe was het in Cornwall?'

'Geweldig. We zijn vanmiddag om vijf uur thuisgekomen. Ik heb nog niet eens uitgepakt.'

'En waar zijn uw reisgenoten?' Zijn stem klonk scherp. Ze keek hem aan maar zijn ogen ontweken haar blik.

'Danus is in Schotland. Hij is gisteren vertrokken, met de trein. En Antonia zit boven in mijn slaapkamer om hem op te bellen om te zeggen dat we veilig terug zijn.'

Noel trok zijn wenkbrauwen op. 'Het valt niet mee daaruit op te maken wat er precies gebeurd is. Dat hij naar Schotland is gegaan, wijst erop dat de verhouding wat gespannen is geworden in Hotel Sands. En toch zit Antonia op dit moment met hem te praten. U moet me dat eens uitleggen.'

'Er is niets uit te leggen. Danus had een afspraak in Edinburgh die hij niet af kon zeggen. Heel eenvoudig.' Aan het gezicht van Noel was te zien dat hij haar niet geloofde. Ze besloot over iets anders te beginnen. 'Blijf je eten?'

'Nee. Ik moet meteen weer weg.' Maar hij bewoog zich niet.

'Wil je dan wat drinken?'

'Nee, dank u.'

Ik laat me niet door hem koeioneren, dacht ze. 'Maar ik wel,' zei ze. 'Wil je misschien een whiskysoda voor me halen?'

Hij aarzelde en liep toen naar de eetkamer. Ze maakte een stapel van de brieven op haar schoot en legde ze op het tafeltje naast haar stoel. Toen hij terugkwam, zag ze dat hij van gedachten veranderd was, want hij had twee glazen bij zich. Hij gaf er een aan haar en nam zijn plaats voor de haard weer in.

'En *De schelpenzoekers*?' vroeg hij.

Dus dat was het. Ze glimlachte. 'Heeft Olivia je dat verteld of Nancy?'

'Nancy.'

'Nancy vond het vreselijk dat ik zo iets had gedaan. Ze was persoonlijk beledigd. Kijk jij er ook zo tegenaan? Kom je me dat vertellen?'

'Nee. Ik wil alleen maar weten wat u er in godsnaam toe bewogen heeft zo iets te doen?'

'Mijn vader had het aan mij gegeven. Ik heb het gevoel dat ik het hem nu teruggegeven heb, door het aan de galerij te geven.'

'Hebt u enig idee wat dat schilderij waard is?'

'Ik weet wat het voor mij waard is. Verder is het nooit eerder tentoongesteld en dus ook nooit getaxeerd.'

'Ik heb mijn vriend Edwin Mundy opgebeld en hem verteld wat u gedaan had. Hij had het schilderij natuurlijk nooit gezien maar hij had er een heel duidelijk idee van wat het op een veiling had opgebracht. Weet u welk bedrag hij noemde?'

'Nee, en ik wil het niet weten ook.' Noel deed zijn mond open om het te zeggen maar ze keek hem zo dreigend aan dat hij zijn mond ook weer dichtdeed en niets zei. 'Je bent boos,' zei zijn moeder. 'Omdat je net als Nancy om de een of andere reden vindt dat ik iets weggegeven heb dat eigenlijk van jullie was. Dat is niet zo, Noel. Dat is nooit zo geweest. Wat de panelen betreft, moest je blij zijn dat ik naar jullie raad geluisterd heb. Jullie wilden dat ik ze verkocht en jullie hebben me op Boothby en Roy Brookner attent gemaakt. Meneer Brookner heeft een koper voor me gevonden en die bood me honderdduizend pond ervoor. Ik heb dat bod geaccepteerd. Dat geld hoort bij mijn erfenis als ik overlijd. Ben je daar niet tevreden mee of wil je nog meer?'

'U had het met mij moeten bespreken. Ik ben per slot van rekening uw zoon.'

'We hadden het besproken. Uitgebreid. En dat was op ruzie uitgelopen. Ik weet wel wat jij wilt, Noel. Je wilt nu al geld. In je hand. Om het te verkwisten aan wilde plannen die waarschijnlijk op niets uit zullen lopen. Je hebt een goede baan maar je wilt een betere. Je wilt in de handel. En als dat allemaal mislukt is en je geen penny meer over hebt, wil je wel weer wat anders . . . een pot met goud aan het eind van een regenboog die niet bestaat. Je kunt alleen maar gelukkig worden door het beste te maken van wat je hebt en alleen op die manier word je rijk. Je hebt al zoveel. Waarom kun je dat niet zien? Waarom wil je altijd maar meer?'

'U praat net of ik alleen aan mezelf denk. Dat is niet zo. Ik denk ook aan mijn zusters en aan uw kleinkinderen. Honderdduizend lijkt een heleboel maar er moet belasting betaald worden en als u het maar blijft verspillen aan elke manke hond die in uw buurt komt en . . .'

'Noel, praat niet tegen me alsof ik seniel ben. Ik ben nog bij mijn volle verstand en ik zàl mijn eigen vrienden kiezen en mijn eigen beslissingen nemen. Dat verblijf in Hotel Sands met Danus en Antonia is de eerste keer in mijn leven geweest dat ik eens een beetje buitensporig heb kunnen doen. Voor het eerst van mijn leven hoefde ik niet op elke penny te letten. Voor het eerst kon ik iemand iets geven zonder me zorgen te maken over de kosten. Het was een ervaring die ik nooit zal vergeten en die extra hartverwarmend was door de gratie en de dankbaarheid waarmee de ontvangers reageerden.'

'Wilt u dat? Eindeloze dankbaarheid?'

'Nee, maar je zou kunnen proberen het te begrijpen. Ik heb zo genoeg van jouw behoeften en jouw plannen omdat ik alles al eens met je vader heb meegemaakt en niet weer opnieuw wil beginnen.'

'U kunt mij de gebreken van mijn vader niet in de schoenen schuiven.'

'Dat doe ik ook niet. Je was nog maar een kind toen hij ons allemaal in de steek liet. Maar in jou heeft hij een heleboel van zichzelf achtergelaten. Goede dingen. Zijn knappe gezicht, zijn charme en zijn onmiskenbare talenten. Maar ook andere eigenschappen die minder leuk zijn: de neiging voortdurend allerlei onuitvoerbare plannen te maken, een dure smaak en gebrek aan respect voor het bezit van anderen. Het spijt me. Ik vind het afschuwelijk zulke dingen te moeten zeggen. Maar de tijd lijkt gekomen dat jij en ik heel eerlijk tegenover elkaar moeten zijn.'

'Ik wist niet dat u zo'n hekel aan me had,' zei hij.

'Noel, je bent mijn zoon. Begrijp je niet dat ik nooit de moeite zou nemen die dingen te zeggen, als ik niet meer dan wat ook van je hield?'

'U hebt een vreemde manier om uw liefde te tonen. Door alles wat u bezit, aan vreemden te geven en niets aan uw kinderen.'

'Je praat net als Nancy. Nancy zei dat ik haar nooit iets gegeven had. Wat is er mis met jullie tweeën. Jij en Nancy en Olivia zijn mijn leven geweest. Jarenlang heb ik alleen maar voor jullie geleefd. Maar nu ik je zulke dingen hoor zeggen, word ik wanhopig. Ik heb het gevoel dat ik op de een of andere manier volkomen te kort geschoten ben tegenover je.'

'Ja,' zei Noel langzaam. 'Dat denk ik ook.'

Daarna scheen er niets meer te zeggen te zijn. Hij dronk zijn glas leeg en draaide zich om om het op de schoorsteen te zetten. Hij was kennelijk van plan weg te gaan en de gedachte dat hij dat in zo'n bittere stemming zou doen, was meer dan Penelope kon verdragen.

412

'Blijf toch eten, Noel. Dat hoeft niet zo lang te duren. Je kunt om elf uur terug zijn in Londen.'

'Nee. Ik moet gaan.' Hij liep naar de deur.

Ze hees zich uit haar stoel en volgde hem door de keuken naar buiten. Zonder haar nog aan te kijken stapte hij in zijn auto. Hij trok het portier met een klap dicht, maakte zijn gordel vast en startte de motor.

'Noel.' Hij keek zijn moeder strak aan, zonder glimlach, zonder liefde. 'Het spijt me,' zei ze. Hij knikte even. Ze probeerde te glimlachen. 'Kom gauw nog eens terug.' Maar de auto reed al en haar woorden werden overstemd door het geluid van de motor.

Toen hij weg was, ging ze weer naar binnen. Ze bleef bij de keukentafel staan en dacht aan het avondeten en kon niet bedenken wat ze moest gaan doen. Met veel inspanning wist ze zich weer te concentreren. Ze pakte aardappelen en liep met de mand naar de gootsteen. Ze draaide de koude kraan open en zag het water lopen. Ze dacht aan tranen maar kon zelf niet meer huilen.

Zo stond ze daar een paar minuten zonder iets te kunnen doen. Toen gaf de telefoon een klikje en dat geluid bracht haar weer tot zichzelf. Ze deed een la open en haalde er haar scherpe mesje uit. Toen Antonia de trap af kwam rennen, was ze rustig aardappelen aan het schillen.

'Het spijt me, we hebben veel te lang gepraat. Danus zegt dat hij u het gesprek zal betalen. Het moet ponden gekost hebben.' Antonia ging op de tafel zitten en zwaaide met haar benen. Ze glimlachte en zag er net zo welgedaan en tevreden uit als een poes. 'U moet de hartelijke groeten van hem hebben en hij zegt dat hij u een lange brief zal schrijven. Niet maar zo'n gewone brief, een bijzondere. En hij gaat morgenochtend naar de dokter en hij belt ons op zodra hij de uitslag weet. Hij leek helemaal niet ongerust. En hij zegt dat zelfs in Edinburgh de zon schijnt. Dat is vast een goed teken, hè? Dat geeft hoop. Als het regende, was alles veel somberder voor hem. Ik dacht dat ik stemmen hoorde. Hebt u bezoek gehad?'

'Ja. Ja, ik heb bezoek gehad. Het was Noel, op weg naar huis van een weekend in Wales. Een heel lang weekend dan.' Alles was in orde. Haar stem klonk precies goed, terloops en kalm. 'Ik vroeg nog of hij bleef eten, maar hij wilde niet. Dus heeft hij wat gedronken en toen is hij weer vertrokken.'

'Het spijt me dat ik hem niet gezien heb. Maar ik had zoveel tegen Danus te zeggen. Ik bleef maar praten. Zal ik die aardappelen doen? Of zal ik een kool of zo iets gaan zoeken? Of de tafel dekken? Is het niet heerlijk weer thuis te zijn? Ik weet wel dat ik hier niet thuis ben maar ik heb wel dat gevoel en het is geweldig weer terug te zijn. Dat vindt u toch ook, hè? U hebt nergens spijt van?'

'Nee,' zei Penelope. 'Ik heb nergens spijt van.'

De volgende morgen om negen uur maakte ze per telefoon twee afspraken in Londen. De ene was met Lalla Friedmann.

Danus' afspraak was om tien uur en ze hadden de vorige avond uitgerekend dat hij op zijn vroegst om half twaalf een telefoon te pakken kon krijgen om hun te laten weten wat de dokter gezegd had. Maar hij belde nog voor elven en Penelope nam de telefoon aan omdat Antonia in de boomgaard was om de was aan de lijn te hangen.

'Podmore's Thatch.'

'Met Danus.'

'Danus! Lieve hemel, Antonia is in de tuin. Maar vertel eens gauw. Wat voor nieuws heb je voor ons?'

'Ik heb geen nieuws.'

Penelope schrok. 'Ben je niet bij de dokter geweest?'

'Ja, dat wel. En toen ben ik naar het ziekenhuis gegaan voor mijn E.E.G. . . . . maar – u zult het niet geloven – de computer daar is defect en ze konden me de uitslag niet geven.'

'Dat is echt niet te geloven. Wat afschuwelijk! Hoe lang moet je nu wachten?'

'Ik weet het niet. Dat konden ze niet zeggen.'

'En wat ga je nu doen?'

'Weet u nog dat ik het over mijn vriend Roddy McCrae had? Ik heb gisteravond wat met hem gedronken en hij gaat morgenochtend voor een week in Sutherland vissen. Hij vroeg of ik meeging en ik heb besloten zijn uitnodiging aan te nemen. Als ik twee dagen op de uitslag van dat onderzoek moet wachten, kan ik ook wel een week wachten. Dan hoef ik in elk geval niet thuis rond te hangen, waar ik mijn moeder gek maak door mijn zenuwachtige gedoe.'

'Wanneer kom je dan terug in Edinburgh?'

'Donderdag waarschijnlijk.'

'Kan je moeder je daar niet bereiken om je de uitslag te laten weten?'

'Nee, we zitten daar zo afgelegen. Maar eerlijk gezegd kan het me niet eens veel schelen. Ik loop hier al zo lang mee rond, die zeven dagen kan ik ook nog wel wachten.'

'In dat geval is het misschien beter dat je gaat. En intussen blijven we duimen. We zullen voortdurend aan je denken. Je belooft dat je ons belt zodra je terug bent?'

'Natuurlijk. Is Antonia al in de buurt?'

'Ik ga haar wel halen. Blijf wachten.'

Ze liet de hoorn aan het snoer hangen en ging door de serre naar buiten. Antonia liep over het gras met de lege wasmand onder haar arm.

'Antonia. Vlug, het is Danus . . .'

'Nu al?' Ze werd bleek. 'Wat zei hij? Hoe was het gegaan?'

'Hij had nog geen uitslag want de computer is kapot. Maar laat het hem zelf maar vertellen. Vlug! Ik neem de mand wel.'

Antonia rende naar binnen. Penelope liep met de wasmand naar de tuinbank die voor het raam van de zitkamer stond. Het leven was toch hard. Als het het ene niet was, was het het andere. Maar misschien was het onder de gegeven omstandigheden wel beter dat Danus met zijn vriend meeging. Ze stelde zich hen voor in die verlaten wereld van het noorden. Ze gingen samen vissen. Ja, dat was goed. Vissen moest erg kalmerend zijn.

Ze zag iets bewegen. Ze keek op en Antonia kwam over het gras naar haar toe. Haar gezicht stond moedeloos en het leek wel of ze lood in haar schoenen had. Ze plofte naast Penelope neer en zei: 'Verrek.'

'Ja, het is erg naar. Voor ons allemaal.'

'Die stomme computer. Waarom kunnen ze niet zorgen dat die dingen werken? En waarom moet dat nu net Danus treffen?'

'Ja, het is afschuwelijk. Maar er is niets aan te doen, dus moeten we er maar het beste van zien te maken.'

'Het is allemaal goed en wel voor hèm, hij gaat een week vissen.'

Penelope moest lachen. 'Je lijkt net een vrouw die zich verwaarloosd voelt door haar man,' zei ze.

'Echt?' Antonia kreeg berouw. 'Zo bedoel ik het niet. Maar het lijkt zo eindeloos.'

'Dat weet ik wel. Maar het is veel beter dat hij niet bij de telefoon gaat zitten wachten. Daar word je zo zenuwachtig van. Hij kan veel beter wat prettigs te doen hebben. Dat gun je hem toch wel? En die week komt heus wel om. Wij tweeën gaan ook prettige bezigheden zoeken. Ik ga maandag naar Londen. Vind je het leuk om mee te gaan?'

'Naar Londen? Hoezo?'

'Om een paar oude vrienden op te zoeken. Ik ben daar al veel te lang niet geweest. Als jij meegaat, kunnen we de auto nemen. Maar als je liever hier blijft, kun je me misschien naar Cheltenham brengen. Dan neem ik daar de trein.'

Antonia dacht even na. Toen zei ze: 'Nee. Ik denk dat ik hier blijf. Ik moet misschien gauw genoeg weer naar Londen en het zou zonde zijn als ik een dag buiten miste. En mevrouw Plackett komt maandag niet omdat Darren dan jarig is, dus dan kan ik het werk in huis doen en een heerlijk diner voor u klaarmaken. Bovendien' – ze glimlachte en zag er weer meer als zichzelf uit – 'is er altijd nog een heel klein kansje dat Danus in de buurt van een telefoon komt en besluit mij op te bellen. Het zou vreselijk zijn als ik er dan niet was.'

En dus ging Penelope alleen naar Londen. Antonia bracht haar naar Cheltenham en ze nam de trein van kwart over negen. In Londen bezocht ze eerst de Royal Academy. Toen ging ze met Lalla Friedmann lunchen. Daarna reed ze met een taxi naar de Gray's Inn Road, naar het kantoor van Enderby, Looseby & Thring. Ze gaf haar naam op aan de receptioniste en werd over twee smalle trappen naar de kamer van de heer Enderby gebracht. Het meisje klopte aan en deed de deur open.

'Mevrouw Keeling voor u, meneer Enderby.'

Ze deed een stap achteruit. Toen Penelope naar binnen ging, kwam meneer Enderby van achter zijn bureau naar haar toe om haar te begroeten.

Vroeger, toen ze nog niet zoveel geld had, was Penelope of met de bus of met de ondergrondse van de Gray's Inn Road naar Paddington gegaan. Ze was dat nu ook van plan geweest, maar toen ze eindelijk weer op straat stond, ontdekte ze dat ze er ineens verschrikkelijk tegen opzag met het openbaar vervoer naar het station te gaan. Ze deed een stap naar voren en hield een passerende taxi aan.

In de taxi ging ze in gedachten haar gesprek met meneer Enderby nog eens na. Er was heel wat besproken, besloten en tot stand gebracht. Er was niets meer te doen. Nu voelde ze zich uitgeput, zowel geestelijk als lichamelijk. Ze had hoofdpijn en haar voeten leken te groot voor haar schoenen. Bovendien voelde ze zich vuil en verhit, want hoewel de zon niet scheen, was het een warme middag. Toen ze uit het raampje keek en wachtte tot de verkeerslichten op groen sprongen, voelde ze zich ineens helemaal overweldigd door alles wat ze zag. De enorme stad, de miljoenen menselijke wezens die de straten bevolkten, hun bezorgde gezichten, hun haast alsof ze allemaal bang waren te laat te komen voor een afspraak waar hun leven van afhing. Vroeger had ze ook in Londen gewoond. Ze was er thuis geweest. Ze had er haar kinderen grootgebracht. Nu kon ze zich niet meer voorstellen hoe ze die jaren had kunnen doorstaan.

Ze had de trein van kwart over vier willen nemen maar het was zo druk op de Marylebone Road dat ze toen de taxi langs Madame Tussaud reed al begreep dat het wel een latere trein zou worden. Op het station keek ze eerst hoe laat die trein ging en toen zocht ze een telefooncel om tegen Antonia te zeggen dat ze pas om kwart voor acht in Cheltenham aankwam. Toen kocht ze een tijdschrift en ging de restauratie binnen om thee te drinken.

Het was erg warm en vol in de trein en de reis leek eindeloos te duren. Het was dan ook een enorme opluchting toen ze eindelijk uit kon stappen. Antonia stond op het perron te wachten en Penelope liet alles verder aan haar over. Ze gingen het station uit en buiten keek Penelope in de heldere avondlucht omhoog, dankbaar dat ze haar longen weer met frisse lucht kon vullen.

'Het is net of ik weken weg ben geweest,' zei ze tegen Antonia.

In haar oude Volvo reden ze naar huis.

'Hebt u een prettige dag gehad?' vroeg Antonia.

'Ja, maar nu ben ik volkomen uitgeput. En net of ik in geen dagen in bad ben geweest. Ik was gewoon vergeten hoe druk het in Londen kan zijn. Je bent het grootste deel van de dag bezig om van de ene naar de andere plaats te komen. Daardoor heb ik mijn trein gemist. En de trein die ik toen had, zat vol forensen en er zat een vreselijk dikke man naast me.'

'Er is kipfricassee maar misschien hebt u geen zin meer om zo laat nog te eten.'

'Ik verlang eigenlijk alleen maar naar een warm bad en mijn bed.'

'Dan moet u dat maar doen. En als u in bed ligt, kom ik wel even vragen of u toch nog wat lust en dan breng ik een blad naar boven.'

'Je bent een schat.'

'Zal ik u eens wat vertellen? Podmore's Thatch doet zo vreemd aan zonder u.'

'Hoe heb je je eenzame dag doorgebracht?'

'Ik heb het gras gemaaid. Met de elektrische grasmachine en het ziet er best goed uit.'

'Heeft Danus nog opgebeld?'

'Nee. Maar dat had ik ook niet echt verwacht.'

'Morgen is het al dinsdag. Nog twee dagen en dan horen we beslist weer van hem.'

'Ja,' zei Antonia. Ze zwegen.

Ze had gedacht dat ze kon slapen maar het lukte niet. Ze doezelde alleen een beetje en werd dan weer wakker. Ze draaide zich om en doezelde dan weer weg. Half in slaap werd ze gekweld door stemmen, woorden en brokstukken van gesprekken die geen betekenis leken te hebben. Ambrose was er, en Dolly Keeling die zat te zeuren over een kamer die ze in ging richten. En toen Doris die aan één stuk door zat te ratelen en te lachen. Lalla Friedmann, weer jong. Jong en bang, omdat haar man Willi zijn verstand dreigde te verliezen. *U hebt me nooit iets gegeven. U hebt ons nooit iets gegeven. U lijkt wel gek. Ze profiteren van u.* Antonia stapte in een trein en ging voorgoed weg. Ze probeerde iets tegen Penelope te zeggen maar de trein maakte zo'n leven dat Penelope haar niet kon verstaan. Ze wond zich op, want ze wist dat het erg belangrijk was wat Antonia zei. En toen kwam de oude droom: het verlaten strand en de mist en de troosteloze eenzaamheid.

Er kwam maar geen eind aan het donker. Af en toe dwong ze zichzelf het licht aan te doen om op haar horloge te kijken. Twee uur. Half vier. Kwart over vier. Werd het toch maar licht.

En eindelijk werd het licht. Ze zag het komen en werd kalmer. Ze doezelde nog even weg en deed toen haar ogen open. Ze zag de eerste zonnestralen, een bleke lucht zonder wolken. Ze hoorde de vogels roepen en antwoorden. En toen de lijster in de kastanjeboom.

De nacht was gelukkig voorbij. Om zeven uur stapte ze, niet uitgerust maar vreemd vermoeid, langzaam uit bed. Ze deed haar pantoffels en ochtendjas aan. Alles kostte erg veel inspanning en zelfs bij de eenvoudigste handelingen moest ze bewust nadenken. Ze ging naar de badkamer, waste haar gezicht en poetste haar tanden. Ze deed zo stil mogelijk om Antonia niet wakker te maken. Terug in haar kamer kleedde ze zich aan. Ze ging voor haar spiegel zitten en borstelde haar haar voor ze het opstak. Ze zag dat ze kringen onder haar ogen had en dat haar huid bleek was.

Ze ging naar beneden. Ze wilde thee gaan zetten maar deed dat toen toch maar niet. In plaats daarvan ging ze door de serre naar buiten. Het was koel in de tuin. Ze huiverde en trok haar vest om zich heen. Toch was de lucht verkwikkend, als koud bronwater of een duik in ijskoud water. Het pas gemaaide gras glinsterde van de dauw maar aan één kant lieten de eerste warme zonnestralen de dauw al verdwijnen en had het gras een iets andere kleur groen.

Ze werd wat opgewekter, als altijd getroost door het gras en de bomen en de bloemen, haar eigen heiligdom, dat ze in vijf jaar hard, bevredigend werken tot stand had gebracht. Ze zou de hele dag in de tuin doorbrengen. Er was veel te doen.

Ze kwam op het terras, waar de oude, houten bank stond. Tussen de tegels groeide onkruid. Ze bukte zich om het uit te trekken maar zelfs die kleine inspanning leek te veel voor haar. Want toen ze zich weer oprichtte, voelde ze zich zo vreemd licht in haar hoofd dat ze bang was dat ze flauw ging vallen. Ze greep naar de leuning van de bank en speelde het klaar te gaan zitten. Onzeker wachtte ze op wat er verder ging gebeuren. Het kwam bijna meteen. Een vreselijke pijnscheut schoot door haar linkerarm omhoog en klemde zich om haar borst. Ze kon niet ademen en voelde zich doodsbang. Ze deed haar ogen dicht en haar mond open om de pijn weg te schreeuwen maar er kwam geen geluid over haar lippen. Haar leven schrompelde ineen tot pijn. Tot pijn en de vinger van haar rechterhand die zich om de resten van het onkruid klemde. Om de een of andere reden was het enorm belangrijk dat vast te houden. Ze voelde en rook de koude, vochtige aarde die aan de wortels kleefde. Ver weg hoorde ze nog vaag de lijster zingen.

Toen kwamen er andere geuren en andere geluiden op. Het pas gemaaide gras van een gazon van lang geleden, een gazon dat schuin afliep naar de rand van het water, waar de wilde narcissen groeiden. De zilte lucht van het opkomende water dat de kreek vulde. De meeuwen. Voetstappen.

De grootste weelde. Ze deed haar ogen open. De pijn was weg. De zon was weg. Misschien achter een wolk verdwenen. Het deed er niet toe. Niets deed er meer iets toe.

Hij kwam naar haar toe.

'Richard.'

Hij was er.

Om kwart over negen op die dinsdagochtend stond Olivia in haar keukentje. Ze was koffie aan het zetten en een ei aan het koken en keek haar post door. Ze had haar haar al gedaan en haar gezicht opgemaakt maar zich nog niet aangekleed. Tussen de post trof ze een kleurige kaart uit Assisi aan, waar een van de redacteuren met vakantie was. Ze draaide hem om, om te kijken of hij nog wat te schrijven had gehad en op dat moment ging de telefoon.

Met de kaart nog in haar hand liep ze door de zitkamer naar het toestel.

'Olivia Keeling.'

'Miss Keeling?' De stem van een vrouw, een beetje boers.

'Ja.'

'O, u bent nog thuis! Ik was zo bang dat u al naar uw werk was . . .'

'Nee, ik ga pas om half tien weg. Met wie spreek ik?'

'Met mevrouw Plackett. In Podmore's Thatch.'

Mevrouw Plackett. Heel voorzichtig, alsof het om een grote kostbaarheid ging, zette Olivia de ansichtkaart op de schoorsteen, tegen de vergulde rand van de spiegel. Haar mond werd droog. 'Is alles in orde met mama?' wist ze op de een of andere manier uit te brengen.

'Miss Keeling, ik ben bang . . . nou, het is droevig nieuws. Het spijt me. Uw moeder is overleden, miss Keeling. Vanochtend. Heel vroeg, voor iemand van ons er was.'

Assisi, onder een onmogelijk blauwe hemel. Ze was nog nooit in Assisi geweest. Mama was dood. 'Hoe is het gebeurd?'

'Een hartaanval. Het moet heel plotseling zijn gegaan. In de tuin. Antonia heeft haar gevonden. Ze zat op de bank. Ze was aan het wieden geweest want ze had nog wat in haar hand. Ze moet een waarschuwing gehad hebben, dat ze is gaan zitten. Ze . . . ze zag er niet geschrokken uit, miss Keeling.'

'Was ze al ziek?'

'Helemaal niet. Toen ze uit Cornwall terugkwam, was ze helemaal zichzelf. Maar gisteren is ze naar Londen geweest en . . .'

'Naar Londen? Waarom heeft ze me dat niet laten weten?'

'Dat weet ik niet, miss Keeling. Ik weet ook niet wat ze er heeft gedaan. Ze heeft in Cheltenham de trein genomen en toen Antonia haar 's avonds weer kwam halen, zag mevrouw Keeling er erg moe uit. Ze heeft een bad genomen en is naar bed gegaan zodra ze thuiskwam en Antonia heeft haar nog wat te eten gebracht op een blad. Maar misschien had ze zich te druk gemaakt.'

Mama, dood. Het gevreesde, het onvoorstelbare was gebeurd. Mama was voorgoed heengegaan en Olivia, die bijna meer van haar had gehouden dan van wie ook, voelde niets en had het alleen maar ontzettend koud. Ze had kippevel op haar armen in de wijde mouwen van haar ochtendjas. Mama was dood. De tranen en het verdriet en het afschuwelijke gevoel van verlatenheid waren er en waren er toch niet en ze was daar dankbaar voor. Later zal ik wel verdriet hebben, zei ze tegen zichzelf. Voorlopig zou ze het verdriet opzij zetten, als een pakje dat ze op een geschikter moment open wilde maken. Het was het oude trucje dat ze door bittere ervaring had geleerd. Je concentreren op het praktische probleem dat direct aan de orde was. Alles op zijn tijd.

'Vertel me precies hoe alles gegaan is, mevrouw Plackett,' zei ze.

'Nou. Ik kwam vanmorgen om acht uur. Meestal kom ik niet op dinsdag maar gisteren was mijn kleinzoon jarig, dus toen was ik niet geweest. En ik kwam vroeg omdat ik op dinsdag ook mevrouw Kitson heb. Ik ging met mijn eigen sleutel naar binnen en er was niemand te zien. Ik was juist met de boiler bezig toen Antonia beneden kwam. Ze vroeg waar mevrouw Keeling was omdat haar slaapkamerdeur openstond en haar bed leeg was. Nou, we begrepen er niets van. Toen zag ik de serredeuren openstaan, dus ik zei tegen Antonia: "Ze zal in de tuin zijn." Antonia ging kijken. Toen hoorde ik haar mijn naam roepen. En ik ging er gauw heen. En ik zag wat er aan de hand was.'

Olivia herkende in het verhaal van mevrouw Plackett dankbaar de vrouw van buiten die vaker zo iets had meegemaakt. Ze was niet meer zo erg jong. Ze had waarschijnlijk al heel wat keren met de dood te maken gehad en ze stond er niet huiverig tegenover.

'Eerst heb ik Antonia een beetje gekalmeerd. Ze was vreselijk geschrokken en zat maar te huilen en te rillen als een jong katje. Maar ik heb haar eens goed geknuffeld en haar een kop thee gegeven en toen is ze een flinke meid geworden en ze zit nu hier in de keuken bij me. Zodra alles weer in orde was met haar, heb ik de dokter in Pudley opgebeld en hij is binnen tien minuten gekomen. En ik ben zo vrij geweest om mijn man ook te bellen. Hij zit op het ogenblik in de late ploeg op de fabriek, dus hij kon meteen komen. De dokter en hij hebben mevrouw Keeling naar binnen en de trap op naar haar kamer gedragen. Ze ligt daar nu netjes op haar bed en ze ziet er heel vredig uit. Daar hoeft u zich geen zorgen over te maken.'

'Wat zei de dokter?'

'Hij zei een hartaanval, miss Keeling. Heel plotseling waarschijnlijk. En hij heeft de overlijdensakte getekend en hier achtergelaten. En toen zei ik tegen Antonia: "Ik moest mevrouw Chamberlain maar eens bellen." Maar zij zei dat ik u eerst moest bellen. Ik had het misschien eerder moeten doen maar ik wilde niet dat u moest horen dat uw arme moeder nog in de tuin lag.'

'Dat is heel attent van u, mevrouw Plackett. Dus niemand anders weet het nog.'

'Nee, miss Keeling. Alleen u maar.'

'Goed.' Olivia keek op haar horloge. 'Ik bel mijn zuster wel, en mijn broer ook. En dan kom ik zo gauw mogelijk naar Podmore's Thatch. Ik ben er zeker wel om een uur of een. Bent u er dan nog?'

'Maakt u zich geen zorgen, miss Keeling. Ik blijf zolang u me nodig hebt.'

'Ik zal een paar dagen moeten blijven. Misschien kunt u een bed voor me opmaken in de andere logeerkamer. En zorgen dat er genoeg eten in huis is. Zo nodig kan Antonia de auto nemen en in Pudley boodschappen gaan doen. Het is goed voor haar als ze wat te doen heeft.' Er kwam een gedachte bij haar op. 'En de tuinman – Danus? Is hij er ook?'

'Nee, miss Keeling. Hij zit in Schotland. Is daar vanuit Cornwall heengegaan. Had een afspraak waar hij zich beslist aan moest houden.'

'Dat is jammer. Nou ja, niets aan te doen. Doe Antonia de groeten van me.'

'Wilt u haar nog spreken?'

'Nee,' zei Olivia. 'Nee. Nu niet. Dat komt wel.'

'Het spijt me, miss Kee'ng. Het spijt me dat ik degene ben die het u moest vertellen.'

'Iemand moest het toch doen. En . . . bedankt, mevrouw Plackett.'

Ze legde de hoorn neer. Ze keek uit het raam en zag voor het eerst dat het een mooie dag was. Het was een volmaakte ochtend in mei en mama was dood.

Later, toen het allemaal voorbij was, zou Olivia zich afvragen wat ze in vredesnaam zonder mevrouw Plackett hadden moeten beginnen. Ondanks al haar eigen levenservaring had ze nooit eerder een begrafenis hoeven te regelen. Er was veel te doen, ontdekte ze. En de eerste moeilijkheid bij aankomst in Podmore's Thatch was Nancy.

George Chamberlain had de telefoon aangenomen toen Olivia uit Londen belde en voor het eerst van haar leven was ze heel dankbaar geweest toen ze de sombere stem van haar zwager hoorde. Ze had hem zo kort en vlug mogelijk verteld wat er gebeurd was en gezegd dat ze meteen naar Podmore's Thatch ging. Toen had ze het gesprek beëindigd, het aan hem overlatend Nancy het droevige nieuws te vertellen. Ze had op dat moment gehoopt dat de kous daarmee af was, maar toen ze door het hek van Podmore's Thatch reed, zag ze Nancy's auto staan en ze begreep dat ze er niet zo gemakkelijk af zou komen als ze gehoopt had.

Zodra ze uitgestapt was, kwam Nancy al naar buiten stormen. Haar gezicht was nat van de tranen. Voor Olivia zich daaraan kon onttrekken, had Nancy haar armen al om haar zuster heen geslagen en drukte ze haar warme tegen Olivia's koude wang, terwijl ze weer in snikken uitbarstte.

'O, lieverd . . . ik ben meteen gekomen. Zodra George het me verteld had, ben ik meteen gekomen. Ik moest bij jullie allemaal zijn. Ik . . . ik moest hier zijn . . .'

Olivia bleef doodstil staan en verdroeg zo lang mogelijk beleefd de onplezierige omhelzing. Toen maakte ze zich zachtjes los. 'Daar heb je goed aan gedaan, Nancy. Maar het was echt niet nodig . . .'

'Dat zei George ook. Hij zei dat ik alleen maar in de weg zou zitten.' Nancy zocht in de mouw van haar vest naar een doorweekte zakdoek en probeerde toen haar neus te snuiten en een beetje kalmer te worden. 'Maar natuurlijk kon ik niet thuis blijven. Ik moest hierheen.' Ze trok haar schouders naar achteren. Ze deed haar best flink te zijn. 'Ik wist dat ik moest gaan. De rit was een nachtmerrie. Ik voelde me zo beverig toen ik hier aankwam, maar mevrouw Plackett heeft me een kop thee gegeven en nu voel ik me beter.'

Het vooruitzicht dat ze Nancy moest bijstaan in haar verdriet en haar door de volgende uren heen moest helpen, was bijna meer dan Olivia kon verdragen. 'Je hoeft niet te blijven,' zei ze tegen haar zuster, terwijl ze een goede reden zocht om Nancy weg te krijgen. Er kwam een gedachte bij haar op. 'Je moet ook aan je kinderen en George denken. Je mag hen niet verwaarlozen. Ik hoef alleen maar aan mezelf te denken, dus ik ben de aangewezen persoon om hier te zijn.'

'Maar je werk?'

Olivia draaide zich om naar haar auto en pakte haar koffertje van de achterbank.

'Ik heb alles geregeld. Ik ga pas maandagochtend weer beginnen. Vooruit. Laten we naar binnen gaan. We drinken wat en dan ga jij naar huis. Ik kan in elk geval wel een borrel gebruiken.'

Ze ging naar binnen en Nancy volgde haar. De bekende keuken was keurig opgeruimd. Het was er warm, maar afschuwelijk leeg.

'En Noel?' vroeg Nancy.

'Hoe bedoel je?'

'Heb je het hem verteld?'

'Natuurlijk. Zodra ik George gebeld had. Hij was op zijn werk.'

'Is hij heel erg geschrokken?'

'Ja. Ik geloof het wel. Hij zei niet veel.'

'Komt hij hierheen?'

'Niet meteen. Ik heb gezegd dat ik hem zou bellen als ik hem nodig had.'

Nancy leek niet in staat langer dan twee minuten te blijven staan. Ze trok een stoel naar achteren en ging aan de tafel zitten. Haar dramatische vlucht van huis naar Podmore's Thatch had haar kennelijk geen tijd gelaten om haar haar te kammen, haar neus te poederen of een blouse te zoeken die bij haar rok paste.

Ze zag er vreselijk slordig uit en Olivia voelde iets van het oude, geïrriteerde ongeduld in zich opkomen. Wat er ook gebeurde, of het nu prettig was of naar, Nancy maakte er altijd een drama van en dacht zichzelf bovendien de hoofdrol toe.

'Ze is gisteren naar Londen geweest,' zei Nancy. 'We weten niet waarvoor. Ze is gewoon alleen in de trein gestapt en de hele dag weggebleven. Mevrouw Plackett zegt dat ze helemaal uitgeput was toen ze thuiskwam.' Het klonk een beetje beledigd, alsof Penelope haar weer eens te pakken had genomen. Olivia verwachtte half dat ze zou zeggen: 'En ze heeft ons niet eens verteld dat ze van plan was dood te gaan.' Om van onderwerp te veranderen vroeg ze: 'Waar is Antonia?'

'Ze is boodschappen doen in Pudley.'

'Heb je haar al gezien?'

'Nee.'

'En mevrouw Plackett?'

'Die is, geloof ik, boven om jouw kamer op orde te brengen.'

'Dan ga ik even naar boven. Blijf jij maar hier. Als ik terugkom, drinken we wat en dan ga jij terug naar George en de kinderen . . .'

'Maar ik kan jou niet alleen met alles laten zitten.'

'Natuurlijk wel,' zei Olivia koel. 'Ik kan je toch bellen als ik je nodig heb. En ik kan beter alleen zijn.'

Eindelijk ging Nancy weg en konden Olivia en mevrouw Plackett spijkers met koppen gaan slaan.

'We moeten een begrafenisondernemer bellen, mevrouw Plackett.'

'Joshua Bedway. Dat is de beste.'

'Waar zit hij?'

'Hier in Temple Pudley. Hij is eigenlijk timmerman en doet dit erbij. Het is een goede man, erg tactvol en discreet. Doet prachtig werk.' Mevrouw Plackett wierp een blik op de klok. Het was bijna kwart voor een. 'Hij zal nu wel thuis zijn om te eten. Zal ik hem bellen?'

'O, als u dat wilt doen. En vraag of hij zo gauw mogelijk komt.'

Mevrouw Plackett deed het heel kalm, zonder theatraal gedoe. Ze gaf een eenvoudige uitleg en deed een eenvoudig verzoek. Het klonk net of ze hem vroeg een hek te komen maken. Toen ze de hoorn neerlegde, lag er een tevreden uitdrukking op haar gezicht, als van iemand die een taak naar behoren vervuld heeft.

'Dat is gebeurd. Hij is om drie uur hier. Ik kom met hem mee. Het is gemakkelijker voor u als ik er ben.'

'Ja,' zei Olivia. 'Ja, dat is gemakkelijker.'

Toen gingen ze aan de keukentafel zitten om een lijst te maken van alles wat er gedaan moest worden. Olivia was nu aan haar tweede borrel bezig en mevrouw Plackett had een glaasje port geaccepteerd. 'Heerlijk,' zei ze tegen Olivia. Ze was erg gek op port.

'En dan moet u contact opnemen met de dominee, miss Keeling. U wilt natuurlijk een dienst in de kerk en een christelijke begrafenis. U moet een plaats op het kerkhof regelen en afspreken wanneer de begrafenis is. En over gezangen en zo spreken. Ik hoop tenminste dat u gezangen wilt. Mevrouw Keeling hield zo van concerten en een beetje muziek op een begrafenis is altijd fijn.'

Terwijl ze praktische details zaten te bespreken, begon Olivia zich wat beter te voelen. Ze pakte haar pen. 'Hoe heet de dominee?'

'Tillingham. Hij woont in de pastorie naast de kerk. U kunt hem het beste bellen en hem vragen of hij morgenochtend kan komen. Om een kop koffie te drinken.'

'Kende hij mijn moeder?'

'O ja. Iedereen in het dorp kende mevrouw Keeling.'

'Ze ging nooit zo vaak naar de kerk.'

'Nee. Misschien niet. Maar ze wilde altijd helpen met het orgelfonds of de bazaar. En ze vroeg de Tillinghams wel eens te eten. En dan schonk ze haar beste wijn.'

Olivia merkte dat ze glimlachte, voor het eerst die dag. 'Ze had zo graag mensen te eten.'

'Het was zo'n lieve vrouw, in alle opzichten. Je kon met haar overal over praten.' Mevrouw Plackett nam een beschaafd klein slokje van haar port. 'En nog iets, miss Keeling. U moet de notaris van mevrouw Keeling laten weten dat ze overleden is. Bankrekeningen, dat soort dingen. Daar moet allemaal voor gezorgd worden.'

'Ja, daar had ik al aan gedacht.' Enderby, Looseby & Thring, schreef Olivia op. 'En we moeten advertenties zetten, in *The Times* en *The Telegraph* misschien . . .'

'En dan bloemen in de kerk. Het is prettig bloemen te hebben en u hebt misschien geen tijd om dat zelf te doen. Er woont een aardig meisje in Pudley. Toen de oude schoonmoeder van mevrouw Kitson overleden was, heeft ze voor schitterende bloemen gezorgd.'

'Nou, we zullen zien. Maar we moeten eerst beslissen wanneer de begrafenis zal zijn.'

'En na de begrafenis . . .' Mevrouw Plackett aarzelde. 'Een heleboel mensen vinden het tegenwoordig niet meer nodig maar volgens mij is het prettig voor de mensen als ze mee naar huis kunnen komen en een kop thee en wat te eten krijgen. Vruchtencake is lekker. Het hangt natuurlijk van de tijd af maar als mensen van ver komen – en dat zullen er vast wel heel wat zijn – dan lijkt het nogal ondankbaar als ze niet eens een kop thee krijgen. En het maakt alles op de een of andere manier ook gemakkelijker. Je kunt een beetje praten en dat verzacht het verdriet wat. Geeft je het gevoel dat je niet alleen bent.'

Het ouderwetse waken bij de dode was niet bij Olivia opgekomen maar ze zag het verstandige van het voorstel van mevrouw Plackett. 'Ja, u hebt volkomen gelijk. We regelen wel wat. Maar ik moet u waarschuwen dat ik niet zo goed kan bakken. U zult me moeten helpen.'

'Laat u dat maar aan mij over. Vruchtencake is mijn specialiteit.'

'Dan hebben we alles gehad geloof ik.' Olivia legde haar pen neer en leunde achterover op haar stoel. Over de tafel heen keken mevrouw Plackett en zij elkaar aan. Even bleef het stil. Toen zei Olivia: 'Ik geloof dat u eigenlijk de beste vriendin van mijn moeder was, mevrouw Plackett. En op het moment bent u ook de mijne.'

Mevrouw Plackett werd verlegen. 'Ik heb altijd alleen maar gedaan wat ik moest doen, miss Keeling.'

'Is alles in orde met Antonia?'

'Ik geloof het wel. Ze was erg geschrokken maar het is een verstandige meid. Een goed idee haar de boodschappen te laten doen. Ik heb haar een eindeloze lijst gegeven. Dat houdt haar bezig. Geeft haar het gevoel dat ze helpt.' Mevrouw Plackett dronk haar laatste beetje port op, zette het lege glas op tafel en hees zich overeind. 'Nou, als u het goedvindt, ga ik nu maar naar huis om mijn man wat te eten te geven. Maar ik kom om drie uur terug om Joshua Bedway binnen te laten. En ik blijf tot hij klaar is.'

Olivia liep met haar mee naar de deur en keek haar na zoals ze statig als altijd wegreed op haar fiets. Terwijl Olivia daar stond, hoorde ze een auto aankomen en even later draaide de Volvo het hek door. Olivia bleef waar ze was. Ze was erg dol op Cosmo's dochter en had met het meisje te doen, maar ze wist dat ze niet nog een stroom emoties en een huilerige omhelzing kon hebben. Haar pantser van terughoudendheid was op het moment haar enige verdediging. Ze keek toe terwijl de Volvo stopte en zag hoe Antonia haar veiligheidsgordel losmaakte en uit de auto stapte. Olivia sloeg haar armen over elkaar als een teken van lichamelijke afwijzing. Over het dak van de auto en over het grind dat hen scheidde heen, keken ze elkaar aan. Zo bleven ze even staan. Toen trok Antonia het portier van de auto dicht. Ze liep naar haar toe.

'Je bent er,' zei ze alleen maar.

Olivia legde haar handen op Antonia's schouders. 'Ja. Ik ben er.' Ze boog zich naar voren en ze kusten elkaar vluchtig. Het was in orde. Er kwam geen dramatische uitbarsting. Olivia was daar erg blij om maar het stemde haar ook een beetje triest, want het is altijd triest als iemand die je als kind gekend hebt, volwassen wordt en nooit meer echt jong zal zijn.

Om drie uur precies arriveerde Joshua Bedway in zijn kleine bestelwagentje, met mevrouw Plackett naast hem. Olivia was bang geweest dat hij helemaal in het zwart gekleed was en het bijpassende weemoedige gezicht trok, maar hij had alleen maar zijn overall verwisseld voor een net pak met een zwarte das en zijn gebruinde buitenmansgezicht zag er niet naar uit dat het lang somber kon blijven.

Voorlopig was hij echter zowel onder de indruk als meelevend. Hij zei tegen Olivia dat haar moeder erg gemist zou worden in het dorp. In haar zes jaar in Temple Pudley was ze werkelijk deel gaan uitmaken van de kleine gemeenschap, zei hij.

Olivia bedankte hem voor zijn vriendelijke woorden en nu de formaliteiten voorbij waren, haalde meneer Bedway zijn notitieboekje uit zijn zak. Er waren een paar dingen die ze moesten bespreken, zei hij en hij somde ze op. Terwijl ze naar hem luisterde, begreep Olivia dat hij zijn vak verstond, en daar was ze dankbaar voor. Ze beantwoordde zijn vragen en toen hij eindelijk zijn notitieboekje weer in zijn zak deed en zei: 'Dat is alles, miss Keeling. De rest kunt u veilig aan mij overlaten,' deed ze dat. Ze zocht Antonia op en samen gingen ze het huis uit.

Ze liepen niet door de tuin naar de rivier maar gingen aan de voorkant het hek uit. Ze staken de weg over en gingen een pad op dat achter het dorp omhoogging. Het liep langs weilanden met grazende schapen en hun lammeren. De haagdoornheggen begonnen juist in bloei te komen. Boven op de heuvel stond een groepje oude beuken waarvan de wortels boven de aarde uitstaken. Toen ze daar warm en buiten adem van het klimmen aankwamen, gingen ze zitten om uit te kijken over het land.

Ze zagen een onbedorven stuk Engels platteland dat zich koesterde in de warme zonneschijn van een uitzonderlijke voorjaarsmiddag. Door de afstand leek alles heel klein. Bijna recht beneden hen lag Temple Pudley te sluimeren, een ongeordend geheel van goudkleurige, stenen huizen. De kerk ging half schuil achter de taxusbomen, maar Podmore's Thatch en de gewitte muren van het dorpscafé waren duidelijk te zien. Als lange, grijze veren kwam er rook uit de schoorstenen en ergens in een tuin stookte een man een vuurtje.

Het was heel stil. De enige geluiden waren het blaten van de schapen en het ruisen van de beuken boven hen. Toen zoemde hoog in de blauwe lucht een vliegtuig over als een slaperige bij maar dat verstoorde de rust niet.

Een hele tijd zeiden ze niets. Sinds ze weer bij elkaar waren, was Olivia steeds bezig geweest met telefoontjes (twee daarvan, volkomen onnodig, van Nancy) en hadden ze niet de kans gekregen te praten. Nu keek ze naar Antonia, zoals ze daar naast haar in het gras zat in haar versleten spijkerbroek en haar roze blouse. Haar trui had ze onder het klimmen uitgetrokken en die lag nu naast haar en haar haar viel naar voren en verborg haar gezicht. Cosmo's Antonia. Ondanks haar eigen verdriet ging Olivia's hart naar haar uit. Achttien was te jong om zoveel afschuwelijke dingen mee te moeten maken. Maar er was niets aan te doen en Olivia wist dat Antonia, nu Penelope er niet meer was, weer háár verantwoordelijkheid was.

'Wat ga je doen?' vroeg ze ineens.

Antonia keek haar aan. 'Hoe bedoel je?'

'Ik bedoel, wat ga je nu doen? Nu mama er niet meer is, heb je geen reden om langer in Podmore's Thatch te blijven. Je zult beslissingen moeten gaan nemen. Nadenken over je toekomst.'

Antonia draaide zich van haar af, trok haar knieën op en liet haar kin erop rusten. 'Ik heb al nagedacht.'

'Wil je mee naar Londen? Dat aanbod van mij aannemen?'

'Ja, graag. Maar nu nog niet.'

'Ik begrijp je niet.'

'Ik dacht dat het misschien . . . een goed idee zou zijn als ik nog even hier bleef. Ik bedoel . . . wat gebeurt er met het huis? Wordt het verkocht?'

'Dat denk ik wel. Ik kan hier niet gaan wonen en Noel ook niet. En ik denk niet dat Nancy naar Temple Pudley zal willen verhuizen. Dat is niet deftig genoeg voor George en haar.'

'In dat geval zullen er mensen komen kijken, hè? En je krijgt er waarschijnlijk veel meer voor als het er bewoond uitziet en er overal bloemen staan en de tuin verzorgd is. Ik dacht dat ik misschien kon blijven om voor alles te zorgen en het huis te laten zien aan mensen die komen kijken, en het gras bij te houden. En als het dan verkocht is, kom ik naar Londen.'

Olivia was verbaasd. 'Maar je zou helemaal alleen zijn, Antonia. Niemand bij je in huis. Zou je dat niet erg vinden?'

'Nee. Nee, dat zou ik niet erg vinden. Zo'n soort huis is het niet. Ik denk niet dat ik me er ooit echt alleen zou voelen.'

Olivia dacht even na en het drong tot haar door dat het eigenlijk wel een goed idee was. 'Nou, als je het zeker weet, zouden we je erg dankbaar zijn. Want niemand van de familie kan hier blijven en mevrouw Plackett heeft ook nog meer te doen. Er is natuurlijk nog niets besloten maar ik weet wel zeker dat het huis verkocht wordt.' Ze dacht aan iets anders. 'Maar ik weet niet waarom je de tuin ook zou moeten doen. Danus Muirfield komt toch terug?'

'Ik weet het niet,' zei Antonia.

Olivia fronste haar voorhoofd. 'Ik dacht dat hij alleen maar naar Edinburgh was omdat hij daar een afspraak had?'

'Ja. Met een dokter.'

'Is hij ziek?'

'Hij heeft epilepsie.'

Olivia schrok. 'Epilepsie? Wat afschuwelijk! Wist mama dat?'

'Nee, eerst niet. Hij heeft het ons pas op het eind van onze vakantie in Cornwall verteld.'

Olivia werd nieuwsgierig. Ze had die jongen nog nooit gezien maar alles wat ze van hem gehoord had, van haar zuster, haar moeder en Antonia, had haar belangstelling voor hem alleen maar versterkt. 'Wat een terughoudend iemand moet het zijn.' Antonia zei daar niets op. Olivia herinnerde zich nog iets. 'Mama zei dat hij niet dronk of autoreed en jij schreef dat ook in je brief. Dit is dus de reden.'

'Ja.'

'En wat is er in Edinburgh gebeurd?'

'Hij is bij de dokter geweest en heeft weer een hersenonderzoek gehad maar de computer in het ziekenhuis was kapot en toen kon hij de uitslag niet krijgen. Hij heeft ons opgebeld om dat te vertellen. Dat was donderdag. En toen is hij voor een week gaan vissen met een vriend. Hij zei dat hij dat beter kon doen dan dat hij thuis rond bleef hangen.'

'En wanneer komt hij terug van dat vissen?'

'Donderdag. Overmorgen.'

'En weet hij de uitslag van dat onderzoek dan?'

'Ja.'

'En wat gebeurt er dan? Komt hij dan terug naar Gloucestershire?'

'Ik weet het niet. Dat hangt er waarschijnlijk van af hoe ziek hij is.'

Het klonk allemaal nogal triest en hopeloos. En toch niet zo erg verrassend, als je even nadacht. Zolang Olivia zich kon herinneren, had haar moeder te maken gehad met een opeenvolging van excentrieke en zielige figuren. Het was net of ze die aantrok. Ze had zich altijd voor hen uitgesloofd en dat was een van de dingen waar Noel zich zijn hele leven aan geërgerd had. Misschien had hij daarom meteen zo'n hekel aan Danus Muirfield gehad.

'Mama mocht hem graag, hè?' vroeg ze.

'Ja, ik geloof dat ze erg dol op hem was. En hij was erg aardig voor haar. Hij was bezorgd voor haar.'

'Vond ze het heel erg toen hij haar vertelde dat hij ziek was?'

'Ja. Niet voor haarzelf maar voor hem. En het was ook iets akeligs om te horen. Iets onvoorstelbaars. Cornwall was zo volmaakt en we hadden zoveel plezier . . . Het was net of er nooit meer iets ergs kon gebeuren. Nog maar een week geleden. Toen Cosmo overleed, dacht ik dat dat het ergste was. Maar ik denk dat dit de akeligste en de langste week is die ik ooit heb meegemaakt.'

'O, Antonia, wat erg.'

Ze was bang dat Antonia op het punt stond in tranen uit te barsten, maar nu keek ze haar weer aan en Olivia zag tot haar opluchting dat haar ogen droog waren en haar gezicht wel ernstig stond maar heel beheerst.

'Je moet het niet erg vinden,' zei ze. 'Je moet blij zijn dat ze juist genoeg tijd gehad heeft om terug te gaan naar Cornwall voor ze overleed. Ze heeft van elk moment genoten. Ik denk dat het voor haar net was of ze weer jong was. Ze had nooit te weinig energie. Elke dag was overvol. Ze heeft geen ogenblik verspild.'

'Ze was erg dol op jou, Antonia. Ik denk dat ze er dubbel van genoten heeft omdat jij bij haar was.'

'Ik moet je nog wat vertellen,' zei Antonia een beetje moeilijk. 'Ze heeft me de oorbellen gegeven. De oorbellen van tante Ethel. Ik wilde ze niet aannemen maar ze hield maar vol. Ik heb ze nu op mijn kamer in Podmore's Thatch. Als je vindt dat ik ze terug moet geven . . .?'

'Waarom zou je ze terug moeten geven?'

'Omdat ze zoveel waard zijn. Vierduizend pond. Ik heb het gevoel dat jij ze zou moeten hebben, of Nancy of Nancy's dochter.'

'Als mama niet gewild had dat jij ze kreeg, had ze ze niet aan jou gegeven.' Olivia glimlachte. 'En je had het me niet hoeven vertellen want ik wist het al. Ze had het me geschreven.'

Antonia keek verbaasd. 'Waarom?'

'Ik denk dat ze aan jou en je goede naam heeft gedacht. Ze wilde niet dat iemand je ervan zou beschuldigen dat je ze gepikt had.'

'Wat gek! Ze had het toch tegen je kunnen zeggen?'

'Zulke dingen kun je beter schrijven.'

'Denk je niet dat ze een soort voorgevoel had? Dat ze wist dat ze dood zou gaan?'

'We weten allemaal dat we doodgaan.'

De volgende morgen om elf uur kwam dominee Tillingham. Olivia zag niet bepaald uit naar het gesprek. Ze had weinig ervaring met dominees en ze wist niet goed hoe ze hem tegemoet moest treden. Voor zijn komst probeerde ze zich voor te bereiden maar dat was moeilijk omdat ze er geen idee van had wat voor man hij zou zijn. Bleek en al wat ouder met een zalvende stem en ouderwetse ideeën misschien. Of jong en modieus, iemand die bizarre plannen opstelde om de godsdienst te moderniseren en zijn gemeenteleden ertoe uitnodigde elkaar bij de hand te nemen en verwachtte dat ze nieuwe, vrolijke gezangen zongen, begeleid door de plaatselijke popgroep. Het leek allebei nogal onplezierig. Haar grootste angst was echter dat de dominee zou voorstellen dat ze samen, Olivia en hij, zouden neerknielen in gebed. Ze besloot dat ze in dat geval zou zeggen dat ze hoofdpijn had en dat haar gezondheid niet zo best was en dan hard de kamer uit zou lopen.

Maar het viel gelukkig erg mee. Dominee Tillingham was niet jong en niet oud maar gewoon een aardige man van middelbare leeftijd. Ze begreep meteen waarom Penelope hem graag te eten had gevraagd. Ze ging met hem in de serre zitten, de minst sombere plek die ze kon bedenken. Dat bleek een goed idee want ze spraken over de potplanten van Penelope en over haar tuin en kwamen toen vanzelf bij het onderwerp waarover ze moesten spreken.

'We zullen mevrouw Keeling allemaal verschrikkelijk missen,' zei dominee Tillingham. Het klonk heel oprecht en Olivia vond het niet moeilijk te geloven dat hij niet alleen maar aan de heerlijke diners dacht die hij nu zou moeten missen. 'Ze was zo vriendelijk en ze had een heel eigen plaats in het leven van ons dorp.'

'Dat zei meneer Bedway ook. Wat een aardige man is dat. Dat kwam goed uit want ik had nog nooit iets met een begrafenis te maken gehad. Ik bedoel, ik had er nog nooit alles voor hoeven te regelen. Maar mevrouw Plackett en meneer Bedway hebben me geweldig geholpen.'

Alsof ze voelde dat haar naam genoemd werd, kwam mevrouw

Plackett nu binnen met de koffie. De dominee nam een grote schep suiker en ging op kerkelijke zaken over. Het duurde niet zo lang. Penelope zou zaterdag begraven worden, om drie uur in de middag. Ze regelden de vorm van de dienst en kwamen toen op de muziek.

'Mijn vrouw is de organiste,' zei dominee Tillingham. 'Ze wil graag spelen als u daar prijs op stelt.'

'Wat vriendelijk. Dat zou heel fijn zijn. Maar geen treurmuziek. Iets moois dat de mensen kennen. Ik laat het aan haar over.'

'En gezangen?'

Ze besloten tot een gezang.

'En de lezing?'

Olivia aarzelde. 'Ik heb u al gezegd dat ik weinig van dit soort dingen weet. Misschien kan ik het allemaal aan u overlaten.'

'Maar zou uw broer de lezing niet willen doen?'

Olivia zei dat ze dacht van niet.

Ze bespraken nog een paar kleinigheden. Toen dronk dominee Tillingham zijn koffie op. Hij ging staan. Olivia liep met hem mee door de keuken en de voordeur uit naar de plaats waar zijn oude Renault op het grind geparkeerd stond.

'Tot ziens, miss Keeling.'

'Tot ziens, dominee.' Ze drukten elkaar de hand. 'U bent erg vriendelijk geweest,' zei ze. Hij glimlachte onverwacht charmant en warm. Ze had niet eerder een glimlach op zijn gezicht gezien maar nu veranderden zijn onopvallende gelaatstrekken zo dat Olivia hem ineens niet meer als een dominee zag en het daardoor gemakkelijker vond iets te zeggen dat eigenlijk steeds in haar gedachten was geweest. 'Ik begrijp eigenlijk niet waarom u zo vriendelijk en behulpzaam bent. Per slot van rekening weten we allebei dat mijn moeder nu niet bepaald vaak naar de kerk ging. Ze is nooit zo godsdienstig geweest. En ze kon maar moeilijk in de opstanding en een leven na dit leven geloven.'

'Dat weet ik. We hebben er wel eens over gesproken maar we zijn het niet eens kunnen worden.'

'Ik weet zelfs niet zeker of ze wel in God geloofde.'

Nog steeds glimlachend schudde dominee Tillingham zijn hoofd. Hij deed het portier van zijn auto open. 'Daar zou ik me niet al te druk over maken. Zij geloofde misschien niet in God maar ik ben er behoorlijk zeker van dat God wel in haar geloofde.'

Zonder de eigenares was het huis een dood huis. Het leek of het ergens op wachtte, verlaten en vreemd stil. De stilte was iets tastbaars, iets onontkoombaars. Geen voetstappen, geen stem, geen rammelende pannen in de keuken, geen Vivaldi, geen Brahms. Gesloten deuren bleven gesloten. Elke keer als ze de smalle trap op liep, kwam Antonia voor de gesloten deur van de slaapkamer van Penelope te staan. Die deur had altijd opengestaan, zodat je in het voorbijgaan kleren over een stoel zag liggen, de wind voelde die door het open raam kwam, de zoete geur van Penelope rook. Nu was er alleen maar een deur.

Beneden was het niet beter. Haar stoel stond leeg bij de haard in de zitkamer. Het vuur brandde niet, het bureau was afgesloten. Geen vriendelijke rommel, geen gelach, geen warme, spontane omhelzingen. In de wereld waarin Penelope geleefd, geademd, geluisterd, zich herinnerd had, had je kunnen geloven dat er nooit iets al te erg mis kon gaan. En als dat toch gebeurde – en Penelope was het overkomen – waren er manieren om het onder ogen te zien, het te aanvaarden, te weigeren toe te geven dat je verslagen was.

Ze was dood. Toen ze die akelige ochtend uit de serre in de tuin kwam en Penelope daar op die oude, houten bank zag liggen met haar lange benen uitgestrekt en haar ogen dicht, had Antonia tegen zichzelf gezegd dat Penelope alleen maar even uitrustte om te genieten van de vroege ochtendlucht en de zachte warmte van de zon. Eén afschuwelijk moment kon ze de werkelijkheid niet onder ogen zien. Ze kon zich het leven niet voorstellen zonder die bron van voortdurend plezier, die rotsvaste zekerheid. Maar het ondenkbare was gebeurd. Ze was heengegaan.

Het ergste was de dagen door te komen. Dagen die tevoren nooit lang genoeg geweest waren om alles te doen wat ze wilden doen, leken nu een eeuwigheid te duren. Zelfs de tuin bood geen troost omdat Penelope er niet was om die tot leven te brengen en ze moest er zichzelf werkelijk toe dwingen naar buiten te gaan en er wat te gaan doen, onkruid uittrekken of een bos narcissen plukken om in een vaas te doen en ergens neer te zetten. Ergens. Het deed er niet toe waar. Niets deed er meer iets toe.

Het was een vreselijke ervaring om zo alleen te zijn. Ze had nooit geweten wat het was zich zo alleen te voelen. Er was altijd iemand geweest. Eerst Cosmo en na zijn dood had ze geweten dat Olivia er was. In Londen misschien, ver van Ibiza, maar ze was er toch. Aan het eind van een telefoongesprek had ze gezegd: 'Goed, kom maar bij mij, ik zal wel voor je zorgen.' Maar Olivia was nu niet te bereiken. Ze was maar aan het organiseren en lijsten aan het maken en telefoneren – het leek wel of ze voortdurend aan het telefoneren was. Ze had het Antonia zonder het met zoveel woorden te zeggen volkomen duidelijk gemaakt dat dit niet de tijd was voor lange, vertrouwelijke gesprekken. Antonia begreep dat ze voor het eerst de andere kant van Olivia zag: de koele, zakelijke vrouw die carrière had gemaakt en tussen de bedrijven door geleerd had meedogenloos met menselijke zwakheden om te gaan en geen sentimentaliteiten te dulden. De andere Olivia, de Olivia die Antonia het eerst gekend had in wat ze al als het verleden beschouwde, was waarschijnlijk te kwetsbaar om zich te laten zien en had zich voorlopig teruggetrokken. Antonia begreep en respecteerde dat maar het maakte het voor haar niet gemakkelijker.

Vanwege die barrière tussen hen en ook omdat Olivia kennelijk al meer dan genoeg te verwerken had, had Antonia haar maar weinig over Danus verteld. Ze hadden even over hem gesproken, op die winderige heuveltop terwijl meneer Bedway in Podmore's Thatch de onvoorstelbare dingen deed die hij moest doen, maar er was niets belangrijks gezegd. Niets echt belangrijks tenminste. Hij heeft epilepsie, had Antonia tegen Olivia gezegd. Maar ze had niet gezegd wat ze eigenlijk had willen zeggen. Ik houd van hem. Hij is de eerste man van wie ik ooit heb gehouden en hij voelt hetzelfde voor mij. Hij houdt van me en we zijn met elkaar naar bed geweest en het was helemaal niet eng, zoals ik altijd gedacht had, het was precies goed en het was geweldig. Het kan me niet schelen wat onze toekomst zal zijn, het kan me niet schelen dat hij geen geld heeft. Ik wil dat hij bij me terugkomt zodra hij kan. En als hij ziek is, zal ik wachten tot hij weer gezond is. En dan zal ik voor hem zorgen en we gaan buiten wonen en samen kool planten.

Ze had dat niet gezegd omdat ze wist dat Olivia met haar gedachten bij andere dingen was. Ze was waarschijnlijk niet eens geïnteresseerd. Met Olivia in één huis wonen was net zo iets als naast een vreemde zitten in de trein. Ze hadden eigenlijk geen enkel contact en Antonia was alleen met haar verdriet.

Vroeger was er altijd iemand geweest. Nu was zelfs Danus er niet. Hij was weg, hij zat in Sutherland, ver weg in het noorden, en was op geen enkele manier te bereiken. Hij had net zo goed met een boot de Amazone op kunnen gaan of met een hondeslee over de polaire ijskap kunnen glijden. Ze kon het bijna niet verdragen dat ze hem niet kon bereiken. Penelope was dood en Antonia had hem nodig. Alsof telepathie een soort betrouwbaar radarsysteem was, zond ze hem in gedachten voortdurend boodschappen om hem ertoe te dwingen contact met haar te zoeken. Zo nodig twintig kilometer te rijden naar de dichtstbijzijnde telefooncel, het nummer van Podmore's Thatch te draaien en te horen wat er mis was.

Dat gebeurde echter niet en Antonia was niet eens erg verbaasd. Hij belt donderdag, zei ze tegen zichzelf. Hij komt donderdag terug in Edinburgh en dan belt hij meteen. Hij heeft het beloofd. Hij belt om mij – ons – de uitslag van het onderzoek en het oordeel van de dokter te vertellen. (Wat vreemd dat dat nu niet zo belangrijk meer leek.) En dan vertel ik hem dat mevrouw Keeling dood is en dan komt hij op de een of andere manier en dan is hij hier en kan ik weer sterk zijn. Antonia had die kracht nodig om de beproeving van de begrafenis van Penelope te kunnen doorstaan. Zonder Danus naast haar wist ze niet of ze daar wel tegen zou kunnen.

Langzaam, heel langzaam gingen de uren voorbij. Woensdag sleepte zich voorbij en het werd donderdag. Vandaag zal hij bellen. Donderdagochtend. Donderdagmiddag.

Hij belde niet.

Om half vier ging Olivia naar de kerk om daar het meisje uit Pudley te ontmoeten dat voor de bloemen zou zorgen. Alleen gebleven, was Antonia een beetje in de tuin bezig zonder echt iets te doen en toen ging ze naar de boomgaard om een rij theedoeken en slopen van de waslijn te halen. De kerkklok sloeg vier uur en ineens wist ze dat ze geen moment langer meer kon wachten. Ze moest nu zelf iets doen en als ze dat niet meteen deed, werd ze gek of rende ze naar de oever van de Windrush om zich daarin te verdrinken. Ze liet de wasmand staan, liep door de tuin en de serre naar de keuken, pakte de telefoon en draaide het nummer in Edinburgh.

Het was een warme, vredige middag. Haar handpalmen waren klam en haar mond was droog. De keukenklok tikte de seconden vlugger weg dan het kloppen van haar eigen hart. Terwijl ze wachtte tot iemand de telefoon aannam, ontdekte ze dat ze niet precies wist wat ze ging zeggen. Als Danus er niet was en zijn moeder aan de telefoon kwam, moest ze een boodschap voor hem achterlaten. Mevrouw Keeling is overleden. Wilt u dat alstublieft tegen Danus zeggen? En wilt u hem vragen mij te bellen? Antonia Hamilton. Hij heeft mijn nummer. Dat ging nog. Maar zou ze mevrouw Muirfield durven vragen of er nieuws was uit het ziekenhuis of zou dat opdringerig en onbescheiden lijken? Stel dat de diagnose niet zo hoopvol was. Dan zou Danus' moeder haar verdriet niet met een volslagen vreemde willen delen, met een onbekende stem ergens ver weg in Gloucestershire. Aan de andere kant . . .

'Hallo?'

Antonia liet de hoorn bijna vallen van schrik.

'Ik . . . o . . . spreek ik met mevrouw Muirfield?'

'Nee. Het spijt me maar mevrouw Muirfield is er op het ogenblik niet.' De stem was die van een vrouw en klonk erg Schots en enorm beschaafd.

'O . . . wanneer komt ze terug?'

'Het spijt me maar ik heb geen idee. Ze is naar een vergadering en daarna ging ze geloof ik bij een vriendin thee drinken.'

'En meneer Muirfield?'

'Meneer Muirfield is op zijn kantoor.' Het klonk kortaf, alsof Antonia een dwaze vraag gesteld had – wat ook zo was – en het antwoord voor de hand lag. 'Hij komt pas om half zeven thuis.'

'Met wie spreek ik eigenlijk?'

'Ik ben de hulp van mevrouw Muirfield.' Antonia aarzelde. De stem werd ongeduldig. 'Wilt u een boodschap achterlaten?'

Wanhopig vroeg Antonia: 'Danus is er niet, hè?'

'Danus is vissen.'

'Dat weet ik. Maar hij zou vandaag terugkomen en ik dacht dat hij er misschien al was.'

'Nee. Hij is er nog niet en ik heb geen idee wanneer hij verwacht wordt.'

'Nou, misschien . . .' Er was geen andere mogelijkheid. '. . . kunt u een boodschap overbrengen?'

'Wacht u dan even tot ik pen en papier gepakt heb.' Antonia wachtte. Het duurde wel even. 'Ja.'

'Zeg alleen maar dat Antonia gebeld heeft. Antonia Hamilton.'

'Wacht even tot ik het opgeschreven heb. An-To-Ni-A Ha-Mil-Ton.'

'Ja, dat is goed. Zeg alleen maar . . . vertel hem . . . dat mevrouw Keeling is overleden, dinsdagmorgen. En de begrafenis is in Temple Pudley, zaterdagmiddag om drie uur. Dan begrijpt hij het wel. Hij wil misschien komen.' En ze bad dat hij het zou kunnen halen, dat hij er zou zijn.

Vrijdagochtend om tien uur ging in Podmore's Thatch de telefoon. Het was het vierde telefoontje sinds het ontbijt en Antonia had ze allemaal aangenomen. Maar nu was ze naar het dorp om de kranten en de melk te halen en dus liep Olivia naar het toestel.

'Podmore's Thatch.'

'Miss Keeling?'

'Ja.'

'Met Charles Enderby van Enderby, Looseby & Thring.'

'Goedemorgen, meneer Enderby.'

Hij condoleerde haar niet want dat had hij al gedaan toen Olivia hem gebeld had om hem te laten weten dat haar moeder was overleden.

'Miss Keeling, ik kom natuurlijk zaterdag naar Gloucestershire om de begrafenis van mevrouw Keeling bij te wonen maar ik denk dat het het gemakkelijkste voor u allemaal is als ik daarna een bespreking kan hebben met uzelf en uw broer en uw zuster, alleen maar om een paar onderdelen van het testament van uw moeder uit te leggen en u allemaal op de hoogte te brengen. Het lijkt misschien een beetje overhaast en natuurlijk hebt u de vrijheid om een andere datum voor te stellen maar het lijkt een goede gelegenheid, met de hele familie onder één dak. Het hoeft niet langer dan een half uur te duren.'

Olivia dacht even na. 'Ik weet niet waarom we dat niet zouden doen. Hoe eerder hoe beter en we zijn niet zo vaak alle drie bij elkaar.'

'Hoe laat had u dan gedacht?'

'Laat eens zien, de dienst begint om drie uur en daarna drinken we hier nog thee. Ik denk dat het om een uur of vijf allemaal wel voorbij zal zijn. Vijf uur dan?'

'Uitstekend. Ik zal het noteren. En wilt u het mevrouw Chamberlain en meneer Keeling laten weten?'

'Ja, natuurlijk.'

Ze belde Nancy.

'Nancy, met Olivia.'

'O, Olivia, ik wilde je juist bellen. Hoe gaat het? Hoe gaat alles? Heb je me nodig in Podmore's Thatch? Ik kan gemakkelijk komen. Ik kan je niet zeggen hoe nutteloos·ik me voel en . . .'

Olivia viel haar in de rede. 'Nancy, meneer Enderby heeft gebeld. Hij wil een bijeenkomst met de familie na de begrafenis, om mama's testament te bespreken. Om vijf uur. Kun jij er dan zijn?'

'Om vijf uur?' Nancy's stem klonk schril van de schrik. Het leek wel of Olivia haar iets heel verdachts voorstelde. 'O nee, niet om vijf uur. Dan kan ik niet.'

'Lieve help, waarom niet?'

'George heeft een vergadering met de dominee en de aartsdiaken. Vreselijk belangrijk. We moeten na de begrafenis meteen naar huis.'

'Dit is ook belangrijk. Zeg dat hij die vergadering af moet zeggen.'

'Olivia, dat kan ik niet doen.'

'In dat geval moeten jullie met twee auto's komen, dan hoef jij niet gelijk met George weg te gaan. Je moet erbij zijn . . .'

'Kunnen we niet een andere keer met meneer Enderby spreken?'

'Ja, natuurlijk wel, maar zo is het veel handiger. En ik heb het al met meneer Enderby afgesproken, dus je hebt echt geen keus.' Olivia's stem klonk zelfs haarzelf autoritair en scherp in de oren. Ze voegde er wat vriendelijker aan toe: 'Als je niet zelf naar huis wilt rijden die avond, kun je hier blijven slapen en de volgende ochtend teruggaan. Maar je moet erbij zijn.'

'O, goed dan,' gaf Nancy schoorvoetend toe. 'Maar ik blijf niet slapen. Mevrouw Croftway heeft vrij en ik moet koken voor de kinderen.'

Olivia zuchtte en probeerde niet langer vriendelijk te zijn. 'In dat geval wil jij misschien Noel opbellen en hem zeggen dat hij er ook moet zijn. Dan heb ik tenminste één ding minder te doen en heb jij hopelijk niet meer het gevoel dat je nutteloos bent.'

Na een lange periode van droog weer had het eindelijk eens goed geregend in Sutherland. Het was donderdag, de dag dat de beide vrienden terug hadden willen gaan naar Edinburgh. Nu stonden ze in de deuropening naar de regen te kijken en de situatie te bespreken. Door de droogte en de extreem lage waterstand hadden ze niet veel kunnen vissen en ze konden maar moeilijk weerstand bieden aan de verleiding wat langer te blijven nu er eindelijk regen viel. Maar daar waren natuurlijk bezwaren aan verbonden.

Eindelijk zei Roddy: 'Ik hoef maandag pas weer te gaan werken. Voor mij is het geen punt. De beslissing is aan jou, ouwe jongen. Jij wilt naar huis om te horen wat die verdomde dokters besloten hebben. Als je geen dag langer op hun mening kunt wachten, gaan we nu weg. Maar ik vind dat je nu al zo lang gewacht hebt dat er nog wel een dag bij kan. En ik denk niet dat je moeder in paniek zal raken als je er vanavond nog niet bent. Je bent nu een grote jongen en als ze naar het weerbericht luistert, begrijpt ze wel wat er aan de hand is.'

Danus glimlachte. De manier waarop Roddy zijn dilemma onder woorden bracht, beviel hem uitstekend. Ze waren al jaren bevriend maar de afgelopen dagen waren ze elkaar nog nader gekomen. In dit afgelegen en ontoegankelijke stukje van de wereld was je nu eenmaal helemaal op elkaar aangewezen. Ze hadden hele avonden gepraat. Danus had Roddy alles over Amerika en over het plotselinge begin van zijn ziekte verteld en nu hij er zo openlijk over sprak, leek het allemaal minder erg. Toen had hij nog meer verteld. Waarom hij een ander beroep gekozen had en wat voor toekomstplannen hij had. En over zijn werk bij Penelope Keeling in Podmore's Thatch. Hij had die idyllische week in Cornwall beschreven. En hem ten slotte over Antonia verteld.

'Je moet met dat meisje trouwen,' was Roddy's advies.

'Dat wil ik ook. Op een dag. Maar dan moet ik eerst alles op een rijtje zetten.'

'Wat is er op een rijtje te zetten?'

'Als we trouwen, krijgen we kinderen. Ik weet niet of epilepsie erfelijk is.'

'O, onzin, natuurlijk niet.'

'En mijn werk levert niet bepaald veel op.'

'Sluit een lening bij je vader. Die heeft geld zat.'

'Dat zou natuurlijk kunnen maar eigenlijk doe ik het liever niet.'

'Met trots kom je ook niet verder, jongen.'

'Waarschijnlijk niet, nee.' Hij dacht even na maar legde zich nog niet vast. 'Ik zal wel zien,' zei hij alleen.

Nu stond hij zich af te vragen of hij die dag al naar huis zou gaan of vrijdag pas. Hij dacht aan Antonia, die in Podmore's Thatch op zijn telefoontje zat te wachten.

'Ik heb Antonia beloofd dat ik vandaag zou bellen,' zei hij, 'zodra ik terug was in Edinburgh.'

'Dat kan morgen ook. Als zij het meisje is dat ik denk dat ze is, begrijpt ze het wel.' Danus dacht aan de vissen die hij die dag zou kunnen vangen. 'Vooruit,' zei Roddy ongeduldig, 'zeg wat je wilt. Laten we de gok wagen en nog een dag blijven. Tot nog toe hebben we alleen maar forel gevangen. En nu zit de zalm op ons te wachten. Laten we het nog één dag proberen.'

Hij wilde graag blijven, dat was duidelijk. Danus keek zijn vriend aan. Hij keek net als een klein jongetje dat iets heel moois denkt te krijgen en Danus wist dat hij niet de moed had hem teleur te stellen. Grinnikend gaf hij toe. 'Goed. We blijven.'

De volgende dag vertrokken ze al vroeg. Roddy's auto zat vol met tassen, hengels, haken, laarzen, manden en ook de twee zalmen die ze de vorige middag gevangen hadden. Het regende niet meer maar er waren nog wel wolken. Ze reden snel naar het zuiden en om elf uur waren ze Perth al gepasseerd.

Toen ze in de buurt van Edinburgh kwamen, werd het verkeer drukker. Ze zagen huizen, winkels, hotels, verkeerslichten. De hele tocht hadden ze nauwelijks iets gezegd. Nu verbrak Roddy de stilte.

'Het is geweldig geweest,' zei hij. 'Dat doen we nog eens.'

'Ja. Ik kan je niet genoeg bedanken.'

Roddy trommelde met zijn vingers op het stuur. 'Hoe voel je je?'

'Prima.'

'Bang?'

'Niet echt. Alleen maar realistisch. Als ik er de rest van mijn leven mee moet leven, moet ik dat maar zien klaar te spelen.'

'Je weet nooit.' De lichten sprongen op groen. Ze reden door. 'Misschien krijg je wel goed nieuws.'

'Daar wil ik liever niet aan denken. Ik stel me liever het ergste voor.'

'Wat ze ook gevonden hebben, je laat je er niet door op je kop zitten, hè? En blijf er niet alleen mee rondlopen. Als je denkt dat je er met niemand over kunt praten, ben ik er altijd nog.'

'En hoe zou je het vinden op bezoek te komen in het ziekenhuis?'

'Een peuleschil, jongen. Ik heb altijd oog gehad voor knappe verpleegstertjes. Ik breng druiven voor je mee en eet ze allemaal zelf op.'

Ze waren nu bijna thuis. Heriot Row. Het smalle, hoge huis waar Danus' ouders woonden. Roddy stopte en zette de motor af. Ze stapten uit en haalden de spullen van Danus uit de auto, waaronder een mand met zijn kostbare vis. Ze zetten alles op de stoep.

'Dat is het dan,' zei Roddy toen, maar hij aarzelde nog, alsof hij geen zin had afscheid van zijn vriend te nemen. 'Wil je dat ik mee naar binnen ga?'

'Nee,' zei Danus. 'Ik red het wel.'

'Bel me vanavond op.'

'Goed.'

Roddy gaf Danus een vriendschappelijke klap op zijn schouder. 'Tot kijk dan, ouwe jongen.'

'Het was geweldig, Roddy.'

'En het beste.'

Hij stapte weer in zijn auto en reed weg. Danus keek hem na en haalde toen de sleutel uit zijn zak om de deur open te doen. Hij zag de hal, de bekende trap. Alles zag er keurig uit en de stilte werd slechts verbroken door het tikken van de klok die nog van Danus' overgrootvader was geweest. De meubelen glansden van de was en jarenlange zorg en er stonden hyacinten op het kastje bij de telefoon die de lucht vulden met hun zware geur.

Hij aarzelde. Boven ging er een deur open en weer dicht. Voetstappen. Hij keek op en zag zijn moeder boven aan de trap staan.

'Danus.'

'Het vissen was fijn,' zei hij. 'Ik ben een dag langer gebleven.'

'O, Danus . . .'

Ze zag er net als altijd uit, keurig en elegant, met een gladde rok van tweed en een lamswollen trui aan en met ieder haartje van haar grijze kapsel netjes op zijn plaats. En toch leek ze anders. Ze kwam de trap af naar hem toe . . . rende de trap af, wat op zichzelf al iets bijzonders was. Hij staarde haar aan. Op de onderste tree bleef ze staan, haar ogen op dezelfde hoogte als de zijne, haar hand op de leuning.

'Je bent gezond,' zei ze. Ze huilde niet maar haar blauwe ogen schitterden als door onvergoten tranen. Hij had haar nooit eerder zo opgewonden gezien. 'O, Danus, alles is in orde. Er is niets met je aan de hand. Ze belden gisteravond op en ik heb een lang gesprek met de specialist gehad. Die diagnose in Amerika is helemaal fout geweest. Al die jaren . . . en je hebt nooit epilepsie gehad. Nooit.'

Hij kon niets zeggen. Zijn hersenen werkten niet meer en toen kwam er toch een gedachte in hem op. 'Maar . . .' Zijn stem klonk schor. Hij slikte en begon opnieuw. 'Maar waarom viel ik dan steeds flauw?'

'Door die griep en je hoge koorts. Dat kan blijkbaar. Maar je hebt geen epilepsie. Je hebt nooit epilepsie gehad. En als je niet zo stom was geweest het allemaal voor je te houden, had je jezelf die nare jaren kunnen besparen.'

'Ik wilde niet dat u zich zorgen maakte. Ik dacht aan Ian. Ik wilde niet dat u dat allemaal nog een keer door moest maken.'

'Ik zou liever door de hel gaan dan dat jij jezelf ongelukkig maakt. En allemaal voor niets. Je bent gezond.'

Gezond. Geen epilepsie. Het was nooit gebeurd. Als een nare droom en even beangstigend, maar het was nooit echt gebeurd. Hij was gezond. Geen pillen meer, geen onzekerheid meer. De opluchting maakte hem gewichtloos, alsof hij elk moment kon opstijgen naar het plafond. Nu kon hij doen wat hij wilde. Alles. Hij kon met Antonia trouwen. O, lieve God, ik kan met Antonia trouwen en we kunnen kinderen krijgen en ik kan U eenvoudig niet genoeg danken. U danken voor dit wonder. Ik ben zo dankbaar. Ik zal altijd dankbaar blijven. Ik zal dit nooit vergeten. Ik beloof U dat ik het nooit zal vergeten. Ik . . .

'O, Danus, sta daar niet als een zoutzak. Begrijp je het niet?'

'Ja,' zei hij. En toen: 'Ik houd van u.' Dat was natuurlijk waar en het was altijd waar geweest maar hij kon zich niet herinneren dat hij ooit eerder zo iets tegen haar gezegd had. Zijn moeder barstte prompt in tranen uit, wat ook iets nieuws was, en Danus sloeg zijn armen om haar heen en hield haar zo stevig vast dat ze algauw ophield met huilen en alleen nog maar wat snufte en naar haar zakdoek zocht. Eindelijk liet hij haar los en ze snoot haar neus en veegde haar ogen af en voelde of haar haar nog goed zat.

'Zo dwaas,' zei ze. 'Het laatste wat ik wilde, was huilen. Maar het was zulk geweldig nieuws en je vader en ik vonden het zo vreselijk dat we je niet konden bereiken om je gerust te stellen. Maar nu moet ik je nog wat anders vertellen. Er is gistermiddag voor je opgebeld. Ik was er niet maar mevrouw Cooper heeft een boodschap voor je aangenomen. Ik ben bang dat het niet zulk prettig nieuws is maar ik hoop dat je niet al te erg zult schrikken . . .'

Ze keerde alweer terug naar haar gewone manier van doen. De emotionele uitbarstingen waren voorbij. Ze deed haar zakdoek in haar mouw, duwde Danus zachtjes opzij en liep naar het kastje bij de telefoon. Ze pakte een blaadje papier.

'Hier heb ik het. Van een zekere Antonia Hamilton. Lees zelf maar.'

Antonia.

Hij nam het blaadje aan en zag het onregelmatige handschrift van mevrouw Cooper.

Antonia Hamilton belde 4 uur dond.dag zegt mevr. Keeling dinsd.
overleden begrafenis 3 uur Temple Pudley zat.middag denkt dat je
erbij wilt zijn hoop dat ik het goed heb opgeschreven. L. Cooper.

De familie kwam bijeen voor de begrafenis. De Chamberlains arriveerden het eerst. Nancy in haar eigen auto en George in zijn degelijke, niet meer zo nieuwe Rover. Nancy had een marineblauw mantelpakje aan en ze droeg een vilten hoed die haar opvallend slecht stond. Onder de naar voren stekende rand ervan trok ze een strak, dapper gezicht.

Olivia, die om haar moed en zelfbeheersing op te vijzelen haar favoriete, donkergrijze pakje aangetrokken had, begroette hen allebei met een kus. Het was niet bepaald een genoegen George een kus te geven en hij rook naar motteballen en een beetje antiseptisch als een tandarts. Alsof het vreemden waren, bracht ze hen naar de warme zitkamer vol bloemen. En ze merkte dat ze ook beleefd met hen begon te converseren.

'Het spijt me dat ik jullie niet voor de lunch kon vragen Maar mevrouw Plackett heeft alles al klaargezet voor de thee en Antonia en ik hebben de hele ochtend broodjes staan smeren. We hebben alleen maar af en toe wat geproefd en eigenlijk niet echt gegeten.'

'Dat geeft niet. We hebben onderweg wat gegeten.' Nancy nestelde zich met een zucht van opluchting in mama's stoel. 'Mevrouw Croftway is er vandaag niet, dus de kinderen zijn bij vrienden in het dorp. Melanie was in tranen. Ze trekt het zich zo aan van haar oma. Het arme kind, het is voor het eerst dat ze tegenover de dood komt te staan. Van aangezicht tot aangezicht als het ware.' Olivia wist daar niets op te zeggen. Nancy trok haar zwarte handschoenen uit. 'Waar is Antonia?'

'Boven. Zich aan het verkleden.'

George keek op zijn horloge. 'Ze kan beter opschieten. Het is al vijf over half drie.'

'George, het is precies vijf minuten lopen naar de kerk.'

'Mogelijk. Maar we kunnen niet op het laatste moment binnen komen rennen. Hoogst ongepast.'

'En moeder?' Nancy's stem klonk gedempt. 'Waar is moeder?'

'Al in de kerk,' zei Olivia kortaf. 'Meneer Bedway wilde haar voor ons uit naar de kerk dragen maar dat vond ik zo'n vreselijk idee. Ik hoop dat jullie dat met me eens zijn.'

'En hoe laat komt Noel?'

'Hij kan elk moment komen. Hij komt met de auto uit Londen.'

'Het is 's zaterdags altijd erg druk op de weg,' merkte George op. 'Hij komt waarschijnlijk te laat.'

Maar zijn sombere voorspelling kwam niet uit want vijf minuten later werd de landelijke rust verstoord door de bekende geluiden van de aankomst van hun broer: de motor van de Jaguar, het geknars van remmen, het dichtslaan van een portier. Even later kwam hij binnen. Hij zag er erg lang en donker en elegant uit in een grijs pak dat hij ongetwijfeld met het oog op dure zakenlunches had laten maken en dat op de een of andere manier te opvallend was voor een eenvoudige begrafenis op het platteland.

Maar hij wàs er in elk geval. Nancy en George bleven zitten maar Olivia stond op en liep naar hem toe om hem een kus te geven. Hij rook niet antiseptisch en dat was iets om dankbaar voor te zijn.

'Was het erg druk?'

'Nogal, ja. Hallo, Nancy. Hoi, George. Olivia, wie is die knaap in dat blauwe pak die bij de garage rondhangt?'

'O, dat zal meneer Plackett zijn. Hij komt op het huis passen terwijl wij allemaal in de kerk zijn.'

Noel trok zijn wenkbrauwen op. 'Verwachten we inbrekers?'

'Nee, maar dat is hier de gewoonte. Mevrouw Plackett vond het beslist nodig. Om de een of andere reden mag het huis niet leeg zijn tijdens de begrafenis. Ze heeft dus gezorgd dat haar man komt en ze heeft hem opdracht gegeven het vuur aan te houden en water op te zetten en zo.'

'Wat goed geregeld allemaal.'

George keek alweer op zijn horloge. Hij werd onrustig. 'Ik vind echt dat we moeten gaan. Kom, Nancy.'

Nancy stond op en liep naar de spiegel boven mama's bureau om te kijken of haar afschuwelijke hoed nog goed stond. Toen trok ze haar handschoenen aan. 'Waar blijft Antonia?'

'Ik zal haar gaan roepen,' zei Olivia maar Antonia was al beneden en zat op de keukentafel met meneer Plackett te praten, die binnengekomen was om zijn post in te nemen. Toen ze de keuken binnenkwamen, sprong ze van de tafel. Ze droeg een gestreepte blauw-witte rok, een witte blouse en een blauw vest. Ze had haar haar naar achteren gekamd in een paardestaart met een blauw lint erom. Ze zag er even jong en onzeker uit als een schoolmeisje en leek afschuwelijk bleek.

'Voel je je wel goed?' vroeg Olivia.

'Ja, natuurlijk.'

'George zegt dat het tijd is om te gaan . . .'

'Ik ben klaar.'

Olivia liep voorop naar buiten, de heldere zonneschijn in. De anderen volgden. Het was een klein, somber gezelschap. Toen ze over het grind liepen, klonk er een nieuw geluid. De kerkklok begon plechtig te luiden. Ze luiden voor mama, dacht Olivia, en alles was ineens afschuwelijk echt. Ze bleef staan om te wachten tot Nancy naast haar kwam lopen. En terwijl ze zich half omdraaide, zag ze Antonia, die ineens stokstijf bleef staan. Ze was al bleek geweest maar nu was ze zo wit als een doek.

'Antonia, wat is er?'

Antonia leek volkomen in paniek. 'Ik . . . ik ben wat vergeten.'

'Wat?'

'Ik . . . een . . . zakdoek. Ik heb geen zakdoek. Ik moet er een hebben. Ik ben zo terug. Wachten jullie maar niet. Ik haal jullie wel in.'

En ze rende terug naar het huis.

'Wat vreemd,' zei Nancy. 'Is ze wel in orde?'

'Ik geloof het wel. Maar ze trekt het zich zo aan. Misschien kan ik beter op haar wachten.'

'Dat kun je niet doen,' zei George beslist. 'Er is geen tijd om te wachten. Dan komen we te laat. Antonia is wel in orde. We houden een plaats voor haar vrij. Kom nu, Olivia . . .'

Maar terwijl ze daar nog stonden te aarzelen, kwam er een nieuwe onderbreking: het geluid van een auto die veel te hard over de weg door het dorp reed. Hij stopte vlak bij hen voor het open hek van Podmore's Thatch. Een donkergroene Ford Escort die ze nog nooit gezien hadden. Ze zwegen verbaasd en zagen iemand uitstappen. Hij sloeg het portier met een klap dicht. Een jonge man, even onbekend als zijn auto. Een man die Olivia nog nooit gezien had.

Ze staarden hem allemaal aan en niemand zei iets. Uiteindelijk verbrak hij de stilte. 'Het spijt me,' zei hij. 'Dat ik zo laat ben. Ik kom van ver.' Hij keek Olivia aan en zag de verbijstering op haar gezicht. Hij glimlachte. 'Ik geloof niet dat wij elkaar ooit ontmoet hebben. U moet Olivia zijn. Ik ben Danus Muirfield.'

Maar natuurlijk. Even lang als Noel maar zwaarder van bouw, met brede schouders en een door de zon gebruind gezicht. Een heel aantrekkelijke jongen en Olivia begreep precies waarom mama zo dol op hem was geweest. Danus Muirfield. Wie anders?

'Ik dacht dat je in Schotland zat?' was alles wat ze kon bedenken.

'Ja. Gisteren. Ik heb het gisteren pas gehoord van mevrouw Keeling. Ik vind het verschrikkelijk . . .'

'We gaan juist naar de kerk. Als je . . .'

Hij viel haar in de rede. 'Waar is Antonia?'

'Ze is weer naar binnen gegaan. Ze was iets vergeten. Ze komt zo. Als je wilt wachten, meneer Plackett is in de keuken . . .'

George begon nu zijn geduld te verliezen en kon niet langer luisteren. 'Olivia, we hebben geen tijd om te staan kletsen. En we kunnen beslist niet wachten. We moeten nu gaan. En deze jongeman kan ervoor zorgen dat Antonia niet te laat komt. Laten we hier nu niet langer blijven staan . . .' Hij begon hen allemaal op te drijven, alsof ze schapen waren.

'Waar kan ik Antonia vinden?' vroeg Danus.

'In haar kamer waarschijnlijk,' riep Olivia over haar schouder terug. 'We zullen plaatsen voor jullie vrijhouden.'

Meneer Plackett zat aan de keukentafel rustig zijn krantje te lezen.

'Waar is Antonia, meneer Plackett?'

'Ze is naar boven gegaan. Ze huilde, geloof ik.'

'Vindt u het erg als ik ga kijken waar ze is?'

'Gaat mij niet aan,' zei meneer Plackett.

Danus rende met twee treden tegelijk de smalle trap op. 'Antonia!' Hij kende de indeling van het huis niet en deed hier en daar een deur open en zag een badkamer en een werkkast. 'Antonia!' Hij deed een derde deur open en zag een slaapkamer die kennelijk gebruikt werd maar waar op dat moment niemand was. Aan de andere kant ervan was nog een deur. Zonder kloppen ging hij die door en daar vond hij haar eindelijk. Ze zat verloren op de rand van haar bed te huilen.

Opgelucht liep hij naar haar toe. 'Antonia.' Hij ging naast haar zitten en nam haar in zijn armen. Hij drukte haar hoofd tegen zijn schouder en kuste de bovenkant van haar hoofd, haar voorhoofd, haar huilende, gezwollen ogen. Haar tranen smaakten zout en haar wangen waren nat maar dat deed er niet toe. Hij had haar gevonden en hield haar in zijn armen en hield meer van haar dan van wie ook en zou nooit, nooit meer van haar gescheiden worden.

'Hoorde je me niet roepen?' vroeg hij eindelijk.

'Ja, maar ik geloofde niet dat het echt was. Ik hoorde eigenlijk alleen die vreselijke klok maar. Alles was in orde met me tot die klok begon en toen . . . Toen kon ik er ineens niet meer tegen. Ik mis haar zo erg. Alles is zo naar zonder haar. O, Danus, ze is dood en ik hield zoveel van haar. En ik heb haar nodig. Ik heb haar voortdurend nodig.'

'Dat weet ik,' zei hij.

Ze bleef maar tegen zijn schouder zitten snikken. 'Alles is zo afschuwelijk geweest. Sinds jij wegging. Zo afschuwelijk. Er was niemand . . .'

'Het spijt me . . .'

'En ik heb zoveel aan je gedacht. De hele tijd. Ik hoorde je wel roepen maar ik kon niet geloven dat je het echt was. Het was alleen maar die akelige klok. Ik dacht dat ik het me maar verbeeldde. Ik wilde zo graag dat je er was.'

Hij zei niets. Ze huilde nog steeds maar ze werd toch wat kalmer. Na een poosje liet hij haar los. Ze keek naar hem op. Er viel een lok haar over haar voorhoofd en hij schoof die naar achteren. Toen gaf hij haar zijn schone zakdoek. Hij keek teder toe terwijl ze haar ogen afveegde en luidruchtig als een kind haar neus snoot.

'Maar waar zat je toch, Danus? Wat is er gebeurd? Waarom heb je niet opgebeld?'

'We zijn gisteren in het begin van de middag pas in Edinburgh teruggekomen. Roddy wilde zo graag een dag langer blijven. Ik wilde zijn plezier niet bederven. Toen ik thuiskwam, kreeg ik je boodschap. Maar elke keer als ik probeerde op te bellen, was de telefoon hier bezet.'

'Er wordt voortdurend gebeld.'

'Ten slotte ben ik gewoon in de auto van mijn moeder gestapt en hierheen gereden.'

'Gereden,' herhaalde ze. Het duurde even voor de betekenis daarvan tot haar doordrong. 'Je hebt gereden? Zelf?'

'Ja. Ik mag weer rijden. En ik mag drinken zoveel ik wil. Alles is in orde. Ik heb geen epilepsie en ik heb het nooit gehad ook. Het was gewoon een verkeerde diagnose van die dokter in Arkansas. Ik was ziek. Ik ben een tijdje erg ziek geweest. Maar ik heb nooit epilepsie gehad.'

Even was hij bang dat ze opnieuw in tranen uit zou barsten. Maar ze sloeg alleen maar haar armen om zijn hals en trok hem zo stevig tegen zich aan dat hij bijna stikte. 'O, Danus, liefste, wat een wonder.'

Hij maakte zich zachtjes los maar hield wel haar beide handen vast. 'Maar dat is niet het eind. Het is alleen maar het begin. Een heel nieuw begin. Voor ons allebei. Want wat ik ook ga doen, ik wil dat we het samen doen. Ik heb je nog steeds niets te bieden maar laten we alsjeblieft nooit meer bij elkaar vandaan gaan.'

'O, nee. Nooit meer.' Ze huilde nu niet meer. Ze was weer zijn eigen lieve Antonia. 'We krijgen die kwekerij wel. Hoe dan ook. We vinden het geld wel ergens . . .'

'Ik wil echt niet dat je naar Londen gaat om fotomodel te worden.'

'Ik doe het ook niet, al wilde je het nog zo graag. Er moet een andere manier te vinden zijn.' Ze kreeg ineens een schitterend idee. 'Ik weet het. Ik kan de oorbellen verkopen. De oorbellen van tante Ethel. Ze zijn minstens vierduizend pond waard . . . Dat is natuurlijk nog niet zoveel, maar dan hebben we toch een beginnetje, hè? En mevrouw Keeling zou het niet erg gevonden hebben. Toen ik ze van haar kreeg, zei ze dat ik ze mocht verkopen als ik dat wilde.'

'Wil je ze niet liever houden? Als herinnering?'

'O, Danus, ik heb die oorbellen niet nodig als herinnering. Er zijn wel duizend dingen die me aan haar herinneren.'

Al die tijd was de klok blijven luiden. Nu werd het ineens stil.

Ze keken elkaar aan. 'We moeten gaan,' zei hij. 'We mogen niet te laat komen.'

Ze gingen staan. Vlug en beheerst streek ze haar haar glad. Ze voelde aan haar wangen. 'Is het te zien dat ik gehuild heb?'

'Een beetje maar. Niemand zal er iets van zeggen.'

Ze draaide zich van de spiegel af. 'Ik ben klaar,' zei ze en hij pakte haar hand en samen gingen ze de kamer uit.

Terwijl de familie naar de kerk wandelde, klonk de klok steeds luider. Alle andere geluiden uit het dorp werden erdoor overstemd. Olivia zag de auto's langs het trottoir geparkeerd staan en de kleine stroom rouwenden het pad opgaan dat tussen de oude grafstenen liep.

Ze bleef even staan om een paar woorden met meneer Bedway te wisselen en volgde toen de anderen de kerk in. Het was er erg kil na de warme zonneschijn buiten. Het was net of je in een grot kwam. Toch was het niet somber in de kerk want het meisje uit Pudley had haar werk gedaan en overal stonden voorjaarsbloemen. De kleine kerk was ook bijna helemaal vol. Dat troostte Olivia, die lege banken altijd erg deprimerend vond.

Terwijl ze over het middenpad liepen, hield het gelui van de klok ineens op. In de stilte die volgde, waren hun voetstappen op de tegels duidelijk te horen. De twee voorste banken waren leeg en ze gingen zitten. Olivia, Nancy, George en toen Noel. Dat was het moment waar Olivia bang voor geweest was, want voor hen stond de kist. Laf wendde ze haar ogen af. Ze keek om zich heen. Tussen de zee van onbekende gezichten – voornamelijk de inwoners van Temple Pudley, dacht ze, gekomen om de laatste eer te bewijzen – vond ze andere die ze al jaren kende. De Atkinsons uit Devon, Charles Enderby van Enderby, Looseby & Thring, Roger Wimbush, de portretschilder die jaren geleden als student in het vroegere atelier van Lawrence Stern in de tuin van Oakley Street gewoond had. Ze zag Lalla en Willi Friedmann, gedistingeerd als altijd, met hun bleke, beschaafde gezichten. Ze zag Louise Duchamp, heel chic in het zwart, Louise, de dochter van Charles en Chantal Rainier en een van de oudste vriendinnen van Penelope, die helemaal uit Parijs gekomen was om erbij te kunnen zijn. Louise keek op en glimlachte naar Olivia. Olivia glimlachte terug, geroerd omdat Louise van zover gekomen was en dankbaar voor haar aanwezigheid.

Nu de klok zweeg, begon de muziek de stilte van de kerk te vullen. Mevrouw Tillingham speelde als beloofd op het orgel. Het orgel van Temple Pudley was niet zo'n fraai instrument maar toch kwam de koele perfectie van *Eine kleine Nachtmusik* goed over. Mozart. Mama's favoriete componist. Wist mevrouw Tillingham dat of had ze toevallig goed geraden?

Ze zag de oude Rose Pilkington, bijna negentig maar even statig als altijd. Haar gezicht stond kalm en haar ogen leken rustig te aanvaarden wat er gebeurd was en ging gebeuren. Terwijl ze naar Rose keek, begon Olivia zich over haar eigen lafheid te schamen. Ze keek voor zich, luisterde naar de muziek en keek eindelijk naar de kist van mama. Maar de kist was amper te zien, zoveel bloemen lagen erop.

Er kwamen voetstappen over het middenpad. Olivia keek om en zag Antonia en Danus, die in de lege bank achter hen gingen zitten.

'Je hebt het gehaald.'

Antonia boog zich naar voren. Ze had weer wat kleur op haar wangen. 'Het spijt me dat we zo laat zijn,' fluisterde ze.

'Precies op tijd.'

'Olivia . . . dit is Danus.'

Olivia glimlachte. 'Dat weet ik,' zei ze.

Ver boven hun hoofd sloeg de torenklok drie uur.

Toen de dienst bijna voorbij was, kondigde dominee Tillingham het gezang aan. Iedereen ging staan.

Voor alle heiligen in de heerlijkheid
die U beleden in hun aardse strijd,
zij Uw naam lof, o Jezus, te allen tijd!

Halleluja, halleluja!

De dorpelingen van Temple Pudley kenden de melodie en hun stemmen rezen galmend op in het gebouw. Het was misschien niet het meest geschikte gezang voor een begrafenis maar Olivia had het gekozen omdat het het enige was waarvan ze wist dat mama er echt van gehouden had. Ze moest goed onthouden wat mama allemaal fijn gevonden had, niet alleen mooie muziek en mensen te logeren hebben en bloemen kweken en opbellen voor een lang gesprek als je daar het meest behoefte aan had. Maar ook andere dingen – lachen en geestkracht en verdraagzaamheid en liefde. Olivia besefte dat ze al die dingen niet uit haar leven moest laten verdwijnen omdat mama er niet meer was. Want als ze dat deed, schrompelde de zachtere kant van haar persoonlijkheid helemaal weg en bleven alleen haar intelligentie en haar prestatiedrang over. Ze had nooit de veiligheid van een huwelijk overwogen maar ze had mannen nodig – zo niet als minnaar dan toch als vriend. Om liefde te ontvangen moest ze een vrouw blijven die bereid was te geven, anders eindigde ze nog als een verbitterde, eenzame oude dame met een scherpe tong en zonder één echte vriend in de hele wereld.

Maar de eerste maanden zouden niet gemakkelijk zijn. Zolang mama leefde, was zij nog een klein beetje een kind gebleven, bemind en bewonderd. Misschien werd je pas echt volwassen als je moeder stierf.

Gij waart hun rots, hun burg en al hun macht;
Gij, Heer, hun loods en licht in storm en nacht;

Ze zong mee. Hard. Niet omdat ze zo'n krachtige stem had, maar omdat het haar moed gaf. Ze was net een kind dat in het donker ging fluiten.

Gij hebt Uw pelgrims veilig thuisgebracht.
Halleluja, halleluja!

Nancy barstte in tranen uit. De hele dienst door had ze zich in weten te houden maar nu werd alles haar te veel. De anderen zouden haar luidruchtige gesnik wel pijnlijk vinden maar ze kon er niets aan doen. Ze snoot alleen af en toe haar neus. Ze was bijna door de papieren zakdoekjes heen die ze uit voorzorg in haar tas had gedaan.

Meer dan wat ook wilde ze dat ze moeder nog een keer had kunnen zien – of in elk geval kunnen spreken – na dat afschuwelijke laatste telefoongesprek toen moeder uit Cornwall had opgebeld om hun allemaal prettige paasdagen te wensen. Maar moeder had heel vreemd gedaan en sommige dingen konden ongetwijfeld beter gezegd worden. Maar ten slotte had moeder het gesprek afgebroken en voor Nancy de tijd of de gelegenheid had gekregen alles weer goed te maken, was moeder overleden.

Nancy voelde zich niet schuldig. Maar als ze midden in de nacht wakker werd, voelde ze zich vreemd alleen in het donker en dan moest ze huilen. Ze huilde nu ook. Het kon haar niet schelen wie het zag of hoorde. Ze was bedroefd en schaamde zich daar niet voor. Ze deed geen moeite om haar tranen in te houden en ze stroomden over haar wangen en verlichtten haar onbewuste schuldgevoel.

Maak al Uw strijders in dit aards gevecht
moeder als hen wier pleit reeds werd beslecht
tot aan de tijd die Gij hebt toegezegd.

Halleluja, halleluja!

Noel zong niet mee. Hij had zelfs zijn gezangboek niet opengedaan. Hij stond roerloos aan het eind van de bank met zijn ene hand in zijn zak en zijn andere op de houten afscheiding voor hem. Aan zijn knappe gezicht was onmogelijk te zien wat hij dacht.

Hun is de prijs, de lauwerkrans, de kroon,
toch zijn wij één, zij zingend voor de troon,

Achter in de kerk zong mevrouw Plackett van harte mee. Het was een fijne dienst. Muziek, bloemen en nu een opwekkend gezang . . . precies wat mevrouw Keeling mooi gevonden zou hebben. En een goede opkomst ook. Het hele dorp was er. De Sawcombes en meneer en mevrouw Hodgkins uit het café. Meneer Kitson van de bank en Tom Hadley die de kranten verkocht, en nog tientallen anderen. En de familie hield zich goed, behalve die mevrouw Chamberlain dan, die zo hard zat te snikken dat iedereen het kon horen. Mevrouw Plackett hield daar niet van. Een mens moest zich niet zo laten gaan, vond ze. Dat was een van de redenen waarom ze het zo goed met mevrouw Keeling had kunnen vinden. Ze zou haar vreselijk missen. Mevrouw Plackett keek om zich heen in de volle kerk en begon in gedachten te rekenen. Hoeveel zouden er thee komen drinken? Veertig? Vijfenveertig misschien. Met een beetje geluk had haar man eraan gedacht het water op te zetten.

wij in de wereld, wachtend op Gods Zoon.
Halleluja, halleluja!

Ze hoopte dat er genoeg vruchtencake zou zijn.

HOOFDSTUK 15

De heer Enderby

Tegen kwart voor vijf waren de laatste gasten vertrokken. Toen Olivia de laatste auto de weg op zag draaien, draaide ze zich opgelucht om om weer naar binnen te gaan. In de keuken was iedereen druk bezig. Meneer Plackett en Danus, die het laatste half uur bezig waren geweest met het regelen van het verkeer en met pogingen een aantal onhandig geparkeerde auto's ruimte te bezorgen om weg te rijden, waren nu mevrouw Plackett en Antonia aan het helpen met opruimen en afwassen. Mevrouw Plackett stond voor de gootsteen met haar armen tot de ellebogen in het sop. Meneer Plackett stond behulpzaam als altijd naast haar en droogde de zilveren theepot af. De afwasmachine stond aan. Danus kwam net door de deur met nog een blad kop-en-schotels en Antonia haalde de stofzuiger uit de kast.

Olivia voelde zich overbodig en wist niet goed wat ze moest gaan doen. 'Wat moet ik doen?' vroeg ze aan mevrouw Plackett.

'Niets.' Mevrouw Plackett draaide zich niet om. Haar rode handen zetten met de snelheid van een lopende band schotels op het rek. 'Vele handen maken licht werk, zeg ik altijd maar.'

'Het is allemaal geweldig gegaan. En er is geen kruimel van uw vruchtencake over.'

Maar mevrouw Plackett had geen tijd en zin om te praten. 'Waarom gaat u niet in de zitkamer zitten om een beetje uit te rusten? Mevrouw Chamberlain en uw broer en die andere meneer zijn daar ook. Nog tien minuten en de eetkamer is op orde en klaar voor die bespreking van u.'

Dat was een uitstekend idee en Olivia had er geen enkel bezwaar tegen. Ze was erg moe en had pijn in haar rug van het staan. Terwijl ze door de hal liep, dacht ze eraan de trap op te glippen, een heet bad te nemen en dan naar bed te gaan om te genieten van koele lakens, zachte kussens en een spannend boek. Later, beloofde ze zichzelf. De dag was nog niet om. Later.

In de zitkamer, die alweer helemaal opgeruimd was, hadden Noel, Nancy en meneer Enderby het zich gemakkelijk gemaakt. Nancy en meneer Enderby zaten aan weerszijden van de haard maar Noel stond op zijn gewone plaats met zijn rug naar het vuur en zijn schouders tegen de schoorsteenmantel. Toen Olivia binnenkwam, stond meneer Enderby op. Hij was nog geen vijfenveertig maar met zijn kale hoofd, zijn bril zonder montuur en zijn degelijke kleren leek hij veel ouder. Toch had hij een gemakkelijke, ontspannen manier van doen en in de loop van de middag had Olivia gezien hoe hij zich aan de andere gasten voorstelde, theekopjes volschonk en broodjes en cake presenteerde. Hij had ook een poosje met Danus gepraat en dat was prettig omdat Nancy en Noel hem volkomen negeerden. Die vakantie in Cornwall op mama's kosten in dat dure hotel konden ze kennelijk nog steeds niet verkroppen.

'Het spijt me, meneer Enderby, ik ben bang dat we een beetje later moeten beginnen.' Ze liet zich dankbaar op de bank zakken en meneer Enderby ging ook weer zitten.

'Dat geeft niet. Ik heb geen haast.'

Uit de eetkamer kwam het geluid van de stofzuiger. 'Ze ruimen de boel even op en dan kunnen we in de eetkamer gaan zitten voor onze bespreking. Hoe staat het met jou, Noel? Geen dringende afspraak in Londen?'

'Vanavond niet.'

'En Nancy? Heb jij geen haast?'

'Nou, nee. Maar ik moet wel de kinderen halen en ik heb beloofd dat het niet al te laat zou worden.' Nancy, die in de kerk flink had zitten snotteren, had zich nu weer hersteld en zag er zelfs heel opgewekt uit. Misschien omdat ze haar hoed had afgezet. George was al weg. Hij had op het kerkhof al afscheid genomen en Nancy had hem nageroepen dat hij voorzichtig moest rijden en dat hij de aartsdiaken de groeten van haar moest doen. Hij had het allebei beloofd. 'En ik hoop voor donker thuis te zijn. Ik rij niet graag alleen in het donker.'

Het geluid van de stofzuiger hield op. Even later ging de deur open. Het hoofd van mevrouw Plackett, met haar begrafenishoed nog op, keek om de hoek.

'Het is gebeurd, miss Keeling.'

'Dank u wel, mevrouw Plackett.'

'Als u het niet erg vindt, gaan mijn man en ik nu naar huis.'

'Dat is prima. En ik weet niet hoe ik u moet bedanken.'

'Graag gedaan. Tot morgen dan.'

Ze vertrok. Nancy fronste haar voorhoofd. 'Morgen is het zondag. Waarom komt ze dan?'

'Ze komt me helpen met mama's kamer.' Olivia stond op. 'Zullen we dan maar?'

Ze liep naar de eetkamer. Alles zag er keurig uit en er lag een groen laken op tafel.

Noel trok zijn wenkbrauwen op. 'Het lijkt wel een vergadering van

451

het hoofdbestuur.' Niemand zei daar iets op. Ze gingen zitten, meneer Enderby aan het hoofd van de tafel en Noel en Olivia ieder aan een kant van hem. Nancy nam de stoel naast Noel. Meneer Enderby deed zijn diplomatentas open en haalde er een stapel papieren uit die hij voor zich op tafel legde. Het was allemaal erg formeel en hij had de leiding. Ze wachtten tot hij begon.

Hij schraapte zijn keel. 'Om te beginnen ben ik erg blij dat u allemaal na de begrafenis van uw moeder hebt willen blijven. Ik hoop dat dat niet lastig voor u is geweest. Het is natuurlijk niet strikt noodzakelijk het hele testament letterlijk voor te lezen maar het leek me een goede gelegenheid om u te laten weten wat uw moeder met haar bezit wilde doen en zo nodig enkele punten nader toe te lichten. Nu . . .' Meneer Enderby pakte een lange enveloppe tussen de papieren uit en haalde er een dik, opgevouwen document uit. Hij vouwde het open en legde het op tafel. Olivia zag dat Noel zijn ogen afwendde en zijn vingernagels bekeek, alsof hij goed wilde laten zien dat hij niet als een spiekende schooljongen zat te gluren.

Meneer Enderby zette zijn bril recht. 'Dit is het testament van Penelope Sophie Keeling, geboren Stern, gedateerd 8 juli 1980.' Hij keek op. 'Als u het goedvindt, zal ik het niet woordelijk voorlezen maar er een samenvatting van geven.' Ze knikten alle drie instemmend. Hij vervolgde: 'Om te beginnen zijn er twee legaten buiten de familie. Voor mevrouw Florence Plackett hier in Pudley tweeduizend pond en voor mevrouw Doris Penberth in Cornwall vijfduizend pond.'

'Wat geweldig,' zei Nancy, die het eens een keer eens was met de edelmoedigheid van haar moeder. 'Mevrouw Plackett heeft haar altijd zo goed geholpen. Ik zou niet weten wat moeder zonder haar had moeten beginnen.'

'En Doris ook,' zei Olivia. 'Doris was mama's dierbaarste vriendin. Ze hebben samen de oorlog doorgemaakt.'

'Ik geloof,' zei meneer Enderby, 'dat ik mevrouw Plackett ontmoet heb maar mevrouw Penberth was er volgens mij niet bij vandaag.'

'Nee. Ze kon niet komen. Ze heeft opgebeld om het uit te leggen. Haar man was ziek en ze vond dat ze hem niet alleen kon laten. Maar ze was erg onder de indruk.'

'In dat geval zal ik beide dames schrijven om hun te laten weten dat ze een legaat gekregen hebben.' Hij maakte een aantekening. 'En dan komen we nu aan de aangelegenheden van de familie toe.' Noel leunde achterover op zijn stoel, voelde in zijn borstzak en haalde zijn zilveren pen te voorschijn. Hij begon daarmee te spelen. 'Om te beginnen zijn er bepaalde meubelstukken die ze voor ieder van u heeft bestemd. Voor Nancy de antieke toilettafel. Voor Olivia het bureau in de zitkamer, dat van de vader van mevrouw Keeling is geweest. En voor Noel de eetkamertafel met de acht stoelen. En daar zitten we nu op, neem ik aan.'

Nancy wendde zich tot haar broer. 'Waar wil je die zetten in dat flatje van je? Je kunt je er amper bewegen.'

'Misschien koop ik wel een andere flat.'

'Die moet dan wel een eetkamer hebben.'

'Ja,' zei hij kort. 'Gaat u alstublieft door, meneer Enderby.'

Maar Nancy was nog niet klaar. 'Is dat alles?'

'Ik begrijp u niet, mevrouw Chamberlain.'

'Ik bedoel . . . en haar sieraden?'

Daar hebben we de poppen aan het dansen, dacht Olivia. 'Mama had geen sieraden, Nancy. Ze heeft haar ringen jaren geleden al verkocht om de schulden van vader te betalen.'

Nancy ergerde zich zoals altijd als Olivia met die harde stem over die lieve, dode pappie sprak. Ze hoefde niet zo bot te doen, ze hoefde zulke dingen niet te zeggen waar meneer Enderby bij was.

'En de oorbellen van tante Ethel dan? Die zijn minstens vier- of vijfduizend pond waard. Worden die niet genoemd?'

'Die had ze al weggegeven,' zei Olivia. 'Aan Antonia.'

Het bleef even stil. Toen zei Noel, die zijn elleboog op tafel zette en zijn vingers wanhopig door zijn haar liet gaan: 'O, lieve God.' Over het groene laken keken Olivia en Nancy elkaar aan. Nancy's blauwe ogen stonden woedend. Er kwam een blos op haar wangen. Eindelijk zei ze iets. 'Dat kan toch niet waar zijn?'

'Ik ben bang' – de stem van meneer Enderby klonk afgemeten – 'dat het wel waar is. Mevrouw Keeling heeft de oorbellen aan Antonia gegeven toen ze samen in Cornwall waren. Ze heeft me dat verteld toen ze in Londen bij me is geweest, de dag voor haar overlijden. Ze wilde beslist niet dat daar moeilijkheden over kwamen.'

'Hoe wist jij dat?' vroeg Nancy aan Olivia.

'Omdat ze het me geschreven heeft.'

'Ze hadden naar Melanie moeten gaan.'

'Nancy, Antonia is erg goed voor mama geweest en mama was erg dol op haar. Antonia heeft de laatste weken van haar leven erg gelukkig gemaakt. En ze is met haar naar Cornwall gegaan en heeft haar gezelschap gehouden, wat wij geen van drieën wilden.'

'Bedoel je soms dat we haar daar dankbaar voor moeten zijn? Als je het mij vraagt, is het net andersom . . .'

'Antonia is ook dankbaar.'

De woordenwisseling, die eindeloos door had kunnen gaan, werd beëindigd door meneer Enderby, die nog eens discreet zijn keel schraapte. Nancy zweeg beledigd en Olivia slaakte een zucht van verlichting. Voorlopig hadden ze het gehad maar ze was er behoorlijk zeker van dat het lot van de oorbellen van tante Ethel nog vaak ter sprake zou komen.

'Het spijt me, meneer Enderby. We houden u op. Gaat u alstublieft verder.'

Hij wierp haar een dankbare blik toe en ging door. 'Nu komen we aan de rest van haar bezittingen toe. Toen mevrouw Keeling dit testament maakte, zei ze duidelijk dat ze niet wilde dat er moeilijkheden tussen u drieën over zouden kunnen komen. We besloten daarom dat alles verkocht zou worden en dat u ieder een gelijk deel van de opbrengst zou krijgen. Daarom was het noodzakelijk dat er bewindvoerders benoemd werden en overeengekomen werd dat Enderby, Looseby & Thring die taak op zich zouden nemen. Is dat duidelijk en aanvaardbaar? Goed. Overigens gaan natuurlijk eerst eventuele schulden, belastingen en begrafeniskosten er nog af.'

Noel haalde zijn agenda uit zijn zak en zocht een leeg blaadje op. 'Misschien kunnen we een ruwe schatting maken, meneer Enderby.'

'Goed. Om te beginnen is er het huis. Podmore's Thatch is met de grond en alles naar schatting zo'n tweehonderdvijftigduizend waard. Uw moeder heeft er nog niet de helft voor betaald maar dat was vijf jaar geleden en de waarde van de huizen is sindsdien enorm gestegen. We zitten hier ook niet al te ver van Londen, zodat het aantrekkelijk zou kunnen zijn voor iemand die daar werkt. Over de inboedel kan ik niet zoveel zeggen. Tienduizend pond misschien? Dan is er nog het aandelenpakket van mevrouw Keeling, dat op het ogenblik ongeveer twintigduizend waard is.'

Noel floot even. 'Zoveel? Daar had ik geen idee van.'

'Ik ook niet,' zei Nancy. 'Waar komt al dat geld vandaan?'

'Van wat er over was van de verkoop van het huis in Oakley Street. Zorgvuldig belegd na de aankoop van Podmore's Thatch.'

'O, ik begrijp het.'

'En haar bankrekening?' Noel had alle bedragen opgeschreven en zat kennelijk te popelen om ze op te tellen tot een enorm eindbedrag.

'Daar staat op het ogenblik heel wat op omdat ze juist honderdduizend pond ontvangen had uit de verkoop van de twee panelen van haar vader, Lawrence Stern. Er moet natuurlijk nog wel belasting over betaald worden.'

'Maar dan nog . . .' Noel telde vlug op. 'Dat komt op meer dan driehonderdvijftigduizend.' Niemand gaf commentaar op dat duizelingwekkende bedrag. Het bleef stil terwijl hij de dop op zijn pen draaide, die op tafel legde en achterover leunde. 'Al met al geen slecht totaal, meisjes.'

'Ik ben blij dat u tevreden bent,' zei meneer Enderby droog.

'Dat is het dus.' Noel rekte zich eens goed uit en deed of hij wilde gaan staan. 'Zal ik iets te drinken voor ons halen? U whisky, meneer Enderby?'

'Graag. Maar nu nog niet. Ik ben bang dat we nog niet helemaal klaar zijn.'

Noel fronste zijn voorhoofd. 'Maar wat hebben we dan verder nog te bespreken?'

'Er is nog een codicil, gedateerd op 30 april 1984.'

Olivia dacht terug. 'Dat was maandag. De dag voor ze overleed.'

'Precies.'

'Ze is speciaal naar Londen gegaan om u te spreken, meneer Enderby?'

'Dat geloof ik wel.'

'Voor dat codicil?'

'Ja.'

'Misschien kunt u ons beter vertellen wat de inhoud ervan is.'

'Dat zal ik zo doen, miss Keeling. Maar eerst wil ik nog opmerken dat het door mevrouw Keeling zelf geschreven is en door haar ondertekend in aanwezigheid van twee van onze medewerkers. Nu dan, ze heeft aan Danus Muirfield veertien ruwe olieverfschetsen van belangrijke werken van haar vader uit de periode 1890 tot 1910 nagelaten.' Meneer Enderby begon de titels op te lezen. '*De terrazzotuin, Pandora*...'

De schetsen. Noel had vermoed dat ze er waren en daar met Olivia over gesproken. Hij had er in het huis van zijn moeder naar gezocht maar niets gevonden. Over de tafel heen keek Olivia haar broer aan. Hij zat daar roerloos en was heel bleek geworden. Ze vroeg zich af hoe lang hij zich stil kon houden voor hij woedend begon te protesteren.

'*De waterdraagsters, De liefdesbrief*...'

Waar waren ze al die jaren geweest? Wie had ze in zijn bezit gehad? Waar waren ze vandaan gekomen?

'... *De lentegeest, Amoretta's tuin*...'

Noel hield het niet langer uit. 'Waar waren ze?' Zijn stem klonk hees van woede. Meneer Enderby bleef bewonderenswaardig kalm. Hij had waarschijnlijk zo'n uitbarsting verwacht. Over zijn bril heen keek hij Noel aan. 'Misschien wilt u me uit laten spreken, meneer Keeling, en dan zal ik het uitleggen.'

Er volgde een onbehaaglijke stilte. 'Gaat u door.'

Zonder haast vervolgde meneer Enderby: '*De zeegod, De witte rozen* en *De schuilplaats*. Deze werken zijn op het ogenblik onder de hoede van de heer Roy Brookner van Boothby maar worden zo spoedig mogelijk in New York op de veiling gebracht. Als ze bij haar dood nog niet verkocht waren, gingen ze naar Danus Muirfield om ermee

455

te doen wat hij wilde, verkopen of niet.' Meneer Enderby leunde achterover op zijn stoel en wachtte op commentaar.

'Waar waren ze?'

Niemand zei iets. De sfeer was akelig gespannen geworden. En toen herhaalde Noel zijn vraag: 'Waar waren ze?'

'Uw moeder heeft ze jarenlang verborgen gehouden tegen de achterkant van de kleerkast in haar slaapkamer. Ze had er behang overheen geplakt zodat ze niet gevonden konden worden.'

'Ze wilde niet dat wij wisten dat ze er waren?'

'Ik geloof niet dat ze daarbij aan haar kinderen gedacht heeft. Ze heeft ze verborgen voor haar echtgenoot. Ze had de schetsen in het vroegere atelier van haar vader in Oakley Street gevonden. In die tijd waren er bepaalde financiële problemen en ze wilde niet dat de schetsen verkocht werden om aan wat geld te komen.'

'Wanneer zijn ze weer te voorschijn gekomen?'

'Ze had de heer Brookner gevraagd naar Podmore's Thatch te komen om twee andere werken van uw grootvader te taxeren en eventueel te verkopen. Toen heeft ze hem ook de schetsen laten zien.'

'En wanneer hebt u voor het eerst van het bestaan ervan gehoord?'

'Mevrouw Keeling heeft me het hele verhaal verteld toen ze het codicil opstelde. De dag voor haar overlijden. Mevrouw Chamberlain, wilde u nog iets zeggen?'

'Ja. Ik begrijp geen woord van wat u zegt. Ik weet niet waar u het over hebt. Niemand heeft me ooit iets over die schetsen verteld en dit is de eerste keer dat ik er iets over hoor. En waar is al die drukte over? Waarom schijnt Noel ze zo belangrijk te vinden?'

'Ze zijn belangrijk,' legde Noel haar zuchtend uit, 'want ze zijn waardevol.'

'Schetsen? Ik dacht dat dat dingen waren die je weggooide.'

'Niet als je je verstand bij elkaar hebt.'

'Nou, wat zijn ze dan waard?'

'Vier- of vijfduizend per stuk. En er zijn er veertien. Veertien!' herhaalde hij. Hij schreeuwde Nancy het woord toe, alsof ze doof was. 'Reken dat maar eens uit, als je dat tenminste kunt, wat ik betwijfel.'

Olivia had het sommetje in gedachten al gemaakt. Zeventigduizend. Hoewel Noel zich afschuwelijk gedroeg, had ze toch een beetje met hem te doen. Hij was er zo zeker van geweest dat ze er waren, ergens in Podmore's Thatch. Hij had zelfs een lange, regenachtige zaterdag op zolder doorgebracht, zogenaamd om de rommel van zijn moeder op te ruimen maar in werkelijkheid om de schetsen te zoeken. Ze vroeg zich af of Penelope begrepen had waarom hij zo ijverig was en zo ja, waarom ze dan niets gezegd had. Het antwoord was waarschijnlijk dat Noel precies zijn vader was en Penelope hem niet volledig vertrouwd had. En dus had ze niets gezegd maar ze aan meneer Brookner meegegeven en uiteindelijk de dag voor haar dood besloten ze aan Danus na te laten.

Maar waarom?

'Meneer Enderby . . .' Het was voor het eerst dat ze wat zei sinds hij over het codicil begonnen was en de heer Enderby leek opgelucht dat hij haar rustige stem hoorde. Hij gaf haar zijn volle aandacht. '. . . heeft ze niet gezegd waarom ze de schetsen aan Danus Muirfield na wilde laten? Ik bedoel' – ze koos haar woorden met zorg omdat ze niet de indruk wilde wekken dat ze bezwaar maakte – '. . . het waren kennelijk heel bijzondere, persoonlijke bezittingen . . . en ze heeft hem maar zo kort gekend.'

'Ik kan die vraag niet beantwoorden omdat ik het antwoord niet ken. Maar ze was kennelijk erg op hem gesteld en ik denk dat ze hem wilde helpen. Ik geloof dat hij een eigen bedrijfje wil beginnen en het kapitaal goed kan gebruiken.'

'Kunnen we het betwisten?' vroeg Noel.

Olivia keek hem aan. 'We betwisten niets,' zei ze kortaf. 'Ook als het volgens de wet mogelijk is, wil ik er niets mee te maken hebben.'

Nancy, die in gedachten verwoed had zitten rekenen, mengde zich nu weer in het gesprek. 'Maar vijf keer veertien is zeventig. Bedoelt u dat die jongen zeventigduizend pond krijgt?'

'Als hij de schetsen verkoopt, mevrouw Chamberlain, ja.'

'Maar dat is vreselijk oneerlijk. Ze kende hem amper. Hij was haar tuinman.' Nancy had niet veel tijd nodig om hevig opgewonden te raken. 'Het is ongehoord. Ik had wel gelijk over hem. Ik heb altijd gezegd dat hij griezelig veel invloed op moeder had. Dat heb ik nog door de telefoon tegen jou gezegd, hè, Noel? Toen ik je vertelde dat ze *De schelpenzoekers* weggegeven had. De oorbellen van tante Ethel weggegeven. En nu dit nog. Het is het toppunt. Alles zomaar weggegeven. Ze moet niet goed bij haar hoofd geweest zijn. Ze was ziek geweest en haar verstand was aangetast. Een andere verklaring is er niet. Er moet iets zijn dat we kunnen doen.'

Noel was het eens een keer met Nancy eens. 'Ik ben in elk geval niet van plan dit allemaal over mijn kant te laten gaan . . .'

'. . . ze was kennelijk niet meer bij haar volle verstand . . .'

'. . . er staat te veel op het spel . . .'

'. . . gewoon geprofiteerd van . . .'

Olivia kon het niet langer verdragen. 'Houd op. Houd je mond.' Ze zei het rustig maar met een beheerste woede die de redactie van *Venus* in de loop der jaren had leren vrezen en respecteren. Noel en Nancy hadden die stem echter nog nooit gehoord. Ze staarden haar verbaasd aan maar zeiden niets meer. Toen nam Olivia het woord.

'Ik wil hier niets meer over horen. Het is allemaal gebeurd. Mama is dood. We hebben haar vandaag begraven. Dat zou je niet zeggen als je jullie tekeer hoort gaan als een paar schurftige honden. Jullie denken er alleen maar aan wat jullie in de wacht kunnen slepen. En dat weten we nu omdat meneer Enderby het ons verteld heeft. En mama was nog bij haar volle verstand, ze was de intelligentste vrouw die ik ooit gekend heb. Ze was misschien erg gul maar ze wist wat ze deed. Ze was praktisch. Ze dacht vooruit. Hoe had ze het anders al die jaren klaar kunnen spelen toen ze amper een penny te besteden had en met een man zat die liefst alles vergokte? Ik voor mij ben meer dan tevreden en ik vind dat jullie dat ook moesten zijn. Ze heeft ons allemaal een geweldige jeugd gegeven en nu ze dood is, heeft ze ons behoorlijk wat nagelaten. Wat de oorbellen betreft' – ze keek Nancy koel beschuldigend aan – 'als ze wilde dat Antonia die kreeg, en niet Melanie of jij, dan weet ik zeker dat ze daar een goede reden voor gehad heeft.' Nancy sloeg haar ogen neer. Ze haalde een pluisje van de mouw van haar jasje. 'En als Danus de schetsen krijgt, en niet Noel, dan weet ik zeker dat ze daar ook een goede reden voor heeft gehad.' Noel deed zijn mond open maar veranderde toen van gedachten en deed hem ook weer dicht zonder iets te zeggen. 'Ze heeft haar eigen testament gemaakt. Ze heeft gedaan wat ze wilde doen. En dat is het enige dat er iets toe doet en niemand hoeft daar nog een woord over te zeggen.'

Ze zei het allemaal zonder enige stemverheffing. In de onbehaaglijke stilte die volgde, wachtte ze op bezwaren van Noel of Nancy tegen de uitbrander die ze hun gegeven had. Noel schoof heen en weer op zijn stoel. Olivia wierp hem een vernietigende blik toe. Ze zette zich al schrap maar hij scheen niets te zeggen te hebben. Met een gebaar dat, duidelijker dan woorden hadden kunnen doen, toegaf dat hij verslagen was, wreef hij over zijn ogen. Toen streek hij zijn donkere haar glad. Hij trok zijn schouders naar achteren en voelde aan zijn zwarte, zijden das. Hij had zijn zelfbeheersing weer terug. Hij speelde het zelfs klaar een wat zure glimlach op zijn gezicht te brengen. 'Na die kleine uitbarsting hebben we wel een opkikkertje verdiend,' zei hij tegen het gezelschap in het algemeen. Hij stond op. 'Voor u whisky, meneer Enderby?'

En zo maakte hij rustig een eind aan de bespreking. De spanning was gebroken. Meneer Enderby was duidelijk opgelucht en zei dat hij graag whisky wilde. Hij begon zijn papieren bij elkaar te halen en in zijn diplomatentas te doen. Nancy mompelde dat ze haar neus moest gaan poederen, raapte de flarden van haar waardigheid bij elkaar, pakte haar handtas en ging de kamer uit. Noel ging op zoek naar ijs achter haar aan. Olivia en meneer Enderby bleven samen achter.

'Het spijt me,' zei ze.

'Waarom? Het was een geweldige toespraak.'

'U denkt niet dat mama niet meer wist wat ze deed, hè?'

'Geen moment.'

'U hebt vanmiddag met Danus gepraat. Leek hij u een onbetrouwbare figuur?'

'Beslist niet. Ik vond hem juist erg integer.'

'Maar toch zou ik graag willen weten waarom ze hem zoveel heeft nagelaten.'

'Ik denk niet dat we dat ooit zullen weten, miss Keeling.'

Ze aanvaardde dat. 'Wanneer vertelt u het hem?'

'Wanneer er maar een geschikt moment te vinden is.'

'Zou u het nu willen doen?'

'Ja, als ik hem tenminste onder vier ogen zou kunnen spreken.'

Olivia glimlachte. 'Als Noel en Nancy weg zijn, bedoelt u.'

'Misschien kan ik beter tot dan wachten.'

'Komt u dan niet erg laat thuis?'

'Ik zou mijn vrouw kunnen bellen.'

'Natuurlijk. Ik wil dat Danus het zo gauw mogelijk te horen krijgt, want hij komt morgen waarschijnlijk weer hier en dan zou het nogal moeilijk zijn als ik het wist en hij nog niet.'

'Dat begrijp ik.'

Noel kwam met de ijsemmer terug. 'Olivia,' zei hij, 'er ligt een briefje voor je op de keukentafel. Danus en Antonia zijn naar het dorp om wat te drinken. Ze komen om half zeven terug.'

Het klonk heel natuurlijk. Voor het eerst sprak hij zonder wrok of boosaardigheid over hen. En onder de gegeven omstandigheden was dat geruststellend. 'Kunt u zo lang wachten?' vroeg Olivia aan meneer Enderby.

'Natuurlijk.'

'Dat is fijn. U hebt wel eindeloos veel geduld met ons.'

'Dat hoort bij mijn werk, miss Keeling. Dat hoort bij mijn werk.'

Nadat ze een poosje boven geweest was om haar haar te kammen, haar neus te poederen en weer een beetje tot zichzelf te komen, kwam Nancy de eetkamer weer in. Ze zei dat ze naar huis ging.

Olivia was verbaasd. 'Blijf je niet even wat drinken?'

'Nee. Liever niet. Ik moet nog een eind rijden. Ik wil geen ongelukken. Tot ziens, meneer Enderby, en bedankt voor uw hulp. Blijft u toch zitten. Tot kijk, Noel. Goede reis terug naar Londen. Blijf zitten, Olivia. Ik laat mezelf wel uit.'

Maar Olivia zette haar glas neer en liep met haar zuster mee. Buiten was het een stuk koeler geworden. In het westen was de lucht lichtrood gekleurd. Een zachte wind bewoog de toppen van de bomen en van de heuvel kwam het geluid van blatende schapen.

Nancy keek om zich heen. 'We hebben het wel getroffen met het weer. Het is allemaal erg goed gegaan, Olivia. Je had het uitstekend geregeld.'

Ze deed kennelijk erg haar best om een beetje vriendelijk te zijn.

'Dank je,' zei Olivia.

'Je moet het er erg druk mee gehad hebben.'

'Ja. Er was heel wat te organiseren. En er zijn nog een paar dingen over. Een steen voor mama's graf. Maar daar kunnen we het later wel eens over hebben.'

Nancy stapte in haar auto. 'Wanneer ga je weer naar Londen?'

'Morgenavond. Ik moet maandagochtend weer beginnen.'

'Je hoort nog wel van me.'

'Ja.' Olivia aarzelde even. Toen herinnerde ze zich haar goede voornemens van die middag. Mama had haar kinderen nooit zonder afscheidskus laten weggaan. Ze boog zich door het open raampje van de auto en kuste Nancy op haar wang. 'Rij voorzichtig,' zei ze en toen voegde ze er onbekommerd aan toe: 'Doe George en de kinderen de groeten van me.'

Binnen waren de beide mannen weer in de zitkamer gaan zitten. Noel had de gordijnen dichtgetrokken en het vuur opgerakeld, maar toen hij zijn whiskysoda op had, keek hij op zijn horloge. Hij stond op en zei dat het zijn tijd werd. Meneer Enderby vond dit een goed moment om zijn vrouw te gaan bellen en Olivia liep met Noel mee naar de voordeur.

'Ik heb het gevoel dat ik de hele dag alleen maar mensen uitgelaten heb,' zei ze.

'Je zult wel moe zijn. Je moet maar vroeg in bed kruipen.'

'We zullen allemaal wel moe zijn. Het is een lange dag geweest.' Het werd kouder. Ze huiverde en sloeg haar armen over elkaar. 'Het spijt me dat het zo gegaan is, Noel. Het zou fijn voor je geweest zijn als jij de schetsen gekregen had. God mag weten dat je hard genoeg gewerkt hebt toen je ernaar zocht. Maar er is niets aan te doen. En je moet toegeven dat er genoeg voor ons overblijft. Dit huis brengt een bom duiten op. Dus blijf nu niet op vermeend onrecht zitten broeden. Daar word je alleen maar bitter van.'

Hij glimlachte, zij het zonder veel vreugde.

'Het valt niet mee die pil te moeten slikken maar er schijnt geen andere mogelijkheid te zijn. En toch zou ik wel eens willen weten waarom ze nooit iets over die schetsen gezegd heeft, het bestaan ervan nooit genoemd heeft. En waarom heeft ze ze aan die jongen nagelaten?'

Olivia haalde haar schouders op. 'Omdat ze dol op hem was? Omdat ze met hem te doen had? Omdat ze hem wilde helpen?'

'Er moet meer achter zitten.'

'Misschien wel,' gaf ze toe. Ze gaf hem zijn afscheidskus. 'Maar ik denk niet dat we ooit zullen ontdekken wat dat is.'

Hij stapte in de Jaguar en reed weg en Olivia bleef staan wachten tot het harde geluid van de kapotte uitlaat in de stilte van de avond was weggestorven en niet meer te horen was. De landelijke geluiden keerden terug – het geblaat van de schapen, het ruisen van de wind in de bomen, het geblaf van een hond. Ze hoorde kwieke voetstappen naderen, en jonge stemmen. Danus en Antonia die terugkwamen uit het dorp. Toen ze door het hek kwamen, zag ze dat Danus zijn arm om Antonia's schouders had geslagen. Antonia had een vuurrode sjaal om haar hals en er lag een blos op haar wangen. Ze keek op en zag dat Olivia op hen stond te wachten.

'Olivia. Waarom sta je daar zo alleen?'

'Noel is net vertrokken. Ik hoorde jullie aankomen. Fijn gewandeld?'

'We zijn alleen maar wat wezen drinken. Ik hoop dat je het niet erg vindt. Ik was nog nooit in het café geweest. Het is er zo leuk. Een echt ouderwets sfeertje en Danus heeft darts gespeeld met de postbode.'

'Heb je gewonnen?' vroeg Olivia.

'Nee. Het ging hopeloos. Ik moest hem een biertje geven.'

Ze gingen met elkaar weer naar binnen. In de warme keuken deed Antonia haar sjaal af. 'Zijn de familiezaken afgehandeld?'

'Ja. En Nancy is ook al weg. Maar meneer Enderby is er nog.' Ze keek Danus aan. 'Hij wil je graag even spreken.'

Danus leek dat heel vreemd te vinden. 'Mij?'

'Ja. Hij is in de zitkamer. Misschien kun je hem beter niet te lang laten wachten want de arme man wil natuurlijk naar huis.'

'Maar wat zou hij mij nu te zeggen kunnen hebben?'

'Ik heb geen idee,' jokte Olivia. 'Waarom ga je niet meteen naar hem toe. Des te eerder weet je het.'

Met een verbijsterde blik in zijn ogen deed hij wat ze zei. De deur ging achter hem dicht.

'Waarom wil hij Danus in vredesnaam spreken?' Antonia keek erg bezorgd. 'Het zal toch niets naars zijn?'

Olivia leunde tegen de keukentafel. 'Nee, dat denk ik niet.' Antonia leek echter niet overtuigd. Olivia begon vastberaden over wat anders. 'Wat eten we vanavond? Blijft Danus ook?'

'Als je het niet erg vindt.'

'Natuurlijk niet. Hij kan ook wel blijven slapen. We vinden wel ergens een bed voor hem.'

'O, dat zou fijn zijn. Hij is in geen twee weken thuis geweest en het is er natuurlijk erg kil en ongezellig.'

'Wat is er in Edinburgh gebeurd? Is hij weer gezond verklaard?'
'Ja. Alles is in orde, Olivia. Hij heeft nooit epilepsie gehad.'
'Dat is geweldig nieuws.'
'Ja. Het lijkt wel een wonder.'
'Hij betekent een heleboel voor je, hè?'
'Ja.'
'En jij voor hem, geloof ik.'
Antonia knikte stralend.
'Wat zijn jullie plannen?'
'Hij wil een eigen kwekerij beginnen. En ik ga hem helpen. We doen het samen.'
'En zijn baan bij Autogarden?'
'Hij gaat maandag weer aan het werk en zegt met een maand op. Ze zijn zo inschikkelijk geweest, met al die tijd die hij vrij moest hebben. Hij vindt dat hij die maand in elk geval nog moet blijven.'
'En dan?'
'Dan gaan we kijken of we iets kunnen huren of kopen. In Somerset misschien. Of in Devon. Maar ik meende wat ik zei toen ik aanbood hier te blijven en we gaan niet weg voor Podmore's Thatch verkocht is en de meubelen weg zijn. Ik kan het aan mensen laten zien, zoals ik al zei, en Danus kan voor de tuin zorgen.'
'Wat een verschrikkelijk goed idee. Maar dan moet hij hier ook maar blijven slapen. Ik vind het een veel prettiger idee als ik weet dat hij hier is en je niet alleen zit. En hij kan mama's auto gebruiken en jij houdt me op de hoogte als er mensen komen kijken. En ik houd mevrouw Plackett ook aan, als ze wil, tot het huis verkocht is. Ze kan alles eens goed schoonmaken en jou gezelschap houden als Danus in de tuin van andere mensen aan de gang is.' Ze glimlachte alsof ze het allemaal zelf bedacht had. 'Dat is dan goed geregeld.'
'Nog één ding. Ik ga niet terug naar Londen.'
'Dat had ik al begrepen.'
'Het is zo lief van je dat je me wilt helpen, maar ik zou toch niet deugen als fotomodel. Ik ben veel te verlegen.'
'Je hebt waarschijnlijk gelijk. Je zult je veel gelukkiger voelen met een paar laarzen aan en met vieze nagels van de modder.' Ze lachten.
'Je bènt gelukkig, hè, Antonia?'
'Ja. Gelukkiger dan ik ooit had kunnen denken. Het is een vreemde dag geweest. Vreselijk gelukkig en afschuwelijk triest. Maar ik denk dat je moeder het wel begrepen had. Ik zag zo tegen de begrafenis op. De enige andere die ik meegemaakt had, was die van Cosmo en toen was alles zo ontzettend dat ik dacht dat ik er niet nog een kon verdragen. Maar vanmiddag was alles heel anders. Het leek eigenlijk meer een soort feest.'

'Dat wilde ik ook. Zo had ik het geregeld. En nu . . .' Olivia geeuwde. '. . . is het gelukkig allemaal voorbij.'

'Je ziet er moe uit.'

'Je bent al de tweede die dat vanavond tegen me zegt. Dat betekent meestal dat ik er oud uitzie.'

'Je ziet er helemaal niet oud uit. Ga naar boven en neem een bad. Je hoeft je niet druk te maken over het eten. Daar zorg ik wel voor. Er is nog wat soep en er staan lamskarbonades in de koelkast. Ik kan je wel een blad boven brengen, dan kun je in bed eten.'

'Zo oud en moe ben ik nog niet.' Olivia liet de tafel los en boog haar pijnlijke rug. 'Maar ik ga wel een bad nemen. Als meneer Enderby weggaat voor ik beneden ben, wil je me dan verontschuldigen?'

'Natuurlijk.'

'En zeg dat ik wel contact met hem op zal nemen.'

Toen Danus en meneer Enderby vijf minuten later de keuken inkwamen, stond Antonia wortels te schrappen. Ze keek hen glimlachend aan en verwachtte dat ze nu te horen zou krijgen waar ze over gesproken hadden. Maar ze zeiden niets en met zoveel mannelijke eensgezindheid geconfronteerd, durfde ze niets te vragen. Ze bracht alleen Olivia's boodschap aan meneer Enderby over.

'Ze is nogal moe en is naar boven gegaan om een bad te nemen. Ik moest haar bij u verontschuldigen en ze hoopt dat u het begrijpt.'

'Maar natuurlijk.'

'Ze zegt dat ze contact met u op zal nemen.'

'Bedankt. En nu moet ik gaan. Mijn vrouw wacht met het eten op me.' Hij bracht zijn diplomatentas over naar zijn linkerhand. 'Tot ziens, Antonia.'

'O . . .' Haastig veegde Antonia haar hand aan haar schort af. 'Tot ziens, meneer Enderby.'

'En veel succes.'

'Dank u.'

Hij verdween, met Danus achter hem aan. Antonia keerde terug naar haar worteltjes maar ze had haar gedachten niet bij haar werk. Waarom had hij haar succes gewenst en wat was er in vredesnaam aan de hand? Danus had er niet bepaald teleurgesteld uitgezien, dus misschien was het wel iets prettigs. Misschien had meneer Enderby Danus wel zo aardig gevonden dat hij aangeboden had hem te helpen aan geld te komen voor de kwekerij. Het leek niet zo waarschijnlijk maar waarom had hij hem anders willen spreken?

Ze hoorde de auto van meneer Enderby wegrijden. Ze hield op met schrappen en bleef met het mes in haar ene en de wortel in haar andere hand staan wachten tot Danus terugkwam.

'Wat zei hij?' vroeg ze zodra ze hem weer zag. 'Waarom wilde hij je spreken?'

Danus trok het mes en de wortels uit haar handen en legde ze op het aanrecht. Toen nam hij haar in zijn armen.

'Ik moet je wat vertellen.'

'En dat is?'

'Je hoeft de oorbellen van tante Ethel niet te verkopen.'

'Joehoe!'

'Mevrouw Plackett?'

'Waar bent u?'

'Boven, in mama's slaapkamer.'

Mevrouw Plackett besteeg de trap.

'Bent u al begonnen?'

'Nog niet echt. Ik zit alleen maar te denken hoe we het het beste aan kunnen pakken. Ik geloof niet dat we iets hoeven te bewaren. Al haar kleren waren zo oud en bijzonder dat ik me niet kan voorstellen dat iemand ze zou willen hebben. We vullen gewoon een paar vuilniszakken en geven ze met de vuilnisman mee.'

'Mevrouw Tillingham heeft volgende maand een bazaar. Voor het orgelfonds.'

'Nou. We zullen zien. U moet maar beslissen. Misschien kunt u nu de kleerkast leeghalen, dan begin ik met het ladenkastje.'

Mevrouw Plackett ging aan de slag. Ze gooide de deuren van de kleerkast wijd open en begon er stapels versleten maar dierbare kledingstukken uit te halen. Terwijl ze ze op het bed legde, wendde Olivia haar blik af. Het leek niet netjes er alleen maar naar te kijken. Ze had tegen dit trieste karweitje opgezien en het scheen nog akeliger te worden dan ze verwacht had. Aangemoedigd door de nuchtere aanwezigheid van mevrouw Plackett, knielde ze voor het ladenkastje neer. Truien en vesten, vaak gestopt op de elleboog. Een witte omslagdoek. Een marineblauwe trui die mama altijd droeg als ze in de tuin aan het werk was.

'Wat gaat er met het huis gebeuren?' informeerde mevrouw Plackett.

'Het wordt verkocht. Mama wilde het zo en niemand van ons wil hier toch gaan wonen. Maar voorlopig blijven Antonia en Danus hier om het aan mensen te laten zien en voor alles te zorgen tot het verkocht is. Als dat gebeurt, moeten we de meubelen zien kwijt te raken.'

'Antonia en Danus?' Mevrouw Plackett verwerkte even voor zichzelf wat dat inhield. 'Dat is fijn.'

'En dan gaan ze daarna op zoek naar een stuk grond. Ze willen samen een kwekerij beginnen.'

'Ze schijnen het eens te zijn,' zei mevrouw Plackett. 'Waar zijn ze trouwens? Ze waren nergens te zien beneden.'

'Ze zijn naar de kerk.'

'Ja?'

'Dat klinkt goedkeurend, mevrouw Plackett.'

'Het is altijd fijn als jonge mensen naar de kerk gaan. Dat maak je tegenwoordig niet vaak meer mee. En ik ben blij dat ze elkaar gevonden hebben. Ze passen prima bij elkaar, dat vond ik meteen al. Ze zijn natuurlijk nog wel jong maar ze schijnen te weten wat ze willen. Wat doen we hiermee?'

Olivia keek op. Mama's oude cape. Er kwam ineens een herinnering bij haar op. Mama en Antonia die samen op het vliegveld van Ibiza aankwamen. Mama had deze cape gedragen en Antonia had zich in de armen van Cosmo geworpen. Het leek allemaal verschrikkelijk lang geleden.

'Die is te goed om weg te gooien,' zei ze. 'Geef die maar aan de bazaar.'

Maar mevrouw Plackett leek daar niet veel voor te voelen. 'Zo dik en warm als wat. Gaat nog jaren mee.'

'Neemt u hem dan maar. Lekker voor op de fiets.'

'Dat is heel vriendelijk van u, miss Keeling. Ik wil hem graag hebben.' Ze legde hem over een stoel. 'Elke keer als ik hem draag, zal ik aan uw moeder denken.'

Een volgende la. Ondergoed, nachtjaponnen, maillots, ceintuurs, sjaals. Een sjaal van Chinese zijde met lange franje en met rode pioenrozen erop geborduurd. Een zwartkanten mantilla.

De kleerkast was bijna leeg. Mevrouw Plackett voelde helemaal achterin. 'Kijk nou eens!' Ze hield een jurk op, jeugdig en krap, van goedkoop, slap goed. Een rode jurk met witte madeliefjes erop, met een vierkante hals en dikke schoudervullingen. 'Die heb ik nog nooit gezien.'

'Ik ook niet. Ik vraag me af waarom mama die bewaard heeft. Misschien uit de oorlog. Gooi maar weg, mevrouw Plackett.'

De bovenste la. Crèmes en lotions, nagelvijltjes, oude parfumflesjes, een doos met poeder, een poederdonsje. Een snoer glazen kralen in de kleur van barnsteen. Oorbellen. Waardeloze prullen.

En toen de schoenen. Al haar schoenen. Schoenen waren het ergste, persoonlijker dan wat ook. Olivia begon steeds vlugger te werken. De vuilniszakken puilden uit.

Eindelijk was het gebeurd. Mevrouw Plackett bond de zakken dicht en ze brachten ze samen de trap af naar buiten.

'De vuilnisman komt morgenochtend. Dan bent u ze kwijt.'

Terug in de keuken trok mevrouw Plackett haar jas aan.

'Ik kan u niet genoeg bedanken, mevrouw Plackett.' Olivia keek toe terwijl mevrouw Plackett haar cape zorgvuldig opvouwde en in een draagtas deed. 'Ik was er alleen niet toe in staat geweest.'

'Ik ben erg blij dat ik heb kunnen helpen. Nou, dan ga ik maar. Mijn man wat te eten geven. Een goede reis terug naar Londen, miss Keeling, en zorg goed voor uzelf. Probeer een beetje rustig aan te doen. Het is een druk weekend geweest.'

'U hoort nog wel van me, mevrouw Plackett.'

'Goed. En kom nog eens langs. Ik zou het niet leuk vinden als ik u nooit meer zag.'

Ze besteeg haar fiets en reed weg. Ze zat fier rechtop en de draagtas hing aan haar stuur.

Olivia ging weer de trap op naar mama's slaapkamer. Van alle persoonlijke bezittingen ontdaan, zag die er ongelofelijk leeg uit. Binnenkort werd Podmore's Thatch verkocht en dan werd dit de kamer van iemand anders. Er kwamen andere meubelen, andere kleren, andere geuren, andere stemmen, ander gelach. Ze ging op het bed zitten en zag door het raam de frisse, groene bladeren van de bloeiende kastanje. Ergens in de takken ervan verborgen zat een lijster te zingen.

Ze keek om zich heen. Ze zag het nachtkastje met de witte, porseleinen lamp met het perkamenten kapje. Er zat een laatje in het kastje, dat had ze nog niet leeggehaald. Ze trok het open en vond een buisje aspirine, een knoop, een stompje potlood, een oude agenda. En achterin een boek.

Ze haalde het eruit. Een dun boekje met een blauwe band. Gedichten van Louis MacNeice. Er zat een dikke bladwijzer in en het viel vanzelf op die plaats open. Daar vond ze de opgevouwen brief. En een foto.

Er stond een man op. Ze keek er even naar en legde hem toen opzij. Ze begon de brief open te vouwen maar toen viel haar oog op het gedicht op de openliggende bladzij. *September* . . . De woorden waren niet nieuw voor haar. Toen ze in Oxford studeerde, had Olivia Mac-Neice ontdekt en alles verslonden wat hij ooit geschreven had. Maar na al die jaren voelde ze zich weer net zo getroffen als toen ze het gedicht voor het eerst las. Ze las het nog eens en legde het boek toen neer. Wat had het voor mama betekend? Ze pakte de foto weer op.

Een man. In uniform maar blootshoofds. Hij draaide zich glimlachend om naar de fotograaf en er hing een touw over zijn schouder. Zijn haar zat in de war en in de verte was de horizon van de zee te zien. Een man. Onbekend maar toch ook weer vreemd bekend. Olivia fronste haar voorhoofd. Leek hij op iemand? Deed hij haar aan iemand denken? Maar aan wie?

Maar natuurlijk. Danus Muirfield. Niet het gezicht of de ogen. Andere dingen. De vorm van het hoofd, de opgeheven kin. De onverwachte warmte van zijn glimlach.

Danus.

Was deze man dan het antwoord op de vraag die noch meneer Enderby, noch Noel, noch Olivia zelf had kunnen beantwoorden?

Nieuwsgierig pakte ze de brief weer op. Ze vouwde het dunne papier open.

Ergens in Engeland

20 mei 1944

Mijn liefste Penelope,

De laatste weken ben ik er wel tien keer voor gaan zitten om je te schrijven. Steeds kwam ik niet verder dan de eerste vier regels en dan kwam er weer een telefoontje of er klopte iemand op de deur of ik werd dringend weggeroepen.

Maar eindelijk is er in dit akelige oord een ogenblik gekomen dat ik er betrekkelijk zeker van kan zijn dat ik een uur met rust gelaten zal worden. Je brieven zijn allemaal veilig aangekomen en ik geniet er voortdurend van. Ik neem ze als een verliefde schooljongen overal mee naar toe en ik lees ze steeds maar weer opnieuw. Als ik niet bij je kan zijn dan kan ik toch in elk geval naar je stem luisteren.

Ze was er zich erg van bewust dat ze alleen was. Het huis om haar heen was leeg en stil. Mama's kamer was stil. De rust werd slechts verstoord door het zachte geritsel van het papier. De wereld en het heden waren vergeten. Olivia was bezig met het verleden, mama's verleden, waar ze tot dan toe geen idee van had gehad.

Er is altijd de mogelijkheid dat Ambrose zich als een heer zal gedragen en de schuld op zich zal nemen. . . . Het is alleen maar belangrijk dat we bij elkaar kunnen zijn en uiteindelijk – hopelijk na niet al te veel tijd – trouwen. De oorlog is op een dag voorbij. . . . Ik weet dat het allemaal erg ver weg lijkt. Er ligt een moeilijke weg voor ons, vol hindernissen die we een voor een moeten overwinnen. Maar een lange reis begint met de eerste stap en het kan geen kwaad eerst eens goed over een expeditie na te denken.

Ze legde de bladzij neer en begon aan de volgende.

. . . Om de een of andere reden ben ik niet bang dat ik de oorlog niet zal overleven. De dood, de laatste vijand, lijkt nog ver weg. En ik kan

467

mezelf er niet toe brengen te geloven dat het lot ons wel bij elkaar heeft gebracht maar ons niet bij elkaar wil laten.

Maar hij was toch gesneuveld. Alleen de dood had zo'n liefde kunnen beëindigen. Hij was gesneuveld en was nooit bij mama teruggekomen en er was niets van al zijn toekomstplannen terechtgekomen. Er was voor eeuwig een eind aan gemaakt door een kogel of een granaat. Hij was gesneuveld en zij was gewoon doorgegaan. Ze was teruggegaan naar Ambrose en had zich zonder wroeging of bitterheid en zonder het minste zelfbeklag door de rest van haar leven heen gevochten. En haar kinderen hadden het nooit geweten. Nooit vermoed. Niemand had het ooit geweten. Om de een of andere reden leek dat nog het ergste. U had over hem moeten praten, mama. U had het me moeten vertellen. Ik zou het begrepen hebben. Ik zou hebben willen luisteren. Ze ontdekte tot haar verbazing dat er tranen in haar ogen stonden. Die tranen liepen nu over haar wangen omlaag en dat was een vreemd onbekend gevoel, alsof het iemand anders overkwam en niet haarzelf. En toch huilde ze om haar moeder. Ik wilde dat u er was. Nu. Ik wil met u praten. Ik heb u nodig.

Misschien was het goed dat ze nu huilde. Ze had nog niet eerder om mama gehuild maar nu deed ze het wel. Ze was alleen en er was niemand die om haar zwakheid kon lachen. Het was net of de taaie, intimiderende miss Keeling, de hoofdredactrice van *Venus*, niet bestond. Ze was weer een schoolmeisje dat dat grote souterrain in Oakley Street binnenkwam en 'Mama!' riep en wist dat mama er was om antwoord te geven. En terwijl ze huilde, brak het pantser dat ze om zich heen had opgebouwd in stukken. Zonder dat pantser had ze de eerste dagen in een koude wereld zonder mama niet door kunnen komen. Maar nu maakte haar verdriet haar weer menselijk en werd ze weer zichzelf.

Toen ze weer een beetje bijgekomen was, pakte ze de laatste bladzij van de brief en las het slot.

. . . Ik wilde dat ik bij jullie was en met jullie mee kon lachen en een handje kon helpen in wat ik als mijn tweede thuis ben gaan beschouwen. Het was allemaal erg fijn. En fijne dingen die je meemaakt, gaan in dit leven nooit echt verloren. Ze blijven een deel van jezelf. Dus gaat een deel van jou altijd met me mee. En een deel van mij is voor altijd van jou. Veel liefs, mijn schat.

Richard

Richard. Ze sprak de naam hardop uit. *Een deel van mij is voor altijd van jou.* Ze vouwde de brief op en legde hem weer met de foto tussen de bladzijden van de dichtbundel. Ze deed het boek dicht en ging achterover op het bed liggen. Ze keek naar het plafond en dacht, nu weet ik alles. Maar ze wist ook dat dat niet zo was en dat ze het wel graag allemaal precies wilde weten. Hoe ze elkaar hadden leren kennen, hoe hij in haar leven was gekomen, hoe ze zoveel van elkaar waren gaan houden, hoe hij gesneuveld was.

Maar wie kon dat weten? Er was er maar één, Doris Penberth. Doris en mama hadden de hele oorlog in hetzelfde huis gewoond. Ze hadden waarschijnlijk geen geheimen voor elkaar gehad. Opgewonden begon Olivia plannen te maken. Ze ging een keer naar Cornwall, misschien begin september, dan had ze het nooit zo druk. Ze zou Doris eerst schrijven om haar bezoek aan te kondigen. Dan vroeg Doris haar waarschijnlijk wel te logeren. En dan zou Doris over Penelope beginnen en Olivia zou voorzichtig iets over Richard zeggen en dan vertelde Doris haar alles. Maar ze zouden niet alleen maar praten. Doris zou Olivia Porthkerris laten zien, en alle plaatsen die een deel van mama's leven waren geweest en die Olivia niet kende. En ze zou haar meenemen naar het huis waar mama gewoond had en naar de kleine kunstgalerij die Lawrence Stern mee had opgericht en dan zou Olivia *De schelpenzoekers* nog eens zien.

Ze dacht aan de veertien schetsen die Lawrence Stern rond de eeuwwisseling gemaakt had en die nu van Danus waren. Ze dacht aan Noel, de vorige avond bij hun afscheid.

Waarom heeft ze ze aan die jongen nagelaten?

Omdat ze dol op hem was? Omdat ze met hem te doen had? Omdat ze hem wilde helpen?

Er moet meer achter zitten.

Misschien wel. Maar ik denk niet dat we ooit zullen ontdekken wat dat is.

Ze had zich vergist. Mama had de schetsen om een aantal redenen aan Danus nagelaten. Noel had haar met zijn eindeloze gedram tot het uiterste gedreven maar in Danus had ze iemand gevonden die het waard was geholpen te worden. Toen ze in Porthkerris waren, had ze zijn liefde voor Antonia zien groeien en begrepen dat hij uiteindelijk met het meisje zou trouwen. Ze wilde hen graag helpen. Maar bovenal had Danus haar aan Richard herinnerd. De gelijkenis moest haar meteen zijn opgevallen toen ze hem voor het eerst zag. Misschien had ze wel het gevoel gehad dat ze door middel van Danus en Antonia een soort tweede kans op geluk kreeg aangeboden. In elk geval hadden ze haar laatste weken bijzonder gelukkig gemaakt en daar had ze hen op haar gebruikelijke uitbundige manier voor bedankt.

Olivia keek op haar horloge. Het was bijna twaalf uur. Zo meteen kwamen Danus en Antonia uit de kerk. Ze kwam overeind en ging voor het laatst het raam dichtdoen. Ze bleef voor de spiegel staan om te zien of haar gezicht er niet behuild uitzag. Toen pakte ze het boek met de brief en de foto en ging de kamer uit. Ze deed de deur achter zich dicht. Beneden in de verlaten keuken pakte ze de zware, ijzeren pook en lichtte daarmee het deksel van het fornuis op. De hitte die eruit opsteeg, schroeide haar wangen en ze liet mama's geheim tussen de gloeiende kolen vallen en keek toe terwijl het verbrandde.

Het duurde maar een paar seconden en toen was het voorgoed verdwenen.

HOOFDSTUK 16

Miss Keeling

Het was half juni en de zomer had zijn hoogtepunt bereikt. De belofte van het warme, vroege voorjaar was in vervulling gegaan en het hele land koesterde zich in een hittegolf. Olivia genoot van de warmte en de zonovergoten straten van Londen, van de vele toeristen die licht gekleed rondwandelden, van gestreepte parasols op het trottoir voor de cafés, van paartjes die in de schaduw van de bomen in het park in elkaars armen lagen. Alles werkte mee om je het gevoel te geven dat je voorgoed in het buitenland woonde. Haar vitaliteit was weer helemaal terug. Ze was weer de dynamische miss Keeling en *Venus* eiste al haar aandacht op.

Ze was dankbaar voor de genezende invloed van bevredigend werk dat haar helemaal in beslag nam en had de familie en alles wat er gebeurd was, voorlopig met plezier uit haar gedachten gebannen. Sinds de begrafenis van Penelope had ze Nancy of Noel geen enkele keer gezien hoewel ze hen af en toe aan de telefoon had gehad. Podmore's Thatch was bijna meteen verkocht voor een bedrag waar zelfs Noel niet van had durven dromen. Toen dat was afgehandeld en de inboedel geveild was, waren Danus en Antonia vertrokken. Danus had mama's oude Volvo gekocht en daar hadden ze hun weinige bezittingen in geladen en ze waren naar het zuidwesten van het land gereden om een plekje te zoeken waar ze een eigen kwekerijtje konden beginnen. Ze hadden Olivia opgebeld om afscheid te nemen maar dat was nu een maand geleden en sindsdien had ze niets meer van hen gehoord.

Nu zat ze op een dinsdagochtend aan haar bureau. Er was pas een nieuwe moderedactrice in dienst gekomen en Olivia las haar eerste artikel. *Vergeet uzelf niet bij uw accessoires.* Dat was leuk gezegd. *Uw ogen en uw huid zijn belangrijker dan sjaals, oorbellen en hoeden . . .*

De intercom zoemde. Zonder op te kijken drukte Olivia op het knopje. 'Ja?'

'Miss Keeling,' zei haar secretaresse, 'er is telefoon van buiten voor u. Antonia is aan de lijn. Wilt u haar spreken?'

Antonia. Olivia aarzelde even. Antonia was uit haar leven verdwenen en had zich ergens in het zuidwesten opgesloten. Waarom moest ze nu ineens opbellen? Waar wilde ze over praten? Olivia had er een hekel aan gestoord te worden. En wat een tijd om op te bellen. Ze zuchtte, zette haar bril af en leunde achterover in haar stoel. 'Goed, geef haar maar.' Ze pakte de telefoon.

'Olivia?' De bekende, jonge stem.

'Waar ben je?'

'In Londen. Olivia, ik weet dat je het vreselijk druk hebt, maar zouden we vandaag kunnen lunchen?'

'Vandaag?' Olivia kon haar ergernis niet verbergen. Ze had die dag nog verscheidene afspraken en ze was van plan geweest tussen de middag door te werken. 'Daar kom je wel laat mee.'

'Dat weet ik en het spijt me maar het is echt heel belangrijk. Zeg alsjeblieft dat je het doet.'

Haar stem klonk dringend. Wat was er in vredesnaam gebeurd? Met tegenzin pakte Olivia haar agenda. Een afspraak om half twaalf en dan een om twee uur. Die eerste hoefde niet langer dan een uur te duren en . . .

'O, Olivia, alsjeblieft.'

Met tegenzin gaf ze toe. 'Goed. Maar ik heb niet zoveel tijd. Ik moet om twee uur weer hier zijn.'

'Je bent een schat.'

'Waar spreken we af?'

'Zeg het maar.'

'*L'Escargot* dan.'

'Ik zal een tafel bespreken.'

'Nee, daar zorg ik voor.' Olivia had geen zin om ergens in de buurt van de keukendeur te moeten zitten. 'Ik laat het mijn secretaresse wel doen. Eén uur en niet te laat komen.'

'Ik zal er zijn . . .'

'Antonia, waar is Danus?'

Maar Antonia had al opgehangen.

De taxi werkte zich langzaam door het verkeer van het lunchuur en de overvolle, zomerse straten. Olivia maakte zich een beetje ongerust. Antonia's stem had zo opgewonden geklonken en Olivia was er niet helemaal zeker van hoe ze ontvangen zou worden. Ze stelde zich hun weerzien voor. Ze zag zichzelf *l'Escargot* binnengaan, waar Antonia al op haar zat te wachten. Antonia had haar bekende versleten spijkerbroek en katoenen blouse aan en leek niet thuis te horen in dat dure trefpunt van zakenlui die alles op de onkostenrekening zetten. Wat kon zo belangrijk zijn dat ze een uur van Olivia's kostbare dag had opgeëist en zich niet had laten afschepen? Het was moeilijk te geloven dat er misschien iets verkeerd gegaan was voor Danus en Antonia, maar het was altijd beter je op het ergste voor te bereiden. Er kwamen verschillende mogelijkheden bij Olivia op. Ze hadden geen stuk grond kunnen vinden waar ze hun kool konden planten en Antonia wilde nu een ander plan bespreken. Ze hadden wel een stuk grond gevonden maar het huis dat erbij hoorde, stond hun niet aan en ze wilden dat Olivia naar Devon reisde, het bekeek en haar mening gaf. Antonia was in verwachting. Of misschien hadden ze ontdekt dat ze uiteindelijk toch niet zoveel gemeen hadden en hun toekomst niet met elkaar wilden delen, en hadden ze besloten uit elkaar te gaan.

Olivia schrok van de gedachte en bad dat dat in elk geval niet zo mocht zijn.

De taxi stopte voor het restaurant. Ze stapte uit, betaalde de chauffeur en ging door de deur naar binnen. Binnen was het even warm en druk als altijd. Het rook er ook als altijd naar heerlijk eten, verse koffie en dure sigaren. De welvarende zakenlui waren er en aan een klein tafeltje zat ook Antonia. Maar ze was niet alleen want Danus zat naast haar en Olivia herkende hen nauwelijks. Want ze droegen niet hun gewone, gemakkelijke kleren maar waren piekfijn gekleed. Antonia had haar glanzende haar opgestoken en ze had de oorbellen van tante Ethel in en droeg een verrukkelijke, blauwe jurk met grote, witte bloemen. En Danus had een donkergrijs pak aan dat hem zo goed paste dat Noel Keeling er jaloers op had kunnen zijn. Ze zagen er geweldig uit, jong, rijk en gelukkig. Ze waren mooi.

Ze zagen Olivia meteen en stonden op om haar te begroeten.

'O, Olivia . . .'

Olivia probeerde haar verbazing niet al te duidelijk te laten merken. Ze kuste Antonia en wendde zich tot Danus. 'Dat is een verrassing. Om de een of andere reden had ik niet gedacht dat jullie samen zouden zijn.'

Antonia lachte. 'Dat wilde ik je ook niet laten denken. Ik wilde dat het een verrassing was.'

'Wat?'

'Dat we vanochtend getrouwd zijn. Daarom was het zo belangrijk dat je kwam.'

Danus was gastheer. Hij had champagne besteld en de fles stond al in een emmer met ijs te wachten. Voor één keer week Olivia af van haar gewoonte tussen de middag niet te drinken en ze hief haar glas en toostte op hun geluk.

Ze hadden heel wat te vertellen.

'Wanneer zijn jullie in Londen aangekomen?'

'Gisterochtend. We hebben vannacht in een hotel gelogeerd dat bijna even deftig is als Hotel Sands. En vanmiddag stappen we in de

auto en dan rijden we naar Edinburgh om een paar dagen bij Danus'
vader en moeder door te brengen.'

'En de schetsen?' vroeg Olivia aan Danus.

'We zijn gistermiddag bij meneer Brookner geweest. Dat was de
eerste keer dat we hem ontmoetten.'

'Verkoop je ze?'

'Ja. Ze gaan volgende maand naar New York en worden daar begin
augustus geveild. Dertien ervan tenminste. We houden *De terrazzotuin*. We hadden het gevoel dat we er toch eentje moesten houden.'

'Natuurlijk. En hoe staat het met de kwekerij? Hebben jullie al wat
gevonden?'

Ze vertelden. Na veel zoeken hadden ze in Devon gevonden wat ze
zochten. Een behoorlijk stuk grond, het vroegere park van een groot
huis. Danus had een bod gedaan en dat was geaccepteerd.

'Dat is geweldig! En waar gaan jullie wonen?'

O, er hoorde ook een klein, verwaarloosd huisje bij. 'Maar omdat
het zo vervallen is, was het niet duur en we konden het ons veroorloven.'

'En hoe betaal je alles tot de schetsen verkocht zijn?'

'We hebben een overbruggingskrediet van de bank gekregen. En
om geld uit te sparen gaan we het huis zo veel mogelijk zelf opknappen.'

'En waar wonen jullie tot het huis klaar is?'

'We hebben een caravan gehuurd.' Antonia kon haar opwinding
nauwelijks verbergen. 'En Danus heeft een cultivator gekocht en we
gaan eerst een heleboel aardappelen poten om de grond schoon te
maken. En daarna kunnen we echt beginnen. En ik ga kippen en
eenden houden en de eieren verkopen . . .'

'Hoe ver is het van de bewoonde wereld af?'

'Het is maar een kilometer of vijf van een klein marktstadje en daar
gaan we onze produkten verkopen. En bloemen en planten ook. En
potplanten. O, Olivia, ik zou je alles meteen wel willen laten zien. Als
het huis klaar is, kom je dan logeren?'

Olivia aarzelde even. Ze had al drie glazen champagne op en ze
wilde niet iets beloven waar ze later spijt van zou krijgen.

'Is het er warm?'

'We leggen centrale verwarming aan.'

'En is er behoorlijk sanitair? Ik ben niet zo gecharmeerd van een
privaat ergens achter in de tuin.'

'Nee, we beloven je dat je niet de tuin in hoeft.'

'En is er op alle uren van de dag kokendheet badwater?'

'Beslist.'

'En hebben jullie een logeerkamer? Die ik niet hoef te delen met een menselijk wezen, een kat, een hond of een kip?'

'Je krijgt hem helemaal alleen.'

'En die logeerkamer heeft een hangkast zonder de ouderwetse avondjaponnen en mottige bontjassen van iemand anders maar mèt vierentwintig gloednieuwe kleerhangers?'

'Allemaal bekleed.'

'In dat geval kunnen jullie beter opschieten,' zei Olivia. 'Want ik kom.'

Later stonden ze in de warme zonneschijn op het trottoir te wachten op de taxi die Olivia terug zou brengen naar haar kantoor.

'Het was erg gezellig. Tot ziens, Antonia.' Ze sloegen hun armen om elkaar heen en kusten elkaar innig.

'O, Olivia . . . bedankt voor alles. Maar het meest bedankt omdat je vandaag gekomen bent.'

'Ik zou jullie moeten bedanken voor de uitnodiging. Ik heb in jaren niet zo'n fijne verrassing of zo'n heerlijke lunch gehad. Ik betwijfel of ik na al die champagne vanmiddag veel verstandigs kan zeggen.'

De taxi stopte. Olivia wendde zich tot Danus. 'Tot ziens, beste jongen.' Hij kuste haar op beide wangen. 'Zorg goed voor Antonia. En veel geluk.'

Hij deed het portier van de taxi voor haar open en ze stapte in. Hij sloeg het portier achter haar dicht. '*Venus*,' zei ze kort tegen de chauffeur en terwijl de taxi wegreed, zwaaide ze uitbundig door het achterraampje. Antonia en Danus zwaaiden terug en Antonia wierp haar kushandjes toe en toen draaiden ze zich om en liepen hand in hand bij Olivia vandaan.

Met een zucht van voldoening ging ze recht zitten. Alles was goed afgelopen voor Antonia en Danus. En mama had hen niet verkeerd beoordeeld want ze waren het waard dat ze aangemoedigd en geholpen werden. Nu moesten ze het zelf verder zien klaar te spelen, met hun bouwvallige huisje en hun cultivator en hun kippen en toekomstplannen en hun geweldige, onwankelbare optimisme.

En de kinderen van Penelope? Wat zouden zij met hun fortuin doen? Nancy zou zichzelf waarschijnlijk een beetje verwennen. Ze zou misschien een Range Rover kopen om op te scheppen tegenover haar vriendinnen. Maar verder zou ze alles gebruiken voor de dure opvoeding van Melanie en Rupert. En die zouden haar uiteindelijk niet dankbaar zijn en er waarschijnlijk evenmin van opknappen.

Ze dacht aan Noel. Noel had nog dezelfde baan maar zodra hij het geld in handen had, zou hij voor zichzelf beginnen en in zaken gaan. Daar kwam natuurlijk niets van terecht en dan zou hij ten slotte waarschijnlijk met een rijk maar lelijk meisje met goede relaties trouwen, dat aan zijn voeten zou liggen en dat hij niet trouw zou zijn. Olivia merkte dat ze glimlachte. Het was een onmogelijke kerel maar hij was per slot van rekening haar broer en in haar hart wenste ze hem het beste.

Wat haarzelf betreft, waren er geen vraagtekens. Olivia zou mama's geld verstandig beleggen, met het oog op haar oude dag. Ze stelde zich voor hoe ze over twintig jaar zou zijn – alleen, ongetrouwd, in hetzelfde huis op Ranfurly Road. Maar onafhankelijk en zelfs in goeden doen. In staat zich dezelfde betrekkelijke luxe van altijd te veroorloven. Naar de schouwburg en naar concerten te gaan, haar vrienden te ontvangen, haar vakanties in het buitenland door te brengen. Misschien nam ze dan voor de gezelligheid een hondje. En ze ging in Devon bij Danus en Antonia Muirfield logeren. En als zij in Londen waren, met het stel kinderen dat ze ongetwijfeld kregen, kwamen ze bij Olivia op bezoek en dan liet zij die kinderen haar favoriete musea zien en ze nam hen mee naar het ballet en de pantomime. Ze werd een lieve tante voor hen. Nee, geen tante, een lieve oma. Dan was het net of ze kleinkinderen had. En dat waren ook de kleinkinderen van Cosmo, ontdekte ze. Vreemd! Alsof allerlei losse draden bij elkaar kwamen en ineengevlochten verder gingen, de toekomst in.

De taxi stopte. Ze keek naar buiten en zag met enige verbazing dat ze al voor het gebouw van *Venus* stonden.

Ze stapte uit en betaalde de chauffeur. 'Houd de rest maar.'

'O. Bedankt, meid.'

De portier hield de deur voor haar open.

'Een mooie dag, miss Keeling.'

Ze bleef even staan en gaf hem een ongewoon stralende glimlach.

'Ja,' zei ze. 'Een bijzonder mooie dag.'

Ze ging naar binnen. Haar koninkrijk, haar wereld in.